Gerhard Helbig · Joachim Buscha
Deutsche Übungsgrammatik

Gerhard Helbig · Joachim Buscha

Deutsche Übungsgrammatik

VEB Verlag Enzyklopädie Leipzig

Helbig, Gerhard:
Deutsche Übungsgrammatik/Gerhard Helbig;
Joachim Buscha. — 4., neubearb. Aufl. — Leipzig:
Verlag Enzyklopädie, 1987. — 379 S.
                                    ISBN 3-324-00379-2
NE: 2.Verf.:

ISBN 3-324-00379-2

4., neubearbeitete Auflage
© VEB Verlag Enzyklopädie Leipzig, 1987
Verlagslizenz Nr. 434 130/130/87
Printed in the German Democratic Republic
Gesamtherstellung:
Karl-Marx-Werk, Graphischer Großbetrieb, Pößneck V 15/30
Einbandgestaltung: Hans-Jörg Sittauer, Leipzig
LSV 0814
Best.-Nr.: 578 182 4
01140

Systematische Inhaltsübersicht

Vorwort

Die vorliegende „Deutsche Übungsgrammatik" setzt die grammatische Beschreibung, wie sie in der „Deutschen Grammatik. Ein Handbuch für den Ausländerunterricht" und danach in der „Kurzen deutschen Grammatik für Ausländer" vorgenommen worden ist, in Übungen um, die direkt im Sprachunterricht für Ausländer eingesetzt werden können. Damit wird nicht nur einem Erfordernis der Praxis Rechnung getragen, sondern zugleich auch eine noch bestehende Lücke im Angebot der Lehrmaterialien auf dem Gebiet „Deutsch als Fremdsprache" geschlossen.

Die „Deutsche Übungsgrammatik" ist in Gliederung und Abfolge vom Sprachstoff determiniert, wie er in den beiden genannten Grammatiken dargestellt ist. Sie folgt somit sachlichen, nicht unterrichtsmethodischen Prinzipien. Auf diese Weise kann die Übungsgrammatik in vielfältiger Weise zur Kontrolle, Erweiterung und Vertiefung von grammatischen *Kenntnissen* eingesetzt werden. Zu dem grammatischen Stoff werden Übungen angeboten mit größter Variationsbreite im Hinblick auf die Thematik (Übungen zur Formenbildung, zur syntaktischen Struktur, zur Bedeutung und zum Gebrauch in der Kommunikation), im Hinblick auf den verwendeten Übungstyp (sowohl analytische als auch synthetische Übungen, darunter besonders die verschiedenen Formen der Gestaltungsübungen) und im Hinblick auf den Benutzerkreis und die Sprachstufe (sowohl für Fortgeschrittene als auch für die Mittelstufe). Die sich aus dem sachlich-grammatischen Aufbau ergebende Variationsbreite der Übungen ermöglicht einerseits ihren direkten Einsatz in der Unterrichtsstunde, erfordert aber andererseits vom Lehrer — gemäß dem Charakter des Kurses, der Zielstellung des Unterrichts, dem Sprachniveau und anderen Faktoren des jeweiligen Bedingungsgefüges — eine Auswahl aus den angebotenen Übungen (da die einzelnen Übungen nicht wie Lektionen eines methodisch geschlossenen Sprachlehrgangs absolviert werden können).

Entsprechend dieser Zielsetzung enthält die Übungsgrammatik nicht nur die Übungen selbst, sondern auch grammatische Erläuterungen. Diese Erläuterungen sind keine systematische Darstellung der Grammatik (wie in der „Deutschen Grammatik" und in der „Kurzen deutschen Grammatik für Ausländer"), sondern Hinweise und Regeln, die sich auf die zu übenden grammatischen Erscheinungen beschränken und zur Durchführung der entsprechenden Übungen notwendig sind. Die Einbeziehung solcher grammatischen Erläuterungen macht es möglich, die „Deutsche Übungsgrammatik" auch ohne die beiden systematischen Grammatiken zu benutzen. Außerdem tragen die Autoren damit dem Prinzip der Bewußtmachung, der Schaffung einer adäquaten „Orientierungsbasis" im Fremdsprachenunterricht Rechnung — im Gegensatz zu den noch vor einem Jahrzehnt vielfach überbetonten mechanistischen Pattern- und Drillmethoden behavioristischer Provenienz, die sowohl die Wissensvermittlung als auch die aktive Tätigkeit des Lernenden unterschätzt haben. Wo freilich die grammatischen Erläuterungen nicht ausreichen, muß auf die entsprechenden Kapitel der „Deutschen Grammatik" oder der „Kurzen deutschen Grammatik für Ausländer" verwiesen werden.

Damit die Übungsgrammatik auch im Selbststudium verwendet werden kann, sind den Übungsaufgaben — wo immer es sinnvoll und nicht zu platzraubend erschien — Lösungen beigegeben worden.

Übungsteil

Formenbestand und Einteilung der Verben

A 1 Nach koordinativ verbundenen Subjekten der 1. und 3. Person sowie der 1. und 2. Person **kongruiert** das finite Verb mit der 1. Person (a); nach ebenso verbundenen Subjekten der 2. und 3. Person kongruiert es oft mit der 2. Person (b), manchmal auch mit der 3. Person (c). Das Verb steht immer im Plural. Im Falle (a) und (b) können die verschiedenen Subjekte auch entsprechend zusammengefaßt werden:

(a) Ich und du (= wir) geh*en* in diesem Jahr zur gleichen Zeit in den Urlaub.

(b) Du und er (= ihr) hab*t* die Versammlung gut geleitet.

(c) Du und dein Freund werd*en* zum Geburtstag eingeladen.

Setzen Sie das in Klammern stehende Verb in der richtigen Person ein!

(1) Sowohl ich als auch die anderen Mitarbeiter ... an dieser Aussprache. (teilnehmen)

(2) Er und ich ... gemeinsam die Diskussionsgrundlage. (ausarbeiten)

(3) Weder du noch deine Frau ... genügend Sport. (treiben)

(4) Ihr und ich ... am kommenden Montag pünktlich auf dem Bahnhof. (sich treffen)

(5) Wir und ihr ... um die Arbeit der Doktoranden. (sich mehr kümmern müssen)

(6) Sowohl die Hochschullehrer als auch ihre Assistenten ... für die Ausbildung der Studenten zu qualifizierten Fachleuten verantwortlich. (sein)

A 2 Bei der Kongruenz des finiten Verbs mit dem Subjekt in der Person und im Numerus richtet sich das Verb meist nach dem ihm zunächst stehenden Subjekt, falls Subjekte mehrerer Personen auftreten, die in einem disjunktiven Verhältnis stehen:

Er oder du bring*st* mir die Medikamente mit.

Das Verb steht in der Regel im Plural, wenn von den durch disjunktive

Konjunktionen verbundenen Subjekten eines im Plural steht (zumal wenn dieses dem Verb am nächsten steht):

> Der Professor oder seine Assistenten hab*en* den Sammelband vorbereitet.

Setzen Sie in folgenden Sätzen das in Klammern stehende Verb in der richtigen Person und im richtigen Numerus ein!

(1) Entweder du oder dein Kollege ... (bringen) dem Assistenten die Jahresarbeiten.
(2) Der Arzt oder die Schwester ... (besuchen) den Patienten.
(3) Der Assistent oder die Studenten ... (empfangen) den Gast.
(4) Die Eltern oder die Tochter ... (bestellen) die Platzkarten im Reisebüro.
(5) Ich oder die Schwester ... (anrufen) im Krankenhaus der Kreisstadt.
(6) Entweder du oder ich ... (korrigieren müssen) die Diplomarbeiten der Studenten.

A 3 Bei der Kongruenz des finiten Verbs mit dem Subjekt im Numerus steht trotz mehrerer koordinierter Subjekte das Verb nicht notwendig im Plural, sondern auch im Singular, (a) wenn diese Subjekte als einheitlicher Begriff verstanden werden, (b) wenn diese Subjekte durch Infinitive oder andere Verbalabstrakta repräsentiert sind, (c) wenn ein pluralisches Subjekt ausgerahmt ist:

> (a) Mensch und Tier leid*et* (leid*en*) unter der ungewöhnlichen Hitze.
> (b) Halten und Parken *ist* (*sind*) hier verboten.
> (c) Durch das Feuer *wurde* ein Fabrikgebäude zerstört und mehrere Lagerhallen.

Setzen Sie in den folgenden Sätzen das in Klammern stehende Verb im richtigen Numerus ein!

(1) Das Schreiben und Rechnen ... (gefallen) den Kindern.
(2) Nervosität und Hektik ... (sein) der Leitung dieses Betriebes fremd.
(3) Lob und Tadel ... (sein) ein bewährtes Mittel zur Erziehung der Kinder.
(4) Das Lesen und das Übersetzen des Textes ... (dauern) zwei Stunden.
(5) Ein Buch von ihm ... (veröffentlicht werden) und mehrere Zeitschriftenbeiträge.
(6) Not und Elend ... (kennzeichnen) das Leben vieler Menschen nach verheerenden Kriegen.
(7) Name und Vorname der Kinder ... (sein) der Klassenlehrerin noch nicht bekannt.

A 4   Besteht das Subjekt aus einer **Mengenangabe** im Singular und einem weiteren Substantiv im Singular, so steht das Verb im Singular (a). Steht im Subjekt eine Mengenangabe im Singular mit einem weiteren Substantiv im Plural, so steht das finite Verb meist im Singular, wenn die Menge als ungegliedert (b), aber im Plural, wenn die Menge als gegliedert empfunden wird (c):

> (a) Eine große Menge Stahl *wurde* gebraucht.
> (b) Eine große Menge Kartoffeln *wurde* von den Kunden selbst abgeholt.
> (c) Eine Anzahl Bücher *waren* vergriffen.

Setzen Sie in den folgenden Sätzen das in Klammern stehende Verb in der richtigen Person ein!

(1) Eine Menge Apfelsinen ... (liegen) nach dem schweren Verkehrsunfall auf der Straße.

(2) Zwei Zentner Holz ... (werden) zusätzlich geliefert.

(3) Eine Reihe Kunstwerke ... (sein) durch Witterungseinflüsse beschädigt.

(4) Eine große Anzahl Konserven ... (sein) durch unzweckmäßige Lagerung ungenießbar geworden.

(5) Eine Menge Obst ... (werden) in diesen Plantagen von freiwilligen Helfern geerntet.

A 5   Manche Verben verlangen von ihrer Bedeutung her ein logisches Subjekt im Plural, das jedoch syntaktisch entweder als pluralisches Subjekt (a) oder als singularisches Subjekt mit einer Präpositionalgruppe (Präposition *mit*) realisiert wird (b):

> (a) Der Arzt und der Patient *machen* einen Termin aus.
> → (b) Der Arzt *macht* mit dem Patienten einen Termin aus.

Ersetzen Sie in folgenden Sätzen das pluralische Subjekt durch ein singularisches Subjekt mit einer Präpositionalgruppe!

(1) Der Verlag und der Schrifsteller kamen über den Abschluß eines Autorenvertrages überein.

(2) Der Internist und der Chirurg verabreden den Verlauf der Operation.

(3) Die Fachlehrer und der Klassenlehrer einigen sich über die Beurteilungen der Schüler.

(4) Der Bruder und seine Schwester wetteifern um die besseren Leistungen in der Schule.

(5) Der Linguist und der Mathematiker haben sich zu einer Aussprache über die Dissertation verabredet.

(6) Die beiden Ärzte sind übereingekommen, die Operation am nächsten Tag vorzunehmen.

A 6 Bei einigen Verbstämmen gibt es regelmäßige und unregelmäßige **Konjugationsformen**, die sich untereinander in der Bedeutung unterscheiden:

> Der Student hat die Arbeit *geschafft* (= erledigt).
> Der Bildhauer hat ein neues Werk *geschaffen* (= schöpferisch gestaltet).

Setzen Sie die folgenden Sätze in die richtigen Formen des Präteritums und des Perfekts!

  (1) Das Auto schleift die angefahrene Frau einige Meter mit.
  (2) Der Arbeiter schleift die Messer regelmäßig.
  (3) Vor dem Waschen weicht die Mutter die Wäsche ein.
  (4) Sie weichen ihren überlegenen Gegnern.
  (5) Die neuesten Ereignisse bewegen ihn dazu, sein Werk zu überarbeiten.
  (6) Sie bewegt die Lippen, ohne ein Wort zu sagen.
  (7) Nach seiner Rückkehr aus dem Krankenhaus schafft er abends nicht mehr viel.
  (8) Der Regisseur schafft ein neues Filmwerk.
  (9) Die Köchin wiegt die Petersilie.
(10) Das Brot wiegt drei Kilo.
(11) Der Verkäufer wiegt das Fleisch.
(12) Die Großmutter wiegt das Kind.

A 7 Von einigen Verben gibt es regelmäßige und unregelmäßige Konjugationsformen, die sich in der Bedeutung und in der Valenz unterscheiden; die **unregelmäßigen** Formen sind intransitiv und bezeichnen einen Zustand (Perfekt mit *haben*) oder einen Vorgang (Perfekt mit *sein*); die **regelmäßigen** Formen dagegen sind transitiv und kausativ bzw. faktitiv (Perfekt immer mit *haben*), d.h. bezeichnen ein Bewirken des entsprechenden Zustandes oder Vorganges und haben folglich mit dem Agens des Bewirkens einen Aktanten mehr:

> Das Mädchen *ist* vor dem Gewitter *erschrocken*.
> . Das Gewitter *hat* das Mädchen *erschreckt*.

Setzen Sie die folgenden Sätze in die richtigen Formen des Präteritums und des Perfekts!

(1) Die Schüler hängen die Mäntel in den Schrank.
(2) Die Mäntel hängen ordnungsgemäß in den Schränken.
(3) Das Kind steckt den Schlüssel in das falsche Schloß.
(4) Der Schlüssel steckt in dem falschen Schloß.
(5) Die Köchinnen quellen den Reis.
(6) Das Blut quillt aus der Wunde.
(7) Die Mutter bleicht die Wäsche.
(8) Die Gardine verbleicht von der Sonne.

(9)   Die Lichter erlöschen infolge des Blitzschadens.
(10)   Der Hausmeister löscht jeden Abend das Licht.

A 8 In einigen Fällen entspricht einem transitiven, kausativen Verb mit regelmäßigen Konjugationsformen ein intransitives, statives Verb mit unregelmäßigen Konjugationsformen:

> Der Junge *legt* das Hemd in den Schrank. (= legen)
> Das Hemd *liegt* im Schrank. (= liegen)

Setzen Sie von den in Klammern stehenden Verben das richtige Verb jeweils in der richtigen Form des Präteritums ein!

(1) Der Reisende ... im Abteil.   (setzen /
(2) Der Reisende ... das Kind in das Abteil.   sitzen)
(3) Die Forstarbeiter ... viele Bäume.   (fällen /
(4) Ein Hammer ... plötzlich auf seinen Fuß. fallen)
(5) Der Lehrer ... die Tasche auf den Tisch. (legen /
(6) Die Tasche ... auf dem Tisch.   liegen)
(7) Sie ... die jungen Katzen.   (ertränken /
(8) Viele Menschen ... beim Untergang der ertrinken)
     „Titanic".

A 9 Bestimmen Sie die Verbalformen in den folgenden Sätzen nach Person, Numerus, Tempus, Genus und Modus!

> Er ist von der Richtigkeit seiner Ergebnisse überzeugt gewesen.
> → 3. Person Singular Perfekt Zustandspassiv Indikativ

(1) Das Mädchen wird von ihrem Freund im Café gesehen worden sein.
(2) Die Bücher würden gelesen, wenn sie einfacher geschrieben worden wären.
(3) Du warst informiert gewesen, ehe man dir die Aufgabe übertragen hatte.
(4) Es wäre für mich besser gewesen, wenn ich die Möglichkeit der Konsultation gehabt hätte.
(5) Die Fußballmannschaft wäre Sieger gewesen, wenn sie am Ende kein Eigentor geschossen hätte.
(6) Vor dem Urlaub werden die Studenten auch die letzten Prüfungen abgeschlossen haben.
(7) Der Kranke ist schon infiziert gewesen, bevor er aus dem Ausland zurückgekommen war.
(8) Der Arzt sagte dem Patienten, er werde in der folgenden Woche aus dem Krankenhaus entlassen.
(9) Wir glaubten, wir könnten die Aufgabe in kurzer Zeit lösen.

(10) Nachdem ihr das Abitur bestanden habt, werdet ihr in Jena immatrikuliert werden.

A 10 Ordnen Sie den folgenden verbalen Kategorien Person, Numerus, Tempus, Genus und Modus die entsprechende konkrete Form des in Klammern stehenden Verbs zu!

2. Person Singular Plusquamperfekt Vorgangspassiv Konjunktiv
(überholen)
→ du wärst überholt worden

(1) 1.Person Plural Plusquamperfekt Aktiv Konjunktiv
(schneller laufen müssen)
(2) 1.Person Singular Perfekt Vorgangspassiv Indikativ
(auszeichnen)
(3) 3.Person Singular Präteritum Zustandspassiv Indikativ
(verletzen)
(4) 2.Person Plural Präteritum Aktiv Konjunktiv
(zur Kur fahren müssen)
(5) 3.Person Plural Plusquamperfekt Vorgangspassiv Konjunktiv
(überfahren)
(6) 3.Person Singular Präsens Aktiv Konjunktiv
(die Arbeitszeit besser ausnutzen können)

A 11 Die Verben **regieren** verschiedene — reine und präpositionale — Kasus, ohne daß damit deutlich erkennbare Bedeutungsunterschiede verbunden sind.

Bilden Sie Sätze aus folgendem Wortmaterial und achten Sie dabei auf die unterschiedliche Rektion!

(1) helfen (der Lehrer, seine Schüler)
(2) unterstützen (die Kinder, ihre Mutter)
(3) schaden (Alkohol, die Gesundheit)
(4) schädigen (der Frost, die Obstbäume)
(5) gratulieren (der Student, seine Frau, Geburtstag)
(6) beglückwünschen (der Dozent, der Absolvent, Abschluß der Promotion)
(7) werden (der Lehrer, Direktor der Schule)
(8) werden (das frühere Agrarland, ein entwickelter Industriestaat)
(9) genannt werden (die Fußballmannschaft, Favorit der Meisterschaft)
(10) bezeichnet werden (die Mannschaft, Anwärter auf Weltmeistertitel)

A 12 Bilden Sie Sätze mit den folgenden Verben, die zwei reine Kasus regieren!

(1)	übergeben	(Minister, Preis, Wissenschaftler)
(2)	verkaufen	(Angestellter, Anzug, Kunde)
(3)	nennen	(anerkannter Schriftsteller, junger Künstler, hoffnungsvolles Talent)
(4)	verzeihen	(Arzt, Schwester, Unterlassung)
(5)	beschuldigen	(Meister, Lehrling, Ungenauigkeit)
(6)	lehren	(Mutter, Kind, Sprechen)
(7)	entheben	(Präsident, Minister, Amt)
(8)	bewilligen	(Sozialversicherung, Invalide, Rente)
(9)	überführen	(Vater, Sohn, Lüge)
(10)	schimpfen	(Kollegen, er, Feigling)

A 13 Setzen Sie das richtige Fragewort ein und antworten Sie mit Hilfe der in Klammern angegebenen Wörter!

> ... hat die Angestellte gebeten? (Urlaub)
> → Worum hat die Angestellte gebeten?
> Sie hat um Urlaub gebeten.

(1) ... warten Sie? (Anruf des Kollegen)
(2) ... haben Sie ihm geholfen? (Schularbeiten)
(3) ... hat er dich überzeugt? (Notwendigkeit des Auftrages)
(4) ... hat sich der Geschäftsinhaber verlassen? (Lieferung)
(5) ... trägt ein gutes Essen bei? (Gelingen des Abends)
(6) ... bedankt sich der Sohn bei dem Vater? (Geschenk)
(7) ... fordert die Gewerkschaft die Betriebsleitung auf? (Stellungnahme)
(8) ... gewinnt man Wein? (Trauben)
(9) ... wird der Student beteiligt? (Forschungsvorhaben)
(10) ... erinnern sich die Studenten? (Praktikum im Ausland)
(11) ... müssen wir ihn aufmerksam machen? (Widersprüche in seinen Thesen)
(12) ... fehlt es dem Kranken? (Vitamine)

A 14 Es gibt Verben, die mehrere Präpositionalkasus mit verschiedener Bedeutung nebeneinander regieren:

> Der Boxer rächt sich *an* seinem Gegner *für* die erlittene Niederlage.

Bilden Sie aus folgendem Wortmaterial Sätze!

(1) sprechen (der Referent, die Zuhörer, seine Forschungsergebnisse)

  (2)   verhandeln   (der Verlag, sein ausländischer Partner, ein Lizenzvertrag)

  (3)   sich schämen   (der Prüfling, seine schlechten Leistungen, die Kommission)

  (4)   übersetzen   (der Lehrer, die Fremdsprache, die Muttersprache)

  (5)   kämpfen   (die Mannschaft, ihre Rivalen, der Pokal)

  (6)   sich unterscheiden   (das Buch, Bücher ähnlicher Thematik, größere Aktualität)

  (7)   sich einsetzen   (der Staatsmann, das Nachbarland, die Lösung strittiger Fragen)

  (8)   sich rechtfertigen   (der Student, seine Krankheit, sein Dozent)

  (9)   sich unterhalten   (die Feriengäste, der Heimleiter, die Wandermöglichkeiten)

 (10)   schließen   (wir, seine bisherigen Leistungen, hervorragende Resultate)

A 15   Wenn das Verb die Präpositionen *an* und *in* regiert, so fordern diese Präpositionen ihrerseits — abhängig vom jeweiligen Verb — entweder den Akkusativ oder den Dativ:

> Er rächt sich an sein*em* Gegner.
> Wir erinnern uns an *den* Urlaub.

Setzen Sie in den folgenden Sätzen die Präposition *an* oder *in* mit dem richtigen Kasus des folgenden Substantivs ein!

  (1)   Die arabischen Staaten liefern Erdöl ... (verschiedene Länder der Welt).

  (2)   Wegen der Pässe müssen wir uns ... (die Polizei) wenden.

  (3)   Der Meister führt die neuen Lehrlinge ... (der Betrieb) ein.

  (4)   Wir sehen ... (der Student) einen möglichen Nachwuchswissenschaftler.

  (5)   Die Wanderer schließen sich ... (die Bergsteigergruppe) an.

  (6)   Die Studenten beteiligen sich ... (das Preisausschreiben).

  (7)   Der Arzt erkennt die Krankheit ... (ihre Symptome).

  (8)   Der Lektor teilt die Klasse ... (zwei Gruppen) für den Sprachzirkel ein.

  (9)   Der Arzt hat sich ... (der Name des Patienten) geirrt.

 (10)   Wir glauben ... (die Erhaltung des Friedens in der Welt).

 (11)   Dieser Sprachwissenschaftler kennt sich ... (der Bereich der Dialektologie) nicht genügend aus.

 (12)   Die Reisegesellschaft mußte wegen der Unterbringung in verschiedenen Hotels ... (mehrere Gruppen) eingeteilt werden.

 (13)   Der Assistent arbeitet seit mehreren Jahren ... (ein wichtiges Forschungsthema).

(14)   Wir müssen ... (unsere Eltern) noch einen Brief aus dem Ausland schreiben.

(15)   Die Kassiererin trägt den Verkaufspreis ... (das Buch) ein.

A 16   Setzen Sie in den folgenden Sätzen die richtige Präposition (*in* oder *auf*) und das in Klammern stehende Substantiv im richtigen Kasus ein!

(1)   Der Redner beschränkte sich in seiner Diskussionsgrundlage ... (wenige Thesen).

(2)   Die Gäste trinken ... (die Gesundheit des Jubilars).

(3)   Die Frau willigt ... (die Scheidung von ihrem Mann) ein.

(4)   Der Ingenieur konzentriert sich seit langem ... (seine Forschungsarbeit).

(5)   Der Lehrer führt die Schüler ... (die Integralrechnung) ein.

(6)   Er übersetzt das Buch aus dem Russischen ... (das Deutsche).

(7)   Der Wissenschaftler bezieht sich sehr oft ... (modernste Quellen).

(8)   Wir lenken die Aufmerksamkeit der Hörer ... (entsprechende experimentelle Untersuchungen).

(9)   Er verwandelt den Nachteil ... (ein Vorteil).

(10)   Das Wesen seiner Ausführungen bestand ... (wenige neue Thesen).

(11)   Die Seminararbeit des Studenten basierte ... (einige im Literaturverzeichnis nicht genannte Quellen).

(12)   Wir müssen uns ... (die fleißige Mitarbeit der technischen Kräfte) verlassen.

(13)   Der Junge übt sich jeden Tag ... (das Klavierspielen).

(14)   Der Zeuge beharrt ... (seine früher zu Protokoll gegebene Behauptung).

(15)   Das Mädchen hat sich ... (der Charakter ihrer Mitschülerin) getäuscht.

A 17   Setzen Sie in den folgenden Sätzen die richtige Präposition (*nach*, *über* oder *um*) mit dem richtigen Kasus des in Klammern stehenden Substantivs ein!

(1)   Die Passanten empören sich ... (der rücksichtslose Kraftfahrer).

(2)   Der Verunglückte ist ... (das Leben) gekommen.

(3)   Der Vater sorgt sich ... (die Leistungen seiner Kinder in der Schule).

(4)   Die Betriebsleitung sucht ... (die Ursachen der mangelnden Qualität).

(5)   Wir erkundigen uns ... (der Gesundheitszustand unseres Kollegen).

(6) Er weiß ... (die bevorstehende Auslandsreise seines Mitarbeiters).

(7) Der Leiter beurteilt den Angestellten ... (seine Leistung).

(8) Der Kranke bittet ... (frisches Wasser).

(9) Der Polarforscher sehnt sich ... (ein Wiedersehen mit seiner Heimat).

(10) Die Kommission befragt ihn ... (sein Gesundheitszustand).

(11) Die Bewohner des Hauses beschweren sich ... (der fortwährende Lärm auf der Straße).

(12) Die Verwaltung will sich ... (eine baldige Klärung der Angelegenheit) bemühen.

A 18 Setzen Sie in den folgenden Sätzen die richtige Präposition (*von* oder *vor*) mit dem richtigen Kasus des in Klammern stehenden Substantivs ein!

(1) Der Lehrer sieht ... (die Zeichensetzungsfehler im Aufsatz des Schülers) ab.

(2) Das Kind ekelt sich ... (das Essen).

(3) Es träumt ... (ein Schokoladenberg).

(4) Bei der Bearbeitung seines Themas mußte er ... (viele Voraussetzungen) ausgehen.

(5) Der Schriftsteller löst sich ... (alte Auffassungen).

(6) Die Frau fürchtet sich ... (eine Wiederholung der Operation).

(7) Die Sportler erholen sich ... (die Anstrengungen der Weltmeisterschaft).

(8) Er rechtfertigt seinen Freund ... (die Kritiker).

(9) Der Minister entbindet den Rektor ... (seine Funktion).

(10) Der Fahrlehrer warnt den Fahrschüler ... (das leichtsinnige Überholen).

(11) Das Mädchen scheut sich ... (ein Vortrag vor der gesamten Schule).

(12) Die Botschaft schützt die Bürger ihres Staates ... (Übergriffe).

A 19 Setzen Sie in den folgenden Sätzen die richtige Präposition mit dem richtigen Kasus des in Klammern stehenden Substantivs ein!

(1) Der Patient leidet ... (eine schwere Herzlähmung).

(2) Die Studenten haben sich ... (eine gemeinsame Fahrt) entschlossen.

(3) Die Eltern erkundigen sich ... (die Schule) ... (das Verhalten des Sohnes).

(4) Er rechtfertigt sich ... (die Leitung) ... (seine Unerfahrenheit).

(5) Der Schüler neigt manchmal ... (die Überheblichkeit).

(6) Du mußt ... (deine Studienfreunde) ... (die Problematik) diskutieren.

(7)   Die Hochschullehrer erziehen die Studenten ... (qualifizierte Fachleute).

(8)   Die Gewerkschaft setzt sich ... (die Betriebsleitung) ... (die Änderung der Arbeitszeit) ein.

(9)   Die Studenten überzeugen ihre Freundinnen ... (die Teilnahme an dem Ausflug).

(10)   Viele Menschen interessieren sich ... (die Fußballspiele).

(11)   Der Arbeiter freut sich ... (der bevorstehende Urlaub).

(12)   Der Urlauber freut sich ... (das schöne Wetter), das seit einigen Tagen herrscht.

A 20   Setzen Sie – wie in der vorausgehenden Übung – die richtige Präposition mit dem richtigen Kasus des in Klammern stehenden Substantivs ein!

(1)   Das Gericht macht den Kraftfahrer ... (die Folgen des Unfalls) verantwortlich.

(2)   Der Pförtner verweist ihn ... (zuständige Stelle).

(3)   Der Student eignet sich wegen seiner Stimme nicht ... (der Beruf eines Lehrers).

(4)   Sie freuen sich ... (die gut gelungenen Bilder) aus dem vergangenen Urlaub.

(5)   Der Physiker freut sich ... (seine bevorstehende Studienreise).

(6)   Ihr haltet euren Mitarbeiter ... (ein hervorragender Spezialist).

(7)   Man hat die Sekretärin ... (viele Versprechungen) ... (ein Wechsel des Arbeitsplatzes) verleitet.

(8)   Der erfolgreiche Olympiateilnehmer spricht ... (die Jugendlichen) ... (seine Erlebnisse).

(9)   Die Geschäftsleitung muß ... (die ausländischen Partner) ... (die Bezahlung der Waren) verhandeln.

(10)   Er wurde ... (die Unterzeichnung des Vertrages) bevollmächtigt.

A 21   Ersetzen Sie in den folgenden Sätzen das Verb durch das in Klammern angegebene bedeutungsähnliche oder bedeutungsgleiche Verb und achten Sie dabei auf die notwendigen Veränderungen im Kasus!

(1)   Der Schriftsteller begegnet auf dem Kongreß seinen Kollegen. (treffen)

(2)   Der Assistent hilft den Studenten bei ihren Diplomarbeiten. (unterstützen)

(3)   Diese Leistung beeindruckt die Prüfungskommission. (imponieren)

(4)   Die Fußballfans drohen dem ungeschickten Schiedsrichter. (bedrohen)

(5)   Er wartet auf eine Verbesserung seines Gesundheitszustandes. (erwarten)

   (6) Der Großhandel liefert dem Geschäft die Waren. (beliefern)

   (7) Wegen des Quartiers müssen wir an einige Hotels schreiben. (anschreiben)

   (8) Er gratuliert seinem Freund zum Geburtstag. (beglückwünschen)

A 22 Intransitive Verben können vielfach mit Hilfe von Präfixen (vor allem: *be-, er-*) transitiviert werden:

> Er folgt dem Ratschlag des Lehrers.
> → Er *be*folgt den Ratschlag des Lehrers.

Ersetzen Sie in den folgenden Sätzen das intransitive Verb durch ein entsprechendes präfigiertes transitives Verb!

   (1) Der Abiturient hofft auf ein gutes Abschlußzeugnis.

   (2) Die Gärtnerei liefert dem Geschäft die Blumen.

   (3) Der Reisende wartete auf die Ankunft des Zuges.

   (4) Er ist in drei Stunden auf den Berg gestiegen.

   (5) Die kinderreiche Familie strebt nach einer Verbesserung ihrer Wohnverhältnisse.

   (6) Die ausländischen Studenten sehnen sich nach einem Wiedersehen mit ihren Familien.

   (7) Das Hotel bat um Bestätigung der Zimmerreservierungen.

   (8) Der Student schenkt seiner Freundin oft Blumen.

A 23 Ein **Funktionsverbgefüge** besteht aus dem Funktionsverb (das vorwiegend eine syntaktische Funktion ausübt) und Präpositionalgruppen oder Akkusativen (in der Regel Verbalabstrakta), die die eigentliche Bedeutung des Prädikats ausdrücken. Vielfach ist das gesamte Funktionsverbgefüge durch ein entsprechendes Vollverb ersetzbar (, ohne daß die Bedeutung völlig identisch ist):

> Das Theater *brachte* das Stück *zur Aufführung.*
> → Das Theater *führte* das Stück *auf.*

Ersetzen Sie nach diesem Muster das Funktionsverbgefüge mit den Verben *bringen* und *kommen* (mit Präpositionalgruppe) durch ein entsprechendes Vollverb!

   (1) Die Verkehrsbetriebe brachten die neuen Straßenbahnwagen zum Einsatz.

   (2) Die Schüler sind zu der Entscheidung gekommen, während der Wandertage nach Thüringen zu fahren.

   (3) Er hat seine Dissertation pünktlich zum Abschluß gebracht.

   (4) Seine persönlichen Schwierigkeiten sind auf der Versammlung zur Sprache gekommen.

(5)   Vor der Reise pflegen wir die Bücher auf dem Schreibtisch in Ordnung zu bringen.

(6)   Der Passant konnte dem Ertrinkenden nicht mehr zu Hilfe kommen.

A 24   Ersetzen Sie das Funktionsverbgefüge mit den Verben *geben, erteilen, machen* und *leisten* (mit Akkusativ) durch ein entsprechendes Vollverb!

(1)   Die Betriebsleitung gab den Mitarbeitern sofort Nachricht.

(2)   Die Lehrerin erteilte den Schülern die Erlaubnis für die Fahrt.

(3)   Der Herstellerbetrieb leistete Ersatz für den defekten Rasierapparat.

(4)   Die Stadtverwaltung hat dem Bürger auf seine Eingabe sofort Antwort gegeben.

(5)   Der Professor hat der Patientin das Versprechen gegeben, die Operation selbst durchzuführen.

(6)   Der Verlag kann keine Zusicherung geben, daß das Buch schon im nächsten Jahr erscheinen kann.

(7)   Die Fakultät erteilt dem Professor den Auftrag, das Gutachten für die Dissertation anzufertigen.

(8)   Der Pförtner machte der Polizei Mitteilung, was er in dieser Nacht beobachtet hatte.

(9)   Sie leistete Verzicht auf das Erbe ihrer Eltern.

(10)   Der Forscher machte keine Angaben, wie er zu seinen Resultaten gekommen war.

A 25   Ersetzen Sie in den folgenden Sätzen die Vollverben (in einer passivischen Form) durch entsprechende Funktionsverbgefüge mit den Verben *erfahren* oder *finden* (mit einem Akkusativ)!

Das neue Buch ist *anerkannt* worden.
→ Das neue Buch hat *Anerkennung gefunden.*

(1)   Das neue technologische Verfahren mußte vereinfacht werden.

(2)   Von den vielen Bewerbern konnten nur wenige berücksichtigt werden.

(3)   Der Maschinenbestand in dem Betrieb ist wesentlich verbessert worden.

(4)   Die Feriengäste sind in dem neuen Erholungsheim herzlich aufgenommen worden.

(5)   Die offenen Probleme sind auch in dem neuen Buch nicht erklärt worden.

(6)   Sie wird in ihrer Arbeit von ihren Kolleginnen immer unterstützt.

(7)   Der neue Film ist kaum beachtet worden.

(8)   Die wissenschaftlichen Ergebnisse sollen in der Praxis möglichst schnell angewendet werden.

A 26 Ersetzen Sie in den folgenden Sätzen die Vollverben durch entsprechende Funktionsverbgefüge mit *bekommen* und/oder *erhalten* mit einem Akkusativ (wobei der Dativ oder Akkusativ des Ausgangssatzes zum Subjektsnominativ wird)!

> Die Laborantin *hilft* dem Assistenten bei seinen Experimenten.
> → Der Assistent *bekommt* von der Laborantin *Hilfe* bei seinen Experimenten.

(1)   Die Universität benachrichtigt die Bewerber über ihre erfolgte Zulassung zum Studium.

(2)   Wir weisen die Mitarbeiter an, jede Personaländerung der Dienststelle mitzuteilen.

(3)   Der Professor hat den Doktoranden zu seinem Promotionsthema angeregt.

(4)   Der ausländische Partner antwortet dem Betrieb ohne Verzögerung.

(5)   Der Mentor unterstützt die Praktikanten bei ihren ersten Unterrichtsversuchen.

(6)   Man beauftragt den Botschafter zu diplomatischen Verhandlungen mit der neuen Regierung.

A 27 Ersetzen Sie in den folgenden Sätzen die Vollverben durch entsprechende Funktionsverbgefüge mit *kommen, gelangen, gehen* oder *geraten* mit einer Präpositionalgruppe (Präpositionen *in* oder *zu*)!

> Das neue Produktionsverfahren *wird* im nächsten Monat *angewendet*.
> → Das neue Produktionsverfahren *kommt* (*gelangt*) im nächsten Monat *zur Anwendung*.

(1)   Der streitsüchtige Schüler wird von seinen Klassenkameraden immer mehr isoliert.

(2)   Die Verkäuferin ist wegen des Diebstahls im Warenhaus verdächtigt worden.

(3)   Der Vertrag über die gegenseitigen Warenlieferungen muß noch in diesem Jahr abgeschlossen werden.

(4)   Die Einladungen zu der Festveranstaltung sollen heute verteilt werden.

(5)   Der Geburtstagswunsch des Kindes wird erfüllt.

(6)   Der Student wird wegen des verzögerten Termins seiner Diplomarbeit bedrängt.

A 28 Ersetzen Sie in den folgenden Sätzen die Vollverben durch entsprechende Funktionsverbgefüge mit den Verben *nehmen, setzen* oder *stellen* (mit einem Akkusativ oder einer Präpositionalgruppe)!

> Der Professor *beansprucht* für seine Forschungsarbeit keinen Arbeitsurlaub.
> → Der Professor *nimmt* für seine Forschungsarbeit keinen Arbeitsurlaub *in Anspruch.*

(1) Der Gast hat sich von den Mitarbeitern des Instituts verabschiedet.

(2) Die Kinder haben aus Leichtsinn das Stroh in der Scheune angebrannt.

(3) Die Ergebnisse der Prüfung verwunderten die Studenten.

(4) Wegen der nicht erfolgten Stornierung mußte das Hotel den vollen Preis berechnen.

(5) Der Fahrschüler bewies während der Probefahrt seine gute Reaktionsfähigkeit.

(6) Wegen eines Todesfalles in der Familie beantragte er Urlaub für drei Tage.

(7) Der neue Betrieb entwickelte sich in den letzten Jahren kontinuierlich.

(8) Der Mitarbeiter wollte die über ihn angefertigte Beurteilung einsehen.

A 29 Wenn die Funktionsverbgefüge eine Präpositionalgruppe enthalten, tauchen die verschiedensten Präpositionen auf:

> *zum* Ausdruck bringen, *ums* Leben bringen, *in* Ordnung bringen, *unter* Strafe stellen, *auf* den Gedanken bringen

Setzen Sie in den folgenden Sätzen die fehlende Präposition in die Funktionsverbgefüge ein!

(1) Der Lehrer hat die Transistorgeräte der Schüler ... Verwahrung genommen.

(2) Der Leiter konnte den Lehrgang krankheitshalber nicht ... Ende führen.

(3) Der Polizist hat sein Leben ... Spiel gesetzt.

(4) Der Mitarbeiter muß von seiner Reise den Rektor ... Kenntnis setzen.

(5) Die Eltern stellten in der Elternversammlung viele Probleme ... Debatte.

(6) Das Mädchen steht ... Einfluß seiner älteren Geschwister.

(7) Der Schüler setzte sich gegen die unbegründeten Vorwürfe ... Wehr.

(8) Er hat die Ergebnisse seiner wissenschaftlichen Untersuchungen wieder ... Frage gestellt.

(9)   Nach seinem Unfall ist der Patient nicht wieder richtig ... Kräften gekommen.

(10)   Die Polizei hat den Verdächtigen vorerst ... Haft genommen.

A 30   Ersetzen Sie in den folgenden Sätzen die Vollverben (in aktivischer Form) durch entsprechende Funktionsverbgefüge (mit Akkusativ oder Präpositionalgruppe) und benutzen Sie dabei das in Klammern angegebene Verb:

> Das Experiment hat die Richtigkeit der Thesen *bewiesen*. (stellen)
> → Das Experiment hat die Richtigkeit der Thesen *unter Beweis gestellt*.

(1)   Die Versammlung der Studenten ist erfolgreich verlaufen. (nehmen)

(2)   Der Betriebsdirektor hat seinen engsten Mitarbeitern die bevorstehenden Aufgaben angedeutet. (machen)

(3)   Seine unerwartet guten Leistungen haben die Prüfungskommission sehr verwundert. (setzen)

(4)   Der Sekretär protokollierte die gesamte Diskussion. (führen)

(5)   Der Leiter ordnet Umstellungen in seinem Betrieb an. (treffen)

(6)   Das Studium der Literatur hat die Studenten angeregt. (geben)

(7)   Die Studenten folgten den Empfehlungen ihrer Hochschullehrer. (leisten)

(8)   Der Arzt hat die Symptome der Krankheit zu wenig beachtet. (schenken)

A 31   Ersetzen Sie in den folgenden Sätzen die Vollverben durch entsprechende Funktionsverbgefüge (mit Akkusativ oder Präpositionalgruppe)!

(1)   Der Referent hat über die Voraussetzungen seiner Untersuchungen viel ausgeführt.

(2)   Nach dem Unfall hat die Versicherung den Schaden ersetzt.

(3)   Die Betriebsleitung wollte vor der Einstellung die Personalakten einsehen.

(4)   Der Junge hat seinen Bruder gegen die Vorwürfe des Nachbarn geschützt.

(5)   Die Durchfahrt von Kraftfahrzeugen durch Spielstraßen wird bestraft.

(6)   Die Gewerkschaft fordert, daß die Betriebsleitung sehr bald eine Entscheidung trifft.

(7)   Der Kunde muß zwischen den angebotenen Küchenmöbeln wählen.

(8) Die Fakultät willigt in die Verteidigung der vorgelegten Disser-
     tation ein.
(9) Der Betrieb wollte über den Abschluß der Reparatur im Be-
     triebsgelände nichts versprechen.
(10) Der Betrieb will sich um die pünktliche Erfüllung des Auftrages
     bemühen.

A 32 Die Funktionsverbgefüge mit *bringen* (kausativ; bezeichnen ein Bewirken) können in den meisten Fällen durch solche mit *kommen* (inchoativ; bezeichnen einen Beginn), die mit *geben* (kausativ) durch solche mit *bekommen* (inchoativ) ersetzt werden. Dabei wird das Akkusativobjekt von *bringen* bzw. das Dativobjekt von *geben* zum Nominativsubjekt, das eigentliche Agens wird nicht mehr ausgedrückt:

> Er *brachte* in der Versammlung dieses Problem *zur Sprache.*
> → In der Versammlung *kam* dieses Problem *zur Sprache.*
> Der Meister *gibt* dem Arbeiter *einen* guten *Rat.*
> → Der Arbeiter *bekommt* (vom Meister) *einen* guten *Rat.*

Formen Sie die folgenden Funktionsverbgefüge in Funktionsverbgefüge mit *kommen* bzw. *bekommen* um!

(1) Der Fahrer brachte an der Kreuzung den Wagen nicht mehr
     zum Halten.
(2) Der Lehrer gibt den Schülern Antwort auf ihre Fragen.
(3) Die Auslandsreise gab dem Schriftsteller viele Anregungen für
     seinen neuen Roman.
(4) Der Verlag hat das Schulbuch rechtzeitig zur Auslieferung ge-
     bracht.
(5) Nach vier Jahren sollte der Promovend seine Dissertation zum
     Abschluß bringen.
(6) Das Reisebüro gibt den Kunden über das Angebot an Ferien-
     plätzen rechtzeitig Nachricht.
(7) Er gibt seinen Studenten den Auftrag, für die Zeitschrift einen
     Bericht zu schreiben.
(8) Durch seine leichtsinnige Fahrweise hätte er seine Familie bei-
     nahe ums Leben gebracht.

A 33 In vielen Fällen ist das Funktionsverbgefüge (z. B. mit *erfahren, erhalten, finden, gehen, gelangen, geraten, kommen* in Verbindung mit
einem Nomen actionis, meist auf *-ung*) äquivalent mit einer **Passivkonstruktion.** Ersetzen Sie in folgenden Sätzen das Funktionsverbgefüge durch ein Passiv!

(1) Sein Wunsch konnte nicht in Erfüllung gehen.
(2) Unter den Prüfungsschwerpunkten hat die ältere Literatur bis-
     her kaum Beachtung gefunden.

   (3)   Die Dienstleistungen müssen wesentliche Verbesserungen erfahren.

   (4)   Das Theaterstück hat beim Publikum gute Aufnahme gefunden.

   (5)   Die kranke Frau hat von vielen Hausbewohnern Unterstützung erhalten.

   (6)   Der Film gelangt erst im nächsten Jahr zur Uraufführung.

   (7)   Für seine vorbildlichen Leistungen erhält der Schüler eine Buchprämie.

   (8)   Er muß unbedingt bei der nächsten Auszeichnung Berücksichtigung finden.

   (9)   Die Verkehrssituation in der Großstadt muß eine Veränderung erfahren.

  (10)   Das damals so gelobte Buch ist bald in Vergessenheit geraten.

  (11)   Das schon lange angekündigte Theaterstück kommt in der nächsten Woche zur Aufführung.

  (12)   Dieses Fahrzeug geht im nächsten Jahr in Serienproduktion.

A 34 Ersetzen Sie in den folgenden Sätzen das Passiv durch ein äquivalentes Funktionsverbgefüge (mit den Verben *kommen, bekommen, erhalten, erfahren* oder *finden*)!

   (1)   Die ersten Waschautomaten dieser Firma werden in den nächsten Wochen verkauft.

   (2)   Die Arbeiten an der Gleisanlage sollen in der nächsten Woche abgeschlossen werden.

   (3)   Die Technologie ist in den letzten Jahren stark vervollkommnet worden.

   (4)   Dem Schüler wird erlaubt, die Schule früher zu verlassen.

   (5)   Die neuen Werke des Schriftstellers sind anerkannt worden.

   (6)   Bestimmte Zusammenhänge zwischen Sprache und Gesellschaft wurden in diesem Sammelband besser erklärt.

   (7)   Vor der Einführung der neuen Meßverfahren in die Produktion müssen sie vereinfacht werden.

   (8)   In diesem Kunstwerk werden der Humanismus und der Optimismus des Künstlers ausgedrückt.

A 35 Ersetzen Sie in den folgenden Sätzen die Vollverben durch die in Klammern angegebenen Funktionsverbgefüge (mit den Verben *sein, haben, genießen, sich befinden, stehen, liegen, machen* und *anstellen*)!

   (1)   Die Feuerwehr wurde nach dem schweren Gewitter stundenlang eingesetzt.   (im Einsatz sein)

   (2)   Im Neubauviertel wird eine neue Kaufhalle gebaut.   (im Bau sein)

   (3)   Das neue Familiengesetz wurde lange diskutiert.   (in Diskussion sein)

(4) Das Kind ängstigte sich, allein in den Wald zu gehen. (Angst haben)

(5) Die Anstrengungen der letzten Tage wirkten sich auf den Gesundheitszustand aus. (Auswirkungen haben)

(6) Der Schlosser ist im Betrieb wegen seiner Leistungen anerkannt. (Anerkennung genießen)

(7) Die Rentnerin wurde von ihrer Nachbarin unterstützt. (Unterstützung genießen)

(8) Das Stadtviertel wird noch aufgebaut. (sich im Aufbau befinden)

(9) Er wird von seinen Mitschülern beeinflußt. (unter dem Einfluß stehen)

(10) Der Student wird verdächtigt, bei der Klausur abgeschrieben zu haben. (unter dem Verdacht stehen)

(11) Dieses Dorf wurde im Krieg drei Tage lang beschossen. (unter Beschuß liegen)

(12) In den Ferien sind wir in den Bergen viel gewandert. (Wanderungen machen)

(13) Der Wissenschaftler hatte seine Objekte beobachtet und berechnet, hatte viel untersucht und überlegt. (Beobachtungen, Berechnungen, Untersuchungen, Überlegungen anstellen)

A 36 Die semantische Leistung der Funktionsverbgefüge besteht vor allem darin, daß sie die **Aktionsarten** ausdrücken können, d. h. ein Geschehen (a) als dauernd (durativ), (b) als beginnend (inchoativ) oder (c) als bewirkend (kausativ) markieren können:

(a) Der Bergsteiger *ist* in Gefahr.
(b) Der Bergsteiger *kommt* in Gefahr.
(c) Der Sturm *bringt* den Bergsteiger in Gefahr.

(a) Das Kind *hat* Angst vor dem Gewitter.
(b) Das Kind *bekommt* Angst vor dem Gewitter.
(c) Der Blitz *versetzt* das Kind in Angst vor dem Gewitter.

Formen Sie folgende Sätze mit durativer Bedeutung der Verben (Funktionsverben: *sein, haben, sich befinden, führen, stehen*) so um, daß aus ihnen inchoative (Funktionsverben: *gehen, kommen, geraten, bekommen*) und kausative Funktionsverbgefüge (Funktionsverben: *bringen, geben, nehmen, setzen, versetzen*) entstehen! Beachten Sie, daß bei den kausativen Funktionsverbgefügen ein zusätzliches Agens eingefügt werden muß!

(1) Die Oberligamannschaft liegt 1 : 0 in Führung.
(2) Das angekündigte Buch ist im Druck.
(3) Der Zug ist in Bewegung.
(4) Der Trickbetrüger befindet sich in Untersuchungshaft.
(5) Der Forscher hat Einsicht in die Dokumente.

  (6)   Der Rennfahrer befindet sich in einer aussichtsreichen Position.
  (7)   Er steht in Verbindung mit dem Zulieferbetrieb.
  (8)   Wir haben Kenntnis von den Vorgängen der letzten Tage.
  (9)   Sein Gesundheitszustand ist in Ordnung.
(10)   Der operierte Patient hat wieder neuen Lebensmut.

A 37 Manche Funktionsverben mit durativem Charakter (z. B. *sein, liegen, sich befinden, stehen, ausüben*) akzentuieren das Andauern des Geschehens:

> Der Schlosser arbeitet.
> → Der Schlosser *ist* beim Arbeiten.

Formen Sie folgende Sätze so um, daß ein Funktionsverbgefüge mit einem der oben genannten Verben entsteht, das die Dauer des Geschehens betont!

  (1)   Der Direktor unterschreibt in seinem Zimmer gerade die Briefe.
  (2)   Zur Zeit wird in diesem Betrieb eine neue Werkzeugmaschine entwickelt.
  (3)   Die beiden Eheleute streiten schon sehr lange miteinander.
  (4)   Die beiden Betriebe stimmen in der Beurteilung der Marktlage überein.
  (5)   Früher herrschten die feudalen Grundbesitzer über Land, Wirtschaft und Menschen.
  (6)   Die guten Schüler beeinflussen die Lernhaltung der Klasse.
  (7)   Der Apfelbaum blüht seit einigen Tagen.

A 38 Manche Funktionsverben stehen untereinander in synonymischen Beziehungen (z. B. *sich befinden – sein, besitzen – haben, bekommen – erhalten, geben – erteilen, erfahren – finden, kommen – gelangen – geraten*). Ersetzen Sie in folgenden Sätzen das hervorgehobene Funktionsverb durch ein bedeutungsähnliches Funktionsverb!

  (1)   In wenigen Jahren hat die Technologie eine wesentliche Vervollkommnung *erfahren.*
  (2)   Er *ist* in einem depressiven Zustand.
  (3)   Der Offizier hat dem Soldaten einen sofort auszuführenden Befehl *erteilt.*
  (4)   Der junge Schriftsteller ist rasch zu Ansehen *gelangt.*
  (5)   Der Kranke *kommt* leicht in Erregung.
  (6)   Er hat aus der Sekundärliteratur viele Anregungen *erhalten.*
  (7)   Der Diplomat *hat* die Fähigkeit zu raschen und sicheren Entscheidungen.
  (8)   Das Lebenswerk des Wissenschaftlers *findet* endlich Anerkennung.

A 39 Ein Kennzeichen und Vorteil einiger Funktionsverbgefüge gegenüber den entsprechenden Vollverben liegt darin, daß durch die Nominalisierung die Möglichkeit besteht, durch Attribute die Substantive innerhalb des Funktionsverbgefüges näher zu spezifizieren:

> Der Assistent hat *fleißig* gearbeitet.
> → Der Assistent hat eine *fleißige, nützliche* und *für das Forschungsprogramm unabdingbare Arbeit* geleistet.

Beantworten Sie folgende Fragen und erweitern Sie dabei die Funktionsverbgefüge durch die in Klammern stehenden Attribute oder Attributsätze!

(1) Haben Sie der Leitung schon Bericht erstattet? (detailliert — über das Erreichte und das noch nicht Erreichte)

(2) Welche Entwicklung nimmt das neue Meßverfahren? (sehr gut — die ursprünglichen Erwartungen übertreffend)

(3) Hat er auf die Fragen Antwort gegeben? (eindeutig — nicht zu erwartend)

(4) Was haben Sie ihm für einen Auftrag gegeben? (viel Wissen und Verantwortung voraussetzend)

(5) Verfügt der Student über genügend Wissen? (umfangreich und anwendungsbereit)

(6) Welchen Antrag hat er eingereicht? (Veränderung der Arbeitszeit)

A 40 Mit Hilfe der Funktionsverben ist es möglich, die Mitteilungsperspektive zu ändern und zu schattieren. Während das finite Verb in der Wortstellung festgelegt ist, ist es z. B. möglich, das Substantiv des Funktionsverbgefüges in die erste Position vor das finite Verb zu bringen und — in Zusammenhang mit Attributen — zu betonen:

> Haben Sie schon einmal Überlegungen darüber angestellt?
> → *Solche Überlegungen* haben wir schon oft angestellt.

Beantworten Sie folgende Fragen und stellen Sie dabei das Substantiv des Funktionsverbgefüges in die betonte Erststellung!

(1) Haben die beiden Betriebe über den Forschungsauftrag bereits Vereinbarungen getroffen?

(2) Wann müssen die Studenten ihre Anträge auf Stipendium stellen?

(3) Hat der Dozent über das Ergebnis der Prüfungen schon Andeutungen gemacht?

(4) Muß die Industrieanlage vor der Inbetriebnahme noch Veränderungen erfahren?

(5) Hat der Ausländer auf Ihren Brief schon eine Antwort gegeben?

(6) Hat das Buch in der internationalen Fachwelt Anerkennung gefunden?

Infinites Verb / Hilfsverben

B 1 Die notwendigen Verbindungen finiter Verben mit einem **Infinitiv** werden gewöhnlich mit der Partikel *zu* bezeichnet. Mit Infinitiv ohne *zu* verbinden sich:

die Modalverben *dürfen, können, mögen, müssen, sollen, wollen*
die Empfindungsverben *hören, sehen, fühlen, spüren*
die Bewegungsverben *gehen, kommen, fahren* u. a.
die Verben *werden, bleiben, lassen*
in spezieller Verwendung die Verben *haben, finden, legen, schicken* u. a.

Bei den Verben *lernen, lehren* und *helfen* gibt es den Infinitiv mit und ohne *zu.*

Infinitiv mit *zu* oder ohne *zu*? Fügen Sie — wenn notwendig — Komma ein!

(1) Der Lehrer läßt die Kinder (aufstehen). — Der Lehrer fordert die Kinder auf (aufstehen).
(2) Ich bat den Besucher die Treppe (heraufkommen). — Ich sah den Besucher die Treppe (heraufkommen).
(3) Die Mutter schickte ihren Sohn Brot (holen). — Die Mutter beauftragte ihren Sohn Brot (holen).
(4) Ich warnte die Kinder im Hausflur (schreien). — Ich hörte die Kinder im Hausflur (schreien).
(5) Viele Fahrzeugbesitzer hatten ihre Wagen vor dem Haus (stehen). — Die Polizei ordnete an die Wagen hinter das Haus (stellen).
(6) Die Mutter legt das Kind (schlafen). — Die Mutter ermahnt das Kind (schlafen).
(7) Ich fand ihn dort (liegen). — Ich bat ihn ruhig (liegen).
(8) Er half mir die Zusammenhänge richtig (verstehen). — Er half mir das Gepäck (tragen).
(9) Sie lehrte den Jungen Klavier (spielen). — Sie lehrte den Jungen sich rücksichtsvoll (benehmen).

B 2 Mit Partikel *zu* oder ohne Partikel *zu*? Fügen Sie — wenn notwendig — Komma ein!

(1) Wir wollen gemeinsam (verreisen). — Wir planen gemeinsam (verreisen).
(2) Du brauchst nicht so pünktlich (kommen). — Du mußt nicht so pünktlich (kommen).
(3) Er geht jetzt regelmäßig (schwimmen). — Er beginnt jetzt regelmäßig (trainieren).

(4) Die Kinder bemühen sich ruhig (sitzen). – Die Kinder bleiben ruhig (sitzen).

(5) Er konnte von seiner Reise viel Interessantes (erzählen). – Er wußte von seiner Reise viel Interessantes (erzählen).

(6) Ich habe mit ihm etwas Wichtiges (besprechen). – Ich muß mit ihm etwas Wichtiges (besprechen).

(7) Der Direktor wünscht nicht gestört (werden). – Der Direktor möchte nicht gestört (werden).

(8) Er darf nicht mehr (rauchen). – Er hört auf (rauchen).

B 3 Die **Infinitivpartikel** *zu* steht entweder (1) vor dem Verb oder (2) zwischen dem ersten Verbteil und dem Stamm des Verbs.

1. Stellung **vor** dem Verb

1.1. Die Stellung vor dem Verb hat *zu* bei den stammbetonten Verben. Zu den stammbetonten Verben gehören:

1.1.1. die einfachen Verben (**ar**beiten, **ge**hen, schr**ei**ben)

1.1.2. die Verben mit den untrennbaren ersten Verbteilen *be-, ent-, er-, ver-, zer-* und den zumeist untrennbaren ersten Verbteilen *miß-* und *wider-* (bestellen, erziehen, mißlingen)

1.1.3. die Verben mit den bei bestimmter Verbbedeutung (vgl. G) untrennbaren ersten Verbteilen *durch-, hinter-, über-, um-, unter-, voll-* (durchl**au**fen, umg**e**ben, unters**a**gen, voll**e**nden)

1.1.4. einige Verben mit untrennbarem erstem Verbteil aus einem Adjektiv (frohl**o**cken, offenb**a**ren)

1.2. Vor dem Verb steht *zu* außerdem bei

1.2.1. den Verben mit betontem Suffix *-ieren* (studieren, transformieren) und einigen Verben, die weder auf dem Stamm noch auf dem ersten Verbteil betont werden (prophezeien, schmarotzen)

1.2.2. einer Gruppe von Verben mit untrennbarem betontem erstem Verbteil aus Verb, Substantiv oder Adjektiv (schauspielern, schlußfolgern, langweilen u.a.)

2. Stellung **zwischen** erstem Verbteil und Stamm
Die Stellung zwischen dem ersten Verbteil und dem Verbstamm hat *zu* bei den Verben, die auf dem ersten Verbteil betont sind. Das sind:

2.1. die Verben mit den trennbaren ersten Verbteilen *an-, bei-, ein-, hinaus-, wieder-* u.v.a. (**an**hören, **bei**tragen, hin**aus**gehen, **wie**dersehen)

2.2. die Verben mit den bei bestimmter Verbbedeutung (vgl. G) trennbaren ersten Verbteilen *durch-, hinter-, über-, um-, unter-, voll-* (**durch**laufen, **um**fallen, **unter**gehen, **voll**stopfen)

2.3. die Verben mit trennbarem betontem erstem Verbteil aus Verb, Substantiv oder Adjektiv (**kennen**lernen, **teil**nehmen, **blank**bohnern u.v.a.)

Wo steht die Partikel *zu?*

(1) Niemand wagte es, seine Worte (bezweifeln, anzweifeln).
(2) Wir haben uns vorgenommen, den Berg (besteigen, ersteigen).
(3) Sie bat ihren Mann, die Tür (verschließen, abschließen).
(4) Er versprach, die Informationen nicht (mißbrauchen, gebrauchen).
(5) Ich befürchtete, zu spät (aufwachen, erwachen).
(6) Man hat begonnen, das Haus (abreißen, niederreißen).
(7) Es ist notwendig, die Lektion bald (ausarbeiten, bearbeiten).
(8) Die junge Mitarbeiterin scheint allgemein (gefallen, auffallen).
(9) Die Papiere sind schnellstens (nachsenden, weitersenden).

B 4 Wo steht die Partikel *zu?*

(1) *umschreiben:* Der Schüler wurde aufgefordert, die Wendung mit anderen Worten ... Der Schüler wurde aufgefordert, den Aufsatz noch einmal ...
(2) *durchfahren:* Der Zug scheint bis Berlin ... Der Zug scheint die Stadt ...
(3) *unterstellen:* Sie bat ihn, ihr keine schlechten Absichten ... Sie bat ihn, sich bei Regen ...
(4) *übergehen:* Ich finde es nicht richtig, sofort nach der Textlektüre zur Textkonversation ... Ich finde es nicht richtig, den Kollegen diesmal bei der Auszeichnung ...
(5) *untergraben:* Der Alkohol begann, seine Gesundheit ... Der Gärtner begann, den Dung ...
(6) *überziehen:* Er bat sie, sich eine Jacke ... Er bat sie, die Betten frisch ...

B 5 Wo steht die Partikel *zu?*

(1) Sie ermahnte ihn, nicht bei jedem Rechnungsfehler sofort einen Betrug (argwöhnen).
(2) Er hat zugesichert, den Sitzungstermin bald (festlegen).
(3) Der richtige Artikelgebrauch scheint dem Ausländer besonders (schwerfallen).
(4) Nach meiner Meinung gibt es keinen Grund, über seine Niederlage (frohlocken).
(5) Das Gespräch begann mich bald (langweilen).
(6) Ich bat ihn, mir meine kritischen Bemerkungen nicht (übelnehmen).
(7) Es schien ihm unmöglich, eine solche Leistung wie sein Freund (vollbringen).
(8) Es war mir nicht möglich, an der Veranstaltung (teilnehmen).
(9) Er hat vergeblich versucht, sein Verhalten (rechtfertigen).

(10) Er hat seinen Freunden angeboten, sie mit dem Wagen (heim-
bringen).

(11) Sie bat ihn, vor allem in der Dämmerung beim Fahren (achtgeben).

(12) Er versteht es, das Gerät geschickt (handhaben).

(13) Die Ärztin hat ihm geraten, in Zukunft mit seinen Kräften mehr
(haushalten).

(14) Es ist unmöglich, aus seinem Schweigen (schlußfolgern), daß er
gegen unseren Vorschlag ist.

B 6   In der Verbindung mit Infinitiv ersetzen die Modalverben (einschließ-
lich *brauchen*) und gewöhnlich auch die Empfindungsverben (und *lassen*) bei der Bildung von Perfekt, Plusquamperfekt und Infinitiv II das
Partizip II durch den Infinitiv („Ersatzinfinitiv"). Ohne Infinitiv bilden
diese Verben ihre Formen von Perfekt, Plusquamperfekt und Infinitiv
regelmäßig mit Partizip II.

> Er hat nicht antworten *können.*
> Er hat das Gedicht nicht auswendig *gekonnt.*

Gebrauchen Sie die Fragen und Antworten im Perfekt!

(1) „Hörst du ihn singen?" – „Ja, ich höre ihn."
(2) „Was wollen Sie von ihm?" – „Ich will ihn nach dem Buch fragen."
(3) „Können Sie nicht warten?" – „Ich muß nach Hause."
(4) „Brauchst du das Buch?" – „Nein, ich brauche es nicht zu lesen."
(5) „Darfst du mitgehen?" – „Ja, ich darf."
(6) „Siehst du ihn?" – „Ja, ich sehe ihn gerade vorbeigehen."
(7) „Wo läßt du das Auto?" – „Ich lasse es vor dem Haus stehen."

B 7   Wenn die Verben mit „Ersatzinfinitiv" im eingeleiteten Nebensatz in
einer zusammengesetzten Tempusform stehen, erscheint das finite
Verb nicht am Satzende, sondern vor beiden Infinitiven.

Gebrauchen Sie die Fragen und Antworten der vorangehenden Übung
in indirekter Rede im Perfekt nach folgendem Muster!

    (a) Sie hat mich gefragt: „Hast du ihn singen hören?"
       → Sie hat mich gefragt, ob ich ihn *habe* singen hören.
    (b) Ich habe ihr geantwortet: „Ja, ich habe ihn gehört."
       → Ich habe ihr geantwortet, daß ich ihn gehört *habe.*

B 8   In den zusammengesetzten Tempusformen und im eingeleiteten Nebensatz wird bei den meisten Verben, die mit einem Infinitiv mit *zu*
verbunden sind, der Infinitiv nachgestellt (Ausrahmung des Infinitivs). Bei den Verben mit Infinitiv ohne *zu* und bei den meisten Hilfs-

verben mit Infinitiv mit *zu* (*haben, sein, brauchen, pflegen, wissen* u.a.) wird der Infinitiv vorangestellt (keine Ausrahmung des Infinitivs).

> Der Lehrer bittet die Schüler aufzustehen.
> → Der Lehrer hat die Schüler gebeten *aufzustehen.*
> Der Lehrer läßt die Schüler aufstehen.
> → Der Lehrer hat die Schüler *aufstehen* lassen.

Gebrauchen Sie die Sätze von B 1 und B 2 im Perfekt nach obigem Muster!

B 9 Die Hilfsverben können selbst kein Passiv bilden, sie stehen jedoch oft in Verbindung mit einem Infinitiv Passiv (Infinitiv I für die Gleichzeitigkeit, Infinitiv II für die Vorzeitigkeit).

Formen Sie die Sätze nach dem Muster um!

> (a) Es ist notwendig, ihn zu informieren.
> → Er muß *informiert werden.*
> (b) Es ist nicht notwendig, ihn zu informieren.
> → Er braucht nicht *informiert zu werden.*

(1) Es ist notwendig, den Termin der Veranstaltung durch Aushang bekanntzugeben.
(2) Es ist nicht notwendig, die Mitarbeiter persönlich zu informieren.
(3) Es ist nicht notwendig, einen Projektor bereitzustellen.
(4) Es ist notwendig, den Referenten vorzustellen.
(5) Es ist nicht notwendig, den Raum zu verdunkeln.
(6) Es ist notwendig, ein Protokoll zu führen.
(7) Es ist notwendig, ein Schlußwort zu sprechen.

B 10 Formen Sie die Sätze nach dem Muster um!

> Es ist möglich, daß man ihn falsch informiert hat.
> → Er scheint falsch *informiert worden zu sein.*
> → Er mag falsch *informiert worden sein.*

Es ist möglich, daß man ...

(1) ihn zu spät benachrichtigt hat.
(2) ihn im Institut aufgehalten hat.
(3) ihn bei den Einladungen vergessen hat.
(4) ihn mit einer anderen Aufgabe beauftragt hat.
(5) ihn nicht auf die Dringlichkeit der Sache hingewiesen hat.

B 11 Das **Partizip II** wird teils mit Präfix *ge-*, teils ohne Präfix *ge-* gebildet. Wenn das Partizip II mit *ge-* gebildet wird, kann es am Wortanfang oder zwischen dem ersten Verbteil und dem Verbstamm stehen. Bildung und Stellung des Präfix hängen von der Betonung des Verbs und der Trennbarkeit des ersten Verbteils ab. Man vergleiche dazu die Gruppen in B 3.

Mit *ge-* wird das Partizip II von den Verben der Gruppen 1.1.1., 1.2.2. und 2.1. bis 2.3. gebildet. Bei den Gruppen 1.1.2. und 1.2.2. steht das Präfix am Wortanfang, bei den Gruppen 2.1. bis 2.3. steht es zwischen dem ersten Verbteil und dem Verbstamm:

> Er hat mir lange nicht *ge*schrieben.
> Wir haben heute spät *ge*frühstückt.
> Die Sekretärin hat den Brief ab*ge*schrieben.
> Die Familie ist vor kurzem um*ge*zogen.
> Der Wissenschaftler hat an der Konferenz teil*ge*nommen.

Ohne *ge-* wird das Partizip II von den Verben der Gruppen 1.1.2. bis 1.1.4. und der Gruppe 1.2.1. gebildet:

> Das Experiment ist mißlungen.
> Das Haus ist von einem Garten umgeben.
> Er hat über meinen Mißerfolg frohlockt.
> Das Geburtshaus des Dichters wird rekonstruiert.

Bilden Sie aus dem Wortmaterial Sätze im Perfekt nach dem Muster!

> prüfen / kontrollieren (Heizer, Kesseldruck)
> → Der Heizer hat den Kesseldruck geprüft.
> → Der Heizer hat den Kesseldruck kontrolliert.

(1) kosten / probieren (Köchin, Suppe)
(2) dirigieren / leiten (Komponist, Rundfunkorchester)
(3) kurieren / heilen (Arzt, Patient)
(4) frisieren / kämmen (Mädchen, ihre Schwester)
(5) schätzen / taxieren (Makler, Grundstück)
(6) bringen / servieren (Ober, Suppe).

B 12 Bilden Sie aus dem Wortmaterial Sätze im Perfekt!

(1) zweifeln an / anzweifeln / bezweifeln (Wissenschaftler, Richtigkeit der Hypothese)
(2) verschließen / abschließen / schließen (Pförtner, Tür)
(3) verfallen / zusammenfallen / zerfallen (Bau)
(4) strömen aus / entströmen / ausströmen aus (Luft, Behälter)
(5) entleihen / leihen / ausleihen (Student, Buch)
(6) ausfragen / befragen / nachfragen bei (Polizist, Nachbar)

B 13 Setzen Sie das Verb als Partizip II ein!

   (1)   *umschreiben:*   Der Schüler hat die Wendung mit Synony-
men...
Der Schüler hat den Aufsatz noch einmal...

   (2)   *durchfahren:*   Der Zug ist bis Berlin...
Der Zug hat die Stadt...

   (3)   *unterstellen:*   Die Lehrerin hat dem Schüler schlechte Absichten...
Wegen des starken Regens haben wir uns...

   (4)   *übergehen:*   Der Lehrer ist nach der Textlektüre sofort zur
Konversation...
Der junge Schriftsteller ist bei der Auszeich-
nung nicht... worden.

   (5)   *untergraben:*   Der Alkohol hat seine Gesundheit...
Der Gärtner hat den Dung...

   (6)   *überziehen:*   Sie hat sich wegen der Kälte eine Jacke...
Sie hat gestern die Betten frisch...

B 14 Setzen Sie das Verb als Partizip II ein!

   (1)   Das Gericht hat den Angeklagten (freisprechen).
   (2)   Der Kraftfahrer hat zu früh über den Gerichtsentscheid (frohlocken).
   (3)   Wir haben heute sehr spät (frühstücken).
   (4)   Gestern habe ich bei meinem Nachbarn (fernsehen).
   (5)   Die Bergleute haben in der Kälteperiode große Leistungen (vollbringen).
   (6)   Ich habe mich bei dem Klubabend nicht eine Minute (langweilen).
   (7)   Der Abschied von den Freunden ist mir sehr (schwerfallen).
   (8)   Der Junge hat das Heft bis zur letzten Seite (vollschreiben).
   (9)   Die beiden Kollegen haben den ganzen Abend miteinander
(fachsimpeln).
 (10)   Der Versuch ist beim ersten Mal (fehlschlagen).
 (11)   Er hat seinen Eltern (telegrafieren).
 (12)   Der Pilot ist auf einer Wiese (notlanden).
 (13)   Der Student hat sein Verhalten vor seinen Eltern (rechtfertigen).

B 15 Bei den Verbindungen finiter Verben mit einem Infinitiv ist zwischen
notwendigen und freien Verbindungen zu unterscheiden. Zu den
freien Verbindungen vergleiche V 21–26. Bei den notwendigen Verbindungen ist das finite Verb entweder Hilfsverb oder Vollverb.
Die Gruppe der **Vollverben** ist relativ groß (ca. 250 Verben). Abhängig
von der Valenz und Semantik des finiten Verbs ist das – im aktualen

Satz nicht ausgedrückte — Subjekt des Infinitivs identisch (a) mit dem
Subjekt oder (b) mit dem Objekt des finiten Verbs. Vielfach steht beim
finiten Verb noch das Pronomen *es* oder ein Pronominaladverb
da(r) + Präposition als Hinweiswort (Korrelat) auf den Infinitiv.

(a) Ich verspreche (es) dir, den Brief abzuholen.
   ← *Ich* verspreche (es) dir, daß *ich* den Brief abhole.
(b) Er beauftragt mich (damit), den Brief abzuholen.
   ← Er beauftragt *mich* (damit), daß *ich* den Brief abhole.

Bei Verben, die nur **Subjekt** und **Infinitiv** bei sich haben, ist das Subjekt des Infinitivs gewöhnlich identisch mit dem Subjekt des finiten
Verbs.

Weisen Sie bei den folgenden Sätzen die Subjekt-Identität durch Umformung des Infinitivs in einen *daß*-Satz nach! Bei welchen Verben ist der *daß*-Satz weniger üblich als der Infinitiv? Setzen Sie das
fehlende Korrelat ein und prüfen Sie die Notwendigkeit seines Ge-
brauchs!

(1) Der Vater hat ... aufgegeben, seine Tochter ständig zu ermah-
     nen.
(2) Das junge Ehepaar hofft ..., noch in diesem Jahr eine Neubau-
     wohnung zu bekommen.
(3) Der Assistent hat ... übernommen, heute das Protokoll zu füh-
     ren.
(4) Ich habe ... mich nicht getraut, den Dozenten zu fragen.
(5) Der Junge wagte ... nicht, seinem Vater zu widersprechen.
(6) Der Laborant neigt ..., die Analysen sehr oberflächlich durchzu-
     führen.
(7) Er träumt ..., einmal selbst ein Labor zu leiten.
(8) Ich habe mich ... bemüht, ruhig zu bleiben und nichts zu sagen.
(9) Wir planen ..., im Sommer gemeinsam zu verreisen.
(10) Die Studenten machten sich ..., die experimentellen Befunde
     auszuwerten.
(11) Der Arzt bestand ..., jedes Kind selbst zu untersuchen.
(12) Er unterließ ..., seine Eltern über den Vorfall zu informieren.
(13) Er hat sich ... gewehrt, sein Einverständnis zu der Reise zu ge-
     ben.
(14) Der Kunde verzichtete ..., sich bei der Geschäftsführerin zu be-
     schweren.
(15) Peter hatte ... vergessen, seinem Vater zum Geburtstag zu gra-
     tulieren.
(16) Rita zögerte zuerst ..., ihrem Freund die Wahrheit zu sagen.
(17) Ich habe ... mehrmals vergeblich versucht, seine Eltern anzuru-
     fen.
(18) Der Professor beschränkte sich ..., nur eine Messungsmethode
     zu demonstrieren.
(19) Der Praktikant hat ... versäumt, die Analyse zu kontrollieren.

B 16 Bei allen Verben mit **Subjekt, Infinitiv** und **Akkusativobjekt** ist das Subjekt des Infinitivs mit dem Objekt identisch. Ebenso verhält es sich bei den wenigen Verben mit **Präpositionalobjekt**, die mit Infinitiv möglich sind. Auch die Mehrzahl der Verben mit **Dativobjekt** und Infinitiv gehört hierher.

Setzen Sie das Objekt in den richtigen Kasus! Ergänzen Sie auch das fehlende Korrelat (neben Dativ-Objekt zumeist *es*, neben Akkusativ-Objekt zumeist *da(r)* + Präposition, neben Präpositional-Objekt gewöhnlich kein Korrelat)!

(1) Sie brachte (ihr Mann) . . ., den Antwortbrief sofort zu schreiben.

(2) Das junge Mädchen hat (sein Freund) . . . abgehalten, eine Unvorsichtigkeit zu begehen.

(3) Der Vater hat . . . (der Sohn) untersagt, die Diskothek zu besuchen.

(4) Der Professor regte (der Doktorand) . . . an, den Forschungsauftrag zu übernehmen.

(5) Der Arzt riet (der Patient) . . . ab, die Seereise zu unternehmen.

(6) Der Lehrer appellierte . . . (die Schülerin), die Wahrheit zu sagen.

(7) Der Ausweis berechtigt (der Besucher) . . ., das Institut zu betreten.

(8) Das Mädchen bestärkte (seine Freundin) . . ., niemandem etwas zu sagen.

(9) Die Eltern schärften . . . (der Sohn) ein, vorsichtig über die Straße zu gehen.

(10) Der Dozent warnte (der Student) . . ., voreilige Schlüsse zu ziehen.

(11) Der Mensch überläßt . . . (die adaptive Maschine), sich das günstigste Programm selbst zu wählen.

(12) Der Praktikumsleiter beauftragte (ein Student) . . ., das Protokoll anzufertigen.

(13) Der Laborant hat (das Versuchstier) . . . gewöhnt, auf einen akustischen Reiz hin zur Futterstelle zu laufen.

(14) Das Mädchen drang . . . (seine Freundin), es zum Zahnarzt zu begleiten.

(15) Die neue Untersuchungsmethode zwingt (jeder Student) . . ., mit größter Sorgfalt zu arbeiten.

(16) Die Freunde wirkten . . . (der junge Mann) ein, sich freiwillig zu melden.

(17) Die ältere Dame bat (der Mitreisende) . . ., das Fenster zu schließen.

(18) Die Mutter hat . . . (ihre Tochter) aufgetragen, die Fenster zu putzen.

(19) Der Arbeitsgruppenleiter hat . . . (sein Mitarbeiter) nahegelegt, die Arbeitsschutzbestimmungen genauestens einzuhalten.

(20) Er hat (der Hund) . . . abgerichtet, Fremde nur zu fassen, nicht zu beißen.

(21) Er hat . . . (der Hund) auch beigebracht, von Fremden kein Futter anzunehmen.

(22) Eine Krankheit hinderte (der Direktor) . . ., die Dienstreise anzutreten.

(23) Das neue Labor ermöglicht . . . (jeder Student), die Röntgendiagramme genau zu studieren.

B 17 In Abhängigkeit vom finiten Verb ist zwischen 1. üblichem und 2. schwankendem (bzw. seltenem) Auftreten des Korrelats im Satz zu unterscheiden.

Prüfen Sie bei den Beispielsätzen der vorhergehenden Übung, ob es sich um 1. oder 2. handelt!

B 18 Eine besondere Art der Infinitivverbindung mit zwei nicht identischen Subjekten bilden die Empfindungsverben (ohne Korrelat und Partikel *zu*).

Formen Sie die Sätze nach dem Muster um!

> Ich sah meinen Freund, wie er aus dem Wagen stieg.
> → Ich sah meinen Freund aus dem Wagen steigen.

(1) Ich hörte meine Freunde, wie sie im Nebenzimmer stritten.
(2) Ich habe den Sohn schon oft gesehen, wie er seiner Mutter bei der Hausarbeit half.
(3) Wir hörten den Kuckuck, wie er im Wald rief.
(4) Er fühlte das Herz des Vogels in seiner Hand, wie es ängstlich schlug.
(5) Wir hörten den Wagen, wie er sich schnell näherte.
(6) Ich habe meinen Freund gesehen, wie er am Vormittag in die Stadt ging.

B 19 Bei einigen Verben, die eine Infinitivverbindung mit zwei nicht identischen Subjekten bilden, steht kein personales Objekt. Das Subjekt des Infinitivs bleibt in diesen Fällen unbestimmt (*man*).

Formen Sie die Infinitive in *daß*-Sätze mit *man* oder in *daß*-Sätze im Passiv um!

(1) Die Studienabteilung hat angewiesen, die Stipendien in diesem Monat früher auszuzahlen.
(2) Die Klassenlehrerin hat dafür plädiert, den Schüler nicht zu bestrafen.
(3) Die Ärzte empfehlen, nicht zu rauchen.
(4) Die Verwaltung hat angeordnet, die Geschäfte um 12 Uhr zu schließen.

(5)   Der Verlag hat angeregt, einen Sammelband zu den Fragen der Sprachmethodik zusammenzustellen.

(6)   Die Familie des Schriftstellers hat dagegen protestiert, seine Briefe zu veröffentlichen.

B 20 Bei manchen Verben mit **Subjekt, Infinitiv** und **Dativobjekt** ist das Subjekt des Infinitivs nicht mit dem Objekt, sondern mit dem Subjekt des finiten Verbs identisch. Bei einigen wenigen Verben sind beide Möglichkeiten gegeben.

Formen Sie die Infinitive in *daß*-Sätze um!

(1)   Die Verkäuferin hat mir empfohlen, das Buch vorzubestellen.

(2)   Sie hat mir zugesagt, mich nach Erscheinen des Buches sofort anzurufen.

(3)   Der Vater hat seiner Tochter gedroht, ihr das Taschengeld zu entziehen.

(4)   Die Mutter hat dem Sohn zugeredet, sich in der Schule mehr anzustrengen.

(5)   Ich habe meinem Freund angeboten, vorübergehend bei mir zu wohnen.

(6)   Er hat mir angeboten, für das Zimmer Miete zu zahlen.

(7)   Die Kinder haben der Mutter versprochen, sich ruhig zu verhalten.

(8)   Die Mutter hat den Kindern erlaubt, noch länger aufzubleiben.

(9)   Der Dozent hat dem ausländischen Gast vorgeschlagen, an der Festsitzung teilzunehmen.

(10)   Er hat dem Ausländer vorgeschlagen, ihn zum Festsaal zu begleiten.

B 21 Die Gruppe der **Hilfsverben** ist relativ klein. Sie besteht aus
(1) den Verben *haben, sein, werden* (mit Infinitiv, Partizip I oder Partizip II),
(2) den Modalverben (nur mit Infinitiv),
(3) den modalverbähnlichen Verben *brauchen, scheinen, wissen, pflegen* u.a. (nur mit Infinitiv).

Die Verben *haben, sein* und *werden* dienen vor allem zum Ausdruck der Tempora und des Passivs. Vergleiche dazu C und D. Außerdem haben sie auch modale und aktionale Bedeutungen:

Die Hilfsverben *haben* und *sein* mit Infinitiv + *zu* drücken die modalen Bedeutungen der Notwendigkeit und Möglichkeit (mit Verneinung: des Verbots oder der Unmöglichkeit) aus. Welche der beiden Bedeutungen im aktualen Satz vorliegt, hängt vom Kontext ab. Die Konstruktion mit *haben* hat aktivische, die Konstruktion mit *sein* passivische Bedeutung.

Bilden Sie Sätze mit *müssen* oder *haben* + *zu*!

Aus den Anweisungen der Veterinärhygiene

Aufgaben der Tierhalter

Der Tierhalter muß / hat
— die Ställe sicher abgrenzen, die Ein- und Ausgänge kontrollieren sowie die Einfahrten bewachen wegen betriebsfremder Personen und artfremder Tiere
— kranke Tiere schnellstens isolieren, dem Tierarzt Krankheitsfälle schnellstens melden
— Kranken- und Isolierställe einrichten, getrennte Arbeitskleidung und Gerätschaften einführen und farblich kennzeichnen
— Ungeziefer bekämpfen, die Tiere gut und hygienisch einwandfrei halten, pflegen und füttern

B 22 Formen Sie die Sätze nach dem Muster um!

Der Labortisch wird stets sauber gehalten. (Passiv)
→ Der Labortisch ist stets sauber zu halten. (Passivbedeutung + Notwendigkeit)

(1) Alle Reaktionen werden mit möglichst kleinen Substanzmengen ausgeführt.
(2) Von den Lösungen werden 1 bis 2 ml verwendet.
(3) Von den festen Substanzen werden etwa 50 mg genommen.
(4) Die entnommenen Substanzen werden nicht in die Vorratsflaschen zurückgegeben.
(5) Der Rest der Analysesubstanz wird für Nachprüfungen aufbewahrt.
(6) Die Reagenzlösungen werden von Verunreinigungen frei gehalten.
(7) Die Reagenzlösung wird tropfenweise zugegeben.
(8) Feste Substanzen werden mit einem Löffel oder Spatel entnommen.
(9) Die Flaschenstopfen werden nicht vertauscht.
(10) Die Flasche wird an ihren Platz zurückgestellt.

B 23 Ersetzen Sie die Konstruktion *sein* + *zu* durch die Modalverben *können, müssen* oder *dürfen* (mit *man*)!

(1) Eine Verzögerung der Lieferung von ein bis zwei Tagen ist unter Umständen nicht zu vermeiden.
(2) Eine weitere Verzögerung der Lieferung ist jedoch möglichst zu vermeiden.
(3) Die Reparatur des Ofens ist unbedingt bis zu diesem Wochenende zu schaffen.

(4) Die Reparatur der ganzen Anlage ist allenfalls bis zum nächsten Wochenende zu schaffen.

(5) Kinder sind auf keinen Fall mit Schlägen zu belehren.

(6) Die Lehrlinge sind genauestens über die Arbeitsschutzbestimmungen zu belehren.

(7) Manche Menschen sind nur durch eigene schlechte Erfahrungen zu belehren.

(8) Der Text ist von Fortgeschrittenen leicht zu übersetzen.

(9) Nach der Prüfungsvorschrift sind bei der Übersetzung keine Wörterbücher zu benutzen.

(10) Der Text ist so schnell wie möglich zu übersetzen.

(11) Die Türen der Düsenmaschine sind während des Fluges nicht zu öffnen.

(12) Während der Fahrt sind die Türen der Straßenbahn stets geschlossen zu halten.

(13) Die Türen in der alten Wohnung sind schwer zu öffnen.

B 24 Ersetzen Sie das Modalverb durch *haben* + *zu* oder *sein* + *zu*!

Aus der Badeordnung

(1) Geld und Wertsachen müssen zur Aufbewahrung abgegeben werden.

(2) Das Ballspielen muß auf den dafür vorgesehenen Anlagen erfolgen. Jede Belästigung anderer Badegäste muß unterbleiben.

(3) Besuchergruppen müssen beim Aufsichtspersonal ordnungsgemäß an- und abgemeldet werden.

(4) Schwimmer müssen sich innerhalb der durch Bojen markierten Abgrenzungen aufhalten.

(5) Papier und Abfälle müssen in die dafür vorgesehenen Behälter geworfen werden.

(6) Den Anordnungen des Aufsichtspersonals muß unbedingt Folge geleistet werden.

B 25 Das Hilfsverb *sein* mit Partizip I drückt einen Zustand aus bzw. verstärkt die Bedeutung des Zustands einer finiten Verbform. Die Zahl der Verben, die sich in der Form des Partizip I mit *sein* verbinden können, ist aus semantischen Gründen stark eingeschränkt.

Welches Verb kann die Zustandsform mit *sein* + Partizip I bilden?

Das Metall glüht / schmilzt.
→ Das Metall ist glühend.
→ *Das Metall ist schmelzend.

(1) Die Krankheit bricht aus / steckt an.

(2) Seine Beweisführung überzeugte / mißlang.

(3) Das Getränk erfrischt / kühlt ab.

(4)   Ihr Hut gefiel / fiel auf.
(5)   Der Samtstoff glänzt / wärmt.
(6)   Der Augenblick vergeht / entscheidet.
(7)   Die Diskussion ermüdete / entwickelte sich.
(8)   Das Ergebnis der Untersuchung lag vor / überraschte.
(9)   Die Fahrt begann / strengte an.
(10)   Der neue Film provoziert / interessiert.

B 26   Die **Modalverben** drücken entweder eine objektive Modalität (Möglichkeit, Notwendigkeit, Erlaubnis, Verbot, Wunsch usw.) oder eine subjektive Modalität (Vermutung, Behauptung) aus.
Die Grundbedeutungen von *können* sind „Möglichkeit" und „Fähigkeit", die Grundbedeutung von *dürfen* ist „Erlaubnis" (bzw. verneint „Verbot").

Gebrauchen Sie statt der Einleitungssätze das Modalverb *können* oder *dürfen*!

[handschriftlich: dürfen] (1)   Den Kindern wurde erlaubt, baden zu gehen. *[handschriftlich: Die Kinder durften baden gehen.]*
[handschriftlich: können] (2)   Von der ganzen Gruppe ist nur Peter imstande, den See zu durchschwimmen. *[handschriftlich: Von der ganzen Gruppe kann nur Peter den See durchschwimmen]*
[handschriftlich: d] (3)   Es ist dem Mädchen vom Arzt aus verboten, Sport zu treiben. *[handschriftlich: Das Mädchen darf nicht Sport treiben.]*
[handschriftlich: K] (4)   Der Schüler ist nicht fähig, den Text fehlerfrei zu übersetzen.
[handschriftlich: d] (5)   Die Eltern haben das Recht, sich bei der Schulleitung zu beschweren.
[handschriftlich: K] (6)   Es war mir nur schwer möglich, eine Flugkarte zu bekommen.
[handschriftlich: d] (7)   Es ist Kindern verboten, auf Baustellen zu spielen.
[handschriftlich: d] (8)   Gestatten Sie, daß ich das Fenster öffne?
[handschriftlich: K] (9)   Es ist mir unmöglich, ohne Brille zu lesen.
[handschriftlich: d] (10)   In dieser Gaststätte ist es nicht erwünscht zu rauchen.
(11)   Er besitzt die Fähigkeit, sein Publikum zu begeistern.
(12)   Er hat die Genehmigung, das Labor zu besichtigen.
(13)   Sind Sie befugt, das Werksgelände zu betreten?
(14)   Ich war nicht in der Lage, sofort zu antworten.
(15)   Wir sind heute berechtigt, von einer Revolution in der Technik zu sprechen.

B 27   Die Grundbedeutung von *mögen* (im Konj. Prät., der Gegenwartsbedeutung hat) ist „Wunsch", „Lust" (negativ: „Abneigung"), die Grundbedeutung von *wollen* ist „Absicht", „Wille", daneben wird mit *wollen* auch (unterbrochener) „Beginn" und „Zukunft" ausgedrückt.

Gebrauchen Sie statt der Einleitungssätze das Modalverb *mögen* oder *wollen*!

(1)   Ich habe den Wunsch, einmal Bulgarien kennenzulernen.
(2)   Er beabsichtigt, am Wochenende zu verreisen.

(3) Sie hat eine Abneigung, mit dem Flugzeug zu fliegen.
(4) Ich war gerade im Begriff, sie zu fragen, aber er hielt mich zurück.
(5) Ich werde hier warten, bis du kommst.
(6) Hast du Lust, heute abend mit ins Kino zu kommen?
(7) Ich habe heute das Bedürfnis, mich einmal richtig auszuschlafen.
(8) Er hat den guten Willen, in Zukunft besser zu arbeiten.
(9) Der Direktor wünscht, nicht gestört zu werden.
(10) Sie ist entschlossen, ihre Verlobung zu lösen.
(11) Ich habe die Absicht, das Buch zu kaufen.
(12) Es ist erwünscht, daß Sie selbst mit dem Institutsdirektor sprechen.
(13) Ich war gerade dabei zu gehen, da kam mein Freund.

B 28 Die Modalverben *müssen* und *sollen* berühren sich in der Grundbedeutung „Notwendigkeit". Mit *müssen* werden immer die Bedingungen oder Ursachen für die Notwendigkeit der Handlung in den Vordergrund gestellt, mit *sollen* wird dagegen ausgedrückt, daß hinter der Notwendigkeit Auftrag, Pflicht, Plan, Bestimmung u. ä. stehen.

Gebrauchen Sie statt der Einleitungssätze das Modalverb *müssen* oder *sollen!*

(1) Ich habe den Auftrag, Ihnen den Brief zu übergeben.
(2) Es ist vorgesehen, im Westen der Stadt ein Neubauviertel zu errichten.
(3) Es ist dringend erforderlich, die Altstadt zu sanieren.
(4) Auch die Fußgänger sind verpflichtet, die Verkehrsregeln zu beachten.
(5) Der Praktikant hat die Aufgabe, eine Statistik anzufertigen.
(6) Es ist geplant, daß die Festspiele im nächsten Jahr in Halle stattfinden.
(7) Bis zur Durchführung der Festspiele ist noch manches zu tun.
(8) Es ist notwendig, daß er sich beeilt, wenn er den Zug noch erreichen will.
(9) Ich empfehle dir, dir das neue Theaterstück anzusehen.
(10) Manchmal kommt man nicht umhin, Kinder auch zu bestrafen.
(11) Rolf hat mir aufgetragen, dich herzlich zu grüßen.
(12) Der Aufsatz hat nur das Ziel, einen kurzen Überblick zu geben.
(13) Während des Faschismus waren viele Künstler gezwungen, ins Exil zu gehen.
(14) Das Zeichen y hat die Bestimmung, die zu suchende Größe anzugeben.

B 29 Gebrauchen Sie statt des Modalverbs eine synonyme Konstruktion aus Vollverb, Adjektiv oder Substantiv!

   (1)   Die Kinder durften baden gehen.
   (2)   Ich möchte einmal an den Müritzsee fahren.
   (3)   Von der ganzen Gruppe kann nur er den See durchschwimmen.
   (4)   Du solltest dir das neue Theaterstück ansehen.
   (5)   Ich konnte keine Eintrittskarte für das Gastspiel bekommen.
   (6)   Er will am Wochenende in sein Wochenendhaus fahren.
   (7)   Du mußt unbedingt einmal Weimar besuchen.
   (8)   Ich soll dem Professor den Brief persönlich übergeben.
   (9)   Ich wollte gerade weggehen, als mein Freund kam.
 (10)   Sie mag nicht mit dem Flugzeug fliegen.
 (11)   Das Mädchen darf vom Arzt aus nicht Sport treiben.
 (12)   Auch die Fußgänger müssen die Verkehrsregeln beachten.
 (13)   In dieser Gaststätte darf man nicht rauchen.
 (14)   Ich will hier warten, bis du kommst.
 (15)   Der Aufsatz soll nur einen kurzen Überblick über die Gegenwartsliteratur geben.

B 30 In bestimmten konzessiven Satzstrukturen (vor allem mit der Partikel *auch*) dient *mögen* (im Indik. Präs./Prät.) dazu, die Bedeutung der Einräumung zu verdeutlichen. Mit *mögen* konkurriert in manchen Fällen *sollen* (im Konj. Prät.), das dem Satz die zusätzliche Bedeutung der Eventualität (wie *vielleicht*) verleiht. *sollen* kommt in dieser Bedeutung auch in Konditionalsätzen vor.

     Auch wenn es regnet, ich gehe zu Fuß.
   → Auch wenn es regnen mag (sollte), ich gehe zu Fuß.

Konstruieren Sie die Nebensätze mit *mögen* oder *sollen*!

   (1)   Wenn es manchmal jetzt auch schon recht kühl ist, wir sitzen gern auf unserem Balkon.
   (2)   Falls es morgen regnet, verschieben wir den Ausflug.
   (3)   Ist es auch kalt, ich komme trotzdem.
   (4)   Hat er auch viel zu tun, so macht er doch trotzdem täglich einen ausgedehnten Spaziergang.
   (5)   Siehst du Jens, so grüße ihn von mir.
   (6)   Auch wenn Uwe nicht kommt, werden wir seinen Beitrag besprechen.
   (7)   Er ging zu jedem Fußballspiel, wie das Wetter auch war.
   (8)   Auch wenn Ilka recht gehabt hat, sie hätte ihre Meinung freundlicher formulieren können.

B 31 Mit verschiedenen Hilfsverben kann eine **Sprecher-Vermutung** ausgedrückt werden: mit *werden* (Indik. Präs.) und *dürfen* (im Konj. Prät.) eine Vermutung in der Gegenwart, mit *scheinen* und *mögen* (im Indik. Präs.) sowie *können* und *müssen* (im Indik. Prät. und Konj. Prät.) eine Vermutung in der Gegenwart und außerdem (im Indik. Prät.) eine Vermutung in der Vergangenheit. Die Vermutung mit *dürfen* hat einen höheren Sicherheitsgrad, die mit *müssen* den höchsten Sicherheitsgrad. Vermutetes gleichzeitiges Geschehen wird mit Infinitiv I (a), vermutetes vorzeitiges Geschehen mit Infinitiv II (b) ausgedrückt.

(a) Ich glaube, daß er im Kino ist.
→ Er scheint im Kino *zu sein*.
→ Er wird / dürfte / mag / kann (könnte) / muß (müßte) im Kino *sein*.

(b) Ich glaube, daß er im Kino gewesen ist.
→ Er scheint im Kino *gewesen zu sein*.
→ Er wird . . . im Kino *gewesen sein*.

Bilden Sie Sätze nach Muster (a) oder (b)!

Situation: Sie haben sich mit einer Bekannten für einen Theaterbesuch verabredet. Sie warten an der verabredeten Stelle, aber sie kommt nicht. Sie vermuten:

(1) Sie hat eine Versammlung.
(2) Sie ist noch beim Friseur.
(3) Sie wartet im Café.
(4) Sie wird noch vom Zahnarzt behandelt.
(5) Sie macht sich noch fertig.
(6) Sie hat unerwarteten Besuch bekommen.
(7) Sie ist plötzlich krank geworden.
(8) Sie ist bei Bekannten aufgehalten worden.
(9) Sie hat sich im Tag geirrt.

B 32 Durch *wollen* wird eine **Behauptung** des Subjekts über sich selbst, durch *sollen* eine Behauptung anderer Personen (oft ungenannt: *man*) über das Subjekt ausgedrückt. In beiden Fällen distanziert sich der Sprecher von den Behauptungen, bei denen es sich zumeist um Behauptungen über Vergangenes handelt (mit Infinitiv II).

Er *will* noch nie krank gewesen sein.
→ *Er* behauptet, daß er noch nie krank gewesen sei.
Er *soll* noch nie krank gewesen sein.
→ *Man* behauptet, daß er noch nie krank gewesen sei.

Formen Sie die folgenden Sätze mit *wollen* und *sollen* nach dem Muster um!

Viele Legenden haben sich in Kuba um den Wasserkobold Gueije gebildet: Alljährlich am Karfreitag soll der Kobold betrunken ein Bad im

Flusse Yayabo genommen haben. Dann wieder soll er sich auf rauschenden Festen in Santiago de Cuba als wunderbarer Tänzer erwiesen haben. In Santa Clara will ein alter Mann einmal einen Gueije beobachtet haben, wie er dem Wasser entstieg. Ein Rundfunktechniker aus Camajuani will sogar einen Gueije fotografiert haben — leider hatte er das Foto verloren. Noch vor einigen Jahren soll ein Gueije angeblich in einem Stadtteil von Havanna zwei Kinder ertränkt haben, die nach Augenzeugen jedoch bei einer Überschwemmung unglücklicherweise in einen Strudel geraten waren.

Tempora des Verbs

C 1   Transitive Verben (d.h. Verben, bei denen ein Akkusativobjekt stehen kann, das im entsprechenden Passivsatz zum Subjektsnominativ wird) (a), Mittelverben (d. h. Verben, bei denen ein Akkusativobjekt steht, bei denen jedoch eine Passivbildung ausgeschlossen ist) (b), reflexive Verben (c) und Modalverben (d) bilden das **Perfekt** mit *haben*:

(a) Er *hat* in der letzten Zeit viele Bücher gelesen.
(b) Zum Abitur *hat* es einige Auszeichnungen gegeben.
(c) Im Urlaub *hat* er sich nicht jeden Tag rasiert.
(d) Er *hat* gestern nach Berlin fahren müssen.

Das gilt auch für transitive Verben, wenn sie intransitiv gebraucht sind (e), gilt aber nicht für einige wenige transitive Verben, die Zusammensetzungen oder Ableitungen von solchen einfachen Verben sind, die ihrerseits ihre Vergangenheitsformen mit *sein* bilden (f):

(e) Der Kranke *hat* nicht gegessen, nur noch getrunken.
(f) Der Betrieb *ist* einen Vertrag mit der Universität eingegangen.

Setzen Sie folgende Sätze mit transitiven Verben und Mittelverben ins Perfekt!

(1) Der Lehrer liest sehr schnell.
(2) Wegen seiner guten Mitarbeit bekommt der Schüler eine Auszeichnung.
(3) Der Junge geht mit seinen Eltern die Hausaufgaben durch.
(4) Der Ortsfremde findet den Weg zum Hotel.
(5) Der Patient wird die Krankheit nicht wieder los.
(6) Der Kanister enthält zu wenig Benzin.

(7)   Wir warten noch ab, ob er mit dem Zug aus Dresden ankommt.

(8)   Der Ausländer beantwortete den Brief sehr schnell.

C 2   Von den intransitiven Verben bilden durative Verben (Verben, die einen Zustand oder Vorgang in seiner Dauer, in seinem Verlauf bezeichnen) ihr Perfekt mit *haben*, perfektive Verben (Verben der Zustandsveränderung) dagegen mit *sein*:

> Kind: schlafen (8 Stunden) — einschlafen (um 8 Uhr)
> Das Kind *hat* 8 Stunden geschlafen.
> Das Kind *ist* um 8 Uhr eingeschlafen.

Bilden Sie Sätze aus dem folgenden Wortmaterial mit dem Verb im Perfekt!

(1)   Blume: blühen (die ganze Nacht) — verblühen (am Morgen)

(2)   der Verletzte: bluten (am Kopf) — verbluten (auf dem Transport ins Krankenhaus)

(3)   Haus: brennen (stundenlang) — abbrennen (bis auf die Grundmauern)

(4)   die Metallteile der Maschine: rosten (schnell) — verrosten (völlig)

(5)   die explodierte Rakete: glühen (stundenlang) — ausglühen (nach Stunden)

(6)   Bergsteiger: frieren (trotz warmer Kleidung) — erfroren (auf Grund der Unterkühlung)

(7)   Milch: kochen (nicht lange) — überkochen (sehr schnell)

(8)   Getreide: faulen (durch den Regen) — verfaulen (auf dem Halm)

(9)   die junge Frau: kränkeln (den ganzen Herbst) — erkranken (an einer schweren Grippe)

(10)   Krankenschwester: wachen (am Bett des Patienten) — aufwachen (sehr zeitig)

C 3   Verben der **Zustandsveränderung** bilden ihr Perfekt nur dann mit *sein*, wenn es **intransitive** Verben sind. **Transitive** bzw. **reflexive** Verben der Zustandsveränderung bilden ihr Perfekt dagegen mit *haben*:

> Das Eis *ist* in der Sonne geschmolzen.
> Die Sonne *hat* das Eis geschmolzen.

Setzen Sie die folgenden Sätze ins Perfekt!

(1)   Die Mutter trocknet die Wäsche auf dem Hof. — Die Wäsche trocknet bei dem schönen Wetter schnell.

(2)   Das Weinglas zerbricht beim Herunterfallen. — Sie zerbricht das Weinglas beim Abwaschen.

(3)   Er verbrennt das Holz im Ofen. — Das nasse Holz verbrennt nur unvollständig.

(4) Die Wunde heilt nach kurzer Zeit. – Der Arzt heilt mit diesem
     Medikament die Wunde.
(5) Die Seeluft bräunt sein Gesicht. – Sein Gesicht bräunt in der
     Seeluft schnell.
(6) Die Tür schlägt von selbst zu. – Er schlägt die Tür vor Wut hin-
     ter sich zu.
(7) Die Arbeit ermüdet ihn sehr. – Er ermüdet bei der Arbeit sehr.
(8) Man erstickt den Widerstand mit Gewalt. – Wir ersticken in
     dem überheizten Zimmer fast.
(9) Der Fisch verdirbt in der Hitze schnell. – Ich verderbe mir mit
     dem Fisch den Magen.

C 4 Intransitive Verben der Bewegung bilden ihr Perfekt mit *sein*, wenn
mit der Bewegung eine **Lage-** oder **Ortsveränderung** verbunden ist;
sonst steht *haben*:

> Der Vogel *ist* durch das Zimmer geflattert.
> Die Fahnen *haben* im Wind geflattert.

Setzen Sie folgende Sätze ins Perfekt!

(1) Der Betrunkene schwankt von einer Straßenseite auf die an-
     dere. – Das Haus schwankt bei jedem Erdstoß.
(2) Der Adler schwebt hoch oben in der Luft. – Der Luftballon
     schwebt langsam in die Höhe.
(3) Seit seinem Autounfall hinkt er leicht. – Er hinkt an einem
     Stock über die Straße.
(4) Das Mädchen tanzt vor Freude durchs Zimmer. – Zur Eröffnung
     des Festabends tanzt das Ballett der Staatsoper.
(5) Der Junge stampft vor Wut mit den Füßen. – Er stampft mit sei-
     nen schweren Stiefeln durch die Wohnung.
(6) Die Kinder trampeln immer wieder über die Grünanlagen. – Die
     Zuschauer im Stadion trampeln vor Begeisterung.
(7) Das Fett in der Pfanne spritzt heftig. – Das Fett spritzt aus der
     Pfanne.

C 5 Verben der Lage- und Ortsveränderung bilden ihr Perfekt nur dann
mit *sein*, wenn sie **intransitiv** sind. Transitive (bzw. reflexive) Verben
der Ortsveränderung bilden das Perfekt dagegen mit *haben*:

> steigen – besteigen   (Wanderer, Berg)
> Der Wanderer *ist* auf den Berg gestiegen.
> Der Wanderer *hat* den Berg bestiegen.

Bilden Sie Sätze aus folgendem Wortmaterial im Perfekt!

(1) eintreten – betreten   (Besucher – Sekretariat des Di-
                                    rektors)

(2)	sich erheben – aufstehen	(Publikum)
(3)	verfolgen – folgen	(Polizist – Dieb)
(4)	ankommen – erreichen	(Läufer – Ziel)
(5)	sich entfernen – weggehen	(Gast)
(6)	befliegen – fliegen	(Maschine, Strecke Paris – Havanna)
(7)	herangehen – sich nähern	(Kind – Pferd)
(8)	ausweichen – überholen	(Radfahrer – Fußgänger)
(9)	verlieren – abkommen	(Kinder – Weg)
(10)	sich öffnen – aufgehen	(Tür)

C 6 Setzen Sie folgende Sätze in das Perfekt!

(1) Der Schriftsteller fährt gern mit dem eigenen Wagen. – Er fährt jeden Tag nach Dresden. – Der Schriftsteller fährt seinen Wagen schon fast zehn Jahre.

(2) Die Holzfäller rollen die Baumstämme den Abhang hinunter. – Die Baumstämme rollen von selbst den Abhang hinunter.

(3) Die Familie zieht in die Großstadt. – Zwei Pferde ziehen den Wagen.

(4) Er tritt sich auf den Fuß. – Er tritt in eine Pfütze.

(5) Die Maschine fliegt in einer Höhe von 12 000 Metern. – Der Pilot fliegt die Maschine nach Prag. – Der Staatsmann fliegt mit einer Sondermaschine.

(6) Er reitet ein störrisches Pferd. – Er reitet auf einem störrischen Pferd. – Er reitet ins Nachbardorf.

(7) Die Tiere jagen über die Steppe. – Die Männer jagen die Tiere in eine Schlucht.

(8) Der Stürmer schießt den Ball ins Aus. – Die Pilze schießen nach dem Regen aus dem Boden.

(9) Das Mädchen stößt seine Freundin mit dem Ellbogen. – Das Mädchen stößt mit seiner Bemerkung auf Protest.

(10) Das Auto biegt um die Ecke. – Der Klempner biegt das Rohr.

(11) Das Eis der Elbe bricht in der Nacht. – Der Geschäftspartner bricht den Vertrag.

C 7 Verben, die nur mit *es* als Subjekt vorkommen können (**unpersönliche Verben**), bilden ihr Perfekt in der Regel mit *haben*:

Es *hat* gestern zwei Stunden geregnet.

Als Ausnahmen gibt es einige Wendungen mit solchen Verben, die außerhalb der Wendung ihr Perfekt mit *sein* bilden (*es geht um ..., es kommt auf ... an*):

Es *ist* in der Diskussion um ein sehr wichtiges Thema gegangen.

Setzen Sie folgende Sätze mit unpersönlichen Verben ins Perfekt!

(1) Diesen Winter schneit es wenig.
(2) An den Vormittagen nieselt es oft.
(3) Es kommt nicht auf lange Diskussionen, sondern auf eine Lösung des Problems an.
(4) Dieses Jahr herbstet es früher als sonst.
(5) In dieser Urlaubswoche donnert und blitzt es fast jeden Nachmittag.
(6) In den Bergen dämmert es früher, als wir erwartet haben.

C 8 Verben, deren Subjekt auf die 3. Person beschränkt ist (Ereignisverben), bilden ihre Vergangenheitsformen teils mit *haben* (z.B.: *sich ereignen, sich treffen, sich ziemen, stattfinden, klappen*), teils mit *sein* (z.B. *gelingen, mißlingen, geschehen, glücken, passieren, vorkommen, widerfahren*).

Setzen Sie folgende Sätze ins Perfekt!

(1) Der Mannschaft glückt der Sprung in die Finalrunde.
(2) Ein solches unentschiedenes Verhalten ziemt dem Hochschullehrer nicht.
(3) Viele Unfälle passieren, weil die Kraftfahrer übermüdet sind.
(4) Sein Experiment zur Bestätigung der Hypothese mißlingt.
(5) Abschußfehler kommen selbst bei den erfahrensten Spielern vor.
(6) Das Unglück ereignet sich auf der steilen Straße zu dem neuen Hotel.
(7) Die Vorlesung findet vorerst wegen einer Dienstreise des Dozenten nicht statt.
(8) Bei der Prüfung geschieht etwas, was wir alle nicht erwartet haben.

C 9 Das **Präsens** als Zeitform kann Gegenwart, Zukunft oder Vergangenheit ausdrücken:

> *Jetzt* klopft er an die Tür.   (= Gegenwart)
> Du bringst bitte *morgen* das Buch zurück.   (= Zukunft)
> *Gestern* überrascht er mich mit seinem Besuch.   (= Vergangenheit)

(a) Stellen Sie in den folgenden Sätzen fest, auf welche Zeit des Geschehens sich das Präsens bezieht!
(b) Lassen Sie in den folgenden Sätzen die lexikalischen Tempusangaben weg und prüfen Sie, ob und in welcher Weise dadurch die Zeit des Geschehens verändert wird!
(c) In welchen Fällen ist die lexikalische Tempusangabe obligato-

risch, falls im Satz die Zeit des Geschehens nicht verändert werden soll?

- (1)   Ich besuche dich heute nachmittag.
- (2)   Plötzlich sehe ich meinen Freund vor mir stehen.
- (3)   Wir treffen uns heute in der Vorlesung.
- (4)   Er sucht seine Vorlesungsnachschriften bestimmt in den nächsten Tagen.
- (5)   Er findet seine Vorlesungsnachschriften bestimmt in den nächsten Tagen.
- (6)   Wir beobachten das Experiment seit langem sehr genau.
- (7)   In der nächsten Woche haben wir eine Besprechung zu dieser Vorlage.
- (8)   Das Telefon klingelt gerade.

C 10   Ersetzen Sie in den folgenden Sätzen — wenn möglich — das Präsens durch ein anderes Tempus, ohne dadurch die Zeit des Geschehens zu verändern! Erklären Sie im negativen Falle, warum das nicht möglich ist!

- (1)   Bulgarien liegt im Südosten Europas auf der Balkanhalbinsel.
- (2)   Nach der Klärung des Falles schreiben wir ein Protokoll.
- (3)   Neulich treffe ich meinen Freund ganz zufällig in der Stadt.
- (4)   Wir treffen uns morgen pünktlich auf dem Bahnhof.
- (5)   Heute schreibt er einen Brief.
- (6)   Jetzt schreibt er einen Brief.
- (7)   Seit mehreren Tagen sucht er das verlorengegangene Buch.
- (8)   Bis zum Wochenende kauft er das neuerschienene Buch.

C 11   Fügen Sie in die folgenden Sätze mögliche lexikalische Temporalangaben ein und stellen Sie danach die Zeit oder eventuelle Differenzierungen in der Zeit fest!

- (1)   Er sucht seinen Personalausweis.
- (2)   Ich treffe meinen Freund in der Oper.
- (3)   Das Kind schläft in seinem Wagen.
- (4)   Wir helfen uns gegenseitig bei der Arbeit.
- (5)   Paris ist die Hauptstadt Frankreichs.
- (6)   Wir beenden die Arbeit an unserem Forschungsvorhaben.
- (7)   Die Versammlung findet mit allen Betriebsangehörigen statt.
- (8)   Ich beglückwünsche dich hiermit zu deiner hohen Auszeichnung.

C 12   Die **Perfektform** kann (a) Vergangenheit, (b) resultative Vergangenheit (der für die Sprechzeit relevante Zustand ist wichtiger als der Ver-

lauf in der Vergangenheit — nur bei transformativen Verben, die einen
Übergang in einen Folgezustand bezeichnen —) oder (c) Zukunft ausdrücken:

    (a) Peter *hat* heute mittag *geschlafen.*
    (b) Peter *ist* vorhin *eingeschlafen.* (> Er schläft jetzt.)
    (c) Bis morgen *hat* das Fieber bestimmt *nachgelassen.*

Bei (a) ist das Perfekt in der Regel durch das Präteritum, bei (a), (b)
und (c) durch das Futur II ersetzbar, ohne daß sich die Zeit des Geschehens ändert (allerdings tritt bei diesem Ersatz durch das Futur II
in (a) und (b) ein zusätzlicher Modalfaktor auf).

Ersetzen Sie in den folgenden Sätzen das Perfekt ohne Veränderung
der objektiven Zeit durch das Präteritum und/oder durch das Futur II!

  (1)   In der nächsten Woche hat er sich wieder erholt.
  (2)   Der Betrieb hat seine Exportverpflichtungen schon Mitte De-
        zember erfüllt.
  (3)   Der Student hat seine Abschlußprüfung nicht bestanden.
  (4)   Bald haben wir den Winter überstanden.
  (5)   Die Leistungen des Prüflings haben die Kommission heute
        überzeugt.
  (6)   Der Zug ist jetzt eingefahren.
  (7)   In einigen Tagen hat er seine Dissertation abgeschlossen.
  (8)   Vor zwei Tagen hat er seine Dissertation abgeschlossen.
  (9)   Er hat seine Frau oft besucht.
 (10)   Bis zur nächsten Woche hat er sich das Buch gekauft.

C 13 Wenn das Perfekt ein zukünftiges Geschehen bezeichnet, wird dies
obligatorisch durch eine lexikalische Temporalangabe signalisiert;
wenn diese Temporalangabe wegfällt, ändert der Satz seine Bedeutung (er bezeichnet dann vergangenes Geschehen):

    Bis Sonnabend hat er das Buch gekauft. (= Zukunft)
    → Er hat das Buch gekauft. (= Vergangenheit)

Wenn das Perfekt dagegen (a) ein vergangenes oder (b) ein vergangen-resultatives Geschehen bezeichnet, ist eine Temporalangabe
möglich, aber nicht nötig:

    (a) Er hat (*gestern*) viel gearbeitet.
    (b) Er hat sich das Buch (*gestern*) gekauft.

Lassen Sie in den folgenden Sätzen die lexikalische Temporalangabe
weg, und stellen Sie dabei fest, ob die Zeit des Geschehens gleichbleibt
(dann handelt es sich um Vergangenheit oder resultative Vergangenheit) oder ob sie sich verändert (dann handelt es sich um Zukunft)!

  (1)   Jetzt ist der Zug im Hauptbahnhof eingefahren.

(2) In der vorigen Woche ist er mit den Studenten auf einer Exkursion gewesen.

(3) In der nächsten Woche hat er sich wieder erholt.

(4) Bis zum nächsten Jahr haben wir diesen Forschungsauftrag abgeschlossen.

(5) Vor einigen Wochen ist er zu einer Konferenz gewesen.

(6) In den nächsten Wochen sind die Beeren gereift.

(7) Wegen der Hitze sind die Beeren dieses Jahr in wenigen Wochen gereift.

C 14 Das **Futur I** als Zeitform kann zukünftiges oder gegenwärtiges Geschehen bezeichnen:

> Er wird *morgen* operiert werden.   (= Zukunft)
> Er wird wohl *gerade* operiert werden.   (= Gegenwart)

In beiden Fällen kann das Futur I durch das Präsens ersetzt werden und ist die lexikalische Temporalangabe — die natürlich von verschiedener Art ist — fakultativ, so daß Sätze mit Futur I ohne lexikalische Temporalangabe oft zweideutig sind.

Fügen Sie in den folgenden Sätzen mit Futur I Temporalbestimmungen ein, so daß sie sich einmal auf gegenwärtiges, das andere Mal auf zukünftiges Geschehen beziehen!

(1) Der Junge wird baden gehen.

(2) Der Abiturient wird sich auf die Prüfung vorbereiten.

(3) Sie wird in Berlin sein.

(4) Der Schriftsteller wird an seinem neuen Roman arbeiten.

(5) Der Cheflektor wird in Rostock übernachten.

(6) Der Klinikdirektor wird die Patientin selbst operieren.

C 15 Das **Futur II** als Zeitform kann (a) vergangenes Geschehen, (b) vergangenes Geschehen mit resultativem Charakter (der für die Sprechzeit relevante Zustand ist wesentlicher als das in der Vergangenheit liegende Geschehen — nur bei transformativen Verben, die einen Übergang in einen Folgezustand bezeichnen —) oder (c) zukünftiges Geschehen ausdrücken:

> (a) Er wird (früher) in Prag gearbeitet haben.
> (b) Er wird (vor einigen Stunden) eingeschlafen sein.
> (c) Bis nächste Woche wird er das Buch in der Bibliothek abgeliefert haben.

Wenn das Futur II ein vergangenes oder ein vergangen-resultatives Geschehen bezeichnet, *kann* eine lexikalische Temporalangabe stehen; wenn es zukünftiges Geschehen bezeichnet, *muß* eine solche Temporalangabe (natürlich anderer Art) stehen. Deshalb werden

Sätze ohne Temporalangabe automatisch als vergangen bzw. vergan-
gen-resultativ interpretiert:

> Er wird in Prag gearbeitet haben.
> Er wird eingeschlafen sein.

In den Fällen (a) bis (c) wird das Futur II häufig durch das Perfekt ersetzt.

Lassen Sie in den folgenden Sätzen mit Futur II die lexikalische Temporalangabe weg, und stellen Sie dabei fest, ob die Geschehenszeit
gleichbleibt (dann handelt es sich um Vergangenheit oder um resultative Vergangenheit) oder ob sie sich verändert (dann handelt es sich
um Zukunft)!

(1) Bis zum Sonntag wird er mir das Buch zurückgegeben haben.
(2) Gestern wird die Patientin operiert worden sein.
(3) Der Promovend wird im vorigen Monat seine Verteidigung erfolgreich abgeschlossen haben.
(4) Der Promovend wird bis zum Sommer seine Verteidigung erfolgreich abgeschlossen haben.
(5) Im Sommer wird das Ehepaar die neue Wohnung bezogen haben.
(6) Die letzten zwei Jahre wird er an seinem Bungalow gebaut haben.

C 16 Wenn das Futur I ein gegenwärtiges Geschehen bezeichnet, enthält es
immer einen Modalfaktor der Vermutung, der nicht unbedingt formal
ausgedrückt zu sein braucht:

> Er *wird* (wohl / gewiß / vielleicht...) in Halle *sein*.

Wenn das Futur I aber ein zukünftiges Geschehen bezeichnet, kann es
einen Modalfaktor der Vermutung enthalten, der dann jedoch formal
(durch ein Modalwort) ausgedrückt ist:

> Wir *werden* wohl bald die Resultate der Untersuchung *erfahren*.

Folglich:

Futur I mit Gegenwartsbedeutung
- mit Modalwort — mit Vermu-
tungsbedeutung
- ohne Modalwort — **mit** Vermu-
tungsbedeutung

Futur I mit Zukunftsbedeutung
- mit Modalwort — mit Vermu-
tungsbedeutung
- ohne Modalwort — **ohne** Ver-
mutungsbedeutung

Wird das Futur I mit Gegenwartsbedeutung durch das Präsens ersetzt, so wird das Modalwort obligatorisch:

→ Er *ist* wohl / gewiß / vielleicht ... in Halle.

Ersetzen Sie in den folgenden Fällen das Futur I durch das Präsens ohne Bedeutungsveränderung und achten Sie dabei auf den richtigen Gebrauch der Modalwörter!

(1) Er wird jetzt Hunger haben.
(2) Der Direktor wird das Problem vielleicht in der nächsten Woche in Berlin klären.
(3) Der Direktor wird die Fragen jetzt in Leipzig besprechen.
(4) Er wird jetzt schon im Ausland sein.
(5) Der Patient wird den nächsten Tag nicht mehr überleben.
(6) In der nächsten Woche werden die Schüler wohl das Resultat der Prüfungen erfahren.
(7) Der Lehrer wird krank sein.
(8) Das Wetter wird wahrscheinlich nicht lange so schön bleiben.
(9) Er wird gewiß jetzt in seinem Büro arbeiten.

C 17 Wenn das Futur II ein vergangenes oder ein vergangen-resultatives Geschehen bezeichnet, enthält es immer einen Modalfaktor der Vermutung, der nicht unbedingt formal ausgedrückt zu sein braucht, der aber (durch ein Modalwort) ausgedrückt werden muß, wenn dieses Futur II durch das Perfekt ersetzt wird:

Der Vater *wird* seine Tochter (vielleicht / wohl) gestern *besucht haben.*

→ Der Vater *hat* seine Tochter vielleicht / wohl gestern *besucht.*

Wenn das Futur II aber ein zukünftiges Geschehen bezeichnet, kann es einen Modalfaktor der Vermutung enthalten, der bei einem Ersatz durch das Perfekt in gleicher Weise erhalten bleibt:

Morgen *wird* er die Arbeit *beendet haben.*

→ Morgen *hat* er die Arbeit *beendet.*

Ersetzen Sie in den folgenden Sätzen das Futur II durch das Perfekt ohne Bedeutungsveränderung und achten Sie dabei auf den richtigen Gebrauch der Modalwörter!

(1) Der Lehrer wird in der vorigen Woche auf Dienstreise gewesen sein.
(2) Bis zum nächsten Sommer wird er wohl längst operiert worden sein.
(3) Der Uhrmacher wird die Uhr schon repariert haben.
(4) Bis morgen wird der Schüler seinen Aufsatz abgegeben haben.
(5) Er wird die Probleme längst geklärt haben.

(6)   In der nächsten Woche wird er die Probleme längst geklärt haben.

(7)   Gestern wird er in Dresden gewesen sein.

C 18 Fügen Sie in den folgenden Sätzen mit Perfekt, Futur I oder Futur II eine mögliche lexikalische Temporalbestimmung (oder mehrere mögliche Temporalbestimmungen verschiedener Art) ein und stellen Sie auf diese Weise fest, auf welche Zeit (Vergangenheit, Gegenwart, Zukunft) oder Zeiten sich die Sätze beziehen bzw. beziehen können!

(1)   Er hat sich den Film angesehen.
(2)   Das Kind wird wohl tüchtigen Hunger haben.
(3)   Er wird wohl nach Berlin fahren.
(4)   Der Abteilungsleiter wird seinen Fehler korrigiert haben.
(5)   Das Gebäude wird schon wieder Schäden aufzuweisen haben.
(6)   Das Kind wird schlafen.
(7)   Der Professor hat die Diplomarbeiten gelesen.
(8)   Man wird die neue Talsperre projektiert haben.

C 19 Gehen Sie von folgender Situation aus:
Ein ausländischer Gast, der sich für einen bestimmten Zeitpunkt angemeldet hatte und mit seinem Auto anreisen wollte, ist zu diesem Zeitpunkt nicht angekommen.

Drücken Sie folgende Aussagen als Vermutungen (für Vergangenheit, Gegenwart oder Zukunft) — durch Tempusformen und/oder Modalwörter — aus, mit denen Sie sich das Ausbleiben erklären oder Schlußfolgerungen daraus ziehen! Verwenden Sie das Futur I bzw. Futur II!

(1)   Er ist zu spät weggefahren.
(2)   Er hat unterwegs eine Panne gehabt.
(3)   Die Zollabfertigung an der Grenze hat länger gedauert.
(4)   Er ist krank.
(5)   Er hat den Zeitpunkt der Anreise vergessen.
(6)   Er ist noch unterwegs.
(7)   Er wird noch in der Nacht oder am nächsten Tag kommen.

C 20 Gehen Sie von folgender Situation aus:
Sie rufen Ihren Freund an, er meldet sich aber nicht am Telefon.

Drücken Sie folgende Aussagen als Vermutungen (für Vergangenheit, Gegenwart oder Zukunft) aus, mit denen Sie sich diese Tatsache erklären oder Schlußfolgerungen daraus ziehen!

(1)   Er hört das Telefon nicht.
(2)   Er ist auf dem Balkon.

(3)   Er ist nicht zu Hause.
(4)   Er ist noch nicht von der Arbeit zurückgekommen.
(5)   Er will nicht gestört sein.
(6)   Er wird erst später zurückkommen.
(7)   Er ist in die Bibliothek gegangen.

Genera des Verbs

D 1   Bei der Umformung des Aktivs in das **Vorgangspassiv** wird das Akkusativobjekt des aktivischen Satzes zum Nominativsubjekt des passivischen Satzes. Genitiv-, Dativ- und Präpositionalobjekte bleiben dagegen von der **Passivtransformation** unberührt, so daß in diesen Fällen — beim Fehlen eines Akkusativobjektes im aktivischen Satz — ein subjektloses Passiv entsteht:

> Der Lehrer liest *das Buch.*
> → *Das Buch* wird (von dem Lehrer) gelesen.
> Der Lehrer hilft *dem Schüler.*
> → *Dem Schüler* wird (von dem Lehrer) geholfen.
> Der Lehrer sorgt *für die Schüler.*
> → *Für die Schüler* wird (von dem Lehrer) gesorgt.

Formen Sie folgende aktivischen Sätze in das Vorgangspassiv um!

(1)   Der Kraftfahrer hat den Fußgänger überfahren.
(2)   Der Fußgänger hat die Straße an einer unübersichtlichen Stelle überquert.
(3)   Die Passanten helfen dem verunglückten Fußgänger.
(4)   Der Kraftfahrer beschuldigt den Fußgänger der Unvorsichtigkeit.
(5)   Die Passanten sorgen für den Abtransport des Verletzten ins Krankenhaus.
(6)   Die Polizei untersucht die Ursachen des Unfalls.
(7)   Das Gericht klagt den Kraftfahrer der mangelnden Rücksichtnahme an.
(8)   Man bezeichnete ihn als einen rücksichtslosen Fahrer.
(9)   Ein Zeuge des Unfalls nennt ihn einen unerfahrenen Kraftfahrer.
(10)   Das Gericht entzieht ihm den Führerschein.
(11)   Die Angehörigen des Verletzten drängen auf eine Bestrafung.
(12)   Die Polizei antwortet auf die Briefe der Familie.
(13)   Sie danken der Polizei für die Aufklärung des Falles.

D 2 Formen Sie folgende Sätze aus dem Vorgangspassiv in das entsprechende Aktiv um!

(1) Die Kinder werden von der Lehrerin genau beobachtet.

(2) Die Arbeiten wurden von den Kindern während der Klassenarbeit ausgetauscht.

(3) Vor der Arbeit ist das Sprechen, Abschreiben und Austauschen von der Lehrerin verboten worden.

(4) Den Anforderungen der Lehrerin wird von den Schülern nicht Folge geleistet.

(5) Von einigen Schülern wurde über die Anordnungen sogar gelacht.

(6) Nun werden die Schüler von der Lehrerin des Betrugs bezichtigt.

(7) Die Arbeiten der Schüler werden von der Lehrerin als nicht bewertbar befunden.

(8) Von den Schülern wird auf eine Wiederholung der Arbeit gehofft.

D 3 Bei den **subjektlosen Passivsätzen** mit absoluten Verben sind zu unterscheiden: (a) Sätze, bei denen im Aktiv das unbestimmt-persönliche *man* als Agens erscheint, das im Passiv obligatorisch ausfällt; (b) Sätze, bei denen im Aktiv ein bestimmt-persönliches Agens erscheint, das im Passiv obligatorisch erhalten bleibt.

(a) *Man* tanzte im Saal.
 → Es wurde im Saal getanzt.
 → Im Saal wurde getanzt.

(b) *Sie* tanzten im Saal.
 → Es wurde *von ihnen* im Saal getanzt.
 → Im Saal wurde *von ihnen* getanzt.

Setzen Sie folgende Sätze ohne zweiten Aktanten (mit absoluten Verben) in die subjektlosen Passivkonstruktionen!

(1) Man sprach in der Klasse sehr laut.

(2) Die Zuschauer klatschten lange.

(3) Man raucht hier nicht.

(4) Die Schüler lachten sehr laut.

(5) Man arbeitet hier sorgfältig.

(6) Die Waschanstalten waschen schnell.

D 4 Setzen Sie die folgenden subjektlosen Passivkonstruktionen in die entsprechenden aktivischen Sätze!

(1) Erhitzt wird nicht in das Wasser gesprungen.

(2) Es wurde von den Kollegen im Nebenzimmer laut gelacht.

(3) Während der Unterrichtsstunde wird nicht gegessen.

    (4)   Während des Essens ist nicht gesprochen worden.
    (5)   Es wurde in der Sitzung von niemandem geraucht.
    (6)   Im Nachbarzimmer wurde geschnarcht.

D 5   Das subjektlose Passiv drückt oftmals kein passivisches Geschehen, sondern ein ausgesprochen aktivisches Verhalten oder eine energische Aufforderung aus:

        Nach dem Kulturprogramm wurde getanzt.
        Jetzt wird aber geschlafen!

Formen Sie folgende Sätze so um, daß das in ihnen ausgedrückte aktivische Verhalten oder die in ihnen enthaltene Aufforderung durch einen subjektlosen Passivsatz bezeichnet wird!

    (1)   Man sang während der Busfahrt gemeinsam.
    (2)   Jetzt geht aber schnell ins Bett!
    (3)   Rechnet schnell und richtig!
    (4)   Man arbeitete 12 Stunden an diesem Tag.
    (5)   Stört jetzt nicht mehr!
    (6)   In der Kaufhalle hat man auch am Sonntag verkauft.

D 6   Beantworten Sie folgende Fragen und benutzen Sie dabei passivische Sätze mit den in Klammern stehenden Subjekten!

        Was wird in der Fabrik produziert? (Konsumgüter)
        In der Fabrik werden Konsumgüter produziert.

    (1)   Was wird in der neuen Straße gebaut? (Hochhaus)
    (2)   Was wird auf diesem Feld angebaut? (Kartoffeln)
    (3)   Was wird in der Bibliothek am meisten gelesen? (Fachbücher)
    (4)   Was wird in diesem Dienstleistungsbetrieb angenommen? (Rasierapparate)
    (5)   Was wird in dem Kiosk verkauft? (Zigaretten)
    (6)   Was wird im Reisebüro angeboten? (Flugreisen)
    (7)   Was wird heute im Fernsehen übertragen? (neuer Film)
    (8)   Was wird morgen in der neuen Oper gespielt? (ein Werk von Wagner)

D 7   Beantworten Sie folgende Fragen, die mit dem unbestimmt-persönlichen *man* gebildet sind, mit Hilfe von passivischen Sätzen!

        Was trinkt man in England? (Tee)
        In England wird Tee getrunken.

    (1)   Was singt man in Polen? (viele Volkslieder)
    (2)   Was ißt man in den arabischen Ländern? (Reis)

    (3)   Welche Bodenschätze fördert man in der Sowjetunion?   (Kohle, Erdöl)

    (4)   Welche Feiertage begeht man in der DDR?   (Ostern, 1. Mai, Pfingsten, Tag der Republik, Weihnachten, Neujahr)

    (5)   Was schreibt man häufig zum Jahreswechsel?   (Glückwunschkarten)

    (6)   Was verkauft man in der Buchhandlung?   (schöngeistige Literatur)

    (7)   Was behandelt man in dieser Klinik?   (Hals-, Nasen- und Ohrenleiden)

D 8   Beantworten Sie folgende Fragen und benutzen Sie dabei Sätze mit verschiedenen Arten des Vorgangspassivs sowie die in Klammern angegebenen Verben!

    Was geschieht in vielen Großstädten?   (neue Häuser bauen)
    In vielen Großstädten werden neue Häuser gebaut.

    (1)   Was geschieht im Kindergarten?   (spielen)

    (2)   Was geschieht im Winter oft?   (zum Wintersport fahren)

    (3)   Was geschieht im Klubraum?   (Musik hören, Schach spielen)

    (4)   Was geschieht jetzt im Klassenzimmer?   (lesen, schreiben)

    (5)   Was geschieht montags in der Klinik?   (Patienten operieren)

    (6)   Was geschieht in den Schwimmbädern?   (Ball spielen, schwimmen)

D 9   Was machen Sie, wenn Sie einen Brief schreiben?
Antworten Sie in passivischen Sätzen und benutzen Sie das folgende Wortmaterial!

Brief schreiben — Brief unterschreiben — Brief noch einmal durchlesen — Umschlag suchen — Umschlag beschriften — Brief in Umschlag stecken — Umschlag zukleben — Marke(n) aufkleben — Brief zur Post (zum Briefkasten) bringen — Brief in Kasten werfen (auf der Post abgeben)

D 10 Nicht jeder Akkusativ im aktivischen Satz kann durch die Umwandlung ins Passiv zum Subjektsnominativ werden. Ein Akkusativ bleibt von der Passivtransformation unberührt, wenn er **kein Objekt**, sondern eine **Adverbialbestimmung** ist:

    Die Bibliothekarin liest *den neuen Roman.*
    → *Der neue Roman* wird von der Bibliothekarin gelesen.
Aber:
    Der Schüler hat *den ganzen Urlaub* gelesen.
    → *Den ganzen Urlaub* ist von dem Schüler gelesen worden.

Eine Passivtransformation ist ausgeschlossen, wenn der Akkusativ ein Reflexivpronomen ist, wenn er bei Verben der Haben-Relation (z.B. *bekommen, besitzen, haben*) steht, wenn er einen Betrag oder Inhalt (bei Verben wie *kosten, enthalten, gelten, umfassen, wiegen*) oder etwas Vorhandenes (bei *es gibt*) ausdrückt, z.B.:

> Das Buch kostet zehn Mark.
> → *Zehn Mark werden von dem Buch gekostet.

Formen Sie folgende Sätze mit Akkusativ — wenn möglich — in das Passiv um und erklären Sie — im negativen Falle —, warum das nicht möglich ist!

(1) Die Studenten diskutierten den ganzen Abend.
(2) Der Schüler hat sich gründlich gewaschen.
(3) Der Roman umfaßt drei Teile.
(4) Das Auto erfaßte den Fußgänger.
(5) Die Flasche hat einen Liter gefaßt.
(6) Der Briefträger hat der Frau das Päckchen gegeben.
(7) In diesem Sommer hat es sehr viel Regen gegeben.
(8) Wir haben einen langen, aber nicht sehr strengen Winter gehabt.
(9) Der Institutsdirektor hat den Gast nicht empfangen.
(10) Die Eltern erhielten die Nachricht vom Tod ihres Sohnes.
(11) Der Lehrer hat die Altersgrenze erreicht.
(12) Die Stammgäste haben die besten Plätze besetzt.
(13) Der Vater hat ein neues Buch bekommen.
(14) Die Couch kostet 500 Mark.
(15) Die Studenten bekamen zu wenig Aufgaben.
(16) Der Koch kostete die Suppe.
(17) Er duschte sich jeden Morgen.
(18) Das Paket wiegt zwei Kilo.
(19) Die Verkäuferin wog das Fleisch.
(20) Der Student erhielt für seine Diplomarbeit einen Preis.

D 11 Die Bildung des Passivs ist nicht möglich, wenn der Akkusativ bei einem Verb mit modalem Hilfsverb und nach einigen Verben (*sehen, fühlen, hören, lassen, lehren, spüren*) mit Infinitiv ohne *zu* steht:

> Er *kann* sie besuchen.
> → *Sie wird besuchen gekonnt.
> Ich *höre* ihn *kommen*.
> → *Er wird von mir kommen gehört.

Aber:

> Ich bitte ihn *zu kommen*.
> → Er wird von mir gebeten zu kommen.

Verwandeln Sie folgende Sätze — wenn möglich — in das Passiv und erklären Sie — im negativen Falle —, warum das nicht möglich ist!

(1)   Wir beauftragen ihn, die Fahrkarten zu kaufen.
(2)   Die Schüler sehen den Lehrer schreiben.
(3)   Die Eltern lassen die Kinder reden.
(4)   Die Bergsteiger wollen den Gipfel besteigen.
(5)   Der Professor regt ihn an nachzudenken.
(6)   Der Student soll den Versuch wiederholen.
(7)   Der Polizist hindert ihn wegzulaufen.
(8)   Der Phonetiker lehrt ihn korrekt sprechen.

D 12 Ein subjektloses Passiv kann nur gebildet werden von Verben, deren Subjekt ein **Agens** (ein aktiver persönlicher Täter) ist (a), nicht aber von solchen Verben, deren Subjekt kein Agens ist (b):

> (a) Der Sohn *hilft* dem Vater.
>   → Dem Vater wird vom Sohn geholfen.
> (b) Der Sohn *ähnelt* dem Vater.
>   → *Dem Vater wird vom Sohn geähnelt.

Formen Sie folgende aktivischen Sätze — wenn es möglich ist — in subjektlose passivische Sätze um!

(1)   In dieser Fabrik arbeitet man besonders rationell.
(2)   Das Gras wächst bei diesem Regen sehr schnell.
(3)   Die Fußballspieler kämpfen um ein Tor.
(4)   Der Direktor gratuliert dem Lehrer zum Geburtstag.
(5)   Das junge Mädchen gefällt dem Studenten.
(6)   Die Frau gehört zur Gewerkschaftsleitung.
(7)   Die Schüler sehen in ihre Lehrbücher.
(8)   Man antwortet den Messebesuchern auf ihre Fragen.
(9)   Der Schüler begegnet seinem Lehrer auf dem Sportplatz.
(10) Der Schüler verspricht dem Lehrer eine bessere Mitarbeit in den Stunden.
(11) Der Patient dankt dem Arzt für die schnelle Hilfe.
(12) Der Klassenlehrer sorgt für seine Klasse.
(13) Der Wein schmeckt uns nicht besonders gut.
(14) Der Prüfling genügte nicht den Anforderungen.
(15) Das Buch entsprach unseren Erwartungen.

D 13 Das Aktiv-Subjekt wird im Vorgangspassiv mit Hilfe der Präpositionen *von* oder *durch* angeschlossen, die im allgemeinen austauschbar sind, bei denen nur dann ein Bedeutungsunterschied erkennbar wird, wenn sie im gleichen Satz erscheinen (dann bezeichnet *von* das Agens, den Urheber oder die Ursache, *durch* das Mittel oder den Vermittler):

> Er wurde *von* den Freunden / *durch* die Freunde überzeugt.
> Ich wurde *von* meinem Freund *durch* einen Brief verständigt.

Außerdem steht *von* vornehmlich bei Personen, auch bei Abstrakta und seltener bei Sachen, umgekehrt *durch* vor allem bei Sachen, auch bei Abstrakta und seltener bei Personen.

Setzen Sie die folgenden Sätze ins Vorgangspassiv und schließen Sie das Aktiv-Subjekt mit der richtigen Präposition an!

(1) Der Arzt untersucht den Patienten sehr gründlich.
(2) Die Studentengruppe besuchte die Kunstausstellung.
(3) Wir überreichten dem Jubilar Blumen.
(4) Die Schwester übermittelte uns eine Nachricht von dem Arzt.
(5) Sein Benehmen erheiterte die Gäste.
(6) Der Direktor schickte den Brief durch einen Boten.
(7) Der Unfall hat die Straße unpassierbar gemacht.
(8) Er hat durch seinen Unfall die Straße unpassierbar gemacht.

D 14 Beantworten Sie folgende Sätze, indem Sie ein Passiv bilden und das erfragte Agens hinzufügen!

Von wem werden die heutigen Stunden gehalten?
Die heutigen Stunden werden vom Chemielehrer gehalten.

(1) Von wem werden die Seminare zur Vorlesung durchgeführt?
(2) Von wem wird die Aufsicht bei der Klausur übernommen?
(3) Von wem werden die Kraftfahrzeuge überprüft?
(4) Von wem werden die Fahrkarten in der Eisenbahn kontrolliert?
(5) Von wem werden die Kranken behandelt?
(6) Von wem werden die Haare geschnitten?
(7) Von wem wird das Zeugnis unterschrieben?
(8) Von wem werden die Bücher ausgeliehen?

D 15 In manchen Fällen erscheinen in passivischen Sätzen auch Präpositionalgruppen mit den Präpositionen *in, bei, seitens, mit, auf* u. a., die subjektfähig sind, scheinbar das Agens ausdrücken, oft aber dann die Bedeutung leicht schattieren:

In der Grammatik wird dieses Problem anders dargestellt.
→ Die Grammatik stellt dieses Problem anders dar.

Formen Sie nach diesem Muster in das Aktiv um!

(1) Von den Bauarbeitern wird eine harte Arbeit geleistet.
(2) Durch das Erdbeben wurde die Stadt zerstört.
(3) Das Geld ist im Automaten gewechselt worden.
(4) Er ist mit dem Auto angefahren worden.
(5) In der Philosophie wurde eine andere Auffassung vertreten.
(6) Bei vielen Kriminalschriftstellern werden die gleichen Motive verwandt.

(7) Seitens der Gewerkschaftsleitung wurde ein Vorschlag einge-
bracht.

(8) Auf dem Geschwindigkeitsmesser wurden 100 Stundenkilometer angezeigt.

D 16 Neben dem Vorgangspassiv (mit Hilfsverb *werden* + Partizip II) gibt
es im Deutschen noch ein **Zustandspassiv** (mit Hilfsverb *sein* + Partizip II):

Präsens/Präteritum:	Das Fenster *wird/wurde* geöffnet.
	Das Fenster *ist/war* geöffnet.
Perfekt/Plusquamper-	Das Fenster ist/war geöffnet *worden*.
fekt:	Das Fenster ist/war geöffnet *gewesen*.
Futur I/Futur II:	Das Fenster wird geöffnet *werden/worden* sein.
	Das Fenster wird geöffnet *sein/gewesen* sein.

Das Zustandspassiv drückt einen — statischen — Zustand aus, der das
Resultat eines vorhergehenden — dynamischen — Prozesses ist:
Zuerst *wird* das Fenster geöffnet (Vorgang — **Vorgangspassiv**), im dar-
auffolgenden Resultat *ist* es geöffnet (Zustand — **Zustandspassiv**).

Bilden Sie Sätze mit Vorgangs- und Zustandspassiv nach dem folgenden Muster!

>   das Haus verschließen (am Abend, in der Nacht)
>   → Am Abend *wurde* das Haus verschlossen.
>   → In der Nacht *war* das Haus verschlossen.

(1) den Brief schreiben (am Vormittag, gegen Mittag)

(2) die Gardinen waschen (in der vorigen Woche, jetzt)

(3) den Fußballspieler verletzen (beim Oberligaspiel, beim Länderspiel)

(4) die Plätze reservieren (im vorigen Monat, vor Antritt der Fahrt
ins Ausland)

(5) die Batterie laden (vorgestern, heute)

(6) die Sekretärin anstellen (im Juli, im September)

(7) den Dieb verhaften (in der Nacht, heute)

(8) die Patientin impfen (im vorigen Jahr, jetzt)

D 17 Da das Zustandspassiv von seinem Wesen her einen — zumindest eine
Zeitlang — gleichbleibenden Zustand bezeichnet, kann es generell mit
einer Temporalangabe der Zeitdauer verbunden werden (was vom
Vorgangspassiv nicht immer möglich ist):

>   Der Brief *ist* seit gestern *verbrannt*.
>   * Der Brief *wird* seit gestern *verbrannt*.

Antworten Sie auf folgende Fragen mit einem Zustandspassiv und einer Temporalangabe der Zeitdauer!

(1) Ist das Zimmer schon bestellt?
(2) Ist der Fernsehapparat schon repariert?
(3) Sind die Aufsätze schon korrigiert?
(4) Sind die Erdbeeren schon verkauft?
(5) Ist das Getreide schon geerntet?
(6) Ist das Auto schon gewaschen?
(7) Sind die Fenster schon geputzt?

D 18 Beantworten Sie die Frage nach dem **Prozeß** (Aktiv oder Vorgangspassiv) mit einer Antwort zum **Resultat** (Zustandspassiv) nach dem Muster:

Haben Sie die Fahrkarten schon gelöst?
→ Die Fahrkarten sind schon (einige Wochen) gelöst.

(1) Wann wird euer Haus neu gestrichen?
(2) Wann wird das Buch gedruckt?
(3) Hat der Uhrmacher die Uhr schon repariert?
(4) Wann wird der Anzug gereinigt?
(5) Wann wird der Zahn gezogen?
(6) Hat der Lehrer die Aufsätze schon korrigiert?
(7) Hat der Promovend seine Dissertation schon abgegeben?
(8) Wann werden die Einladungen zu der wissenschaftlichen Konferenz verschickt?

D 19 Beantworten Sie folgende Fragen, die im Vorgangspassiv formuliert sind, sowohl mit dem Vorgangs- als auch mit dem Zustandspassiv entweder in negativer oder in positiver Form nach folgendem Muster!

Muß das Manuskript noch begutachtet werden?
→ Nein, es muß nicht mehr begutachtet werden, es ist schon begutachtet.
Muß der Zaun gestrichen werden?
→ Ja, er muß gestrichen werden, er ist noch nicht gestrichen.

(1) Müssen die Aufsätze noch korrigiert werden?
(2) Muß der Motor überholt werden?
(3) Muß die Haustür verschlossen werden?
(4) Muß das Dach noch repariert werden?
(5) Muß das Wasser neu eingelassen werden?
(6) Müssen die Einnahmen noch abgerechnet werden?

D 20 Reagieren Sie auf folgende Aufforderungen mit einem Satz im **Zustandspassiv**, der aussagt, daß bereits das Resultat dessen erreicht ist, wozu Sie erst aufgefordert werden!

> Informieren Sie Ihren Freund über den neuen Termin!
> → Mein Freund ist bereits informiert.

(1) Geben Sie morgen Ihre Seminararbeit ab!
(2) Öffnen Sie Ihre Bücher!
(3) Korrigieren Sie Ihre Arbeit!
(4) Holen Sie Ihr Visum ab!
(5) Überprüfen Sie Ihre Scheinwerfer!
(6) Holen Sie Ihren Anzug aus der Reinigung ab!

D 21 Das Zustandspassiv wird oft mit dem Perfekt Aktiv verwechselt, da es formale und oft auch semantische Übereinstimmungen gibt. Während jedoch das **Perfekt Aktiv** immer auf das Präsens Aktiv zurückgeführt werden kann, läßt sich das **Zustandspassiv** auf das Vorgangspassiv zurückführen:

> Die Frucht *ist gereift*. (= Perfekt Aktiv)
> ← Die Frucht reift.
> ← *Die Frucht ist gereift worden.
> Der Brief *ist geschrieben*. (= Zustandspassiv)
> ← *Der Brief schreibt.
> ← Der Brief ist geschrieben worden.

Führen Sie folgende Sätze auf das Präsens Aktiv oder auf das Vorgangspassiv zurück und entscheiden Sie danach, ob ein Perfekt Aktiv oder ein Zustandspassiv vorliegt!

(1) Die Blumen sind schon lange gepflückt.
(2) Die Blumen sind schon lange verwelkt.
(3) Die Blumen sind bereits aufgeblüht.
(4) Das Kind ist gut erzogen.
(5) Der Großvater ist schon wieder eingeschlafen.
(6) Das Flugzeug ist pünktlich gelandet.
(7) Der Autofahrer ist schwer verletzt.
(8) Das Getreide ist geerntet.

D 22 Das Zustandspassiv wird auch oft mit dem **Zustandsreflexiv** verwechselt, das jedoch nicht — wie das Zustandspassiv — auf ein entsprechendes Vorgangspassiv, sondern auf eine Reflexivkonstruktion zurückgeführt werden kann:

> Das Mädchen *ist verliebt*. (= Zustandsreflexiv)
> ← *Das Mädchen ist verliebt worden.
> ← Das Mädchen verliebt sich.

Der Brief *ist geschrieben.* (= Zustandspassiv)
← Der Brief ist geschrieben worden.
← *Der Brief schreibt sich.

Allerdings können manche konkreten Sätze in doppelter Weise verstanden und entsprechend sowohl vom Vorgangspassiv als auch von
der Reflexivkonstruktion abgeleitet werden:

Das Kind *ist gekämmt.*
← (a) Das Kind hat sich gekämmt.
← (b) Das Kind ist gekämmt worden. (z.B. von der Mutter)

Führen Sie folgende Sätze auf die Reflexivkonstruktion oder/und das
Vorgangspassiv zurück und entscheiden Sie danach, ob ein Zustandsreflexiv oder ein Zustandspassiv vorliegt!

(1) Der Patient ist erholt.
(2) Der Brief ist vernichtet.
(3) Der Mantel ist ausgebürstet.
(4) Der Gast ist rasiert.
(5) Der Kranke ist geimpft.
(6) Der Lehrer ist verletzt.
(7) Die Fenster sind geputzt.
(8) Der Schüler ist erkältet.

D 23 Ein wesentlicher Unterschied zwischen Zustandspassiv und Zustandsreflexiv besteht darin, daß das syntaktische Subjekt des Zu-
standspassivs dem syntaktischen **Objekt** der (aktiven) Grundstruktur
(wie beim Vorgangspassiv) (a), daß umgekehrt das syntaktische Subjekt des Zustandsreflexivs dem syntaktischen **Subjekt** der (reflexiven) Grundstruktur (im Gegensatz zum Vorgangspassiv) (b) entspricht:

(a) *Der Brief* ist geschrieben.
← *Der Brief* wird geschrieben.
← Man schreibt *den Brief.*
(b) *Das Mädchen* ist verliebt.
← *Das Mädchen* verliebt sich.

Führen Sie die folgenden Sätze auf die (aktive oder reflexive) Grundstruktur zurück und entscheiden Sie danach, ob es sich um Zustandspassiv oder Zustandsreflexiv handelt oder ob beide Interpretationen
möglich sind!

(1) Der Zuschauer ist begeistert.
(2) Der Mantel ist gewaschen.
(3) Der Schauspieler ist erkältet.
(4) Das Lehrbuch ist bewährt.
(5) Der Student ist informiert.

(6)   Der Forschungsstudent ist geeignet.
(7)   Der Aschenbecher ist zerbrochen.
(8)   Das Kind ist gewaschen.

D 24 Führen Sie die folgenden Sätze — entsprechend den in den vorigen
Übungen angegebenen Mustern — auf das Präsens Aktiv, auf das Vorgangspassiv oder/und auf eine reflexive Struktur zurück und entscheiden Sie danach, ob ein Perfekt Aktiv, ein Zustandspassiv oder ein
Zustandsreflexiv vorliegt! Beachten Sie dabei, daß in manchen Fällen
eine doppelte Bedeutung möglich ist!

(1)   Die Pflanzen sind gegossen.
(2)   Die Messe ist eröffnet.
(3)   Der Lehrer ist erschrocken.
(4)   Das Mädchen ist errötet.
(5)   Das Vertrauen ist geschwunden.
(6)   Die Quelle ist versiegt.
(7)   Die Haltestelle ist verlegt.
(8)   Der Kranke ist gewaschen.
(9)   Der Urlauber ist ausgeruht.
(10)   Das Buch ist verschwunden.
(11)   Der Himmel ist bewölkt.
(12)   Das Kind ist davongeschlichen.

D 25 Das Zustandspassiv kann nicht von allen Verben gebildet werden, die
ein Vorgangspassiv bilden können. Es kann in der Regel nicht gebildet
werden von den intransitiven Verben, den reflexiven Verben und den
transitiven Verben von durativer Aktionsart, sondern nur von solchen
transitiven Verben von perfektiver Aktionsart, die einen solchen starken Grad der Affizierung des Akkusativobjekts ausdrücken, daß ein
zeitweilig bleibendes Resultat, ein neuer Zustand tatsächlich entstehen kann:

*Seine Leistung ist bewundert.
Sein Fuß ist verletzt.

Bilden Sie aus den folgenden aktivischen Sätzen — wenn möglich —
das Zustandspassiv (unter Weglassung des Agens) und erklären Sie —
im negativen Falle —, warum das Zustandspassiv nicht möglich ist!

(1)   Der Gärtner erntet die Beeren.
(2)   Der Polsterer repariert die Couch.
(3)   Der Lehrer lobt die Schüler für die guten Leistungen.
(4)   Die Kraftfahrzeugwerkstatt überholt den Motor.
(5)   Die Polizei hat den Dieb gefaßt.
(6)   Der Pförtner hat die Tür verschlossen.
(7)   Der Lehrling beglückwünscht seinen Freund zum Geburtstag.

(8) Er begegnet seinem Freund auf dem Sportplatz.
(9) Der Student eignet sich für diesen Beruf.
(10) Er meldet seinen Sohn für die Reise an.
(11) Der Junge schadet sich recht häufig durch sein vorlautes Benehmen.
(12) Die Studentin lächelt ihrem Freund zu.

D 26 Das Zustandspassiv kann nicht gebildet werden von Verben, die einen so schwachen Grad der Affizierung des Akkusativobjekts ausdrücken, daß gar kein zeitweilig bleibendes Resultat, kein neuer Zustand erreicht werden kann:

> *Er *ist* seit gestern gelobt.

Setzen Sie − unter Beachtung dieser Einschränkungen − in den folgenden Sätzen das Zustandspassiv ein!

(1) Das Fenster . . . schon seit einer Stunde geöffnet.
(2) Das Getreide . . . schon seit einer Woche geerntet.
(3) Die Probleme . . . seit einigen Tagen von den Studenten verstanden.
(4) Der schwächere Schüler . . . bei der Lösung der Hausaufgaben unterstützt.
(5) Die Zeugen . . . vom Gericht vernommen.
(6) Seine Hotelreservierung . . . seit einem Monat bestätigt.
(7) Seit dem letzten Pokalspiel . . . der Torwart verletzt.

D 27 Bilden Sie aus folgendem Wortmaterial vollständige Fragen und Antworten und benutzen Sie dabei das Zustandspassiv oder / und das Vorgangspassiv!

(1) Fußballspieler noch verletzt?
(2) Ausfallstraße nach Süden gesperrt?
(3) Bilder neuer Meister in der Ausstellung gezeigt?
(4) Gehalt in der Dienststelle ausgezahlt?
(5) Student beim Assistenten erwartet?
(6) Ausländischer Besuch von der Betriebsleitung empfangen?

D 28 Oftmals erscheinen in der Alltagssprache Ellipsen, die in der vollständigen Form entweder auf ein Vorgangspassiv oder auf ein Zustandspassiv zurückgeführt werden müssen:

> Wegen Inventur geschlossen!
> ← Das Geschäft *ist* wegen Inventur geschlossen.

Führen Sie folgende Ellipsen auf vollständige Sätze zurück und verwenden Sie dabei das Vorgangspassiv, das Zustandspassiv oder — wo es möglich ist — beide!

(1) Einfahrt verboten!
(2) Reinigungskräfte gesucht!
(3) Überholen verboten!
(4) Vorbestellung erwünscht!
(5) Geldbörse gefunden!
(6) Rauchen nicht gestattet!

D 29. Neben dem Vorgangspassiv und dem Zustandspassiv gibt es Formen mit *sein* + Partizip II („allgemeine Zustandsform"), die mit den Formen mit *werden* + Partizip II (und des Aktivs) in der Bedeutung übereinstimmen, deren Subjekt kein Agens ist, deren Verb durativ (nicht: transformativ) ist, die einen gegenüber der *werden*-Form (und dem Aktiv) gleichzeitigen (nicht: nachzeitigen) Sachverhalt bezeichnen:

> Zwei Millionen Menschen bewohnen die Stadt.
> Die Stadt *wird / ist* von zwei Millionen Menschen bewohnt.

Bilden Sie aus folgenden aktivischen Sätzen Sätze mit *werden/sein* + Partizip II, und entscheiden Sie, ob dabei Vorgangs- bzw. Zustandspassiv oder die „allgemeine Zustandsform" vorliegt!

(1) Der Dieb stiehlt die Kunstschätze.
(2) Hohe Berge umgeben die Stadt.
(3) Der Fluß trennt die Altstadt von der Neustadt.
(4) Der Kunde bestellt eine neue Waschmaschine.
(5) Der Gast bezahlt die Rechnung.
(6) Der Waldgürtel verbindet den Kurort mit der See.

D 30 Oftmals werden Sätze mit Vorgangspassiv (die nicht-agensorientiert sind) durch Sätze mit dem unbestimmt-persönlichen *man* als Subjekt ersetzt, die auf ein unbestimmtes, unspezifiziertes Agens bezogen sind und damit in der Nähe der **Passiv-Paraphrasen** stehen:

> Die Tür *wurde* von außen *geöffnet*.
> → *Man* öffnete die Tür von außen.

Formen Sie folgende passivischen Sätze in Aktivsätze mit dem unbestimmt-persönlichen Subjekt *man* um!

(1) Die Eltern wurden rechtzeitig zum Elternabend eingeladen.
(2) Der Lehrer wird zu einer Besprechung beim Direktor aufgefordert.
(3) Die Zeitungen werden morgens zeitig ausgetragen.
(4) Die Kohlen sind in die Häuser geliefert worden.
(5) Das Paket ist beim Nachbarn abgegeben worden.
(6) Das Buch wurde in Halle gedruckt.

D 31 Zu den **Konkurrenzformen des Passivs** gehört das „Adressatenpassiv", das gebildet wird von aktiven Formen der Verben *bekommen, erhalten* oder *kriegen* in Verbindung mit dem Partizip II. Dabei erscheint das Patiens (im Vorgangspassiv Subjekt) als Akkusativobjekt, der Adressat (im Vorgangspassiv Dativobjektiv) als Subjekt:

> *Ihm* wurde das Buch geschenkt.
> → *Er bekam* das Buch *geschenkt.*

Verwandeln Sie folgende passivischen Sätze in das „Adressatenpassiv" mit den Verben *bekommen, erhalten* oder *kriegen!*

(1) Dem Direktor wurden aus dem Ausland die besten Wünsche übermittelt.

(2) Den Mitarbeitern ist ein neuer Termin gestellt worden.

(3) Den Warenhäusern werden in der nächsten Woche neue Teppiche geliefert.

(4) Dem Mädchen ist zum Geburtstag eine Puppe geschenkt worden.

(5) Ihm wurden die Bücher mit der Post ins Haus geschickt.

(6) Dem Schriftsteller wurde der Kunstpreis der Stadt überreicht.

D 32 Es gibt auch verschiedene Typen von **reflexiven Formen**, die als Passiv-Paraphrasen angesehen werden können (Subjekt ist kein Agens):

> (a) Der Schlüssel findet sich.
> ← Der Schlüssel wird gefunden werden.
> (b) Das Buch läßt sich gut verkaufen.
> ← Das Buch *kann* gut verkauft werden.
> (c) Hier läßt es sich gut arbeiten.
> ← Hier *kann* gut gearbeitet werden.

Für (a) ist nur ein syntaktisches Subjekt, für (b) ein Subjekt + *lassen* + *sich* + Infinitiv + Modalbestimmung, für (c) *es* + *läßt* + *sich* + Infinitiv + Lokal-/Temporalbestimmung + Modalbestimmung charakteristisch. (b) und (c) können ohne wesentliche Bedeutungsveränderung um *läßt* und/oder die Modalbestimmung reduziert werden:

> (b') Das Buch verkauft sich (gut). Das Buch läßt sich verkaufen.
> (c') Hier arbeitet es sich gut. Hier läßt es sich arbeiten.

Bei (a) liegt eine Passiv-Paraphrase ohne, bei (b) und (c) liegen Passiv-Paraphrasen mit Modalfaktor (= *können*) vor.

Ersetzen Sie die folgenden reflexiven Formen durch entsprechende passivische Sätze!

(1) Das Problem klärt sich im Laufe der nächsten Woche.

(2) Eine Lösung des Problems findet sich.

(3)   Diese Speise läßt sich essen.
(4)   In diesen Sesseln sitzt es sich bequem.
(5)   Auf dieser Bahn läuft es sich ausgezeichnet.
(6)   Die Handschrift liest sich schwer.

D 33 Auch die Konstruktionen aus *sein + zu +* Infinitiv und die entsprechenden Gerundiv-Konstruktionen (die durch Attribuierung entstehen) haben passivische Bedeutung und sind als Konkurrenzformen
des Passivs anzusehen. Sie enthalten einen Modalfaktor, der — abhängig vom Kontext — in der Passivkonstruktion als *können* oder *müssen*
in Erscheinung tritt:

Das Fenster *kann* nur schwer geschlossen werden.
→ Das Fenster *ist* nur schwer *zu schließen.*
→ das nur schwer zu schließende Fenster
Der Brief *muß* heute noch abgeschickt werden.
→ Der Brief *ist* heute noch *abzuschicken.*
→ der heute noch abzuschickende Brief

Ersetzen Sie in folgenden Sätzen die Konstruktion aus
sein + zu + Infinitiv durch einen passivischen Satz mit dem richtigen Modalverb!

(1)   Die Prüfungen sind bis zur nächsten Woche abzulegen.
(2)   Die Schmerzen sind kaum zu ertragen.
(3)   In diesem Geschäft sind Straßenbahnfahrkarten zu kaufen.
(4)   Der Anzug ist nach dem Urlaub abzuholen.
(5)   Die Beantwortung dieser Fragen ist dem Fachmann zu überlas-
sen.
(6)   Zum Jahreswechsel sind zahlreiche Neujahrskarten zu schreiben.
(7)   Vor Schuljahresschluß sind viele Zensuren einzutragen.

D 34 Zu den Konkurrenzformen des Passivs gehören auch die Konstruktionen aus *sein +* Adjektiv (auf *-bar, -lich, -wert, -würdig*), die einen Modalfaktor enthalten, der im entsprechenden Passiv als *können* in Erscheinung tritt:

Sein Wunsch ist *erfüllbar.*
→ Sein Wunsch *kann* erfüllt werden.

Ersetzen Sie in den folgenden Sätzen die Konstruktion aus *sein +* Adjektiv durch einen passivischen Satz mit Modalverb!

(1)   Seine Dissertation ist für breite Kreise verständlich.
(2)   Die Fortschritte in seinen Leistungen sind anerkennenswert.
(3)   Seine Arbeit im letzten Jahr ist auszeichnungswürdig.
(4)   Seine Handschrift ist für uns kaum leserlich.

(5) Die verzweigte Produktion ist nicht mehr für jeden Mitarbeiter
     überschaubar.
(6) Die von ihm gefundenen Pilze sind nicht eßbar.
(7) Das Wasser des Baches ist nicht trinkbar.

D 35 Antworten Sie auf folgende Fragen (mit dem unbestimmt-persönlichen Subjekt *man*) sowohl mit passivischen Sätzen als auch mit der Konstruktion *sein* + Adjektiv nach folgendem Muster!

> Kann man die Wohnungen beziehen?
> → Ja, sie können bezogen werden.
> → Ja, sie sind beziehbar.

(1) Kann man diese Beeren essen?
(2) Kann man diese Pilze genießen?
(3) Kann man diese Decke abwaschen?
(4) Kann man den Schüler leicht ablenken?
(5) Kann man dieses Mehl für den Kuchen verwenden?
(6) Kann man dieses Papier für Mehrfarbendruck benutzen?

D 36 Ersetzen Sie in folgenden Sätzen die Konstruktion *sich lassen* + Infinitiv durch Passivformen mit einem Modalfaktor (*können*) und durch unbestimmt-persönliche Konstruktionen mit *man* nach folgendem Muster!

> Eine Lösung des Problems *läßt sich* leicht erreichen.
> → Eine Lösung des Problems *kann* leicht *erreicht werden*.
> → *Man* kann eine Lösung des Problems leicht erreichen.

(1) Das Manuskript läßt sich kaum lesen.
(2) Über diese Alternative läßt sich streiten.
(3) Der grundsätzliche philosophische Unterschied zwischen den
     beiden Auffassungen läßt sich nicht aufheben und vermitteln.
(4) Diese Aussage läßt sich gegenwärtig noch nicht verifizieren.
(5) Hoffentlich läßt sich eine günstige Regelung treffen.
(6) Diese Frage läßt sich beim gegenwärtigen Erkenntnisstand
     noch nicht beantworten.

Modi des Verbs

E 1 Die Redewiedergabe ist als direkte Rede oder als **indirekte Rede** möglich. Die indirekte Rede ist charakterisiert durch

(1) Identität der Person in der Rede mit der gemeinten Person in der Redeeinleitung (Pronominalverschiebung)

(2) fakultativen Gebrauch des Konjunktivs (vor allem im uneingeleiteten Nebensatz)

Formen Sie die direkte Rede in indirekte Rede um!

Sie hat zu mir über *dich* gesagt: „*Er* ist schon lange krank."
→ ..., daß *du* schon lange krank bist.
→ ..., *du* seiest schon lange krank.

(1) Ich habe zu ihr über dich gesagt: „Er hat eine gute Stimme."
(2) Sie hat zu ihm über ihn gesagt: „Du bist wieder einmal nicht pünktlich."
(3) Du hast zu ihm über sie gesagt: „Sie muß mehr arbeiten."
(4) Sie haben zu mir über sie gesagt: „Sie macht beim Sprechen noch viele Fehler."
(5) Er hat zu ihnen über mich gesagt: „Er ist mit der Beurteilung nicht zufrieden."
(6) Er hat zu mir über dich gesagt: „Er schreibt jetzt den Artikel zu Ende."
(7) Ich habe zu ihr über mich gesagt: „Ich kann die Arbeit am Monatsende abgeben."
(8) Er hat zu ihr über uns gesagt: „Sie sind immer hilfsbereit und freundlich."
(9) Ich habe zu ihm über euch gesagt: „Sie haben nicht genug Verständnis für sie."

E 2 Formen Sie die direkte Rede in indirekte Rede um!

Er hat zu ihr gesagt:
a) „Hans ist dir sehr ähnlich."
b) „Hans ist mir gar nicht ähnlich."
→ Er hat zu ihr gesagt,
  a) daß Hans ihr sehr ähnlich ist.
     Hans sei ihr sehr ähnlich.
  b) daß Hans ihm gar nicht ähnlich ist.
     Hans sei ihm gar nicht ähnlich.

(1) Du hast zu mir gesagt:
„Rosi verschweigt mir vieles."
„Rosi hat mehr Vertrauen zu dir."

(2) Sie hat zu ihm gesagt:
     „Die Kinder sind an dich nicht gewöhnt."
     „Die Kinder sind mir im Haushalt behilflich."
(3) Ihr habt zu ihnen gesagt:
     „Der Kollege braucht mehr Unterstützung von euch."
     „Der Kollege kommt immer zu uns und fragt uns."
(4) Ich habe zu dir gesagt:
     „Die Sekretärin nimmt mir viel Arbeit ab."
     „Die Sekretärin erledigt die Arbeit bestimmt für dich."
(5) Er hat zu ihnen gesagt:
     „Die Namen der Autoren sind euch sicher bekannt."
     „Die Titel der Bücher sind mir auch nicht alle geläufig."
(6) Sie haben zu mir gesagt:
     „Fritz überläßt uns die Entscheidung."
     „Fritz will dir noch Bescheid geben."
(7) Wir haben zu ihm gesagt:
     „Corinna sagt dir nicht die Wahrheit."
     „Corinna erzählt uns die Dinge immer anders."

E 3 Die Tempusformen des Konjunktivs in der indirekten Rede unterscheiden sich von denen des Indikativs:
Dem Indikativ Präsens für die **Gegenwart** entsprechen Konjunktiv Präsens oder Präteritum. Außerdem ist auch *würde* + Infinitiv I möglich. Der Gebrauch dieser verschiedenen Konjunktivformen ist relativ frei. Folgende Ersatzregel 1 gilt fakultativ:

a) Man verwendet Präsens, wenn die Personalform eindeutig ist: bei *sein* alle Formen, bei den Modalverben alle Formen außer 1./3. Pers. Plural, bei den anderen Verben 3. Pers. Sing. und zumeist auch 2. Pers. Sing./Plural.

> Ich habe ihm gesagt: „Ich bin zu Hause."
> → . . ., ich *sei* zu Hause.

b) Statt der nicht-eindeutigen Präsensformen verwendet man Präteritum, wenn dessen Formen eindeutig und üblich sind (bei *haben*, den Modalverben *dürfen, können, mögen, müssen* und einigen häufigen Verben mit Umlaut des *a* oder *u* im Präteritalstamm wie *bringen, fahren, finden, kommen, sprechen, treffen, verstehen, wissen*). In den übrigen Fällen (vor allem 1. Pers. Sing. und 1./3. Plural der regelmäßigen Verben) ist die *würde*-Form zu wählen.

> Ich habe ihm gesagt: „Ich habe wenig Zeit."
> → . . ., ich *hätte* wenig Zeit.
> Ich habe ihm gesagt: „Ich arbeite bis 16 Uhr."
> → . . ., ich *würde* bis 16 Uhr arbeiten.

Formen Sie die direkte Rede nach der Ersatzregel 1 in indirekte Rede

um (1. Satz als *daß*-Satz, 2. und folgende Sätze als uneingeleitete Nebensätze)!

Ein Student erzählte mir:
„Ich stamme aus Ungarn. Meine Mutter ist Lehrerin. Seit einem Jahr
studiere ich in Dresden. Vorlesungen habe ich von Montag bis Freitag.
Sonnabends arbeite ich zumeist in der Bibliothek. Am Sonntag mache
ich manchmal mit meinen Freunden einen Ausflug. Ab und zu gehe
ich auch tanzen. In den Ferien fahre ich immer nach Hause."

E 4 Formen Sie die direkte Rede nach der Ersatzregel 1 in indirekte Rede
um (1. Satz als *daß*-Satz, 2. und folgende Sätze als uneingeleitete Nebensätze)!

Eine Studentin berichtet:
„Wir sind in unserer Gruppe über 20 Studenten. Etwa die Hälfte sind
Mädchen. Zwei von uns sind schon verheiratet. Es sind auch einige
Ausländer in unserer Gruppe. Sie sind aber erst seit einem halben
Jahr mit uns zusammen. Sie sind zu einer Spezialausbildung in Leip-
zig."

E 5 Formen Sie die direkte Rede nach der Ersatzregel 1 in indirekte Rede
um (1. Satz als *daß*-Satz, 2. und folgende Sätze als uneingeleitete Nebensätze)!

Rita erzählt den Eltern:
„Einige meiner Kommilitonen kommen aus afrikanischen Ländern.
Wir haben die meisten Lehrveranstaltungen gemeinsam. Abends treffen wir uns manchmal im Studentenklub. Die ausländischen Studenten können alle schon gut Deutsch. Sie verstehen nur manche umgangssprachliche Ausdrücke nicht. Wir sprechen mit ihnen gern über
ihre Heimat. Wir wissen schon viel von den Sitten und Bräuchen in
ihren Ländern."

E 6 Formen Sie die direkte Rede nach der Ersatzregel 1 in indirekte Rede
um (1. Satz als *daß*-Satz, 2. und folgende Sätze als uneingeleitete Nebensätze)!

Hans teilt seiner Mutter am Telefon mit:
„Meine Freunde helfen mit bei der Arbeit auf dem Grundstück. Wir
schieben die Möbel im Häuschen zusammen. Die unbrauchbaren Sa-
chen werfen wir in den Container. Wir waschen die alte Farbe von den
Wänden. Einige graben im Garten die Beete um. Sie stechen auch die
Rasenkanten ab. Die Mädchen gießen die Blumen."

E 7 Formen Sie die direkte Rede nach der Ersetzregel 1 in indirekte Rede um (1. Satz als *daß*-Satz, 2. und folgende Sätze als uneingeleitete Nebensätze)!

Petra hat mir von ihrem Hobby erzählt:
„Mein Bruder und ich sammeln Briefmarken. Wir treffen uns regelmäßig mit anderen Sammlern. Wir tauschen die Marken und kaufen selten welche. Die Mädchen konzentrieren sich auf Pflanzen- und Tiermotive. Die Jungen ziehen Sportmotive vor. Manche ordnen die Marken auch nach Ländern. Wir stecken sie in Alben. Manchmal vergessen wir über den Marken die Hausaufgaben.“

E 8 Dem Indikativ Präteritum und Perfekt für die **Vergangenheit** entsprechen Konjunktiv Perfekt und Plusquamperfekt nach der folgenden fakultativen Ersatzregel 2:

a) Man verwendet Perfekt, wenn die Personalform eindeutig ist: alle Formen bei den Verben mit *sein*-Perfekt, 3. Pers. Sing. und 2. Pers. Sing./Plural bei den Verben mit *haben*-Perfekt.

> Ich habe ihm gesagt: „Ich war krank.“
> → ..., ich sei krank gewesen.

b) Statt der nicht-eindeutigen Perfektformen verwendet man Plusquamperfekt: 1. Pers. Sing. und 1./3. Pers. Plural bei den Verben mit *haben*-Perfekt.

> Ich habe ihm gesagt: „Ich hatte Grippe.“
> → ..., ich hätte Grippe gehabt.

Formen Sie die direkte Rede nach der Ersatzregel 2 in indirekte Rede um (1. Satz als *daß*-Satz, 2. und folgende Sätze als uneingeleitete Nebensätze)!

Petra erzählt von der Buchmesse:
„Ich bin gestern spät nach Hause gekommen. Wir waren den ganzen Tag auf der Buchmesse. Anfangs fiel es uns schwer, uns unter den vielen Ständen zu orientieren. Zuerst gingen wir zum Stand des Enzyklopädie-Verlages. In diesem Verlag sind im vergangenen Jahr einige interessante Sprachlehrbücher erschienen. Vor kurzem ist ein neues Gesprächsbuch herausgekommen. Anschließend war ich bei einigen Verlagen für Kunst- und Reisebücher. Am Abend bin ich noch zu einer Schriftstellerlesung gefahren.“

E 9 Formen Sie nach dem Muster um!

> Anne: „Ich verbrachte das Wochenende in Berlin.“
> Bert: „Wir besuchten wieder einmal unsere Eltern.“
> → Anne erzählte, sie habe das Wochenende in Berlin verbracht.
> Bert erzählte, sie hätten wieder einmal ihre Eltern besucht.

    (1)   Anne: „Ich arbeitete den ganzen Sonnabend in der Bücherei."
            Bert: „Wir spielten bei dem herrlichen Wetter Tennis."
    (2)   Anne: „Ich schrieb einen Geburtstagsbrief an Inge."
            Bert: „Wir schickten ihr ein Glückwunschtelegramm."
    (3)   Anne: „Ich erkundigte mich nach dem Stand ihrer Dissertation."
            Bert: „Wir vermieden dieses unangenehme Thema."
    (4)   Anne: „Ich machte ihr wieder etwas Mut."
            Bert: „Auch wir wünschten ihr Erfolg."

E 10 Dem Indikativ Futur I und Präsens für die **Zukunft** entsprechen Konjunktiv Futur I und *würde* + Infinitiv I, außerdem — wie für die Gegenwart — Konjunktiv Präsens und Präteritum nach folgender Ersatzregel 3:

Futur I ist nur in der 2./3. Pers. Sing. eindeutig. Als eindeutige Formen für die anderen Personen verwendet man die *würde*-Form oder — vor allem bei Hilfsverben — Präsens bzw. Präteritum.

      Er hat mir gesagt: „Ich komme morgen zu dir."
      → . . ., er werde morgen zu mir kommen.
      Ich habe ihm gesagt: „Ich erwarte dich gegen 8 Uhr."
      → . . ., ich würde ihn gegen 8 Uhr erwarten.

Formen Sie die direkte Rede nach der Ersatzregel 3 in indirekte Rede um (1. Satz als *daß*-Satz, 2. und folgende Sätze als uneingeleitete Nebensätze)!

Rolf erzählt:
„Ich werde nächstes Wochenende heiraten. Ich fahre schon am Donnerstag zu meiner Braut nach Schwerin. Vorher habe ich noch eine Menge zu erledigen. Ich muß noch vom Juwelier die Ringe abholen. Den Blumenstrauß werde ich erst in Schwerin kaufen. Um zehn Uhr sind wir am Sonnabend auf dem Standesamt angemeldet. Zu Mittag essen wir in einem kleinen Restaurant. Am Nachmittag fahren wir alle zur Wohnung der Brauteltern. Dort feiern wir weiter mit den Verwandten. Einige Studienfreunde werden auch dort sein. Sie wollen vielleicht schon zum Polterabend kommen."

E 11 Setzen Sie den folgenden Text in indirekte Rede mit Konjunktiv!

Eine Studentin erzählte mir:
„Ich war gestern in Dresden. Als ich durch die Stadt bummelte, traf ich eine alte Bekannte aus meiner Heimat. Wir haben uns in ein Café gesetzt und ein wenig geplaudert. Sie wohnt schon geraume Zeit in der Elbestadt, ist dort verheiratet und geht in einen Betrieb arbeiten. Sie fühlt sich sehr wohl, nur fehlen ihr manchmal die alten Freunde. In ihrer Freizeit treibt sie viel Sport. Im vergangenen Jahr war sie mit

ihrem Mann mehrere· Wochen an einem See in Mecklenburg. Dort
sind sie viel geschwommen und gesegelt. Jetzt kommt sie weniger oft
zum Schwimmen, da der Weg zum Bad sehr weit ist. Dafür spielt sie
Tennis. – Ich freute mich, daß ich in einer fremden Stadt eine so gute
Bekannte habe."

E 12 Bei der indirekten Rede ist zu unterscheiden zwischen indirekten
Aussagesätzen, indirekten Fragesätzen und indirekten Aufforde-
rungssätzen:

Indirekte Aussagesätze haben die Form eines eingeleiteten Nebensatzes mit der Konjunktion *daß* oder eines uneingeleiteten Nebensatzes
mit Zweitstellung des finiten Verbs:

> Er sagte mir, daß er sie besucht *habe.*
> er *habe* sie besucht.

Indirekte Fragesätze sind nur als eingeleitete Nebensätze (mit Konjunktion *ob* oder *w*-Fragewort) möglich:

> Ich fragte ihn, wann er sie besucht *habe.*
> ob er sie besucht *habe.*

Indirekte Aufforderungssätze sind indirekte Aussagesätze (eingelei-
tet/uneingeleitet) mit Modalverb *sollen* oder *mögen*:

> Ich bat ihn, daß er sie besuchen *möge* (*solle*).
> er *möge* (*solle*) sie besuchen.

Versetzen Sie sich in die Situation, daß Sie ihrem Freund ein früheres
Gespräch mit einem Kommilitonen wiedergeben wollen. Formulieren
Sie Ihre Fragen (mit redeeinleitenden Verben wie *fragen, Frage stellen, sich (danach) erkundigen, sich (dafür) interessieren, wissen wollen* u. ä.) und die Antworten des Kommilitonen (mit redeeinleitenden
Verben wie *antworten, erwidern, zur Antwort geben, sagen, erklären*
usw.) in indirekter Rede mit Konjunktiv (für Zukunft)!

a) „Bist du am Wochenende zu Hause?"   „Ich verreise."
   → Ich habe ihn gefragt, *ob* er am Wochenende zu Hause *sei/*
   ist.
   Er hat geantwortet, er *verreise.*
b) „Was machst du am Wochenende?"   „Ich verreise."
   → Ich habe ihn gefragt, *was* er am Wochenende *mache/*
   macht.
   Er hat geantwortet, er *verreise.*

(1)   „Wohin fährst du?"   „Ich fahre nach Naumburg zu Besuch."
(2)   „Wen besuchst du?"   „Ich besuche einen Freund."
(3)   „Fährst du mit deiner Freundin?"   „Ich fahre allein."
(4)   „Wie kommst du nach Naumburg?"   „Ich nehme den Zug."

(5) „Ist es mit dem Bus nicht günstiger?" „Der Bus ist immer überfüllt."
(6) „Muß man nicht umsteigen?" „Der Mittagszug fährt durch."
(7) „Wie lange bleibst du?" „Ich bleibe zwei Tage."
(8) „Wann kommst du zurück?" „Ich komme am Sonntag nachmittag zurück."

E 13   Bilden Sie Aufforderungssätze nach dem Muster!

zur Tafel gehen
→ Der Lehrer sagte zum Schüler, er solle / möge zur Tafel gehen.

(1) die Zeichnung abwischen
(2) die Formel anschreiben
(3) die Formel ableiten
(4) das Schema dazu zeichnen
(5) das Schema erläutern
(6) die Regel nennen
(7) die Fehler berichtigen
(8) das Geschriebene vorlesen

E 14   Formen Sie die direkte Rede der folgenden Geschichten in indirekte
Rede mit Konjunktiv um!

Heinrich IV. jagte einmal im Wald von Vendôme. Er verlor sein Gefolge und stieß auf einen Bauern, der unter einem Baum saß. „Was
machst du denn da?" fragte der König.
„Monsieur, ich sitze da und warte, bis der König vorbeikommt." –
„Setze dich hinter mich aufs Pferd", sagte nun Heinrich IV., „ich führe
dich dorthin, wo du den König nach Herzenslust betrachten kannst."
Der Bauer saß auf, und unterwegs fragte er den König: „Woran werde
ich aber den König erkennen?" – „Achte nur darauf, wer seinen Hut
aufbehalten wird, denn alle anderen werden den Kopf entblößen."
Sie stießen wieder auf das Gefolge, und alle Herren grüßten tief.
„Nun", sagte der König zum Bauern, „welcher ist also der König?" –
„Entweder seid Ihr es", meinte der Bauer, „oder ich bin's, denn außer
uns hat keiner den Hut auf dem Kopf."

Ein Patient bat seinen Arzt, den Dermatologen Philippe Ricord: „Sa-
gen Sie mir die Wahrheit, Doktor!"
„Sie werden gesund, mein Lieber, denn die Statistik sagt, daß bei
Ihrem Leiden einer auf hundert gesund wird."
„Aber wieso nehmen Sie an, daß gerade ich gesund werde?"
„Sie sind gerade mein hundertster Fall. Die anderen neunundneunzig
habe ich nicht gesund machen können."

Der Lyriker Heinz Kahlau war ein Schüler von Bertolt Brecht. Dieser warf ihm eines Tages vor: „Sie sind faul und lassen sich durch Frauen ablenken. Nehmen Sie sich an mir ein Beispiel. Ich arbeite jeden Tag zehn Stunden."

Heinz Kahlau verteidigte sich störrisch: „Haben Sie mit 24 Jahren nicht auch noch etwas anderes getan, als jeden Tag 10 Stunden zu arbeiten?"

Brecht zuckte die Achseln und sagte: „Wie soll ich Sie erziehen, wenn Sie nicht an mich glauben?"

E 15 Der Konjunktiv steht im **hypothetischen Komparativsatz** mit einleitendem *als ob/als wenn* und Endstellung des finiten Verbs fakultativ, im hypothetischen Komparativsatz mit einleitendem *als* und Erststellung des finiten Verbs obligatorisch. Der Gebrauch der Tempusformen auf den verschiedenen Zeitstufen entspricht im allgemeinen dem Gebrauch in der indirekten Rede. Es werden jedoch in erster Linie Präteritum (für Gegenwart), Plusquamperfekt (für Vergangenheit) und *würde* + Infinitiv I (für Zukunft) verwendet.

Bilden Sie Sätze mit *als ob* und *als* (Gegenwart)!

    Er tut so, ...   (Er schläft fest.)

    → Er tut so, als ob er fest schliefe / schlafe / schlafen würde / (schläft).

    Er tut so, als schliefe / schlafe er fest / würde er fest schlafen.

Er tut so, ...

  (1)   Er weiß alles in Mathematik.
  (2)   Er sieht den Fehler nicht ein.
  (3)   Er versteht kein Wort Deutsch.
  (4)   Er erinnert sich nicht an die Regel.
  (5)   Er hat keine Zeit.
  (6)   Er ist ganz bei der Sache.

E 16 Bilden Sie Sätze mit *als ob* und *als* (Vergangenheit)!

    Es sieht so aus, ...   (Es hat heftig geregnet.)

    → Es sieht so aus, als ob es heftig geregnet hätte / habe / (hat).

    Es sieht so aus, als hätte / habe es heftig geregnet.

Es sieht so aus, ...

  (1)   Es hat einen Unfall gegeben.
  (2)   Der PKW ist ins Schleudern geraten.
  (3)   Der Fahrer hat das Verkehrszeichen nicht beachtet.
  (4)   Er hat die Fahrbahnverhältnisse falsch eingeschätzt.
  (5)   Er ist zu schnell gefahren.
  (6)   Es ist kein größerer Schaden entstanden.

E 17 Bilden Sie Sätze mit *als ob* und *als* (Zukunft)!

> Es scheint so, . . . (Es wird Nachtfrost geben.)
> → Es scheint so, als ob es Nachtfrost geben würde / werde /
>   (wird).
> Es scheint so, als würde / werde es Nachtfrost geben.

Es scheint so, . . .

(1) Die Kirschblüten werden erfrieren.
(2) Die Apfelbäume werden gut tragen.
(3) Der Pfirsichbaum wird eingehen.
(4) Das Gras wird verdorren.
(5) Die Schädlinge werden sich stark vermehren.
(6) Wir werden eine gute Tomatenernte haben.
(7) Am Ende wird doch noch alles gut werden.

E 18 Schließen Sie die Zweitsätze mit *als ob* und ohne das Verb *scheinen* an! Beachten Sie die unterschiedlichen Zeitverhältnisse!

(1) Das Kind weint. Es scheint große Schmerzen zu haben.
(2) Ich kann mich an alles genau erinnern. Es scheint erst gestern gewesen zu sein.
(3) Sie fragte nach seinem Namen. Sie schien ihn nicht zu kennen.
(4) Er starrte vor sich hin. Er schien angestrengt über etwas nachzudenken.
(5) Sie begrüßte ihn freundlich. Sie schien den Streit vergessen zu haben.
(6) Er ist im Straßenverkehr sehr sicher. Er scheint schon jahrelang Auto zu fahren.

E 19 Der Gebrauch des Konjunktivs im **irrealen Konditionalsatz** unterscheidet sich formal und bedeutungsmäßig vom Konjunktiv in der indirekten Rede und im hypothetischen Komparativsatz:
In der Gegenwart/Zukunft bezeichnet der Konjunktiv Präteritum (in Ersatzfunktion auch *würde* + Infinitiv I) eine nicht realisierbare Bedingung, manchmal auch eine nur vorgestellte realisierbare Bedingung.
In der Vergangenheit bezeichnet der Konjunktiv Plusquamperfekt eine nicht realisierte Bedingung.
Der Konjunktiv im irrealen Konditionalsatz ist obligatorisch.

Beantworten Sie die Fragen nach Muster a) oder b)!

a) Gehst du mit ins Theater? — Ich habe keine Karte.
   → Ich würde gern mitgehen, wenn ich eine Karte hätte.
b) Gehst du mit ins Theater? — Ich habe Dienst.
   → Ich würde gern mitgehen, wenn ich nicht Dienst hätte.

(1) Besuchst du uns am Wochenende? – Ich habe keine Zeit.
(2) Borgst du mir das Buch? – Es ist nicht mein Eigentum.
(3) Trinkst du ein Glas Wein mit uns? – Ich bin mit dem Wagen da.
(4) Singst du mir das Lied vor? – Ich bin heiser.
(5) Spielst du mit uns Volleyball? – Ich habe kein Sportzeug dabei.
(6) Machst du mir bitte einen Grog? – Ich habe keinen Rum im Haus.
(7) Nimmst du an dem Ausflug teil? – Ich bin erkältet.
(8) Kommst du mit zum Fußballplatz? – Ich habe Unterricht.

E 20 Bilden Sie aus den potentiellen Konditionalsätzen irreale Konditionalsätze (nur vorgestellte realisierbare Bedingung)!

Wenn du Lust hast, zeige ich dir einige Sehenswürdigkeiten der Stadt.
→ Wenn du Lust hättest (Hättest du Lust), würde ich dir einige Sehenswürdigkeiten der Stadt zeigen.

(1) Wenn du Lust hast, schlage ich einen Ausflug vor.
(2) Wenn das Wetter schön ist, können wir zum Stausee fahren.
(3) Wenn der Bus pünktlich ankommt, ist eine Tagesfahrt mit dem Schiff möglich.
(4) Wenn es zu kühl ist, kann man sich unter Deck aufhalten.
(5) Wenn das Schiff unterwegs Aufenthalt hat, unterbrechen wir die Fahrt.
(6) Wenn es eine Wanderkarte zu kaufen gibt, ist eine Wanderung zur Höhle möglich.
(7) Wenn die Waldgaststätte geöffnet ist, essen wir dort zu Mittag.

E 21 Wiederholen Sie den Inhalt der kausalen Satzverbindung in Form eines konditionalen Satzgefüges!

Wir haben den Ausflug gemacht, denn es hat nicht geregnet.
→ Aber wenn es geregnet hätte, hätten wir den Ausflug nicht gemacht.

(1) Wir hatten keine gute Aussicht, denn es war diesig.
(2) Wir konnten den Gipfel nicht besteigen, denn es hatte sich starker Nebel gebildet.
(3) Wir mußten einen Umweg machen, denn die Fähre war nicht in Betrieb.
(4) Wir machten keine Rast, denn die Waldgaststätte war nicht geöffnet.
(5) Wir mußten uns nach der Karte orientieren, denn es gab keine Wegweiser.
(6) Wir haben den Rückweg gefunden, denn wir trafen einen Ortskundigen.

(7)   Wir haben den Zug verpaßt, denn der Bus ist nicht pünktlich gekommen.

E 22   Anstelle eines irrealen konditionalen Nebensatzes mit Konjunktion kann auch ein indikativischer Hauptsatz mit *aber* verwendet werden.

Beantworten Sie die Fragen der Übung E 19 nach dem Muster!

Gehst du mit ins Theater? — Ich habe keine Karte.
→ Ich würde gern mitgehen, aber ich habe keine Karte.

E 23   Statt eines irrealen konditionalen Nebensatzes erscheint öfter ein Satzglied mit Präposition (affirmativ *bei/mit*, negativ *ohne*).

Formen Sie das präpositionale Satzglied nach Muster a) oder b) in einen Nebensatz um!

    a) Mit (Bei) etwas Glück könnte er die Prüfung schaffen.
       → Wenn er etwas Glück hätte, könnte er die Prüfung schaffen.
    b) Ohne die Unterstützung durch meine Freunde hätte ich die Prüfung nicht bestanden.
       → Wenn mich meine Freunde nicht unterstützt hätten, hätte ich die Prüfung nicht bestanden.

(1)   Ohne genaue Zeiteinteilung hätte ich die Arbeit nicht termingemäß geschafft.

(2)   Ohne die Befragung von Versuchspersonen wären die Ergebnisse meiner Arbeit nicht gesichert.

(3)   Mit etwas mehr Anstrengung hättest auch du den Termin einhalten können.

(4)   Bei voller Konzentration auf die Arbeit würdest du wenigstens bis Monatsende fertig.

(5)   Ohne intensives Literaturstudium hätte ich das Thema nicht bewältigt.

(6)   Bei nochmaligem Lesen der Arbeit hättest du die Fehler bemerkt.

(7)   Ohne die ständige Überprüfung von allem ließen sich Ungenauigkeiten und Fehler nicht ausschließen.

E 24   Irreal-konditionale Bedeutung hat der Konjunktiv auch in bestimmten Subjektsätzen nach Ausdrücken der Einschätzung (*es wäre besser, es würde mich freuen* u.ä.). Der Nebensatz ist als *wenn*-Satz, als uneingeleiteter Nebensatz mit Zweitstellung des Verbs und (beschränkt) als Infinitivkonstruktion möglich.

Ergänzen Sie die Sätze nach dem Muster!

> Es wäre besser,... (Sie bleiben im Bett.)
> → Es wäre besser, wenn Sie im Bett blieben (bleiben würden).
> Sie blieben im Bett (würden ... bleiben).

(1) Es wäre richtiger,... (Du gehst sofort zum Arzt.)
(2) Es wäre mir lieb,... (Ich muß nicht so lange warten.)
(3) Es wäre klüger,... (Du rufst vorher an.)
(4) Es wäre angebracht,... (Du läßt dich krank schreiben.)
(5) Es wäre ratsam,... (Sie gehen zur Nachmittagssprechstunde.)

E 25 Ergänzen Sie die Sätze nach dem Muster!

> Es wäre gut,... (Man fragt ihn selbst.)
> → Es wäre gut, wenn man ihn selbst fragte (fragen würde).
> ihn selbst zu fragen.

(1) Es wäre interessant, ... (Man hört auch Peters Meinung zu dem Problem.)
(2) Am besten wäre es,... (Man läßt alle Beteiligten dazu Stellung nehmen.)
(3) Es käme mir unverschämt vor, ... (Man bittet ihn schon wieder um Hilfe.)
(4) Es würde mich freuen, ... (Wir können Sie bald einmal bei uns begrüßen.)
(5) Es wäre nach meiner Meinung besser, ... (Man bestraft ihn nicht so streng.)
(6) Es wäre sehr schön, ... (Wir hören wieder etwas von Ihnen.)

E 26 Die gleichen modalen und temporalen Verhältnisse wie der Konditionalsatz zeigt der **irreale Konzessivsatz** mit der Konjunktion *wenn* (bzw. konjunktionslos mit Spitzenstellung des finiten Verbs) und der verschiebbaren Partikel *auch* (*sogar, selbst*):

Gegenwart/Zukunft mit Konjunktiv Präteritum oder *würde* + Infinitiv I

> Auch wenn ich Zeit hätte, würde ich mir den Kriminalfilm nicht ansehen.

Vergangenheit mit Konjunktiv Plusquamperfekt oder *würde* + Infinitiv II

> Auch wenn ich Zeit gehabt hätte, würde ich mir den Kriminalfilm nicht angesehen haben.

Bilden Sie irreale Konzessivsätze nach dem Muster! Beachten Sie im Nebensatz die Umkehrung von Bejahung und Verneinung!

Ich habe keine Zeit. Ich sehe mir den Kriminalfilm nicht an. (Ich mag Kriminalfilme nicht.)
→ Auch wenn ich Zeit hätte, würde ich mir den Kriminalfilm nicht ansehen, denn ich mag Kriminalfilme nicht.

(1) Ich kann nicht schwimmen. Ich bade nicht in dem See. (Er hat gefährliche Strudel.)

(2) Es regnet nicht. Wir unternehmen den Ausflug. (Es ist alles bestellt und bezahlt.)

(3) Ich kann Französisch. Ich verstehe den Inhalt des Liedes. (Der Sänger singt sehr ausdrucksvoll.)

(4) Nicht alle Kassenschalter sind geöffnet. Sie bewältigen nicht den Menschenandrang. (Es sind zu wenig Schalter.)

(5) Der Winter ist streng. Die Schwäne sammeln sich am Futterplatz. (Sie sind an das Füttern im Winter gewöhnt.)

(6) Ich kenne den Kollegen nicht gut. Ich erlaube mir kein Urteil über seine Arbeit. (Ich verstehe zu wenig von seinem Tätigkeitsbereich.)

(7) Das Gaststättenessen ist teuer. Ich esse nicht in der Gaststätte. (Ich koche gern selbst.)

(8) Der Student verbessert seine Grammatikkenntnisse nicht. Er kann nicht als Dolmetscher arbeiten. (Er braucht dazu das Zeugnis der Abschlußprüfung.)

E 27 Gebrauchen Sie die Konzessivsätze der vorhergehenden Übung konjunktionslos mit Spitzenstellung des finiten Verbs! Verändern Sie auch die Stellung von finitem Verb und Subjekt im nachgestellten Hauptsatz!

Auch wenn ich Zeit hätte, würde ich mir den Kriminalfilm nicht ansehen, ...
→ Hätte ich auch Zeit, ich würde mir den Kriminalfilm nicht ansehen, ...

E 28 Bilden Sie irreale Konzessivsätze nach dem Muster! Beachten Sie im Nebensatz die Umkehrung von Bejahung und Verneinung!

Ich hatte keine Zeit. Ich habe mir den Kriminalfilm nicht angesehen. (Ich mag Kriminalfilme nicht.)
→ Auch wenn ich Zeit gehabt hätte, würde ich mir den Kriminalfilm nicht angesehen haben, denn ich mag Kriminalfilme nicht.

(1) Die Schneeverhältnisse waren nicht günstig. Ich habe die Abfahrt auf der Piste nicht gewagt. (Ich bin kein geübter Skifahrer.)

(2) Ich wußte von der Krankheit meiner Mutter. Ich bin nach Hause gefahren. (Ich fahre jedes Wochenende zu den Eltern.)

(3) Die Veranstaltung hat nicht erst 17 Uhr begonnen. Viele kamen zu spät. (Die Vorlesung dauerte bis nach 17 Uhr.)

(4) Sie ist krank geworden. Sie hat die Dissertation nicht bis zu dem geplanten Termin abgeschlossen. (Das Thema war zu umfangreich.)

(5) Ich hatte den Fotoapparat vergessen. Ich konnte auf dem Ausflug nicht fotografieren. (Das Wetter war zu trüb.)

(6) Ich bin nicht am Abend gekommen. Ich habe ihn nicht angetroffen. (Er war im Konzert.)

E 29 Gebrauchen Sie die Konzessivsätze der vorhergehenden Übung konjunktionslos mit Spitzenstellung des finiten Verbs! Verändern Sie auch die Stellung von finitem Verb und Subjekt im nachgestellten Hauptsatz!

Auch wenn ich Zeit gehabt hätte, würde ich mir den Kriminalfilm nicht angesehen haben, ...

→ Hätte ich auch Zeit gehabt, ich würde mir den Kriminalfilm nicht angesehen haben, ...

E 30 Im **irrealen Konsekutivsatz** (eingeleitet mit als daß, mit Korrelat zu im Hauptsatz und lexikalischem Element der Potentialität im Nebensatz) wird der Konjunktiv fakultativ gebraucht. Konjunktiv Präteritum steht für Gegenwart und Zukunft, Konjunktiv Plusquamperfekt für Vergangenheit. Die gleiche Bedeutung hat der verneinte Konsekutivsatz mit so daß.

Bilden Sie Sätze nach dem Muster!

Er spricht leise. Man kann ihn nicht verstehen.

→ Er spricht so leise, daß man ihn nicht verstehen kann.

→ Er spricht zu leise, als daß man ihn verstehen könnte (kann).

(1) Der Fluß ist verschmutzt. Man kann nicht darin baden.

(2) Die Häuser sind baufällig. Eine Sanierung ist nicht möglich.

(3) Das Zimmer ist klein. Ich kann nicht alle meine Möbel aufstellen.

(4) Unser Keller ist feucht. Wir können dort nichts aufbewahren.

(5) Die Straßen der Kleinstadt sind eng. Ein zügiger Durchgangsverkehr ist nicht möglich.

(6) Die Rekonstruktion des historischen Gebäudes in der Altstadt ist kompliziert. Ein baldiger Abschluß der Bauarbeiten ist nicht zu erwarten.

(7) Die Uferpromenade ist stark beschädigt. Sie ist gegenwärtig nicht begehbar.

E 31 Bilden Sie Sätze nach dem Muster!

Er sprach leise. Man konnte ihn nicht verstehen.
→ Er sprach *so* leise, *daß* man ihn *nicht* verstehen *konnte*.
→ Er sprach *zu* leise, *als daß* man ihn *hätte* verstehen *können* (*als daß* man ihn verstehen *konnte*).

(1) Das Stadion war klein. Es konnte nicht alle Zuschauer fassen.
(2) Die Spieler waren verkrampft. An ein schönes Spiel war nicht zu denken.
(3) Der Sturm spielte nervös. Er konnte nicht den Ausgleichstreffer erzielen.
(4) Der Torvorsprung war groß. Ein Ausgleich war nicht möglich.
(5) Das Publikum war voreingenommen. Es konnte die Schiedsrichterentscheidungen nicht objektiv beurteilen.

E 32 Im **irrealen Wunschsatz** (nach der Form: isolierter irrealer konditionaler Nebensatz) steht der Konjunktiv (für Gegenwart: Konjunktiv Präteritum, für Vergangenheit: Konjunktiv Plusquamperfekt) obligatorisch. Der Wunsch wird durch die Partikel *doch (nur)* signalisiert.

Formen Sie die Sätze nach dem Muster um!

Ich wünsche mir, daß der Winter vorbei ist.
→ Wenn der Winter doch schon vorbei wäre!

Ich wünsche mir, daß Sommer ist.
              daß das Semester zu Ende ist.
              daß die Prüfungen vorbei sind.
              daß ich Ferien habe.
              daß ich nach Hause fahren kann.
              daß ich bei meinen Eltern bin.
              daß ich im See baden kann.

E 33 Formulieren Sie die Wünsche der vorhergehenden Übung ohne *wenn* mit Spitzenstellung des Verbs!

Ich wünsche mir, daß der Winter vorbei ist.
→ Wäre der Winter doch schon vorbei!

E 34 Formulieren Sie die folgenden konstatierenden Aussagen über Geschehenes als irreale Wünsche!

(a) Sie sind bei Rot *nicht* stehengeblieben.
    → Wenn Sie doch (nur) bei Rot stehengeblieben wären!
(b) Sie sind bei Rot weitergegangen.
    → Wenn Sie doch (nur) bei Rot *nicht* weitergegangen wären!

(1) Sie haben in der Kurve überholt.
(2) Sie haben vor der Kreuzung die Geschwindigkeit nicht herabgesetzt.
(3) Sie sind in der Mitte der Fahrbahn gefahren.
(4) Sie haben nicht auf den Gegenverkehr geachtet.
(5) Sie haben den Blinker nicht rechtzeitig betätigt.
(6) Sie haben das Vorfahrtsschild übersehen.
(7) Sie sind bei Gelb auf die Kreuzung gefahren.
(8) Sie haben nicht rechtzeitig gebremst.

E 35 Obligatorisch steht der Konjunktiv in den **Konstruktionen mit den Modalverben** *müssen, sollen, nicht dürfen,* die eine irreale (nicht realisierte) Forderung bezeichnen. Diese Konstruktionen kommen gewöhnlich nur mit Vergangenheitsbedeutung im Plusquamperfekt vor:

> Sie hätten bei Rot stehenbleiben *müssen/sollen.*
> Sie hätten bei Rot nicht weitergehen *dürfen.*

Bilden Sie aus den konstatierenden Aussagen von E 34 irreale Forderungen nach obigem Muster!

E 36 Bilden Sie aus dem Wortmaterial Sätze im Konjunktiv Plusquamperfekt mit Modalverb *müssen* oder *dürfen*!

Ein Schüler hat im Aufsatz eine Vier geschrieben. Der Lehrer ermahnt ihn:

zu Hause noch einmal alles gründlich durcharbeiten
die Gliederung nicht vergessen
in den Vorbereitungsstunden besser aufpassen
auch auf die äußere Form achten
nicht so viele Flüchtigkeitsfehler machen
sich von den anderen nicht ablenken lassen
nicht so allgemein bleiben, sondern konkrete Beispiele bringen
auch auf die heutige Zeit eingehen und die Darstellung nicht auf die Vergangenheit beschränken

E 37 Im **Imperativ** gibt es nur für die 2. Pers. Präsens Aktiv besondere Formen. Dabei ist zwischen
1) einer vertraulichen Form für den Singular (vom Infinitivstamm mit fakultativem Endungs-*e* gebildet),
2) einer vertraulichen Form für den Plural (identisch mit 2. Pers. Plural Indik. Präsens) und
3) einer Höflichkeitsform für Singular und Plural (identisch mit 3. Pers. Plural Konj. Präsens)
zu unterscheiden.

Das Verb steht im Imperativ am Satzanfang, das Pronomen steht an zweiter Stelle, wird aber in der vertraulichen Form nur bei Hervorhebung verwendet.

> Frag(e) (du) ihn! Fragt (ihr) ihn! Fragen Sie ihn!

Bilden Sie Imperativsätze in den beiden vertraulichen Formen und in der Höflichkeitsform!

(1) die Sätze nach dem Muster umformen
(2) die Wendungen durch Synonyme ersetzen
(3) das notwendige Komma einfügen
(4) das passende Wort wählen
(5) das Substantiv zum Verb nennen
(6) den Inhalt des Satzes anders ausdrücken
(7) die Zweitsätze mit einer Konjunktion anschließen
(8) die Antonyme zu den Adjektiven suchen

E 38 Während im allgemeinen das Endungs-*e* der vertraulichen Singularform fakultativ ist, steht es bei den Verben auf *-igen, -eln, -ern* und bei Verben mit schwer aussprechbaren Konsonantenverbindungen im Stammauslaut obligatorisch. Bei den Verben auf *-eln* (umgangssprachlich auch bei *-ern*) fällt dabei das Suffix-*e* aus.

> Entschuldige bitte! Bummle nicht! Öffne die Tür!

Verwenden Sie statt der Modalverbkonstruktion die Imperativform!

(1) Du mußt die Aufgabe sofort erledigen / machen.
(2) Du mußt schneller zählen / rechnen.
(3) Du mußt den Jungen auch einmal tadeln / kritisieren.
(4) Du mußt dich um die Stelle selbst bemühen / kümmern.
(5) Du mußt noch einmal klingeln / klopfen.
(6) Du mußt deinen Freund informieren / benachrichtigen.
(7) Du mußt das Bild einfach abzeichnen / abmalen.
(8) Du mußt einmal auf den Felsen klettern / steigen.
(9) Du mußt dich zuerst vergewissern / erkundigen.
(10) Du mußt dem Besuch etwas Zeit widmen / opfern.
(11) Du mußt dich zuerst mit der Theorie befassen / beschäftigen.

E 39 Die unregelmäßigen Verben mit *e/i*-Wechsel (außer: *werden*) bilden den Imperativ der vertraulichen Singularform nicht mit dem Infinitivstamm, sondern mit dem Stamm der Präsensform der 2. Pers. Sing. Das Endungs-*e* fehlt bei diesen Verben obligatorisch. Man vergleiche:

> auflesen: *Lies* das Papier auf!
>   (unregelmäßiges Verb *mit e/i*-Wechsel)
> aufheben: *Heb(e)* das Papier auf!
>   (unregelmäßiges Verb *ohne e/i*-Wechsel)

Verwenden Sie statt der vertraulichen Pluralform die Singularform!

(1)   Helft der Frau beim Tragen!
(2)   Eßt die Suppe nicht so schnell!
(3)   Denkt an die Hausaufgaben!
(4)   Vergeßt morgen die Bücher nicht!
(5)   Geht nicht so nahe an den Hund heran!
(6)   Erkennt seine Leistung an!
(7)   Steht einen Augenblick ruhig!
(8)   Sprecht das Wort langsam nach!
(9)   Werdet nicht zu schnell auf den ersten hundert Metern!
(10) Seht euch den Film an!
(11) Meßt die Temperatur genauer!
(12) Verbrennt euch nicht die Finger an dem Eisen!
(13) Gebt den Kühen Futter!
(14) Melkt die Kühe!

E 40   Neben dem Imperativ für die 2. Person gibt es vereinzelt noch den Imperativ für die 1. Person Plural (*Gehen wir!*). Häufiger kommen Umschreibungen für den Imperativ vor, so für die 1. Person Plural mit *wollen* und *lassen* (Wir wollen gehen! Laßt uns gehen!), für die 3. Person mit *sollen* (Er soll gehen!). Auch für die 2. Person gibt es Umschreibungen mit *müssen, sollen* (im Konj. Prät.) und verneint auch mit *dürfen*.
Drücken Sie die folgenden Sätze als Aufforderungen mit Imperativ — soweit möglich — und mit Umschreibungen aus!

(1)   Wir besuchen den kranken Kollegen.
(2)   Er begleitet uns.
(3)   Du besorgst die Blumen.
(4)   Wir gehen am Abend hin.
(5)   Ihr kommt nicht zu spät.
(6)   Er überreicht die Blumen.
(7)   Du sagst ein paar nette Worte.

E 41   Ersetzen Sie die Imperativformen durch Modalverbkonstruktionen nach folgendem Muster!

Sieh dir das Ballett im Opernhaus an!
→ Du solltest dir das Ballett im Opernhaus ansehen. (= Empfehlung)
→ Du mußt dir (unbedingt) das Ballett im Opernhaus ansehen. (= Betonung der Notwendigkeit)

Ein Student aus Leipzig zu einem ausländischen Kommilitonen:

(1)   Geh ins Museum für Völkerkunde!
(2)   Sieh dir ein Stück im Schauspielhaus an!

(3)   Mach einen Bummel durch die Innenstadt!
(4)   Besichtige die Bach-Gedenkstätten!
(5)   Fahr einmal hinaus zur Landwirtschaftsausstellung in Mark-
       kleeberg!
(6)   Steig auf das Völkerschlachtdenkmal hinauf!
(7)   Verbringe einen Abend in Auerbachs Keller!
(8)   Besuche eine Vorstellung in der Oper!
(9)   Geh einmal ins Café im Universitätshochhaus tanzen!
(10)   Mach einen Spaziergang durchs Rosental!
(11)   Besorge dir eine Lesekarte für die Deutsche Bücherei!
(12)   Hör dir eine Motette in der Thomaskirche an!
(13)   Kauf dir einen Messeausweis!

E 42 Ersetzen Sie in dem folgenden Auszug aus K. Tucholskys ironischen
„Ratschlägen für einen schlechten Redner" die Imperativformen
durch Modalverbkonstruktionen (*müssen* bzw. *nicht dürfen*) und umgekehrt!

Fang nie mit dem Anfang an, sondern immer drei Meilen vor dem Anfang! Etwa so: „Meine Damen und meine Herren! Bevor ich zum
Thema des heutigen Abends komme, lassen Sie mich Ihnen in aller
Kürze die Entwicklungsgeschichte meiner Heimat seit dem Jahre
2000 vor Christi Geburt ..." So mußt du das auch machen.
Sprich nicht frei — das macht einen so unruhigen Eindruck. Am besten ist es, du liest deine Rede ab. Sprich, wie du schreibst. Sprich mit
langen, langen Sätzen — solchen, bei denen du, der du dich zu Hause,
wo du ja die Ruhe, deren du so sehr benötigst, deiner Kinder ungeachtet, hast, vorbereitest, genau weißt, wie das Ende ist, die Nebensätze
schön ineinandergeschachtelt ... Nun, ich habe dir eben ein Beispiel
gegeben. So mußt du sprechen. Du mußt alles in die Nebensätze legen.
Sag nie: „Die Steuern sind zu hoch." Das ist zu einfach. Sag: „Ich
möchte zu dem, was ich soeben gesagt habe, noch kurz bemerken, daß
mir die Steuern bei weitem ..."
Trink den Leuten ab und zu ein Glas Wasser vor — man sieht das
gerne. Wenn du einen Witz machst, lach vorher, damit man weiß, wo
die Pointe ist.
Kündige den Schluß deiner Rede vorher an, und dann beginne deine
Rede von vorn und rede noch eine halbe Stunde.
Du mußt dir nicht nur eine Disposition machen, du mußt sie den Leuten auch vortragen — das würzt die Rede.
Sprich nie unter anderthalb Stunden, sonst lohnt es gar nicht erst an-
zufangen.

Reflexive Verben

F 1 Die reflexiven Verben verfügen nur in der 3. Person über ein speziel-
les morphologisches Kennzeichen, das in Kasus und Numerus unver-
änderliche Pronomen *sich.* Als kennzeichnendes Element in der 1. und
2. Person dient das Personalpronomen im entsprechenden Kasus (Akkusativ / Dativ) und Numerus.

Bilden Sie Sätze aus folgendem Wortmaterial in den verschiedenen
Personen!

    (1)   sich mit kaltem Wasser waschen
    (2)   sich die Zähne mit Bürste und Zahnpasta putzen
    (3)   sich an Kuchen satt essen
    (4)   in der Kleidung auf sich achten
    (5)   sich nicht zu viel auf die eigenen Leistungen einbilden
    (6)   sich um die Stelle eines Dolmetschers bewerben
    (7)   andere Leute nach sich selbst beurteilen
    (8)   eine unsachliche Kritik von sich weisen
    (9)   sich die Gemäldegalerie ansehen

F 2 Die reflexiven Verben sind in syntaktischer und semantischer Hinsicht keine einheitliche Gruppe. Drei Grundtypen mit jeweils mehreren Untergruppen lassen sich unterscheiden:
1) reflexive Konstruktionen,
2) reflexive Verben im engeren Sinne,
3) reflexive Formen.
Bei den **reflexiven Konstruktionen** hat das Reflexivpronomen die
Funktion eines Objekts, das mit dem Subjekt (referentiell) identisch
ist. Das Verb kann auch nicht-reflexiv gebraucht werden, indem statt
des Reflexivpronomens ein echtes, nicht mit dem Subjekt identisches
Objekt erscheint. Das reflexive und das nicht-reflexive Verb unterscheiden sich nicht in Valenz und Semantik:

    Das Mädchen kämmt *sich* (selbst).
    Das Mädchen kämmt *seine Schwester.*

Das Reflexivpronomen in einer reflexiven Konstruktion kann Akku-
sativ-, Dativ- oder Präpositionalobjekt sein.

Ersetzen Sie in den folgenden Sätzen das Reflexivpronomen durch
das in der Klammer stehende Substantiv!

    (1)   Der Maler hat sich gezeichnet. (sein Sohn)
    (2)   Die Frau hat sich das Rauchen abgewöhnt. (ihr Mann)
    (3)   Der junge Mann scheint wenig auf sich zu achten. (seine Ge-
        sundheit)

(4) Der Ausländer hat sich dem Dozenten vorgestellt. (sein Landsmann)
(5) Die Studentin hat sich das Buch besorgt. (ihr Freund)
(6) Der Wissenschaftler hat sich in seinem Diskussionsbeitrag widersprochen. (der Referent)
(7) Du darfst nicht zu sehr an dir zweifeln. (deine Fähigkeiten)
(8) Der Schüler hat seine Klassenkameraden zu sich eingeladen. (seine Eltern)
(9) Er hat sich gegen die Vorwürfe verteidigt. (sein Bruder)

F 3 Setzen Sie das Reflexivpronomen im Dativ, Akkusativ oder Präpositionalkasus ein!

(1) Mit deinen spitzen Bemerkungen schadest du ... nur.
(2) Du mußt ... für dein Benehmen rechtfertigen.
(3) Du darfst die anderen nicht ... selbst beurteilen.
(4) Ich habe den Fehler auch schon ... bemerkt.
(5) Ich habe ... zur Arbeit gezwungen.
(6) Da niemand da war, mußte ich ... selbst helfen.
(7) Ich mußte ... mehrmals korrigieren.
(8) Er hat mit seiner Arbeit ... aufmerksam gemacht.
(9) Er denkt immer zuletzt ...
(10) Du solltest ... mehr Ruhe gönnen.
(11) Ich habe ... in meiner Kindheit das Schwimmen selbst beigebracht.
(12) Wäschst du ... warm oder kalt?
(13) Er hat nur ... gesprochen.

F 4 Das Reflexivpronomen kann ein sekundäres Satzglied im Dativ sein. Dabei ist zwischen (a) dem *dativus commodi* und (b) dem *dativus possessivus* zu unterscheiden:

(a) Ich kaufe *mir* ein Buch.
     → Ich kaufe ein Buch *für mich*.
(b) Ich wasche *mir* die Hände.
     → Ich wasche *meine* Hände.

Formen Sie die Sätze nach Muster (a) oder (b) um!

(1) Beim Schilaufen hat er sich den Arm gebrochen.
(2) Ich habe mir die wichtigsten Bemerkungen aus dem Vortrag notiert.
(3) Das Kind hat sich die Knie aufgeschlagen.
(4) Am Morgen kocht sie sich immer eine Suppe.
(5) Wir wärmen uns die Hände am Ofen.
(6) Du mußt dir die Haare kämmen.
(7) Er hat sich auf dem Hof eine Garage gebaut.

F 5 Entscheiden Sie, nach welchem Mustern das Verb gebraucht werden kann!

verletzen: a − b − c
a) Ich habe *mich* verletzt.
b) Ich habe *mir* die Hand verletzt.
c) Ich habe *mich* an der Hand verletzt.

abtrocknen − brechen − flechten − kämmen − kratzen − lackieren − verbrennen − verstauchen

F 6 Bei den **reflexiven Verben im engeren Sinne** ist das Reflexivpronomen nicht ein mit dem Subjekt (referentiell) identisches Objekt, sondern ein Wortbildungselement, das als fester Bestandteil zum Verb als Worteinheit gehört. Das Verb ist deshalb nur in reflexiver Form möglich. Wenn trotzdem ein reflexives Verb im engeren Sinne auch in nicht-reflexiver Form vorkommt, so handelt es sich um eine Verbvariante, die sich in Valenz und/oder Semantik von dem reflexiven Verb unterscheidet:

Das Kind hat *sich* an dem Kirschkern verschluckt. (verschlucken$_1$ = beim Schlucken in die Luftröhre bekommen)
Das Kind hat den Kirschkern verschluckt. (verschlucken$_2$ = durch Schlucken in den Magen gelangen lassen)

Da bei den reflexiven Verben im engeren Sinne das Reflexivpronomen ein reines Wortbildungselement ist, kann die gleiche Verbbedeutung oftmals auch durch ein Verb ausgedrückt werden, das ohne Reflexivpronomen gebraucht wird.

Welches Verb der Verbpaare in der Klammer hat ein Reflexivpronomen (im Akkusativ)? Setzen Sie die Verben im Präteritum ein!

(1) Der Messegast (erkundigen, fragen) nach dem Weg zum Ausstellungsgelände.

(2) Seine Tochter (beklagen, klagen) ständig über zu viele Hausaufgaben.

(3) Viele Schüler (beteiligen, teilnehmen) am Wettbewerb.

(4) Als der Lehrer eintrat, (aufstehen, erheben) die Schüler.

(5) Der junge Mann (brillieren, hervortun) mit seinen Kenntnissen in der Atomphysik.

(6) Die Besucher des Doms (staunen, wundern) über die Leuchtkraft der Farben in den mittelalterlichen Fresken.

(7) Das Rot der Dächer (abheben, abstechen) deutlich vom Grün der Bäume.

(8) Die Regierungsdelegation (aufhalten, weilen) eine Woche im Süden des Landes.

(9) In dem Vortrag des Gastdozenten (gehen, handeln) es um Entwicklungstendenzen in der Gegenwartssprache.

F 7 Welches Verb der Verbpaare in der Klammer hat ein Reflexivpronomen (im Dativ)? Beachten Sie die Stellung des Reflexivpronomens!

(1) Er hat seine Spezialkenntnisse in einem Lehrgang (aneignen, erwerben).

(2) Ich habe ein schlechtes Gedächtnis und kann keine Zahlen und Namen (behalten, merken).

(3) Warum hast du nicht eine Bedenkzeit (ausbedingen, verlangen)?

(4) Bei dem ständigen Regenwetter kann man leicht einen Schnupfen (bekommen, holen).

(5) Ich habe die neuen Vokabeln in kurzer Zeit (einprägen, lernen).

(6) Der Gerichtsprozeß ging so aus, wie es alle (erwarten, vorstellen) hatten.

(7) Er (einbilden, glauben), daß man ihn von der Prüfung befreien wird.

(8) Du mußt unbedingt das Rauchen (abgewöhnen, einstellen).

(9) Auch den Alkohol mußt du (meiden, versagen).

F 8 Der rein formale Charakter des Reflexivpronomens bei den reflexiven Verben im engeren Sinne ist auch der Grund dafür, daß es bei manchen Verben nicht obligatorisch, sondern fakultativ steht.

Entscheiden Sie, bei welchem Verb der Satzpaare das Reflexivpronomen weglaßbar ist!

(1) Bei Regen kühlt sich die Luft ab. – Bei Schnee erwärmt sich die Luft gewöhnlich.

(2) Nach der Krankheit hat er sich lange nicht erholt. – Nach dem Essen ruht er sich gern eine Stunde aus.

(3) Ich hörte, wie sich jemand davonschlich. – Ich hörte, wie sich jemand entfernte.

(4) Ein Besuch des Tierparkes lohnt sich immer. – Ein Bildband eignet sich immer als Geschenk.

(5) Ich habe mich auf der Gesellschaft gelangweilt. – Am Sonntag will ich mich endlich einmal ausschlafen.

(6) Im Teich setzt sich Schlamm ab. – Bei Feuchtigkeit beschlägt sich der Spiegel.

(7) Das Auto überschlug sich in der Kurve. – Das Auto fuhr sich im Schnee fest.

F 9 Bei einigen reflexiven Verben im engeren Sinne stehen Subjekt und (präpositionales) Objekt in einem Umkehrverhältnis zu den entsprechenden Satzgliedern ihrer nicht-reflexiven Varianten:

Ich freue mich über deinen Erfolg.
⇄ Dein Erfolg freut mich.

Formen Sie die Sätze nach dem Muster um!

  (1)   Die Kinder amüsierten sich über die Spiele der Seelöwen.

  (2)   Kinder erfreuen sich oft an Kleinigkeiten.

  (3)   Das Lagerfeuer erwärmte die Pelztierjäger.

  (4)   Seine Bemerkungen ärgerten die Frau.

  (5)   Sein schlechtes Prüfungsergebnis hat mich sehr gewundert.

  (6)   Der Junge beschäftigt sich stundenlang mit seinen Bausteinen.

  (7)   Der Junge begeistert sich für die Rockmusik.

  (8)   Alle haben sich über sein Verhalten empört.

  (9)   Den Wissenschaftler interessiert die neue Forschungsmethode.

F 10 Die **reflexiven Formen** unterscheiden sich von den reflexiven Konstruktionen und den reflexiven Verben im engeren Sinne dadurch, daß der Subjektsnominativ nicht das Agens der Verbhandlung darstellt, sondern entweder das Patiens der Handlung oder ein rein formales Subjekt (Pronomen *es*). Die reflexiven Formen kommen nur in der 3. Person vor und sind ihrer Funktion nach Paraphrasen des Passivs. Die reflexiven Formen mit obligatorischen adverbialen Angaben haben zusätzlich eine modale Bedeutung (Potentialität).

    a) Der Schlüssel findet sich.
       → Der Schlüssel wird gefunden.
    b) Der Apfel schält sich schlecht. (+ Modalangabe)
       → Der Apfel *kann* schlecht geschält werden.
    c) Es arbeitet sich hier gut. (+ Modalangabe + Lokalangabe)
       → Es *kann* hier gut gearbeitet werden.

Bilden Sie Sätze nach den Mustern!

     schälen (Apfel, schlecht)
       → Der Apfel schält sich schlecht.
         Der Apfel läßt sich schlecht schälen.
         Den Apfel kann man schlecht schälen.

  (1)   waschen (Stoff, gut)

  (2)   schalten (Auto, leicht)

  (3)   tragen (Pelzmantel, gut)

  (4)   lesen (Buch, leicht)

  (5)   binden (Schlips, schlecht)

  (6)   schließen (Tasche, schwer)

F 11 Bilden Sie Sätze nach den Mustern!

     arbeiten (Bibliothek, gut)
       → In der Bibliothek arbeitet es sich gut.
         In der Bibliothek läßt es sich gut arbeiten.
         In der Bibliothek kann man gut arbeiten.

(1)   laufen (Skistiefel, schlecht)
(2)   sitzen (Sessel, bequem)
(3)   schreiben (Kugelschreiber, gut)
(4)   rechnen (Taschenrechner, schnell)
(5)   gehen (Wanderweg, leicht)
(6)   wohnen (Neubauviertel, angenehm)

F 12   Um besondere Verwendungsweisen handelt es sich bei den reflexiven Verben, die ein reziprokes Verhältnis ausdrücken, und bei den Formen reflexiver Verben, mit denen ein Zustand bezeichnet wird.

1. Reflexive Konstruktionen sind im Plural vielfach homonym und drücken — abhängig vom Kontext — entweder ein reflexives oder ein **reziprokes Verhältnis** aus. Durch Ersatz des Reflexivpronomens mit dem Pronomen *einander* wird der Satz eindeutig reziprok.

> Karin und Petra kämmen *sich.*
> → Karin kämmt sich, und Petra kämmt sich.   (reflexiv)
> → Karin kämmt Petra, und Petra kämmt Karin.   (reziprok)
>   → Karin und Petra kämmen *einander.*

2. Reflexive Verben im engeren Sinne sind nicht homonym. Es gibt aber eine kleine Gruppe von Verben, die von ihrer lexikalischen Bedeutung her ein reziprokes Verhältnis ausdrücken. Im Singular werden diese Verben mit obligatorischer Präpositionalgruppe *mit* + Substantivwort, im Plural mit fakultativem *miteinander* gebraucht.

> Karin und Petra streiten *sich.*
> → Karin und Petra streiten *sich miteinander.*
> → Karin streitet *sich mit* Petra.

Entscheiden Sie, ob bei den folgenden Sätzen die Umformungen wie bei dem Beispiel von 1. (*sich kämmen*) oder wie bei dem Beispiel von 2. (*sich streiten*) möglich sind!

(1)   Der Angeklagte Meier und der Angeklagte Schober beschuldigen sich.
(2)   Der Wanderleiter und die Kinder besprechen sich wegen der Fahrt.
(3)   Nach dem Streit haben sich die Schwester und der Bruder wieder vertragen.
(4)   Der erste Redner und der zweite Redner haben sich widersprochen.
(5)   Der Student und seine Freundin verabreden sich für das Kino.
(6)   Der Junge und das Mädchen trocknen sich mit einem Badetuch ab.
(7)   Der Doktorand und die Ausländerin haben sich verlobt.

F 13 Formen Sie die Sätze nach dem Muster um!

> Der Student und sein Freund haben sich verabredet.
> ⇄ Der Student hat sich mit seinem Freund verabredet.

(1) Das Kind und der Hund haben sich gebalgt.
(2) Peter hat sich mit den Nachbarkindern angefreundet.
(3) Die Hortnerin will sich mit der Lehrerin verständigen.
(4) Die Jungen und die Mädchen der Klasse streiten sich.
(5) Der Praktikant und der Mentor müssen sich über den Stoffverteilungsplan einigen.
(6) Die Mutter hat sich mit dem Lehrer über das Erziehungsproblem ausgesprochen.
(7) Die Schüler und die Studenten werden sich in einem Demonstrationszug vereinigen.

F 14 Zahlreiche reflexive Verben können neben ihren regulären Tempusformen eine Form mit *sein* + Partizip II ohne Reflexivpronomen bilden. Diese Form drückt nicht wie die regulären Tempusformen die Handlung selbst aus, sondern einen Zustand als Resultat der Handlung und wird deshalb als **Zustandsreflexiv** bezeichnet:

> Der Patient erholt sich (in der Kur).
> Der Patient ist (nach der Kur) erholt.

Das Zustandsreflexiv ist formal identisch mit dem Zustandspassiv. Bei reflexiven Konstruktionen kann es sich deshalb im aktualen Satz auch um das Zustandspassiv zum nichtreflexiven Verb handeln, d. h., die Form ist homonym:

> Das Kind ist gewaschen.
> → a) Das Kind hat sich (selbst) gewaschen.
> → b) Das Kind ist (von der Mutter) gewaschen worden.

Die Zustandsform ist bei den reflexiven Konstruktionen nur dann eindeutig und zwar Zustandspassiv, wenn die Semantik des Subjekts oder des Verbs keine Rückbezüglichkeit zuläßt:

> Das Kleid ist gewaschen.
> → a) *Das Kleid hat sich gewaschen.
>   b) Das Kleid ist gewaschen worden.
> Die Eltern sind benachrichtigt.
> → a) *Die Eltern haben sich benachrichtigt.
>   b) Die Eltern sind benachrichtigt worden.

Entscheiden Sie — indem Sie die Sätze entsprechend ihrem Inhalt nach (a) oder/und (b) zurückführen —, ob Zustandsreflexiv oder/und Zustandspassiv vorliegt!

(1) Der Junge ist noch nicht angezogen.

(2) Das Bett ist frisch bezogen.
(3) Das Kind ist etwas erkältet.
(4) Die Gläser waren bald ausgetrunken.
(5) Der Fahrer war stark betrunken.
(6) Der Mann war frisch rasiert.
(7) Seine Haare waren kurz geschoren.
(8) Die Reise ist beschlossen.
(9) Ich bin zum Kauf entschlossen.
(10) Der Schüler ist entschuldigt.
(11) Der Patient ist gut erholt.
(12) Die Koffer sind schon lange abgeholt.
(13) Der Wissenschaftler ist überall anerkannt.
(14) Die Eltern waren wieder beruhigt.
(15) Die Frau ist schwer verletzt.

F 15 Die Bildung des Zustandsreflexivs ist auf Verben mit Reflexivpronomen im Akkusativ beschränkt, die perfektiv-transformativ sind und
eine Handlung mit einem zeitweilig bleibendem Zustand ausdrücken
(können).

> Ich wundere mich.
> → *Ich bin gewundert.

Welches Verb in den Satzpaaren erlaubt die Bildung eines Zustandsreflexivs? Prüfen Sie auch, welche der gebildeten Sätze die Interpretation als Zustandspassiv erlauben!

(1) Ich habe mich trotz des langen Urlaubs nicht erholt. – Ich habe
mich den ganzen Tag gesonnt.
(2) Er hat sich über die Mode entrüstet. – Er hat sich über deine Bemerkung geärgert.
(3) Sie haben sich in ihrer Stellung tapfer verteidigt. – Sie haben
sich nach allen Seiten gut geschützt.
(4) Sie hat sich am Kopf verletzt. – Sie hat sich nie geschont.
(5) Er bewirbt sich um die Stelle als Dolmetscher. – Er eignet sich
für die Stelle nicht.
(6) Die junge Frau betrachtet sich gern im Spiegel. – Sie pflegt sich
immer sehr.
(7) Ich habe mich mit der Familie befreundet. – Ich habe mich mit
ihren Kindern angefreundet.

F 16 Alle reflexiven Verben können in der Form des **Partizips I** als Attribut
erscheinen. Das Reflexivpronomen bleibt erhalten:

> der Student, der *sich* über alles informiert
> → der sich über alles informierende Student

Die Attribuierung in der Form des **Partizips II** ist nur von den reflexiven Verben möglich, die ein Zustandsreflexiv bilden können. Das Reflexivpronomen fällt aus. Bei den semantisch-reflexiven Verben ist — wie beim Zustandsreflexiv — auch die Interpretation als passivische Form möglich.

> der Student, der *sich* über alles informiert hat
> → der Student, der über alles informiert ist
> → der über alles informierte Student

Bilden Sie das attributive Partizip I und — wenn möglich — das attributive Partizip II! Prüfen Sie danach, ob das Attribut auch passivische Bedeutung haben kann!

(1) das Heilmittel, das sich in der Praxis bewährt — das Heilmittel, das sich in der Praxis bewährt hat

(2) das Kind, das sich über das Geschenk gefreut hat — das Kind, das sich über das Geschenk freut

(3) der Schüler, der sich auf die mündliche Prüfung vorbereitet — der Schüler, der sich auf die mündliche Prüfung vorbereitet hat

(4) der Zug, der sich dem Bahnhof genähert hat — der Zug, der sich dem Bahnhof nähert

(5) der Himmel, der sich stark bewölkt — der Himmel, der sich stark bewölkt hat

(6) das Kind, das sich mit kaltem Wasser gewaschen hat — das Kind, das sich mit kaltem Wasser wäscht

(7) der Student, der sich um die Stelle bewirbt — der Student, der sich um die Stelle beworben hat

Verben mit trennbarem erstem Teil

G 1 Die meisten ersten Teile von abgeleiteten und zusammengesetzten Verben sind trennbar. Die Trennung erfolgt beim **finiten** Verb in Erst- und Zweitstellung, indem der erste Teil ans Satzende tritt (a), und beim **infiniten** Verb, indem die Partikel *zu* des Infinitivs und das Merkmal *ge* des Partizips II zwischen den ersten Teil und den Verbstamm treten (b):

> (a) Der Lehrer zeichnet das Schema *an*.
> (b) Er beginnt das Schema *anzuzeichnen*. Er hat das Schema *angezeichnet*.

Nicht trennbar sind:

1. die unbetonten ersten Verbteile mit e-Vokal (*be-, ent-, er-, ge-, ver-, zer-*) und die zumeist unbetonten ersten Verbteile *miß-* und *wider-*.

   Der Lehrer *be*zeichnet das Bild als gelungen.

2. die ersten Verbteile von Fremdwörtern (*ex-, inter-, prä-, trans-* usw.) mit betontem Suffix-*ieren*.

   Man *re*konstruiert zur Zeit die Chirurgische Klinik.

3. die ersten Verbteile *durch-, hinter-, über-, um-, unter-, wider-, voll-*, wenn sie unbetont sind.

   Der Schüler *über*setzt den Text.

4. die betonten ersten Teile einer kleinen Gruppe von Verben, deren erster Teil aus Substantiv, Adjektiv oder Verb besteht.

   Die Automatisierung *kenn*zeichnet die moderne Technik.

Trennbar oder nicht trennbar? Setzen Sie das Verb im Präsens ein!

(1)   *verfallen:* Die alten Briefmarken ... vorläufig noch nicht ...
(2)   *auffallen:* Der Südamerikaner ... überall durch seine Kleidung ...
(3)   *ausfallen:* Die Lexikologie-Vorlesung ... wegen Krankheit des Professors ...
(4)   *mißfallen:* Mir ... die Art und Weise ..., wie er mit seiner Mutter umgeht.
(5)   *gefallen:* Erfurt ... ihr von allen Städten der DDR am meisten ...
(6)   *abfallen:* Das Flußufer ... auf der Westseite steil ...
(7)   *zerfallen:* Bei natürlicher Radioaktivität ... Uran stufenweise zu Blei ...
(8)   *einfallen:* Im Moment ... mir der Name des Regisseurs nicht ...
(9)   *zufallen:* Dem Kind ... vor Müdigkeit fast die Augen ...
(10) *befallen:* Die Krankheit ... vor allem Kinder und Jugendliche ...

G 2   Trennbar oder nicht? Setzen Sie das Verb im Präteritum ein!

(1)   *zusammentreten:* Der Ministerrat ... zur Beratung verschiedener Gesetzentwürfe ...
(2)   *betreten:* Pünktlich 10 Uhr ... die Delegationen den Sitzungssaal ...
(3)   *antreten:* Die Soldaten ... auf dem Kasernenhof zum Appell ...
(4)   *vertreten:* Der Praktikant ... für mehrere Wochen die erkrankte Deutschlehrerin ...
(5)   *auftreten:* Der Schulchor ... bei der Abschlußfeier mit alten deutschen Volksliedern ...
(6)   *zertreten:* Die Kinder ... die Blumenbeete beim Ballspielen ...
(7)   *austreten:* Mit dem Erdöl ... in großen Mengen Erdgas ...

G 3 *durch-, hinter-, über-, unter-* und *voll-* sind gewöhnlich betont und trennbar, wenn das Verb konkrete Bedeutung hat, aber unbetont und untrennbar, wenn das Verb in übertragener Bedeutung gebraucht ist (a). Vor allem die Verben mit unbetontem, untrennbarem *durch-* und *über-* haben manchmal auch transitivierende Bedeutung gegenüber den Verben mit betontem, trennbarem Präfix (b):

    (a) Der Fährmann setzt die Leute *über.*
        Die Schülerin *über*setzt den Text ins Deutsche.
    (b) Der Schnellzug fährt bis Berlin ohne Aufenthalt *durch.*
        Der Schnellzug *durch*fährt den Kleinstadtbahnhof in hohem Tempo.

Setzen Sie das Verb im Präsens bzw. Präteritum ein!

(1) Der Junge ... die Zahlen auf dem Lottoschein ...	
(2) Die Krankheit des Kindes ... alle Urlaubspläne der Familie ...	durchkreuzen
(3) Im Winter ... er seinen Wagen in einer Garage ...	
(4) Einige Mitarbeiter ... seiner Kritik böswillige Motive ...	unterstellen
(5) Die Gäste ... den peinlichen Vorfall mit Stillschweigen ...	
(6) Im zweiten Teil ... das Lied in eine andere Tonart ...	übergehen
(7) Die Sonne ... nicht den dichten Nebel ...	
(8) Der Regen ... an mehreren Stellen des Daches ...	durchdringen
(9) Bei dem Haustyp ... das Dach mehr als einen Meter ...	
(10) Der Schüler ... beim Vorlesen eine Zeile ...	überspringen

G 4 Setzen Sie das Verb im Präsens bzw. Präteritum ein!

    (1) *überhören:* Wenn das Radio geht, ... ich meistens das Klingeln des Telefons ...
    (2) *überkochen:* Bei zu großer Flamme ... Milch leicht ...
    (3) *hinterlassen:* Der Maler ... dem Museum durch Testament seine Bildersammlung ...
    (4) *hinterschlucken:* Der Kranke ... die Tablette ohne Wasser ...
    (5) *vollschreiben:* Der Schüler ... das Heft bis zur letzten Seite ...
    (6) *vollenden:* Der Schriftsteller ... das Theaterstück in wenigen Wochen ...

(7) *durchführen:* Der Laborant ... die Messung sehr oberflächlich ...

(8) *durchschauen:* Die Mutter ... sofort die Absicht ihrer Tochter ...

(9) *unterbrechen:* Wir ... unsere Reise in Weimar ...

(10) *unterbringen:* Man ... die ausländische Reisegruppe in einem Hotel am Stadtrand ...

G 5 Verben mit betontem, trennbarem *um-* bezeichnen eine Bewegung (oder Veränderung) des Objekts durch das Subjekt, vereinzelt auch eine Bewegung des Subjekts (aber nicht im Sinne *um ... herum* und nur bei intransitiven Verben; Verben mit unbetontem, untrennbarem *um-* bezeichnen ein *um ... herum* um ein unbewegtes Objekt.

> Sie stellt immer wieder die Möbel in ihrer Wohnung u**m**.
> Die Polizei *umstellte* in der Nacht das Haus.

Setzen Sie das Verb im Präsens bzw. Präteritum ein!

(1)	Mit dem Boot ... wir die ganze Insel ...	
(2)	Der LKW kam von der Straße ab und ... einen Baum ...	umfahren
(3)	Die Wanderer ... die sumpfige Wiese ...	
(4)	In der Burg ... nach einer alten Sage früher Gespenster ...	umgehen
(5)	Man ... das Getreide an einen trockenen Platz ...	
(6)	Dutzende von Autogrammjägern ... den beliebten Schlagersänger ...	umlagern
(7)	Der Sturm ... das Zelt der Bergsteiger ...	
(8)	Der Redner ... die Situation auf dem Fachgebiet in großen Zügen ...	umreißen
(9)	Der Lehrer ... die unbekannte Wendung mit Synonymen ...	
(10)	Der Schüler ... den Hausaufsatz noch einmal ...	umschreiben

G 6 Bei Kombination eines trennbaren Verbteils mit einem untrennbaren Verbteil erfolgt die Trennung nur, wenn der trennbare Teil an erster Stelle steht (a). Wenn der trennbare Teil an zweiter Stelle steht, wird er nicht getrennt (b). Zwei miteinander kombinierte trennbare Verbteile werden gemeinsam abgetrennt (c).

> (a) ab-be-rufen: Man *be*ruft den Botschafter *ab*.
> (b) be-ab-sichtigen: Er *beab*sichtigt eine Seereise.
> (c) her-vor-rufen: Seine Worte riefen einen Streit *hervor*.

Trennbar oder nicht? Setzen Sie das Verb im Präsens bzw. Präteritum ein!

(1) *ver-ab-reden:* Der Student ... mit seinen Freunden einen Ausflug am Wochenende ...

(2) *zu-er-kennen:* Man ... den ersten Preis einem Schüler der Tho-
masschule ...

(3) *her-an-ziehen:* Der Diplomand ... bei seiner Arbeit mehrere ausländische Arbeiten zum Vergleich ...

(4) *mit-er-leben:* Die Verwandten und Freunde des Skispringers ...
den Wettkampf am Fernseher ...

(5) *da-von-tragen:* Im vergangenen Jahr ... die Mannschaft der
Humboldtschule den Sieg ...

(6) *um-be-stellen:* Während des Sommerurlaubs ... ich immer die
Zeitung ...

(7) *be-an-spruchen:* Die Restaurierung des Schlosses ... mehrere
Jahre ...

(8) *um-her-irren:* Einige Kinder der Gruppe ... lange im Wald ...

G 7 Trennbar oder nicht? Setzen Sie das Verb im Präsens bzw. Präteritum
ein!

(1) *festlegen:* Der Dozent ... die Prüfungstermine gemeinsam mit
den Studenten ...

(2) *rechtfertigen:* Der Student ... sein Verhalten vor den Eltern ...

(3) *teilnehmen:* An der Veranstaltung ... alle Mitarbeiter der Abteilung ...

(4) *fachsimpeln:* Die beiden Lehrer ... den ganzen Abend über me-
thodische Probleme ...

(5) *langweilen:* Seine Frau ... sich sehr bei dem Gespräch ...

(6) *wetteifern:* Alle Schüler der Klasse ... um die höchste Punktzahl
bei dem Sportfest ...

(7) *schwerfallen:* Vielen Schülern ... der Langlauf ...

(8) *mutmaßen:* Bis zur Zielgeraden ... alle ..., daß der Vorjahressie-
ger den Lauf gewinnen würde.

(9) *achtgeben:* Niemand ... auf den späteren Sieger ...

(10) *schlußfolgern:* Ich ... aus seinem Schweigen ..., daß er gegen
den Plan war.

(11) *übelnehmen:* Er ... mir meine kritischen Bemerkungen nicht ...

Substantivwörter

H 1 **Personennamen** haben zumeist Nullartikel. Als Attribut stehen sie im Genitiv mit der Endung *-s* (1) oder im Dativ mit der Präposition *von* (2). Im Genitiv kann der Personenname nach (a) oder vor (b) dem Bezugswort stehen (bei Voranstellung hat auch das Bezugswort Nullartikel). Die Endung des Genitivs trägt immer nur der letzte Name.

> Wir lesen die Gedichte Bertolt Brechts. (1 a)
> Wir lesen Bertolt Brechts Gedichte. (1 b)
> Wir lesen die Gedichte von Bertolt Brecht. (2)

Wenn ein Personenname nicht den Nullartikel, sondern ein anderes Artikelwort bei sich hat (notwendig bei Namen mit einem Adjektiv), wird er als Attribut gewöhnlich im Genitiv ohne Endungs-*s*, und zwar nur nachgestellt (3 a), gebraucht. Der Gebrauch des vorangestellten Genitivs ist stilistisch gehoben, der Gebrauch mit präpositionalem Dativ umgangssprachlich.

> Wir lesen die Gedichte des jungen Bertolt Brecht. (3 a)

Verwenden Sie die Personennamen
1. mit Attribut (nach Muster 3 a)
2. ohne Attribut (nach Muster 1 a, 1 b, 2)!

(1) Der Roman behandelt (das tragische Schicksal) (der geisteskranke Hölderlin).

(2) Wir bewundern (das reiche musikalische Schaffen) (der geniale Mozart).

(3) Der ausländische Aspirant promoviert über (das dramatische Werk) (der früh verstorbene Georg Büchner).

(4) Der Vortragende sprach über (die Streichquartette) (der späte Beethoven).

(5) Er liest (der Reisebericht) (der vielseitig begabte Alexander von Humboldt).

(6) (die Erzählungen und Romane) (der heute vergessene Berthold Auerbach) waren seinerzeit sehr beliebt.

H 2 **Vornamen** werden zumeist nur im vorangestellten Genitiv mit Endungs-*s* (1 b) oder im Dativ mit *von* (2) gebraucht:

> Wir lesen Gerhards Briefe. (1 b)
> Wir lesen die Briefe von Gerhard. (2)

Personennamen auf *-s, -z, -x* stehen nur im vorangestellten Genitiv ohne Endungs-*s* (3 b) — geschrieben mit Apostroph — oder im Dativ mit *von* (2). Entsprechende Vornamen stehen gewöhnlich nur mit *von*.

Der Student liest Hans Sachs' Schwänke. (3 b)
Der Student liest die Schwänke von Hans Sachs. (2)
Ich lese den Brief von Hans. (2)

Verwenden Sie die Namen nach den Mustern!

(1) Der Doktorand beschäftigt sich mit (das Werk) (Karl Kraus).
(2) Im Radio wird (das Violinkonzert) (Brahms) übertragen.
(3) Wir haben uns (die Ferienbilder) (Ingeborg) angesehen.
(4) Der Lehrer hat an (die Eltern) (Felix) geschrieben.
(5) Er hat sich (das Lehrbuch der Kernphysik) (Hertz) gekauft.
(6) Die Bilder zeigen (die humanistische Einstellung) (Otto Dix).
(7) (die Handschrift) (Peter) ist sehr schwer leserlich.
(8) Die beiden Verlobten haben am Wochenende (die Eltern) (Hans) besucht.
(9) Die Kinder haben mit (die elektrische Eisenbahn) (Matthias) gespielt.
(10) Der Kunsthistoriker spricht über (die Gemälde) (Peter Paul Rubens).

H 3 Geht dem **Personennamen** im attributiven Genitiv ein **Titel** oder eine **Berufsbezeichnung** mit Nullartikel voraus, so erhält nur der Name das Deklinationszeichen (immer *-s*). Die Anredeform *Herr* wird immer, die Anredeformen *Kollege* und *Genosse* werden meist mit dem Namen dekliniert. Der Personenname kann nach oder vor dem Bezugswort stehen; statt Genitiv ist auch der Dativ mit *von* möglich.

Wir hören den Vortrag Professor / Obermeister / Herrn / Genosse(n) Müllers.
Wir hören Professor / Obermeister / Herrn / Genosse(n) Müllers Vortrag.
Wir hören den Vortrag von Professor / Obermeister / Herrn / Genosse(n) Müller.

Geht dem Personennamen im attributiven Genitiv ein Titel (bzw. eine Berufsbezeichnung oder Anredeform) mit einem anderen Artikelwort als dem Nullartikel voraus, so erhält nur der Titel das Deklinationszeichen (abhängig vom Deklinationstyp *-s*, *-n* oder Null). *Doktor* und *Fräulein* stehen immer ohne Endungs-*s*. Der Personenname steht gewöhnlich nur nach dem Bezugswort, Voranstellung ist stilistisch gehoben; Ersatz des Genitivs durch den Dativ mit *von* ist umgangssprachlich.

Wir hören den Vortrag des Professors / Obermeisters / Herrn / Genossen Müller.

Berufsbezeichnungen stehen zum Teil nicht mit Nullartikel, Titel und Anredeformen stehen umgekehrt vor allem mit Nullartikel.

Verwenden Sie die Personennamen mit Titel usw. nach den Mustern!

(1) (die Festansprache) (Bürgermeister Bär) hat allen gefallen.

(2) (die Aufgaben) (Oberschwester Inge) sind sehr mannigfaltig.

(3) Kennst du (die Mitarbeiter) (Chefarzt Professor Lange)?

(4) Die wenigsten wissen etwas von (die Leistungen) (Minister Goethe).

(5) Der Fachaufsatz behandelt (die chirurgischen Erfolge) (Geheimrat Sauerbruch).

(6) Wie lautete (die Diagnose) (Dr. Friedrich)?

(7) (das Lehrbuch der Kernphysik) (Nobelpreisträger Professor Dr. Gustav Hertz) ist neu erschienen.

(8) Der Vortragende sprach über (die Gestalten in den frühen Werken) (Dramatiker Gerhart Hauptmann).

(9) Der Gemeinschaftsbeitrag (Herr Meier) und (Fräulein Lehmann) soll nächstens erscheinen.

H 4 **Geographische Namen** mit Nullartikel (nur Neutra: die Ortsnamen, die Namen der 5 Kontinente; viele Länder-, Landschafts- und Inselnamen) stehen als Attribut im nach- oder vorangestellten Genitiv mit -s (1a, 1b) oder im Dativ mit *von* (2):

> Er lobt den Wiederaufbau Dresdens. (1a)
> Er lobt Dresdens Wiederaufbau. (1b)
> Er lobt den Wiederaufbau von Dresden. (2)

Geographische Namen auf -s, -z, -x mit Nullartikel werden attributiv nicht im Genitiv, sondern nur im Dativ mit *von* gebraucht:

> Er lobt den Aufbau von Cottbus. (2)

Geographische Namen mit Nullartikel, wenn sie mit einem anderen Artikelwort gebraucht werden (notwendig bei Adjektiv), stehen attributiv gewöhnlich nur im nachgestellten Genitiv mit fakultativem Endungs-s:

> Er lobt den Wiederaufbau des zerstörten Dresden(s). (1a/3a)

Gebrauchen Sie die geographischen Namen entsprechend den Mustern!

(1) (das Theater) (das alte Griechenland) war Bestandteil großer staatlicher Feste.

(2) (die geographische Lage) (Griechenland) war günstig für die Entwicklung des Seehandels.

(3) (das bedeutendste Museum) (Leningrad) ist die Ermitage.

(4) (das bekannteste Museum) (Paris) ist der Louvre.

(5) Der Lehrer fragte die Schüler nach (die Größe) (Asien).

(6) (das Klima) (das nördliche Asien) wird durch die Polnähe bestimmt.

(7)   (die tropischen Regenwälder) (das nördliche Brasilien) sind ein
      wichtiger Klimafaktor.
(8)   (die klimatischen Bedingungen) (Honduras) begünstigen den
      Anbau von Kaffee und Bananen.
(9)   (die Westküste) (Rügen) ist durch den Einfluß der Westwinde ge-
      prägt.
(10) Er erzählte von (die Rückständigkeit) (das frühere Rügen).

H 5   **Geographische Namen**, die nicht mit Nullartikel stehen können (die
      Namen der Gestirne, Gewässer, Gebirge und Berge; verschiedene
      Länder-, Landschafts- und Inselnamen), werden attributiv gewöhnlich
      nur im nachgestellten Genitiv gebraucht. Gegenüber dem Deklina-
      tionszeichen verhalten sie sich unterschiedlich:
      Bei deutschen und häufig gebrauchten mask. und neutr. Namen steht
      in der Regel das Endungs-s (a). Bei fremden und weniger gebrauchten
      mask. und neutr. Namen ist das Deklinationszeichen fakultativ (b).
      Bei Feminina steht kein Deklinationszeichen, ebenfalls gewöhnlich
      nicht bei Maskulina und Neutra auf -s, -z, -x (c).

      (a) der Gipfel des Brockens, die Überquerung des Atlantiks
      (b) der Erzreichtum des Ural(s)
      (c) die Entfernung der Sonne, die Höhe des Elbrus

      Mit oder ohne Endungs-s?

      die Völkerstämme (Kaukasus) − die Erforschung (Mond) − die Was-
      sermassen (Nil) − die Ufer (Elbe) − die atmosphärische Hülle
      (Mars) − die Braunkohlevorkommen (Niederlausitz) − das Hoch-
      wasser (Rhein) − die geographische Lage (Krim) − die Länder (Bal-
      kan) − die Schönheit (Darß) − die Energiereserven (Jenissei) − die
      Bewohner (Sudan) − die ökonomische Entwicklung (Türkei) − die
      Größe (Pazifik)

H 6   Die als Substantive gebrauchten **Adjektive** und **Partizipien** verhalten
      sich nur syntaktisch wie Substantive. Morphologisch bleiben sie Ad-
      jektive und folgen den adjektivischen Deklinationstypen. Besonders
      deutlich wird das beim verschiedenen Artikelgebrauch der zu festen
      Bezeichnungen gewordenen Personenbezeichnungen:

      Der Reisende ist ausgestiegen.
      Ein Reisender ist ausgestiegen.

      Gebrauchen Sie die Adjektive in substantivischer Form (als Mask.
      Sing.)!

      (1) Mein (bekannt) hat mich zum Wochenende eingeladen.
      (2) Ein (einheimisch) hat mir den Weg gezeigt.

(3) Derselbe (einheimisch) hat mir die Ankunftszeit des Zuges ge-
     sagt.
(4) Heute will uns der (bekannt) meines Bruders besuchen.
(5) Der (vorsitzend) eröffnete die Beratung.
(6) Unser (delegiert) hat das Hauptreferat gehalten.
(7) Kein (abgeordnet) enthielt sich der Stimme.
(8) Welcher (abgeordnet) stimmt dem Antrag nicht zu?
(9) Jener (delegiert) hat sich zu Wort gemeldet.
(10) Euer (vorsitzend) ist einverstanden mit unserem Vorschlag.
(11) Kein (krank) hat den Arzt vergessen.
(12) Manch (krank) hat ihm sein Leben zu verdanken.
(13) Mancher (freiwillig) kam zum Katastropheneinsatz.
(14) Es hat sich nur ein (freiwillig) gemeldet.

H 7 Gebrauchen Sie die Adjektive in substantivischer Form (im Plural)!

(1) In den Ferien besuchte er seine (verwandt) auf dem Lande.
(2) (verwandt) meines Freundes haben mich eingeladen.
(3) Alle (krank) wurden geimpft.
(4) Niemand durfte die (krank) besuchen.
(5) Mehrere (angeklagt) wurden vom Gericht freigesprochen.
(6) Welche (angeklagt) sind verurteilt worden?
(7) Die (blind) tragen am Arm eine Binde.
(8) Einige (blind) werden von Hunden geführt.
(9) Manche (blind) benutzen auch einen weißen Stock.
(10) In dem Kiosk gibt es auch Zeitungen und (illustriert).
(11) Solche (illustriert) gefallen mir nicht.
(12) Diese (illustriert) habe ich schon gelesen.

H 8 Verschiedene substantivierte Adjektive und Partizipien — vor allem
Sachbezeichnungen — werden als Ellipsen gebraucht. Ergänzen Sie
das fehlende Substantiv zum Adjektiv!

(1) Seine Eltern feiern bald die *Silberne*.
(2) Jedes Jahr zu Neujahr spielt das Gewandhausorchester die *Ne-
     unte*.
(3) Er bestellte zwei Portionen *Halbgefrorenes*.
(4) Sie verlangte am Schalter: „Bitte, drei Fahrkarten *Erster* nach
     Dresden."
(5) Trinkst du lieber *Dunkles* oder *Helles*?
(6) Der junge Mann bestellte einen *Doppelten*.
(7) Sind die Bouletten aus *Gehacktem* oder *Geschabtem*?
(8) Der *Älteste* hilft der Mutter im Haushalt.
(9) Der Schüler zeichnete eine *Senkrechte*.
(10) Zur Opernpremiere trug seine Frau das *Schwarzseidene*.

(11) Zur Begrüßung reichte mir das Kind statt der *Rechten* die *Linke.*
(12) Die Mutter trug ihrer Tochter auf, auf das *Kleine* aufzupassen.

H 9 Eine Sondergruppe der substantivischen Adjektive stellen die Sprach-
und Farbbezeichnungen dar: Sie bilden eine Form mit *-e* (Akkusativ
ebenfalls *-e,* Dativ und Genitiv *-en*) und eine Form ohne *-e* (Genitiv
mit fak. *-s,* Akkusativ und Dativ endungslos). Die Form mit *-e* wird verwendet, wenn das Adjektiv mit dem bestimmten Artikel und ohne Attribut steht. Die Form ohne *-e* wird verwendet, wenn das Adjektiv mit
einem anderen Artikelwort oder mit einem Attribut steht.

Ergänzen Sie die Endungen der Sprachbezeichnungen!

(1) Die Schüler lernen ab der 5. Klasse Russisch. .
(2) Das Dänisch. . ist dem Deutsch. . verwandt.
(3) Die Studentin hat ihre Zensur in Französisch. . verbessert.
(4) Die Aussprache seines Deutsch. . ist nicht fehlerfrei.
(5) Seine Leistungen im Russisch. . sind sehr gut.
(6) Das Wörterbuch gibt Auskunft über das Deutsch. . der Goethezeit.
(7) Der Lektor übersetzt den Roman aus dem Spanisch. . ins
Deutsch. .
(8) Goethes Deutsch. . unterscheidet sich in mancher Hinsicht vom
heutigen Deutsch. .
(9) Die Orthographie des Englisch. . bereitet den meisten Schülern
große Schwierigkeiten.
(10) In Oxford spricht man das beste Englisch. .
(11) Sorbisch. . ist eine westslawische Sprache.

H 10 Setzen Sie das Farbadjektiv in substantivischer Form ein (mit oder
ohne Endungs-*e,* mit Nullartikel oder mit bestimmtem Artikel)!

(1) *schwarz:* Der Sportschütze hat jedes Mal in . . . getroffen. — Die
Trauergäste kamen alle in . . .
(2) *grün:* . . . der Wiesen verriet reichlichen Regen. — Am Sonntag
sind wir in . . . gefahren.
(3) *blau:* Im Hochgebirge ist . . . des Himmels besonders intensiv. —
Er versprach dem Mädchen . . . vom Himmel herunter.
(4) *weiß:* Beim Schachspiel zieht immer . . . an. — . . . in seinen Augen
war von der Krankheit leicht gelb gefärbt.
(5) *grün:* Die Verkehrsampel steht auf . . . — In dem Zimmer fehlt
noch etwas . . .
(6) *blau:* Wir fuhren los, ohne das Ziel festzulegen; es war eine Fahrt
in . . . — Die Sängerin war ganz in . . . gekleidet.

H 11 Die substantivischen Pronomina *was für einer, (irgend)einer, keiner*
und *meiner (deiner, seiner, unserer* usw.) stimmen im allgemeinen in
der Deklination mit den entsprechenden Artikelwörtern überein.
Eine Ausnahme machen nur der Nominativ Maskulinum und der No-
minativ/Akkusativ Neutrum, wo die substantivischen Pronomina die
volle Form haben:

> Das ist *mein* Bleistift. — Das ist *meiner.*

Lassen Sie das Substantiv bei der Wiederholung weg und verändern
Sie — wenn notwendig — die Endung!

(1)   Er hat ein Auto. Was für ein Auto hat er?
(2)   Wir brauchen einen Hund. Was für ein Hund ist als Wachhund
       geeignet?
(3)   Der Schüler hat kein Lehrbuch, aber sein Nachbar hat ein Lehr-
       buch.
(4)   Der gelbe Wagen dort drüben mit dem schwarzen Dach ist unser
       Wagen.
(5)   An die Wand gehört ein Bild. Was für ein Bild nehmen wir?
(6)   Wessen Brieftasche ist das? Das ist meine Brieftasche.
(7)   Gib mir bitte Geld! Ich habe kein Geld.
(8)   Man hatte viele Gäste erwartet. Es kam aber kein Gast.
(9)   Weißt du ein chemisches Element? Nenne mir irgendein Ele-
       ment!
(10)   Ich kenne mich in Steinen nicht aus. Was für ein Stein ist das?
(11)   Ich suche einen Abwaschtisch. Was für einen Abwaschtisch kön-
       nen Sie empfehlen?
(12)   Der Hund ist nicht unser Hund, sondern ihr Hund.
(13)   Das Mädchen hat jetzt zwar ein Lehrbuch, aber ihre Freundin
       hat immer noch kein Lehrbuch.
(14)   Ich brauche ein Reinigungsmittel. Geben Sie mir ein Reini-
       gungsmittel!

H 12 Pronominaladverbien sind Zusammensetzungen der Adverbien *da-*
und *wo-* (auch *hier-*) mit bestimmten Präpositionen, die den Akkusativ und/oder Dativ regieren:

> Präpositionen mit Akk.: *durch, für, gegen, um*
> Präpositionen mit Dat.: *aus, bei, mit, nach, von, zu*
> Präpositionen mit Akk./Dat.: *an, auf, in, über, unter, vor* (mit *da-* auch
> *hinter, neben, zwischen*)

Die Pronominaladverbien ersetzen die Verbindung Präposition + Pronomen, wenn das Pronomen für ein Substantiv steht, das
ein **unbelebtes** Objekt der Realität bezeichnet.
Die Pronominaladverbien mit *da-* ersetzen die Verbindung Präposition + **Personalpronomen** der 3. Person (bzw. Demonstrativprono-

men *der*). Der Ersatz ist obligatorisch für die neutrale Akkusativform
es (bzw. *das*), fakultativ für alle anderen Formen.

> Erinnerst du dich an unseren *Deutschlehrer?* Ja, ich erinnere
> mich *an ihn.* (belebt)
> Erinnerst du dich an unser *Schulgebäude?* Ja, ich erinnere mich
> *daran.* (unbelebt, Neutr. Akk.)
> Erinnerst du dich an unsere *Schulzeit?* Ja, ich erinnere mich *an*
> *sie/daran.* (unbelebt, nicht Neutr. Akk.)

Reagieren Sie mit „Ja, ich (bzw. er, sie usw.) . . ."! Verwenden Sie statt
der präpositionalen Substantivgruppe Pronominaladverb und/oder
Präposition + Personalpronomen!

(1) Zweifelst du an seinem guten Willen?
(2) Zweifelt er an dem Ergebnis seiner Untersuchungen?
(3) Er hat schon früher an seinem Mitarbeiter gezweifelt.
(4) Hast du auf das Feuer im Ofen achtgegeben?
(5) Wenn du in den Keller gehst, gib auf die Stufen acht!
(6) Wirst du auf das Kind achtgeben?
(7) Gib auf jedes seiner Worte acht!
(8) Schwärmen alle Mädchen der Klasse für den / von dem Sänger?
(9) Schwärmen alle für den / von dem Film?
(10) Schwärmen alle Mädchen für das / von dem Lied?

H 13 Die Pronominaladverbien mit *wo-* ersetzen die Verbindung Präposition + **Interrogativpronomen**:

> Er spricht von unserem *Deutschlehrer. Von wem* spricht er?
> Er spricht von unserem *Schulgebäude. Wovon* spricht er?
> Er spricht von unserer *Schulzeit. Wovon* spricht er?

Erfragen Sie die kursiv gedruckten Substantive!

(1) Das Volk kämpfte gegen die *Feinde* um seine *Freiheit.*
(2) Aus seiner *Begeisterung* schloß ich auf seine *Bereitschaft* zur Mitarbeit.
(3) Der Lehrer unterhielt sich mit den *Eltern* über die *Leistungen* ihres Sohnes.
(4) Der Autofahrer mußte sich für sein *Versagen* vor dem *Gericht* verantworten.
(5) Der Mensch unterscheidet sich vom *Tier* durch den *Verstand.*
(6) Der Junge bedankte sich bei seinem *Onkel* für das *Buch.*
(7) Sie hat sich mit ihrem *Mann* um *Geld* gestritten.
(8) Der Sohn schämt sich vor seinen *Eltern* für seine *Worte.*
(9) Er will sich an der *Familie* für das ihm zugefügte *Unrecht* rächen.

H 14 Pronominaladverbien ersetzen Verbindungen von Präposition + Pronomen vor allem dann, wenn diese Objekte repräsentieren. Wenn es sich um **Adverbialbestimmungen** handelt, stehen gewöhnlich Adverbien (*dort, dann, so, deshalb* usw.). In gewissem Umfange sind Pronominaladverbien mit *da-* auch für Adverbialbestimmungen möglich. Vor allem ist dies der Fall bei Lokalangaben, wo mit dem Adverb allgemeine Orts- und Richtungsangaben (*dort, dorthin*), mit den Pronominaladverbien dagegen genaue Angaben zu den lokalen Beziehungen zwischen den Objekten der Realität gemacht werden (*dahinter, daneben, darin* usw.). Die Pronominaladverbien *darin* (*darein*) und *daraus* zur Bezeichnung der Richtung sind selten, dafür stehen zumeist die adverbialen Verbteile *hinein* und *heraus*. Ebenfalls kaum üblich sind die lokalen interrogativen Pronominaladverbien mit *wo-*, dafür werden gewöhnlich die allgemeinen Adverbien (*wo, woher*) gebraucht. Man vgl.:

> Wo liegt das Buch? Auf dem Tisch? – Ja, es liegt *dort*. Es liegt *darauf*.

Ersetzen Sie die lokalen Präpositionalgruppen durch Adverbien und – wenn möglich – durch Pronominaladverb bzw. Verbindung Präposition + Personalpronomen! Erfragen Sie auch die Präpositionalgruppen!

(1)   Die Kinder haben sich hinter dem Haus versteckt.
(2)   Das Mädchen stellt sich hinter ihrer Freundin auf.
(3)   Die Mutter stellt den Besen hinter die Tür.
(4)   Der Junge stellte sich neben seinen Freund.
(5)   Die Garage steht neben dem Einfamilienhaus.
(6)   Längs der Straße stehen Apfelbäume.
(7)   Das Geld liegt im obersten Schreibtischfach.
(8)   Sie nimmt das Geld aus dem Schreibtischfach.
(9)   Sie legt einen Zettel in das Fach.
(10) Er hängt das Plakat an der Wand auf.
(11) Das Plakat hängt gegenüber dem Spiegel.
(12) Der Gast hängt seinen Mantel an den Garderobenhaken.
(13) Die Tochter hängt sehr an ihrem Vater.

H 15 Setzen Sie das richtige Pronominaladverb ein!

(1)   Wenn der Mantel gereinigt werden soll, dürfen keine Knöpfe ... sein.
(2)   Das Geldstück ist in die Ecke gerollt. Wer holt es ... hervor?
(3)   Siehst du dort die Brücke? ... fahren die Züge nach Dresden-Neustadt.
(4)   Er blickte auf die Dachrinne. Dicke Eiszapfen hingen ... herab.
(5)   Der Koffer schließt nicht richtig. Du mußt einen Riemen ... binden.

(6) Er bemerkte nicht, daß der Zaun frisch gestrichen war und lehnte sich ...

(7) Obwohl die Wolkendecke sehr hoch lag, flog das Flugzeug noch ...

(8) Der Schreibtisch ist so nahe an die Wand gerückt, daß nichts ... fallen kann.

(9) Die Thermosflasche hat einen Verschluß in Form eines Bechers. ... kann man trinken.

(10) In der ersten Reihe stehen die kleinen Schüler und ... die großen.

(11) Sie sah im Dunkeln den Stuhl nicht und stieß ...

(12) Das Kind hielt dem Affen ein Stück Zucker hin, und er griff ...

(13) Nicht nur Enten sahen wir auf dem Teich, sondern auch Schwäne schwammen ...

(14) Sie nahm den Zeitschriftenband zur Hand und las einige der ... enthaltenen Aufsätze.

(15) Er wollte die leere Tüte in den Papierkorb werfen, aber sie fiel ...

(16) Obwohl die Wolkendecke sehr niedrig lag, flog das Flugzeug noch ...

(17) Das Schaufenster war dicht umlagert, die Leute drängten sich ...

(18) Niemand setzte sich auf den Stuhl, weil er seinen Hut ... gelegt hatte.

(19) Der Bahnhof hat ein breites Vordach. Bei Regen stellen sich viele Leute ...

(20) In den hinteren Reihen saßen die großen Schüler, die kleinen setzten sich ...

Erfragen Sie die eingesetzten Pronominaladverbien!

H 16 Entsprechend dem traditionellen Gebrauch bestimmter **Bedeutungsgruppen** von Substantiven sind

Maskulina die Namen für:
> Jahreszeiten, Monate, Wochentage, Himmelsrichtungen, Winde, Niederschläge; Mineralien, Gesteine, Berge, Gebirge (außer Pluraliatantum und die Zusammensetzungen mit -*gebirge*); Autos, Spirituosen

Feminina die Namen für:
> substantivierte und substantivische Kardinalzahlen; Bäume (außer *der Ahorn* und die Zusammensetzungen mit -*baum*), viele Blumen; Schiffe, Flugzeuge, Zigarettensorten

Neutra die Namen für:
> chemische Elemente (außer *der Phosphor, der Schwefel* und die Zusammensetzungen mit -*stoff*), physikalische Einheiten, Buch-

staben, Noten; Farben, Sprachen; Hotels, Cafés, Kinos; Wasch-
und Reinigungsmittel

Ergänzen Sie den bestimmten Artikel und die Adjektivendung!

(fabrikneu) Skoda — (schneereich) Winter — (magisch) Sieben — (vielseitig verwendbar) Aluminium — (schwarz) Rose — (für Kurzstrecken
besonders geeignet) AN 24 — (in der Natur weit verbreitet)
Phosphor — (viel geraucht) Club — (arbeitsfrei) Sonnabend — (mine-
ralreich) Ural — (selten) Ypsilon — (hundertjährig) Eiche — (auch für
die Waschmaschine geeignet) Spee — (heiß) Monsun — (halb) Kilowatt — (leuchtend) Rot — (luxuriös) Titanic — (weiß) Marmor — (Gläser
und Flaschen reinigend) Imi — (glitzernd) Quarz — (schneesicher) Februar — (halb) Milliarde — (fern) Osten — (teuer) Orchidee — (prik-
kelnd) Sekt — (schneebedeckt) Kilimandscharo — (vielstöckig) Berolina — (tagelang) Regen — (hoch) Cis — (modern) Arabisch — (vom
Sturm entwurzelt) Apfelbaum — (wertvoll) Gold — (für Landwirtschaft
wichtig) Stickstoff — (zerstörerisch) Taifun — (gesunken) Wasa —
(knirschend) Schnee — (armenisch) Kognak — (griechisch) Omega —
(heilig) Olymp — (dicht belaubt) Ahorn — (für Filmpremieren vorgesehen) Capitol — (komfortabel) Fiat — (zur Kaffeezeit überfüllt) Corso

H 17 Auf Grund der **Form** sind

Maskulina die Substantive mit Suffix *-er* und *-ling* sowie Deverbativa
mit Nullsuffix (*Blick, Dank, Sprung* usw.)

Feminina die Deverbativa auf *-t* (außer *der Durst, der Frost, der Verlust, der Dienst; das Gift*), die Zweisilber auf *-e* (außer *der Käse, das
Auge, das Ende* und die Bezeichnungen für Lebewesen, die im Sing.
auf *-n* flektieren: *Bote, Junge, Laie; Affe, Hase* usw.), die Substantive
mit Suffix *-ei, -heit, -keit, -schaft, -ung*

Neutra die Diminutiva auf *-chen* und *-lein*, Kollektiva mit *Ge-*, substantivierte Infinitive (auf *-en*)

Ergänzen Sie den bestimmten Artikel und die Endung des Adjektivs!

(wissenschaftlich) Lehre — (fleißig) Lehrling — (intensiv) Lernen —
(kräftig) Junge — (freundlich) Bitte — (wichtig) Vorschlag — (genau)
Vorschrift — (neu) Gesetz — (streng) Anweisung — (angetrunken) Fahrer — (dreistündig) Fahrt — (gefährlich) Gift — (aufmerksam) Blick —
(kritisch) Auge — (krank) Niere — (besonder) Fähigkeit — (überra-
gend) Können — (logisch) Verstand — (menschlich) Vernunft — (stark)
Frost — (groß) Kälte — (schwer) Gepäck — (groß) Packung — (empfind-
lich) Verlust — (wertvoll) Fund — (lang) Suchen

H 18 Das Deutsche besitzt eine Reihe von Substantiven, die mit **doppeltem Genus** gebraucht werden. Dabei ist zwischen Substantiven mit gleicher Bedeutung (z. B. *der/das Teil*) und Substantiven mit verschiedener Bedeutung (z. B. *der/das Gehalt*) zu unterscheiden.

Setzen Sie den bestimmten Artikel ein!

    (a) ... Abteil — ... Anteil — ... Bestandteil — ... Erbteil — ... Erdteil — ... Gegenteil — ... Oberteil — ... Urteil — ... Vorteil

    (b) ... Barometer — ... Gasometer — ... Geometer — ... Kilometer — ... Millimeter — ... Thermometer — ... Zentimeter

    (c) ... Anmut — ... Armut — ... Edelmut — ... Freimut — ... Großmut — ... Hochmut — ... Langmut — ... Mißmut — ... Schwermut — ... Unmut — ... Wehmut

H 19 Setzen Sie Artikel und Endungen ein!

(1) Sein Vater bezieht als Professor ... hoh.. Monats*gehalt*.

(2) Paprika hat ... hoh.. Vitamin*gehalt*.

(3) ... groß.. *Verdienst* Albert Einsteins ist die Begründung der Relativitätstheorie.

(4) Der ungelernte Arbeiter hat ... gering.. Monats*verdienst*.

(5) ... Geschwindigkeits*messer* an seinem Moped ist nicht in Ordnung.

(6) Sie kaufte ... nichtrostend.. Küchen*messer*.

(7) Er fährt mit seiner Familie im Urlaub an ... Ost*see*.

(8) Ein beliebtes Ausflugsziel der Berliner ist ... Müggel*see*.

(9) Mit der Währungsreform 1948 wurde ... deutsch.. Reichs*mark* entwertet.

(10) ... rot.. Knochen*mark* dient zur Blutbildung.

(11) Der Konstrukteur hat ... Dreh*moment* der Maschine falsch berechnet.

(12) Der Läufer verpaßte ... entscheidend.. *Moment* des Endspurts.

(13) Die Mutter kaufte ein Kilo Birnen und ... groß.. *Bund* Möhren.

(14) Nach dem ersten Weltkrieg wurde ... Völker*bund* gegründet.

(15) Der Betrieb hat sich auf ... industriemäßig.. Schweine*mast* spezialisiert.

(16) In dem Sturm brach ... *Mast* des Segelbootes.

(17) Der Oberst ist ... erfahren.. *Militär*.

(18) ... in der Stadt stationiert.. *Militär* unterstützte die Rettungsarbeiten.

(19) Das junge Mädchen trug ... seiden.. *Band* im Haar.

(20) Vor kurzem ist ... erst.. *Band* der neuen Goethe-Ausgabe erschienen.

H 20 Einige homonyme Substantive folgen im Plural verschiedenen Deklinationstypen, z.B.:

> die Bank: Bänke (= Sitzmöbel) / Banken (= Geldinstitut)
> das Tuch: Tücher (= Gewebestück) / Tuche (= Wollgewebe)
> usw.

Wie lautet der Plural?

(1) Im Frühling wurden die ... im Park frisch gestrichen.	Bank
(2) Die Öffnungszeiten der ... wurden verändert.	
(3) Am Stadtrand wurden in den vergangenen Jahren mehrere Häuser .. errichtet.	Block
(4) Für den Bau des Palastes wurden große ... aus Marmor verwendet.	
(5) Der Autor schließt seinen Aufsatz mit ... von Heinrich Heine.	Wort
(6) Der Deutschlehrer schreibt die neuen ... an die Tafel.	
(7) Er hat als Geschenk sechs kleine Hand.. gekauft.	Tuch
(8) In der Weberei werden feine ... für Mäntel und Anzüge hergestellt.	
(9) ... sind große Laufvögel, die in den afrikanischen Steppen leben.	Strauß
(10) Den Mitgliedern des Tanzensembles wurden Blumen.. überreicht.	
(11) Auf den Parkbänken saßen ... mit ihren Kindern.	Mutter
(12) Wenn sich die Schrauben lockern, muß man die ... mit einem Schlüssel anziehen.	

H 21 Eine Anzahl homonymer Substantive mit verschiedenem Genus folgt im Plural verschiedenen Deklinationstypen, z.B.:

> der Band: Bände (= Buch) – das Band: Bänder (= etwas zum Binden)
> der Kiefer: Kiefer (= Schädelknochen) – die Kiefer: Kiefern (= Nadelbaum)
> die Steuer: Steuern (= Abgabe an den Staat) – das Steuer: Steuer (= Lenkvorrichtung) usw.

Wie lautet der Plural?

(1) Ich habe jetzt alle ... der neuen Heine-Ausgabe.	der / das
(2) Am Maibaum flatterten ... in allen Farben.	Band

	der/die
(3) Es mußten beide ... operiert werden.	Kiefer
(4) Der Sturm hat zahlreiche ... entwurzelt.	

	der/die
(5) Kupfer und Aluminium sind gute ... für den elektrischen Strom.	Leiter
(6) In dem Warenhaus kann man ... in allen Größen kaufen.	

	die/das
(7) Der Handwerksmeister bezahlt regelmäßig seine ...	Steuer
(8) Das Schiff hat zum besseren Manövrieren zwei ...	

	der/das
(9) An der Hauptstraße stehen verschiedene Verkehrs..	Schild
(10) Im Mittelalter trugen die Ritter Schwerter und ...	

	die/das
(11) Die Feuerwehrmänner zogen die Jacken an und schnallten die ... um.	Koppel
(12) Am Morgen treiben die Bauern das Vieh auf die ...	

H 22 Die Mehrzahl der Substantive verfügt über Singular und Plural. Ausnahmen gibt es vor allem unter den Stoff- und Sammelnamen sowie den Abstrakta, von denen eine Reihe auf einen Numerus beschränkt ist. Nur im **Singular** üblich sind z. B. die Stoffnamen *Stahl, Schnee, Holz, Milch, Butter,* die Sammelnamen *Bevölkerung, Personal, Wild, Obst, Gepäck, Schmuck,* die Abstrakta *Alter, Liebe, Verdacht, Erziehung, Verkehr, Ärger, Aufbau.* Umgekehrt nur im **Plural** gebraucht werden gewöhnlich z. B. die Stoffnamen *Makkaroni, Streusel,* die Sammelnamen *Eltern, Leute, Möbel, Spirituosen, Gliedmaßen, Trümmer,* die Abstrakta *Ferien, Kosten, Schliche, Wirren.*
Welches Substantiv (Stoff- oder Sammelname) ist gewöhnlich nur im Singular, welches nur im Plural gebräuchlich? Setzen Sie das Verb in der richtigen Form ein, und ergänzen Sie — wo erforderlich — die Endungen!

(1) Reis	(schmecken) mir zu Gulasch besser als
(2) Spaghetti	Kartoffeln.
(3) Lebensmittel	(werden) durch Konservieren haltbar gemacht.
(4) Obst	
(5) D.. Alkohol	(sein) teurer geworden.
(6) D.. Spirituosen	
(7) Makkaroni mit Käse	(gehören) zu seinen Lieblingsgerichten.
(8) Gulasch mit Sauerkraut	

(9)	D. . Zutaten zu dem Kuchen	
(10)	D. . Zubehör zu der Küchenma-schine	(sein) schwer zu bekommen.
(11)	D. . Mobiliar	
(12)	D. . Möbel	in dem Sitzungsraum (sein) altmodisch.
(13)	Truppen	
(14)	Militär	(werden) an die Grenze verlegt.

H 23 Welches Substantiv (Abstraktum) ist gewöhnlich nur im Singular, welches nur im Plural gebräuchlich? Setzen Sie das Verb in der richtigen Form ein, und ergänzen Sie — wo erforderlich — die Endungen!

(1)	D. . Mehrwert	
(2)	D. . Kosten	(sein) bei dieser Produktion sehr hoch.
(3)	Wirren	(herrschen) in Deutschland während
(4)	Anarchie	des Dreißigjährigen Krieges.
(5)	Masern	
(6)	Diphtherie	(sein) vor allem eine Kinderkrankheit.
(7)	Heftig. . Kummer	
(8)	Heftig. . Gewissensbisse	(quälen) den jungen Mann.
(9)	Schliche	
(10)	Feigheit	(sein) sonst nicht seine Art.
(11)	Mein. . Urlaub	
(12)	Mein. . Ferien	(beginnen) nächste Woche.

H 24 Entscheiden Sie, ob das kursiv gedruckte Substantiv im Plural stehen kann!

(1) Das *Volk* wünscht den Frieden.
(2) Die *Bevölkerung* wurde zur Spendenaktion aufgerufen.
(3) Der *Krieg* ist das Grundübel der Menschheitsgeschichte.
(4) Nur im *Frieden* entwickelt sich die Kultur.
(5) Die geschlagene *Armee* zog sich zurück.
(6) Die *Polizei* regelt den Verkehr.
(7) Der Käufer bestand auf seinem *Recht*.
(8) Der Schüler sah schließlich sein *Unrecht* ein.
(9) Noch immer ist manche *Krankheit* unheilbar.
(10) Rauchen schadet der *Gesundheit*.
(11) Er hat seinen Namen auf das Silber*besteck* gravieren lassen.
(12) Sie hat den Gold*schmuck* vom Juwelier taxieren lassen.

(13)   Das *Gewässer* ist stark verschmutzt.
(14)   Das *Gemüse* hat unter den Nachtfrösten gelitten.

H 25 Von einigen Singulariatantum ist eine Pluralform möglich in besonderen Sprachstilen (z. B. fachsprachlich bei manchen Stoffnamen: *Edelstähle, Harthölzer, Sande*) oder auf lexikalische Weise durch abgeleitete Nebenformen (z. B. bei Abstrakta: *Liebeleien, Ärgernisse, Streitigkeiten*) oder durch Zusammensetzung mit verschiedenen Grundwörtern (Stahl*sorten*, Schnee*fälle*, Bevölkerungs*schichten*, Obst*arten*, Schmuck*waren*, Alters*stufen*, Verdachts*momente*).
Ersetzen Sie den lexikalischen Plural durch den regelmäßigen Plural!

(1)   Das Werk produziert verschiedene *Edelstahlsorten*.
(2)   Die afrikanischen Länder exportieren wertvolle *Holzarten*.
(3)   Die besten ungarischen *Weinsorten* kommen vom Balaton.
(4)   Die wichtigsten natürlichen *Zuckerarten* sind Saccharose, Glukose und Fruktose.
(5)   Die Hügellandschaft besteht aus verschiedenen *Sand- und Kiesarten*.

H 26 Bilden Sie den Plural durch eine abgeleitete Nebenform!

(1)   Zwischen mir und ihm gibt es kaum (*Streit*).
(2)   Wegen der Wohnung habe ich viel (*Ärger*) und (*Verdruß*).
(3)   Der Angestellten des Betriebes wurden zahlreiche (*Betrug*) nachgewiesen.
(4)   Don Juan ist durch seine zahlreichen (*Liebe*) berühmt geworden.
(5)   Er sucht ein Geschäft für (*Samen*) und Gartengeräte.
(6)   Im letzten Jahr sind in unserer Stadt zahlreiche neue (*Bau*) entstanden.
(7)   Die (*Reformbestreben*) der Regierung des afrikanischen Landes werden von der Bevölkerung unterstützt.
(8)   Nach der Unabhängigkeitserklärung des Landes wurden alle ausländischen (*Besitz*) und (*Land*) verstaatlicht.

H 27 Bilden Sie den Plural durch Zusammensetzung mit einem Grundwort!

(1)   Das Werk produziert hochwertige (*Stahl*).
(2)   Durch die starken (*Schnee*) der letzten Tage ist es zu zahlreichen (*Unglück*) gekommen.
(3)   In der ersten Etage des Kaufhauses gibt es eine Abteilung für (*Schmuck*) und eine Abteilung für (*Spielzeug*):
(4)   In den nördlichen Gebieten gedeihen nur wenige (*Obst*).
(5)   Die Schauspielerin hat alle ihre (*Schmuck*) verkauft.

(6) Das Kinderbuch ist für alle (*Alter*) geeignet.

(7) Für die Schuld des Angeklagten sprechen mehrere (*Verdacht*).

(8) Die schweren (*Gepäck*) sind dem Reisenden beim Aussteigen hinderlich.

(9) Der Kranke wurde von seinen (*Wahn*) geheilt.

(10) Ich wohne in einem Haus mit elf (*Stock*).

(11) Wir beobachten in dem Theaterstück ganz unterschiedliche (*Verhalten*) der Menschen.

H 28 Geographische Namen werden wie alle Eigennamen, die einmalig existierende Objekte der Realität bezeichnen, gewöhnlich nur im Singular gebraucht. Eine Ausnahme bilden die Namen einiger Länder, Gebirge u. ä., die eine Vielzahl bezeichnen und deshalb nur im Plural gebraucht werden.

Singular oder Plural?

(1)	D. . Tropen	(zeichnen) sich durch extreme Temperaturen aus.
(2)	D. . Arktis	
(3)	D. . UdSSR	(sein) in der Kosmosforschung führend.
(4)	D. . USA	
(5)	D. . Alpen	(zählen) zu den höchsten Gebirgen Europas.
(6)	D. . Hohe Tatra	
(7)	Indonesien	(liegen) in Südostasien.
(8)	D. . Philippinen	
(9)	D. . Bosporus	(bilden) eine Meerenge zwischen Europa und Asien.
(10)	D. . Dardanellen	
(11)	D. . Niederlande	(gehören) zu den hochentwickelten Industriestaaten.
(12)	Holland	

H 29 Durch die Nominalisierungstransformation werden in der Regel das Nominativsubjekt (a) und das Akkusativobjekt (b) zum **Genitivattribut**, werden Dativ- (c) und Genitivobjekt (d) — wenn sie überhaupt der Nominalisierung fähig sind — zum **präpositionalen Attribut** (bei (d) ist manchmal schon im Ausgangssatz Präpositional- neben Genitivobjekt möglich):

(a) *Der Weltmeister* spielt Fußball.
   → das Fußballspiel *des Weltmeisters*

(b) Er beobachtet *die Bienen*.
   → seine Beobachtung *der Bienen*

(c) Er dankt *den Arbeitern.*

→ sein Dank *an die Arbeiter*

(d) Er besinnt sich *seiner früheren Entscheidung.*

→ seine Besinnung *auf seine frühere Entscheidung*
(Er besinnt sich auf seine frühere Entscheidung.)

Unterziehen Sie folgende Sätze einer Nominalisierungstransformation!

(1) Die Touristen begegneten der Reisegruppe in der Hauptstadt.
(2) Der chemische Versuch ist gelungen.
(3) Er kaufte das neue Buch.
(4) Der Betrieb erfüllte die Exportaufgaben.
(5) Sie übergibt dem Lehrer die Schallplatten.
(6) Er erinnert sich seines Hochzeitstages.

H 30 Wenn sowohl Nominativsubjekt als auch Akkusativobjekt im Satz erscheinen und beide bei der Nominalisierungstransformation erhalten bleiben sollen, so wird eines der beiden Glieder zum Genitivattribut, das andere zum präpositionalen Attribut (wobei die Bedeutung nicht in jedem Falle völlig gleichbleibt):

Der Lehrer besucht den kranken Schüler.

→ (a) der Besuch des Lehrers *bei* dem kranken Schüler
→ (b) der Besuch des kranken Schülers *durch* den Lehrer

Dabei erscheint die Präposition *durch*, wenn das Nominativsubjekt zum präpositionalen Attribut wird. Wird dagegen das Akkusativobjekt zum präpositionalen Attribut, so wird die Präposition durch die Rektion des Substantivs bestimmt.

Unterziehen Sie folgende Sätze einer doppelten Nominalisierungstransformation nach dem gegebenen Muster!

(1) Der Autor korrigiert das Manuskript.
(2) Der Biologe beobachtet die seltenen Vögel.
(3) Der Linguist untersucht die Bedeutung einiger Substantive.
(4) Der Lehrer lobt die fleißigen Schüler.
(5) Der Chef lädt die Mitarbeiter ein.

H 31 Genitivattribute bei Nominalisierungen können entweder das Subjekt (a) oder das Objekt (b) des zugrunde liegenden Verbs ausdrücken:

(a) die Teilnahme *aller Studenten* an der Immatrikulationsfeier
→ *Alle Studenten* nehmen an der Immatrikulationsfeier teil.

(b) die mündliche Prüfung *des Studenten* in Philosophie
→ Man prüft *den Studenten* in Philosophie mündlich.
→ *Der Student wird* in Philosophie mündlich *geprüft.*

Formen Sie folgende Äußerungen nach dem Muster (a) oder (b) um!

(1) die planmäßige Ankunft der Gäste aus dem Ausland
(2) die intensive Behandlung des Patienten im Krankenhaus
(3) die gründliche Beschäftigung der Schüler mit der Gegenwartsliteratur
(4) die korrekte Bewertung der Aufsätze
(5) der effektive Einsatz audiovisueller Methoden im Fremdsprachenunterricht
(6) die zeitweilige Unterbringung der Studenten in Privatquartieren
(7) die pünktliche Lieferung der Möbel an den Käufer
(8) die sofortige Antwort des Abteilungsleiters auf die Fragen der Mitarbeiter
(9) die gerechte Entlohnung des leitenden Angestellten für seine verantwortungsvolle Arbeit
(10) die Bitte des kranken Schülers um Unterstützung

H 32 Die einzelnen Kasus (Nominativ, Akkusativ, Dativ, Genitiv) können nicht nur unterschiedliche Satzglieder ausdrücken, sondern bezeichnen auch die unterschiedlichsten semantischen Beziehungen. So kann der **Genitiv** z. B. das Agens, das Patiens, den Besitzer, das Ganze (zum Teil), das Produkt, den Ort, die Zeit u. a. bezeichnen.

Welche von diesen semantischen Beziehungen bezeichnet in den folgenden Sätzen der Genitiv?

(1)   Napoleon bemächtigte sich fast ganz Europas.
(2)   Der Diplomat wird des Landes verwiesen.
(3)   Das Buch des Schriftstellers war schnell vergriffen.
(4)   Das Haus des Vaters wird in Thüringen gebaut.
(5)   Linker Hand konnte man die Berge sehen.
(6)   Er verkaufte das Auto seines Vaters.
(7)   Der Verkauf des Autos war schnell erledigt.
(8)   Der Besuch seines Freundes hat ihn gefreut.
(9)   Zwei seiner Freunde haben ihn besucht.
(10) Eines Tages bekam er unverhofften Besuch.

H 33 Auch der **Akkusativ** kann sehr verschiedene semantische Funktionen haben und deshalb unterschiedliche Sachverhalte ausdrücken, z. B. das Patiens, den Wahrnehmungsgegenstand, den Ort, die Zeit, das Ergebnis, das Maß, das Instrument u. a.

Welche von diesen semantischen Beziehungen bezeichnet in den folgenden Sätzen der Akkusativ?

(1)   Er sieht seinen Arzt auf der Straße.
(2)   Die Mutter schneidet jeden Abend das Brot.

(3) Der Schriftsteller hat jedes Jahr ein Buch geschrieben.
(4) Der Inhaber betritt sein Geschäft.
(5) Das Thermometer ist nur einen Grad gestiegen.
(6) Er benutzt den Farbstift zum Korrigieren.
(7) Der Ober legt das Besteck auf den Tisch.
(8) Die Mutter bäckt jeden Sonntag Kuchen.

H 34 Der **Dativ** fungiert als Objekt (a) oder als sekundäres Satzglied, d. h. als „freier Dativ" in verschiedenen Arten: (b) als possessiver Dativ (bezeichnet Person, zu der ein Körperteil gehört; durch Genitiv ersetzbar); (c) als Träger-Dativ (bezeichnet Träger eines Kleidungsstücks; durch Genitiv nur mit Bedeutungsveränderung ersetzbar); (d) als dativus commodi (bezeichnet Person, für die und zu deren Gunsten die Handlung verläuft; substituierbar durch *für*, *statt* und *zugunsten von* + Substantiv); (e) als dativus incommodi (bezeichnet Person, der ein Referent anvertraut ist und der ein als negativ bewertetes, nichtintentionales Geschehen passiert); (f) als Dativ des Zustandsträgers (bezeichnet Träger eines Zustands; paraphrasierbar durch *für*, nicht durch *statt* oder *zugunsten von* + Substantiv); (g) als Dativ des Maßstabs (bezeichnet den Standpunkt, auf den das Geschehen bezogen ist; paraphrasierbar durch *für*, nicht durch *statt* oder *zugunsten von* + Substantiv); (h) als ethischer Dativ (drückt gefühlsmäßige Anteilnahme aus, nur durch Personalpronomina der 1. und 2. Person repräsentierbar):

(a) Der Tankwart hilft *dem Kraftfahrer*.
(b) Der Zahnarzt hat *dem Patienten* einen Zahn gezogen.
(c) Er zieht *seiner Tochter* den Mantel an.
(d) Das Mädchen trägt *der Mutter* die Einkaufstasche.
(e) *Dem Gärtner* sind die Blumen verwelkt.
(f) Nach dem Tod des Sohnes war die kleine Tochter *den Eltern* ein Trost.
(g) Die Ferienzeit ist *den Kindern* viel zu schnell vergangen.
(h) Falle *mir* ja nicht!

Unterscheiden Sie in folgenden Sätzen die verschiedenen Funktionen des Dativs mit Hilfe entsprechender Paraphrasen!

(1) Wir pflücken den kranken Nachbarn die Kirschen.
(2) Das tropische Klima ist den Ingenieuren aus Mitteleuropa zu feucht.
(3) Das Baby ist der Mutter vom Tisch gefallen.
(4) Er vertraut seinem Freund die neuen Ideen an.
(5) Lauft mir nicht auf die Straße!
(6) Das Wasser tropft ihm auf den Anzug.
(7) Dem Patienten schmerzt der Fuß.
(8) Er tritt dem Nachbarn aus Versehen auf die Füße.
(9) Die Mutter putzt dem Kind die Zähne.

(10)   Die Kinder schenken ihren Eltern zum Geburtstag Blumen.
(11)   Die Schüler öffnen dem Lehrer die Tür.
(12)   Der Frisör schneidet dem Kunden die Haare.

H 35 Die gleichen semantischen Beziehungen können durch die verschiedensten Kasus ausgedrückt werden. Das Patiens oder das Resultat können z. B. im Akkusativ, im Nominativ oder im Genitiv erscheinen, was durch entsprechende Passiv- und Nominalisierungstransformationen deutlich wird:

> Die Schriftsteller diskutieren *das neue Buch.*
> → *Das neue Buch* wird von den Schriftstellern diskutiert.
> → die Diskussion *des neuen Buches* durch die Schriftsteller

Drücken Sie nach dem gleichen Muster das Patiens oder das Resultat durch andere Kasus aus!

(1)   Der Autor bearbeitet das Buch.
(2)   Die Tochter unterstützt die Eltern.
(3)   Der Fotograf entwickelt die Filme.
(4)   Der Chirurg operiert den Patienten.
(5)   Der Mathematiker schreibt ein neues Buch.

H 36 Die semantische Beziehung des Instruments (Mittels) kann ebenfalls durch unterschiedliche Kasus ausgedrückt werden, z. B. durch einen Präpositionalkasus, durch einen Nominativ oder auch einen Akkusativ:

> Er schließt die Tür *mit dem Schlüssel.*
> → *Der Schlüssel* schließt die Tür.
> → Er benutzt *den Schlüssel,* um die Tür zu schließen.

Drücken Sie nach dem gleichen Muster das Instrument durch andere Kasus aus!

(1)   Die Mutter schneidet das Brot mit dem Messer.
(2)   Er reinigt das Auto mit Wasser.
(3)   Die Großeltern süßen den Kaffee mit Zucker.
(4)   Der Koch würzt das Essen mit Pfeffer.

H 37 In vielen Fällen entspricht die **Rektion des Substantivs** der Rektion des ihm zugrunde liegenden Verbs oder Adjektivs. Es steht folglich nach dem Substantiv die gleiche Präposition wie nach dem entsprechenden Verb oder Adjektiv:

> Die Methode *hängt von* der Theorie *ab.*
> → Die Methode ist *abhängig von* der Theorie.
> → die *Abhängigkeit* der Methode *von* der Theorie

Führen Sie nach diesem Muster eine Nominalisierungstransformation durch, indem Sie die in den folgenden Sätzen vorkommenden
Verben und Adjektive in Substantive verwandeln!

(1)   Der Wissenschaftler nimmt an der Konferenz teil.
(2)   Der Künstler freut sich über das Wiedersehen mit seinen Kolle-
      gen.
(3)   Der Student ist zu großen Leistungen fähig.
(4)   Die Sowjetunion ist reich an Rohstoffen.
(5)   Die Regierung protestiert gegen die Behinderung ihres Diplo-
      maten.
(6)   Der Doktorand arbeitet intensiv an seiner Dissertation.
(7)   Die Zuhörer waren erstaunt über den ausgezeichneten Vortrag.
(8)   Der Student hofft auf eine gute Bewertung seiner Jahresarbeit.
(9)   Die Mitglieder der Fakultät bemühen sich um eine korrekte Ab-
      wicklung des Promotionsverfahrens.
(10) Die neuen Mieter vertrauen auf die Ehrlichkeit der Hausbewoh-
      ner.

H 38   In einigen Fällen regiert das zugrunde liegende Verb oder Adjektiv
       einen direkten Kasus (Akkusativ oder Dativ), so daß bei einer Nomi-
       nalisierung (mit präpositionalem Attribut) nach dem entsprechenden
       Substantiv eine Präposition auftreten muß, die beim Verb oder Adjek-
       tiv nicht erscheint:

       Wir besuchten unseren Freund.
       → unser Besuch *bei* unserem Freund
       Er ist seinem Vater ähnlich.
       → seine Ähnlichkeit *mit* seinem Vater

Verwandeln Sie in den folgenden Sätzen durch eine Nominalisierungstransformation das Verb oder das Adjektiv in ein Substantiv
und fügen Sie dabei die richtige vom Substantiv regierte Präposition
ein!

(1)   Er begegnet dem Arzt in der Stadt.
(2)   Sie stimmt dem Vorschlag der Betriebsleitung zu.
(3)   Wir erlauben die Reise der Kinder ins Ferienlager.
(4)   Ihr schlagt eine Auszeichnung mit der Verdienstmedaille vor.
(5)   Du bist deinen Grundsätzen treu.
(6)   Er ist den anderen Forschern an Weitblick überlegen.
(7)   Ich vertraue meinen Mitarbeitern.
(8)   Sie überblickt die Dichtung der Goethezeit.
(9)   Sie helfen den Hochwassergeschädigten.
(10) Es nützt der Entwicklung der Wirtschaft.

Adjektiv

I 1   Bei Adjektiven auf *-el* und Adjektiven mit Diphthong vor *-er* fällt bei der Deklination das *-e-* obligatorisch aus; bei Adjektiven auf *-en* und *-er* ist das *-e-* in der Umgangssprache fakultativ:

> dunk*el:* ein dunk*les* Zimmer
> heit*er:* heit*(e)*res Wetter

Wo fällt das *-e-* vor dem Endkonsonanten des Adjektivs obligatorisch, wo fakultativ aus?

(offen) Antwort — (komfortabel) Hotel — (sauer) Wein — (trocken) Holz — (heikel) Thema — (willkommen) Besuch — (übel) Nachrede — (sauber) Wäsche — (heiser) Stimme — (eitel) Frau — (bescheiden) Auftreten — (edel) Gesinnung — (locker) Verbindung — (zufrieden) Mensch — (simpel) Beispiel — (sicher) Sprachbeherrschung — (teuer) Kleid

I 2   Zwei oder mehr aufeinanderfolgende Adjektive haben die gleichen Deklinationsendungen:

> der interessant*e* neu*e* italienisch*e* Film
> ein interessant*er* neu*er* italienisch*er* Film

Von dieser Regel gibt es bei den Adjektiven *ander-, beide, folgend-, sämtlich-, viel-* und *wenig-* als erstem Adjektiv nach **Nullartikel** Abweichungen:

- nach *ander-* wird das zweite Adjektiv im Sing. Dativ Mask./Neutr. überwiegend wie nach bestimmtem Artikel dekliniert
- nach *beide* wird das zweite Adjektiv in allen Kasus (des Plurals) überwiegend wie nach bestimmtem Artikel dekliniert
- nach *folgend-* wird das zweite Adjektiv im Sing. gewöhnlich, im Plural gelegentlich wie nach bestimmtem Artikel dekliniert
- nach *sämtlich-* wird das zweite Adjektiv im Sing. gewöhnlich, im Plural überwiegend wie nach bestimmtem Artikel dekliniert
- nach flektiertem *viel-* wird das zweite Adjektiv im Sing. Nom./Akk. Neutr. und Dativ Mask./Neutr. fast ausschließlich, im Plural Gen. gelegentlich wie nach bestimmtem Artikel dekliniert; nach flektiertem *wenig-* wird das zweite Adjektiv im Sing. Dativ Mask./Neutr. ebenso dekliniert.

Ergänzen Sie die Endungen!

(1)   Es konnten nicht sämtlich- grammatisch- Fehler besprochen werden.
(2)   Er reiste mit sämtlich- schwer- Gepäck.

(3) Wir haben sämtlich- alt- Gerümpel weggeworfen.
(4) Zu wenig- zerlassen- Schmalz gibt man reichlich Zwiebeln.
(5) Er macht nur noch wenig- grammatisch- Fehler.
(6) Sie kennt die Namen viel- alt- Leute im Ort.
(7) Auf dem Boden fanden wir viel- brauchbar- Material.
(8) Die Themen beid- literarisch- Veranstaltungen waren gut gewählt.
(9) Beid- jung- Leute haben ihr beim Tragen geholfen.
(10) Bei dem Spiel sind folgend- wichtig- Regeln zu beachten.
(11) Folgend- neu- Gesetz gilt seit dem 1.Januar.
(12) Der Inhalt folgend- wissenschaftlich- Beiträge wird in Form von Resümees zusammengefaßt.
(13) Bei der Produktion findet auch ander- alt- Material Verwendung.
(14) Der Ofen kann auch mit ander- feuerfest- Material ausgekleidet werden.
(15) Die Ursache ander- grammatisch- Fehler ist die Interferenz.

I 3 Das prädikative Adjektiv wird gewöhnlich in seiner endungslosen Grundform verwendet. Nur wenige Adjektive enden auf *-e*.

Bilden Sie Sätze nach dem Muster!

> das harte Metall → Das Metall ist *hart.*
> *Aber:*
> das spröde Metall → Das Metall ist *spröde.*

(1) die böse Antwort – die freche Antwort
(2) das stolze Mädchen – das spröde Mädchen
(3) das lose Blatt – das feste Blatt
(4) die schöne Landschaft – die öde Landschaft
(5) der weise Ausspruch – der kluge Ausspruch
(6) der schwache Schüler – der träge Schüler
(7) die rege Klasse – die stille Klasse
(8) der scharfe Hund – der feige Hund

I 4 Der **Positiv** (Grundstufe) wird mit der Grundform des Adjektivs gebildet und dient im Vergleich zweier Größen zum Ausdruck der Gleichheit. Vergleichswörter sind: *so – wie*
Der **Komparativ** (1. Steigerungsstufe) wird mit *-er* gebildet und dient im Vergleich zweier Größen zum Ausdruck der Ungleichheit. Vergleichswort ist: *als*

> Die Schwester ist *so* alt *wie* ihr Bruder.
> Die Schwester ist ält*er als* ihr Bruder.

Bei Verneinung kehrt sich das Verhältnis von Gleichheit und Ungleichheit um.

Bilden Sie Sätze nach dem Muster!

> alt (Lehrer, mein Vater)
> → Der Lehrer ist (genau)so alt wie mein Vater.
> → Der Lehrer ist nicht älter als mein Vater.

(1) lang (Tisch, Couch)
(2) groß (Wohnzimmer, Arbeitszimmer)
(3) dunkel (Decke, Wand)
(4) hoch (Turm, Hochhaus)
(5) teuer (Hosenanzug, Kleid)
(6) kalt (Februar, Januar)

I 5 Bilden Sie Sätze nach dem Muster!

> groß (Halle, Leipzig)
> → Halle ist nicht so groß wie Leipzig.
> → Leipzig ist größer als Halle.

(1) hoch (Inselsberg, Fichtelberg)
(2) steil (östliches Donufer, westliches Donufer)
(3) lang (Oder, Elbe)
(4) stark (Kaffee, Mokka)
(5) gesund (gedünstetes Gemüse, Rohkost)
(6) scharf (Lupe, Mikroskop)

I 6 Der **Superlativ** (2. Steigerungsstufe) gibt beim Vergleich mindestens dreier miteinander verglichener Größen einer den ersten Platz. Im attributiven Gebrauch wird der Superlativ mit -(e)st, im prädikativen Gebrauch zumeist mit am -(e)sten gebildet. Prädikativ ist auch die flektierte Form — wie attributiv — möglich (wenn ein Bezugssubstantiv mitgedacht wird und hinzugefügt werden kann).

Bilden Sie Sätze nach dem Muster!

> Monat Juli — heiß
> → Der *heißeste* Monat ist der Juli.
> → Der Monat Juli ist am *heißesten*.
> → Der Monat Juli ist der *heißeste* (Monat).

(1) Moskauer Fernsehturm — hoch
(2) Überseehafen Rotterdam — groß
(3) Pilsener Bier — gut
(4) indischer Tee — kräftig
(5) Deltagebiet — fruchtbar
(6) Hochgebirgszone — schneesicher

I 7 Bilden Sie Sätze nach dem Muster!

saftig (Apfel, Birne, Pfirsich)
→ Der Apfel ist saftig, die Birne ist saftiger, der Pfirsich ist am saftigsten.

(1) warm (Arbeitszimmer, Wohnzimmer, Kinderzimmer)
(2) schnell (Auto, Flugzeug, Rakete)
(3) tief (Fluß, See, Ozean)
(4) klein (Küche, Bad, Toilette)
(5) billig (Kuchenbrot, Weißbrot, Mischbrot)
(6) groß (Australien, Afrika, Asien)
(7) scharf (Auge, Lupe, Mikroskop)

I 8 Im allgemeinen werden die Adjektive mit umlautfähigem Vokal im Komparativ und Superlativ ohne Umlaut gebraucht. Nur einige einsilbige Adjektive haben **Umlaut**, einige andere Adjektive haben Formen mit und ohne Umlaut:

alt – älter – älteste
naß – nasser / nässer – nasseste / nässeste

Bilden Sie den Komparativ!

der alte Mann – die armen Leute – das brave Kind – die flache Uhr – das harte Metall – die glatte Oberfläche – der kalte Tag – die klare Luft – das lange Schiff – der nasse Boden – die rasche Entscheidung – die sanfte Behandlung – die scharfe Lupe – das schlanke Mädchen – der schwache Gegner – der starke Kaffee – die straffe Organisation – der warme Tag – das zarte Grün

die frohe Zeit – die groben Bestandteile – das große Erlebnis – der hohe Berg – die rohe Behandlung

das bunte Bild – das dumme Urteil – die gesunde Nahrung – der junge Bruder – die kluge Bemerkung – der kurze Weg – das stumpfe Messer

I 9 Die Endung des Superlativs lautet gewöhnlich *-st; -est* erscheint nur nach *d, t, s, ß, x, z* bei betonter Auslautsilbe:

das jüng*ste* Kind, der fähig*ste* Student
der beliebt*este* Lehrer, die heiß*este* Jahreszeit

Superlativ auf *-st* oder *-est?*

(1) die alte Stadtmauer – die starke Stadtmauer
(2) die lange Straße – die glatte Straße
(3) der milde Winter – der strenge Winter
(4) das bunte Bild – das klare Bild
(5) der flinke Junge – der wilde Junge

(6)   das gesunde Kind – das dicke Kind
(7)   der kalte Wind – der scharfe Wind
(8)   das schlanke Mädchen – das zarte Mädchen
(9)   die breite Treppe – die schmale Treppe

I 10   Die Regeln für den Ausfall des *-e-* in auslautendem *-el, -er, -en* bei der Deklination im Positiv (vgl. Übung I 1) gelten auch im Komparativ. Im Superlativ fällt dagegen das *-e-* nicht aus.

> dunk*el:* das dunk*le*re Zimmer, das dunk*el*ste Zimmer
> heit*er:* heit*(e)*reres Wetter, heit*er*stes Wetter

Bilden Sie den Komparativ und Superlativ mit den Beispielen von Übung I 1!

I 11   Der Komparativ einiger Adjektive (*jung, alt; lang, kurz; groß, klein*) kann auch ohne tatsächlichen Vergleich stehen. Er drückt dann nicht einen höheren Grad, sondern einen geringeren Grad als der Positiv aus (Steigerungsinversion).

Setzen Sie das passende Adjektiv – im Positiv oder Komparativ – ein!

(1)   Ich bin 25 Jahre, ich bin ein ... Mann. Du bist 40 Jahre, du bist ein ... Mann. Er ist 60 Jahre, er ist ein ... Mann, und er ist 80 Jahre, er ist ein ... Mann.

(2)   A. hat 5000 Einwohner, es ist eine ... Stadt. B. hat 10 000 Einwohner, es ist eine ... Stadt. C. hat 70 000 Einwohner, es ist eine ... Stadt. D. hat 150 000 Einwohner, es ist eine ... Stadt.

(3)   Mein Urlaub ist vier Tage lang, es ist ein ... Urlaub. Dein Urlaub ist 10 Tage lang, es ist ein ... Urlaub. Sein Urlaub ist 20 Tage lang, es ist ein ... Urlaub. Ihr Urlaub ist 30 Tage lang, es ist ein ... Urlaub.

I 12   Die Graduierung ist auch mit Partikeln (*besonders, ganz und gar, völlig, sehr, überaus* usw.) oder mit Wortbildungsmitteln (bestimmten vergleichenden Bestimmungswörtern, z. B. *bild*schön, *feder*leicht, *grund*falsch, *nagel*neu, *spott*billig, *stock*dunkel, *tod*sicher usw.) möglich. Mit diesen Mitteln wird der absolute Superlativ (Elativ) gebildet, der keinen Vergleich ausdrückt.

Ersetzen Sie die Partikel durch das passende Bestimmungswort!

(1)   Ich halte seine Entscheidung für völlig falsch.
(2)   Der Plastwerkstoff ist ganz besonders leicht.
(3)   Sie ist ein sehr schönes Mädchen.
(4)   Er hat mit seinem ganz neuen Wagen einen Totalschaden gehabt.

(5) Die Tomaten sind dieses Jahr überaus billig.
(6) Es war in dem Wald völlig dunkel.
(7) Der Erfolg schien ihm ganz und gar sicher zu sein.

I 13 Abhängig von ihrer Bedeutung können die Adjektive im prädikativen Gebrauch mit *sein* und *werden* oder nur mit *sein* verbunden werden.

Das Mädchen ist / wird traurig.
Der Mann ist zufrieden.

Bilden Sie Sätze mit *sein* und — wenn möglich — mit *werden!*

(1) Kind — krank
(2) Großvater — tot
(3) Krankheit — heilbar
(4) Milch — sauer
(5) Schüler — stolz — auf seine sportlichen Leistungen
(6) Mädchen — wütend — auf ihren Bruder
(7) Schülerin — verliebt — in den Lehrer
(8) Wissenschaftler — bekannt — durch sein Wörterbuch
(9) Schwerpunkte — ersichtlich — aus der Inhaltsangabe
(10) Autor — gebürtig — aus der Hauptstadt

I 14 Adjektive können (1) attributiv und prädikativ, (2) nur attributiv oder (3) nur prädikativ verwendet werden. Während sich die Adjektive innerhalb der Gruppen 1 und 3 vor allem hinsichtlich ihrer Ergänzungsfähigkeit unterscheiden (vgl. I 21—27), ist innerhalb der Gruppe 2 auch eine semantische Gruppenbildung erkennbar. Neben den Lokaladjektiven vom Typ *die obere Wohnung* (mit Superlativ: *die oberste Wohnung*) und den Verbindungen vom Typ *der starke Raucher* sind das die nicht-komparierbaren Gruppen der Bezugsadjektive *(die medizinische Versorgung),* der Stoffadjektive *(der eiserne Zaun),* der Temporal- und Lokaladjektive *(heutig, dortig)* und der Herkunftsbezeichnungen (flektierbar: *der bulgarische Wein,* nicht flektierbar: *das Berliner Zentrum).*

Formen Sie die Sätze nach Muster (a) oder (b) um!

(a) Er hat in dem Einfamilienhaus die Wohnung *oben.*
→ Er hat in dem Einfamilienhaus die *obere* Wohnung.
(b) Er hat in dem fünfstöckigen Haus die Wohnung *ganz oben.*
→ Er hat in dem fünfstöckigen Haus die *oberste* Wohnung.

(1) Von den zwei Bankreihen im Seminarraum hat nur die Reihe *vorn* Kopfhöreranschlüsse.
(2) Die Kinder haben in der großen Wohnung das Zimmer *ganz hinten.*

(3) Das Buch steht in dem kleinen Regal in der Reihe *unten*.
(4) Die Bankreihen *ganz vorn* im Hörsaal sind mit Kopfhöreran-
schlüssen versehen.
(5) Eine doppelte Mauer umgab die Burg; die Mauer *außen* bestand
aus Fels, die Mauer *innen* aus Ziegelstein.
(6) Der Sohn hat in der kleinen Wohnung das Zimmer *hinten*.
(7) Das Buch steht im Bücherschrank in der Reihe *ganz unten*.
(8) Die Burg war durch mehrere Mauern geschützt; die Mauer *ganz
außen* bestand aus Fels, die anderen waren aus Ziegelstein.

I 15 Formen Sie die Sätze nach dem Muster um!

> Mein Freund ist ein starker Raucher.
> → Mein Freund raucht stark.

(1) Seine Frau ist eine begeisterte Tennisspielerin.
(2) Der Englischlektor ist ein vorzüglicher Übersetzer.
(3) Ich bin nur ein mittelmäßiger Skatspieler.
(4) Der junge Mann ist ein eleganter Tänzer.
(5) Der Dozent ist ein ausgezeichneter Kenner der Gegenwartsliteratur.
(6) Mein Freund ist ein sehr sicherer Fahrer.
(7) Er ist ein gewohnheitsmäßiger Trinker.

I 16 Bei welchem Substantiv kann das Adjektiv nicht prädikativ gebraucht
werden?

> musikalisch (Kind, Abendveranstaltung)
> → das musikalische Kind → Das Kind ist musikalisch.
> → die musikalische Abendveranstaltung → *Die Abendveran-
> staltung ist musikalisch.

(1) logisch (Widerspruch, Gedankenfolge)
(2) dramatisch (Fußballspiel, Talent)
(3) pädagogisch (Hochschule, Verhalten)
(4) diplomatisch (Antwort, Immunität)
(5) mechanisch (Spielzeug, Arbeit)
(6) hygienisch (Verpackung, Aufklärung)
(7) modisch (Neuheit, Kleid)
(8) praktisch (Ausbildung, Tasche)
(9) astronomisch (Preis, Uhr)

I 17 Ersetzen Sie die zusammengesetzten Substantive *(Holztreppe)* und
substantivischen Verbindungen *(Treppe aus Holz)* durch die (in manchen Fällen seltenere) Verbindung Adjektiv + Substantiv *(hölzerne
Treppe)*!

Im Kunstgewerbeladen
Eine Holztreppe führt zu der großen Glastür. Der Verkaufsraum ist mit Eichenregalen, Glasvitrinen und Tischchen aus Marmor ausgestattet. Auf den Tischchen liegen Tücher aus Seide, Stoffe aus Samt und handgearbeitete Wollteppiche. In den Vitrinen sehen wir Schalen aus Kupfer, Kristallgläser, Silberbecher und Goldschmuck. In den Regalen sind Holzteller, Ledermappen, Figuren aus Porzellan und Schnitzereien aus Elfenbein ausgestellt.

I 18   Welches Adjektiv kann nicht prädikativ gebraucht werden?

    (1)   die fragwürdige Maßnahme – die sofortige Maßnahme
    (2)   der abseitige Weg – der staubige Weg
    (3)   die voreilige Entscheidung – die heutige Entscheidung
    (4)   der alleinige Grund – der stichhaltige Grund
    (5)   der volljährige Schüler – der auswärtige Schüler
    (6)   der gestrige Tag – der neblige Tag
    (7)   die gültige Festlegung – die damalige Festlegung

I 19   Gebrauchen Sie die unflektierten Wörter (als Adverbien in Nachstellung) in ihrer flektierten Form (als Adjektive in Vorderstellung)!

    (1)   Als Ausländer ist er mit den Sitten *hier* nicht vertraut.
    (2)   Er war bei unserer Besprechung *damals* nicht dabei.
    (3)   Ist das die Zeitung *von vorgestern* oder *von gestern?*
    (4)   Sonntags kommen sehr viele Besucher *von auswärts* in den Zoo.
    (5)   Während das Ufer *diesseits* sehr steil ist, ist das Ufer *jenseits* flach.
    (6)   Hast du schon die Nachrichten *heute* gehört?
    (7)   Die Lexikologievorlesung *morgen* soll ausfallen.
    (8)   Wohnt dein Freund in dem Haus *links* oder in dem Haus *rechts?*
    (9)   Sie traf ihren Mann *von ehemals* wieder.

I 20   Formen Sie nach Muster a) oder b) um!

         a)   die Landwirtschaft von Bulgarien
             → die bulgarische Landwirtschaft
         b)   das Zentrum von Berlin
             → das Berliner Zentrum

die Altstadt von Prag – die Umgebung von Leipzig – die Industrieerzeugnisse von Polen – die Barockbauten von Dresden – die fruchtbare Tiefebene von Ungarn – die Wolkenkratzer von New York – die riesigen Braunkohlenvorkommen von Australien – die Mode von Paris – die Olympischen Spiele von Moskau – die Schwarzmeerküste von Rumänien – die Indianer von Südamerika

I 21   Zahlreiche Adjektive der Gruppen 1 (prädikativ + attributiv) und 3 (nur prädikativ) haben eine Ergänzung bei sich. Diese Ergänzungen stehen entweder in einem reinen Kasus (Akkusativ / Dativ / Genitiv) oder in einem präpositionalen Kasus. Bei Adjektiven mit einer Ergänzung im reinen Kasus gibt es zum Teil Schwankungen im Kasusgebrauch — vor allem zwischen Akkusativ und Genitiv und zwischen Dativ und Präpositionalkasus *für* —, einige dieser Adjektive haben auch eine zweite Ergänzung (im Präpositionalkasus) bei sich.

Akkusativ oder / und Genitiv?

(1)   Der Ausländer ist sich (sein Fehler) bewußt.
(2)   Alle waren (der Streit) überdrüssig.
(3)   Ich bin (das Rauchen) nicht mehr gewohnt.
(4)   Die Zuschauer waren (das lange Warten) müde.
(5)   Der Ausländer ist (das Deutsche) nicht mächtig.
(6)   Ich bin (seine Worte) immer eingedenk.
(7)   Seine Leistung ist (ein Lob) wert.
(8)   Ich bin endlich wieder (mein Schnupfen) los.
(9)   Die Verkäuferin ist (die Unterschlagung) verdächtig.
(10)   Man wurde (ich) gar nicht gewahr.
(11)   Der Student war sich (die richtige Wortwahl) nicht sicher.

I 22   Steht die Ergänzung

(a) im reinen Dativ oder
(b) im Präpositionalkasus mit *für* oder
(c) im reinen Dativ und im Präpositionalkasus mit *für*?

(1)   Das Verhalten des Sohnes war (seine Eltern) unbegreiflich.
(2)   Solche Bemerkungen sind (er) charakteristisch.
(3)   Es ist (ich) unverständlich, was er mit seinen Bemerkungen bezweckt.
(4)   Die Redewendung war (der Student) nicht geläufig.
(5)   Der Bewerber ist (der Dolmetscherberuf) nicht geeignet.
(6)   Die Kinder sind (ihre Lehrerin) sehr zugetan.
(7)   Die Dokumente sind nur (der Hauptbuchhalter) zugänglich.
(8)   Deine Hinweise sind (ich) nützlich gewesen.
(9)   Es war (ich) angenehm, nur zuzuhören.
(10)   Ein solches Verhalten ist (er) bezeichnend.
(11)   Mein Freund ist (Erkältungen) sehr empfänglich.
(12)   Eine Terminverschiebung ist (der Professor) nicht möglich.
(13)   Die leichte Auffassungsgabe ist (beide Brüder) gemeinsam.
(14)   Der Tausch war (beide Seiten) vorteilhaft.
(15)   Es war (ich) interessant, was er gesagt hat.
(16)   Der Sinn der Aufgabe ist (ich) immer noch nicht klar.
(17)   (dieser Fall) ist eine andere Stelle zuständig.
(18)   Der Abteilungsleiter ist (seine Aufgaben) nicht gewachsen.

(19)   Der Junge ist (seine Mutter) ähnlich.
(20)   Ein Wörterbuch ist (jeder Philologe) unentbehrlich.

I 23   Bilden Sie Sätze!

(1)   behilflich sein (Tochter, Mutter, Hausarbeit)
(2)   hinderlich sein (Gepäck, Reisender, Aussteigen)
(3)   ähnlich sein (Enkel, Großvater, Gesicht)
(4)   überlegen sein (Mädchen, alle Mitschüler, Mathematik)
(5)   lästig sein (Mantel, Tourist, Wandern)
(6)   gewachsen sein (Schachspieler, sein Kontrahent, Endspiel)

I 24   Antworten Sie nach dem Muster!

Wie hoch ist das Haus?   (25 Meter)
→ Das Haus ist *25 Meter* hoch.

(1)   Wie alt ist unser Dozent?   (40 Jahre)
(2)   Wie lang ist die Couch?   (2 Meter)
(3)   Wie weit ist der Weg?   (12 Kilometer)
(4)   Wie stark ist die Wand?   (40 Zentimeter)
(5)   Wie schwer ist der Sack?   (2 Zentner)
(6)   Wie breit ist die Straße?   (45 Meter)
(7)   Wie dick ist das Brett?   (10 Millimeter)
(8)   Wie tief ist der Graben?   (4 Meter)
(9)   Wie groß ist das Mädchen?   (1,40 Meter)

I 25   Welche Präposition? Bilden Sie Sätze mit *Er ist...*!

(1)   blaß, bleich, starr, stumm   (Zorn, Schreck, Erregung, Über-
       raschung)
(2)   ärgerlich, aufgebracht, betroffen, bestürzt, entrüstet, erbittert,
       verstimmt, zornig   (Bemerkung, Störung, Vorfall, Ergebnis)
(3)   begierig, erpicht, gefaßt, gespannt, neugierig   (Antwort, Nach-
       richt, Ergebnis)
(4)   eifersüchtig, eingebildet, neidisch, stolz   (Freund, Erfolg, Lei-
       stung, Ergebnis)
(5)   bereit, geneigt, entschlossen   (Mitarbeit, Kompromiß, Verhand-
       lungen)
(6)   befreundet, bekannt, verheiratet   (Ausländerin, Schauspiele-
       rin, Studentin)
(7)   bewandert, erfahren, geschickt, gewandt, tüchtig   (sein Fach,
       Haushaltsarbeiten, viele Gebiete, Organisationsfragen)

I 26 Antworten Sie mit prädikativem Adjektiv und präpositionaler Gruppe!

(1) Wie äußern sich die Schüler über den neuen Klassenlehrer? (beliebt, ganze Klasse)
(2) Wie ist seine Meinung von den Schülern? (zufrieden, ihre Leistungen)
(3) Achtet er auf Disziplin? (streng, Kinder)
(4) Was sagst du zu den Aufsätzen? (entsetzt, Fehlerzahl)
(5) Woher stammt dein Freund? (gebürtig, Erzgebirge)
(6) Warum schimpfen die Reisenden? (ärgerlich, Zugverspätung)
(7) Hört dein Vater schlecht? (taub, ein Ohr)
(8) Liest du immer noch das Buch? (fertig, erster Band)
(9) Kennt er die moderne Malerei? (bewandert, Kunst)
(10) Was sagst du zu seiner Äußerung? (erfreut, seine Meinungsänderung)
(11) Wie beurteilst du die Fähigkeiten der neuen Sekretärin? (erfahren, Schreibarbeiten)
(12) Was sagen die Kollegen zu dem Projekt? (bereit, Mitarbeit)
(13) Warum muß er Schadenersatz leisten? (schuld, Unfall)
(14) Wie gefällt dir das Geschenk? (passend, ältere Dame)
(15) Hat sie viel Geld? (angewiesen, ihre Rente)
(16) Wie beurteilst du den Doktoranden? (fähig, große Leistungen)
(17) Wie hast du auf die Antwort reagiert? (starr, Zorn)
(18) Welche Meinung hat der Klassenlehrer? (überzeugt, Leistungsfähigkeit seiner Schüler)
(19) Wie geht es dem Kranken? (frei, Schmerzen)
(20) Wovon ist er krank geworden? (nicht gewöhnt, Klima)

I 27 Gebrauchen Sie die Partizipien (a) prädikativ und (b) attributiv! Stellen Sie durch (c) fest, ob es sich um ein echtes Adjektiv handelt oder ob ein (reflexives) Verb zugrunde liegt!

beschäftigt (die Rentnerin, Handarbeiten)
→ (a) Die Rentnerin ist mit Handarbeiten beschäftigt.
→ (b) die mit Handarbeiten beschäftigte Rentnerin
→ (c) Die Rentnerin beschäftigt sich mit Handarbeiten.

(1) geübt (die Schülerin, das Rechnen)
(2) erfahren (der Arzt, die Behandlung von Nervenkranken)
(3) begeistert (ihr Sohn, Sport)
(4) verliebt (mein Freund, eine Ausländerin)
(5) beliebt (die junge Lehrerin, die ganze Klasse)
(6) befreundet (das junge Ehepaar, die Nachbarfamilie)
(7) einverstanden (viele Mitarbeiter, der Vorschlag)
(8) bemüht (der Sportler, Leistungssteigerung)
(9) beteiligt (alle Schüler, der Wettbewerb)

(10) besorgt   (die Mutter, ihr Kind)
(11) verlobt   (die ausländische Ärztin, ein Ingenieur)
(12) interessiert   (der Kunde, die bibliophile Ausgabe)
(13) verwandt   (der Hund, der Wolf)

I 28   Gewöhnlich steht nach **Kardinalia** das Substantiv im Plural (zwei *Lektionen*). Im Singular steht das Substantiv nach der Kardinalzahl *ein-* (eine *Lektion*), bei nachgestellten Kardinalzahlen (*Lektion* zwei = Ordnungszahl: die zweite Lektion) und wenn das Substantiv eine neutrale (z.T. auch maskuline) Maßangabe ist, die vor einer Stoffbezeichnung im merkmallosen Kasus steht (drei *Stück* Zucker).

Substantiv im Singular oder im Plural?

(1) Ich habe schon drei (Teil) des Romanzyklus gelesen, mein Freund hat nur einen (Teil) davon gelesen. Gestern habe ich (Teil) vier begonnen.
(2) Auf der Etage sind sechs (Raum), davon vier (Raum) mit einem (Fenster) und ein (Raum) mit zwei (Fenster), (Raum) sechs sogar mit drei (Fenster).
(3) Die Bestellung lautete auf zwei (Glas) Tee und drei (Tasse) Kaffee.
(4) Er kaufte vier (Paar) Würstchen und drei (Dose) Fisch.
(5) Das Lehrbuch hat zehn (Lektion): eine (Lektion) — die Einleitung, (Lektion) zwei und drei eine Art Vorkurs und die übrigen sieben (Lektion) das eigentliche Lehrbuch.
(6) Es wurden drei (Kiste) Äpfel, zwei (Sack) Bohnen, zehn (Kilo) Nüsse, vier (Kasten) Bier und zwanzig (Flasche) Most geliefert.

I 29   Von den Kardinalia wird gewöhnlich nur die Zahl 1 flektiert:

(a) attributiv nach Nullartikel wie der unbestimmte Artikel (*Ein* Schüler hat gefehlt.)
(b) attributiv nach bestimmtem Artikel wie ein Adjektiv (Der *eine* Schüler hat gefehlt.)
(c) ohne Substantiv (substantivisch gebraucht) ebenso, außer nach Nullartikel im Nom. Mask. und im Nom./Akk. Neutr., wo die vollen Formen erscheinen (*Einer* hat gefehlt.)

In der unveränderlichen Form *eins* erscheint die Zahl 1

(a) als alleinstehendes Wort (*eins*, zwei, drei . . .; Ausnahme; *ein* mal vier)
(b) am Ende einer nicht-attributiv gebrauchten Zusammensetzung (hundert*eins* minus fünf: aber hundert und *eine* Mark)
(c) als Zeitangabe ohne das Wort *Uhr*.

Setzen Sie das Zahladjektiv 1 in der richtigen Form ein!

(1)   Ich bin nur dem ... Studenten von der Gruppe begegnet.
(2)   ... der Studenten hat mir bei der Arbeit geholfen.
(3)   Wir treffen uns gegen halb ... vor dem Bahnhof.
(4)   Alle waren pünktlich, nur der ..., der auch sonst immer zu spät kommt, kam erst um ... Uhr.
(5)   Sie sagte zunächst die Zahl fünfhundert ..., dann wiederholte sie fünfhundert und ... Kilogramm.
(6)   Nur ... Studenten ist das Experiment gelungen.
(7)   ... Student der Gruppe hat die Aufgabe nicht gelöst.
(8)   Er rechnete zunächst „ ... plus sieben", danach „ ... mal neun" und zum Schluß „hundert ... minus fünf".

Adverb

K 1   Manche einsilbigen Adverbien werden unregelmäßig gesteigert:

Dieser Arbeiter ist *oft* ausgezeichnet worden.
→ Dieser Arbeiter ist *öfter(s) / häufiger* ausgezeichnet worden.
→ Dieser Arbeiter ist *am häufigsten* ausgezeichnet worden.

Setzen Sie nach diesem Muster in den folgenden Sätzen die Adverbien in den Komparativ und in den Superlativ!

(1)   Der Vater ißt gern Sauerbraten.
(2)   Nach der Krankheit hat der Schüler im Unterricht oft gefehlt.
(3)   Die neue Maschine funktioniert gut.
(4)   Der Freund fährt bald in den Urlaub.
(5)   Er hat in der Schule viel gelernt.

K 2   Das Adverb wird oft mit dem prädikativen Attribut, mit dem Modalwort und mit der Partikel verwechselt. Das **Adverb** bezieht sich jedoch auf das Prädikat (a), das **prädikative Attribut** auf Subjekt oder Objekt (b), das **Modalwort** als Ausdruck einer „Einstellung" auf den gesamten Inhalt des Satzes (c), die **Partikel** kann in der Regel nur mit ihrem Beziehungswort verschoben werden und mit ihm zusammen die erste Position vor dem finiten Verb einnehmen (d):

(a) Er ißt die Möhren *schnell*.   (= Adverb)
← Er ißt die Möhren. Das *Essen* ist (geschieht) schnell.

   (b) Er ißt die Möhren *roh.* (= prädikatives Attribut)
      ← Er ißt die Möhren. Die *Möhren* sind roh.
   (c) Er ißt die Möhren *vermutlich.* (= Modalwort)
      ← Es ist *vermutlich* so (man vermutet), daß er die Möhren ißt.
      ← Er ißt − *wie wir vermuten* − die Möhren.
   (d) Er ißt die Möhren *immer hastiger.* (= Partikel)
      ← *Immer hastiger* ißt er die Möhren.

Nehmen Sie nach diesem Muster in den folgenden Sätzen Transformationen vor und entscheiden Sie danach, ob das hervorgehobene Glied Adverb, prädikatives Attribut, Modalwort oder Partikel ist!

  (1)   Man trug den Fußballspieler *krank* vom Platz.
  (2)   Er hat *schon* drei Tage nicht die Schule besucht.
  (3)   Der Zug ist *schon* eingefahren.
  (4)   Er hat *gewiß* einen Fehler begangen.
  (5)   Der Student ist *zweifellos* überfordert.
  (6)   Er hat die Schule *nur* bis zur 10. Klasse besucht.
  (7)   Der Ingenieur hat *plötzlich* geheiratet.
  (8)   Der Ingenieur ist *jung* gestorben.
  (9)   Das Mädchen erledigt seine Hausaufgaben *pünktlich.*
 (10)   Die Arbeit geht ihm *immer* schneller von der Hand.
 (11)   Wir haben den Lehrer *unverhofft* im Urlaub getroffen.
 (12)   Wir haben ihn völlig *übermüdet* angetroffen.
 (13)   Der Forscher ist von seiner Expedition *gesund* zurückgekehrt.
 (14)   Der Forscher ist von seiner Expedition *vorfristig* zurückgekehrt.

K 3   Unter **Pronominaladverbien** werden Verbindungen der Adverbien *da, hier* und *wo* mit (vorwiegend lokalen) Präpositionen verstanden (z. B.: *darauf, hierauf, worauf*).
Sie werden statt der entsprechenden Präpositionalgruppen obligatorisch verwendet, wenn das Substantiv neutral ist und keine Person bezeichnet (a);
sie werden fakultativ verwendet, wenn das entsprechende Substantiv maskulin / feminin ist und keine Person bezeichnet (b):

   (a) Er erinnert sich an das Geschenk.
      → *Er erinnert sich *an es.*
      → Er erinnert sich *daran.*
   (b) Er erinnert sich an den Fluß.
      → Er erinnert sich *an ihn.*
      → Er erinnert sich *daran.*

Ersetzen Sie − wenn möglich − die Präpositionalgruppe (aus Präposition + Substantiv) in den folgenden Sätzen durch ein Pronominaladverb und erklären Sie − im negativen Falle −, warum das nicht möglich ist!

(1)   Er wartet auf das Ende der Versammlung.
(2)   Er wartet auf seinen Freund.
(3)   Die Urlauber hoffen auf schönes Wetter.
(4)   Wir denken gern an unseren letzten Urlaub.
(5)   Der Student wohnt in diesem schönen Zimmer.
(6)   Er hilft ihm bei der schwierigen Arbeit.

K 4   Beantworten Sie folgende Fragen (mit Pronominaladverbien oder mit Präpositionalgruppen) nach dem Muster:

      (a) *Woran* erinnert er sich gut?
           Er erinnert sich gut *an das Fußballspiel.*
      (b) *Bei wem* hat er übernachtet?
           Er hat *bei seinen Eltern* übernachtet.

(1)   Wobei hat der Schüler seinem Kameraden geholfen?
(2)   Über wen haben wir gestern gesprochen?
(3)   Worauf gründet sich Ihre Vermutung?
(4)   Womit haben Sie die Tür geöffnet?
(5)   Mit wem sind Sie in der Stadt gewesen?
(6)   Worauf warten wir noch?
(7)   Auf wen warten wir noch?
(8)   Womit hat er sich besonders beschäftigt?
(9)   Wodurch hat er sein Ziel erreicht?
(10)   Wovor hat er Angst?

K 5   Eine besondere Gruppe der Adverbien sind die **Konjunktionaladverbien,** die zwar eine ähnliche Funktion wie die echten koordinierenden Konjunktionen ausüben, von diesen jedoch dadurch zu unterscheiden sind, daß sie die Stelle vor dem finiten Verb allein einnehmen können (also Satzglieder sind) und auch innerhalb des Satzes stehen können.

Konjunktionaladverb:

      Er war krank, *deshalb* kam er nicht zur Arbeit.
      Er war krank, er kam *deshalb* nicht zur Arbeit.

echte Konjunktion:

      Er kam nicht zur Arbeit, *denn* er war krank.

Verbinden Sie die Sätze mit den Wörtern in der Klammer! Achten Sie dabei auf die Wortstellung im zweiten Teilsatz der dabei entstehenden Satzverbindung!

(1)   Sein Verbesserungsvorschlag brachte einen großen Nutzen. Im Betrieb konnte viel Material eingespart werden.   (folglich)
(2)   Der Betrieb konnte viel Material einsparen. Der Verbesserungsvorschlag hatte große Auswirkungen.   (denn)

(3) Sein Verbesserungsvorschlag hatte große Auswirkungen. Der Betrieb konnte viel Material einsparen. (und)

(4) Er fühlte sich nicht wohl. Er hat die Klassenarbeit mitgeschrieben. (trotzdem)

(5) Er muß den Aufsatz schreiben. Er muß ein anderes Thema wählen. (sonst)

(6) Der Schüler muß das neue Buch lesen. Er ist in die Bibliothek gegangen. (deshalb)

K 6 Manche Adverbien können **adverbial, prädikativ** und **attributiv** (nachgestellt) verwendet werden:

Der Student arbeitet *dort.* (adverbial)
Der Student ist *dort.* (prädikativ)
Der Student *dort* arbeitet bei uns. (attributiv)

Verwenden Sie in den folgenden Sätzen die adverbial gebrauchten Adverbien auch prädikativ und attributiv (ohne das lexikalische Material zu verändern)!

(1) Die Versammlung fand gestern im Hauptgebäude statt.
(2) Der Ingenieur arbeitet drinnen.
(3) Der Hund bellte draußen die Passanten an.
(4) Der Gast hat die Bockwurst hier bestellt.
(5) Das Pferderennen wird morgen stattfinden.
(6) Das Fußballspiel hat uns heute enttäuscht.

K 7 Die Adverbien bezeichnen **lokale** Verhältnisse (Ort, Ruhelage; Richtung, Ausgangspunkt, Ziel einer Bewegung), **temporale** Verhältnisse (Zeitpunkt, Zeitdauer, Wiederholung, relative Zeit), **modale** Verhältnisse (Art und Weise) und **kausale** Verhältnisse (Grund, Bedingung, Folge, Zweck). Daraus ergeben sich die semantischen Klassen (Lokal-, Temporal-, Modal- und Kausaladverbien) und die entsprechenden Subklassen der Adverbien.

Suchen Sie aus dem folgenden Text die Adverbien heraus und ordnen Sie sie den semantischen Klassen zu!

Der Dampfer wurde schnell beladen, fuhr stromauf und sollte morgen irgendwo weitere Ladung übernehmen. Die Flußschiffer sind meist tage- und wochenlang unterwegs, aber sie sind deshalb keineswegs unzufrieden. Wir haben sie neulich lange beobachtet und immer wieder gedacht, daß sie sich wohl hier an Land niemals ganz wohlfühlen könnten. Jetzt nähert sich der Dampfer schon dem Hafen. Bald befindet er sich drinnen im Hafen, wo er nachts liegenbleibt. Morgen setzt er planmäßig seine Fahrt fort.

K 8 Bei Lokaladverbien, die aus *hin* oder *her* mit Präpositionen zusammengesetzt sind, bezeichnet *her* jeweils die sprecherzugewandte, *hin* jeweils die sprecherabgewandte Richtung:

> Er kommt zur Tür *her*ein. ⎫ Der Sprecher befindet sich *im*
> Er geht zur Tür *hin*aus. ⎭ Zimmer.

> Er kommt aus dem Zimmer *her*aus. ⎫ Der Sprecher befindet
> Er geht in das Zimmer *hin*ein.   ⎬ sich *außerhalb* des
>   ⎭ Zimmers.

Setzen Sie in den folgenden Sätzen *hin*- und *her*- richtig ein!
Gehen Sie dabei von einer Situation aus, in der der Sprecher unten auf der Straße steht!

(1) Peter steht unten auf der Straße und blickt zum Fenster . . .auf.
(2) Am Fenster im dritten Stock steht sein Freund Fred und sieht zum Fenster . . .aus.
(3) Fred ruft seinem Freund zu: „Komm doch zu mir . . .auf!"
(4) Peter antwortet: „Die Tür ist verschlossen. Du mußt . . .unterkommen und aufschließen."
(5) Fred hat einen anderen Vorschlag und sagt: „Ich brauche nicht zu dir . . .unterzukommen, ich werfe den Schlüssel . . .unter."
(6) Fred wirft den Schlüssel . . .unter, Peter schließt die Haustür auf, geht in das Haus . . .ein und steigt zum dritten Stock . . .auf.
(7) Fred empfängt ihn an der Wohnungstür: „Komm . . .ein! Hast du den Schlüssel wieder mit . . .aufgebracht?"

K 9 Setzen Sie *hin*- und *her*- in den folgenden Text richtig ein!

Die Schüler sitzen im Zimmer und warten, bis der Lehrer . . .einkommt. Danach holen sie ihre Bücher aus den Taschen . . .aus und sehen . . .ein. Manche Schüler sind wenig aufmerksam und schauen zum Fenster . . .aus. Der Lärm der Straße dringt zum offenen Fenster . . .ein. Aber der Lehrer ermahnt die Schüler, nicht zum Fenster . . .auszusehen, sondern in die Bücher . . .einzusehen. Ein Schüler sieht zu seinem Nachbarn . . .über, beginnt zu sprechen und danach in sich . . .einzulachen. Der Lehrer läßt ihn zunächst aus der Bank . . .austreten und schickt ihn danach aus der Klasse . . .aus, um aus dem Lehrerzimmer Bücher zu holen und aus dem Schrank die Aufsatzhefte . . .auszuholen.

K 10 Von den meisten Ortsadverbien können Richtungsadverbien durch die Präpositionen *von* und *nach* gebildet werden:

> Er sitzt draußen.   (Ort)
> Er kommt *von* draußen. (Ausgangspunkt der Bewegung)
> Er geht *nach* draußen. (Ziel oder Endpunkt der Bewegung)

Bilden Sie Sätze mit Orts- und Richtungsadverbien nach obigem Muster!

(1) links – rechts
(2) drinnen – draußen
(3) oben – unten
(4) drüben
(5) vorn – hinten

K 11 Zu den Lokaladverbien, die eine Richtung oder ein Ziel bezeichnen, gehören die Bildungen mit *-wärts*. Sie stehen vielfach für entsprechende präpositionale Lokalbestimmungen.

Ersetzen Sie in den folgenden Sätzen die hervorgehobenen Lokalbestimmungen durch entsprechende Lokaladverbien mit *-wärts*!

(1) Die Straße führt jetzt *nach oben* zur Burg.
(2) Der Zug fährt schon eine Stunde *nach Osten*.
(3) Er mußte *zur Seite* treten, damit das Auto vorbeikam.
(4) Der Fahrschüler muß es lernen, mit dem Auto *nach vorn* und *nach hinten* zu fahren.
(5) Nach dem Unterricht gehen die Schüler *nach Hause*.
(6) Der Weg schlängelt sich *nach unten* zum See.
(7) In diesem Jahr sind die Vögel besonders früh *nach dem Süden* gezogen.

K 12 Jede semantische Klasse und Subklasse der Adverbien (und Adverbialbestimmungen) hat ein spezifisches **Frageadverb**:

Der Schlosser war *monatelang* krank.
→ *Wie lange* war der Schlosser krank?
Er hat den Mantel *dort* abgelegt.
→ *Wo* hat er den Mantel abgelegt?

Erfragen Sie nach diesem Muster die verschiedenen Temporal- und Lokaladverbien (und die entsprechenden Adverbialbestimmungen) in den folgenden Sätzen mit dem richtigen Frageadverb!

(1) Die Mitarbeiterin stammt aus Berlin.
(2) Nach dem Krankenhausaufenthalt wurde sie nach Berlin geschickt.
(3) Sie hat wochenlang im Krankenhaus gelegen.
(4) Die Patientin ist mehrmals operiert worden.
(5) Seitdem ist sie nicht mehr kränklich.
(6) Bis Jahresende wird sie nicht arbeiten können.
(7) Im Sanatorium wird sie ausgezeichnet behandelt.

K 13 Die verschiedenen Arten der Adverbien und Adverbialbestimmungen
werden durch verschiedene Frageadverbien *(wo, wann, wie, warum,
wieviel, woher, wohin, weshalb, weswegen, wieso, inwiefern)* und andere Verbindungen erfragt, die — falls nicht eine Präposition davor
steht — am Satzanfang stehen und den Satz als Ergänzungsfrage cha-
rakterisieren:

> Er wohnt *dort.*
> → *Wo* wohnt er?

Erfragen Sie nach diesem Muster die Adverbialbestimmungen in den
folgenden Sätzen durch die richtigen Frageadverbien!

(1)   Er ist gerade ins Bad gegangen.
(2)   Der Trainer hat das Mädchen wegen seiner Ausdauer gelobt.
(3)   Seit drei Wochen studiert er an der Universität.
(4)   Der Student ist im vorigen Jahr immatrikuliert worden.
(5)   Er muß noch drei Jahre studieren.
(6)   Er hat ein Ei zum Frühstück gegessen.
(7)   Der Lehrer hat die Anregungen aus diesem Buch.
(8)   Bis morgen müssen wir die Bücher zurückbringen.

K 14 Vielfach entsprechen sich temporale und lokale **Adjektive** und **Adverbien** in attributiver Funktion (dabei wirken die Adverbien z. T. umgangssprachlich):

> Das *rechte* Gebäude war zerstört.
> → Das Gebäude *rechts* war zerstört.
> Der *damalige* Urlaub hat uns besonders gefallen.
> → Der Urlaub *damals* hat uns besonders gefallen.

Ersetzen Sie nach diesem Muster in den folgenden Sätzen die attributiven Adjektive temporaler oder lokaler Art durch die entsprechenden
nachgestellten attributiven Adverbien!

(1)   Die gestrige Zeitung hat über das Handballspiel berichtet.
(2)   Die Fußballmannschaft hat das auswärtige Spiel verloren.
(3)   Der heutige Unterricht mußte verlegt werden.
(4)   Der vordere Ausgang ist wegen Bauarbeiten geschlossen.
(5)   Das hiesige Stadion faßt hunderttausend Zuschauer.
(6)   Die jetzige Wetterlage ist sehr stabil.

K 15 Ersetzen Sie in umgekehrter Weise die in den folgenden Sätzen enthaltenen attributiven Adverbien temporaler oder lokaler Art durch
die entsprechenden vorangestellten attributiven Adjektive!

(1)   Das Haus vorn wurde vor kurzem umgebaut.
(2)   Das Ufer jenseits ist zum Baden besser geeignet.

(3) Das Haus links ist die neue Mensa der Universität.

(4) In der Veranstaltung morgen werden wir dieses Problem genauer erörtern.

(5) Das Haus hinten ist das Krankenhaus.

(6) Der Universitätskomplex hier besteht aus drei großen Abteilungen.

K 16 An Stelle von präpositionalen Adverbialbestimmungen stehen oft Adverbien (z. B. auf *-seits*, *-lings*, *-falls*, *-weise*), Adjektivadverbien (z. B. auf *-ig*, *-lich*) oder auch Partizipien:

> Er wurde *von allen Seiten* beglückwünscht.
> → Er wurde *allerseits* beglückwünscht.
>
> Sie wurde *durch Zufall* Zeuge des Unfalls.
> → Sie wurde *zufällig* Zeuge eines Unfalls.
>
> Die Patientin kam *ohne Anmeldung*.
> → Die Patientin kam *unangemeldet*.

Ersetzen Sie im folgenden Text die kursiv gedruckten präpositionalen Adverbialbestimmungen durch Adverbien oder Adjektivadverbien!

Der Junge befand sich *auf dem Wege* zur Schule. *Durch Zufall* sah er, wie die Leute sich *in Massen* vor einem Kaufhaus versammelten. *Am Anfang* wußte er nicht, was geschehen war. Dann erfuhr er, daß ein Dieb aus dem Warenhaus geflüchtet und *zum Glück zur rechten Zeit* von den Passanten gestellt worden war. *Ohne Aufforderung* hatten die Passanten den Dieb verfolgt, ihn festgehalten und *ohne Verzug* die Polizei angerufen. Der Dieb wurde *seitens der Polizei* sofort vernommen, der Sachverhalt *zum größten Teil* am Tatort aufgeklärt. Der Junge freilich kam *mit Verspätung* in der Schule an.

K 17 Die syntaktische Bindung mancher Adverbien (oder entsprechender Adverbialbestimmungen) an das Verb ist so eng, daß ohne das Vorhandensein dieser Adverbien (bzw. Adverbialbestimmungen) der Satz grammatisch nicht vollständig ist. Dabei ist meist auch die semantische Klasse der notwendigen Adverbien vom Verb her festgelegt:

> Der Abteilungsleiter hält sich *dort* auf.   (Lokaladverb)
> Er stellt das Auto *dorthin*.   (Richtungsadverb)
> Der Lehrling stellte sich *geschickt* an.   (Modaladverb)
> Das Unglück ereignete sich *dort/plötzlich/gestern/deshalb*.
>   (Lokal-, Modal-, Temporal- oder Kausaladverb)

Vervollständigen Sie die folgenden Sätze durch notwendige Adverbien und ordnen Sie dabei die folgenden Adverbien den Sätzen richtig zu!

dort — dorthin — draußen — drüben — flegelhaft — oben — sicher — taub

(1)   Frankreich liegt...
(2)   Der Junge benimmt sich...
(3)   Der Patient stellt sich...
(4)   Das Drama spielte sich...ab.
(5)   Der Lehrer wirkte...
(6)   Der Ausländer hält sich...auf.
(7)   Wir befinden uns...
(8)   Er legt die Zigaretten...

K 18 Die Adverbien der verschiedenen semantischen Klassen und Subklassen können nicht beliebig bei jedem Verb stehen, sondern sind auf Grund ihrer Bedeutung mit dem Verb entweder verträglich (also kombinierbar) oder nicht verträglich (also nicht kombinierbar):

> Er *legte* das Buch *dorthin.*
> * Er *legte* das Buch *dort.*

Verbinden Sie — wenn möglich — die in Klammern stehenden Lokal- oder Temporaladverbien mit den folgenden Sätzen und erklären Sie — im negativen Falle —, warum eine solche Verbindung nicht möglich ist!

(1)   Er wohnt seit drei Jahren...   (dort, dorthin, draußen, aufwärts)
(2)   Die Vase steht...   (vorwärts, hier, dort, dorthin, draußen)
(3)   Der Reisende übernachtet...   (dort, draußen, dorthin, rückwärts)
(4)   Er stellt die Vase...   (draußen, dort, dorthin, hier)
(5)   Er wohnt...in Berlin.   (seitdem, vorher, bald, morgen)
(6)   Er arbeitete...an seiner Diplomarbeit.   (gestern, morgen, damals, plötzlich)
(7)   Das Mädchen wird...schwimmen gehen.   (soeben, jetzt, bald, vorher)
(8)   Er hat...seinen Freund getroffen.   (vorhin, vorher, zeitlebens, morgen)

Artikelwörter

L 1 Zu den Artikelwörtern gehören der **bestimmte Artikel** *(der)*, der **unbestimmte Artikel** *(ein)*, der **Nullartikel**, die adjektivischen **Demonstrativpronomina** *(dieser, jener, derjenige, dieser/jener selbe, ein solcher, solch ein)*, die adjektivischen **Possessivpronomina** *(mein, dessen, deren, wessen)*, die adjektivischen **Interrogativpronomina** *(welcher, welch ein)* und die adjektivischen **Indefinitpronomina** *(jeder, jedweder, mancher, manch ein, aller, einiger, etlicher, mehrere, irgendwelcher, kein, irgendein)*. Von ihnen bilden nicht alle einen regelmäßigen Plural (z. B.: unbestimmter Artikel → Nullartikel, *solch ein* → *solche*, *manch ein* → *manche*, *welch ein* → *welche*, *irgendein* → *irgendwelche*):

> Schenken Sie ihm *irgendein* Buch!
> → Schenken Sie ihm *irgendwelche* Bücher!

Setzen Sie in den folgenden Sätzen die kursiv gedruckten Substantive mit ihren Artikelwörtern in den Plural!

(1) Geben Sie mir bitte *dasjenige Buch*, das ich bestellt habe!
(2) Er hat *einen* sehr guten *Russischlehrer* gehabt.
(3) Schenken Sie ihm *ein solches Buch*, wie Sie es selbst gern lesen!
(4) Dem Juristen ist *solch ein Fall* noch nicht begegnet.
(5) Für sein neues Buch hat er noch *manch ein Problem* zu lösen.
(6) Der Schriftsteller, *dessen Buch* kürzlich erschienen ist, hat auf einem Forum vor Studenten gesprochen.

L 2 Es gibt Artikelwörter,

(a) die nur im Plural vorkommen *(mehrere)*
(b) die nur bei bestimmten Substantiven (bei Abstrakta und Stoffbezeichnungen) im Singular vorkommen *(einige, etliche)*
(c) bei denen sich im Singular und Plural verschiedene Artikelwörter entsprechen (Sing.: *jeder*, Plural: *alle*):
Er hat *jedes* Versuchstier untersucht.
→ Er hat *alle* Versuchstiere untersucht.

Setzen Sie in den folgenden Sätzen die Substantive – wenn möglich – mit ihren Artikelwörtern in den Singular und achten Sie dabei auf die angegebenen Unregelmäßigkeiten!

(1) Der Schüler hat manche Fehler begangen.
(2) Der Lehrer hat etliche Fragen gestellt.
(3) Er hat alle Fehler sofort verbessert.
(4) Peter hat einige Freunde in Dresden.
(5) Die Bibliothekarin hat mehrere Schallplatten gekauft.

(6)   Solche Sportveranstaltungen hat er noch nicht erlebt.
(7)   Welche Museen möchtest du besuchen?
(8)   Welche schönen Ausblicke es vom Berge doch gibt!

L 3   Die Artikelwörter *dessen* und *deren* (als relative Possessivpronomina)
werden nicht dekliniert und richten sich nach Genus und Numerus
des Bezugswortes im **übergeordneten** oder **vorhergehenden** Satz,
nicht nach Genus und Numerus des folgenden Substantivs:

> Er besucht seinen Kollegen, *dessen* Bücher er geliehen hat.
> Er besucht seine Kollegin, *deren* Buch er geliehen hat.

Setzen Sie in die folgenden Sätze *dessen* und *deren* richtig ein!

(1)   Die Leitung hat ein Ingenieur, ... Umsicht allen Mitarbeitern
Vorbild ist.
(2)   Der Vater zeigte dem Jungen ein Buch, ... Titel ihm zwar bekannt, ... Inhalt ihm aber noch unbekannt war.
(3)   Die Ausländer lernen den Betrieb kennen, ... Erzeugnisse höchste Qualität haben.
(4)   Die Studenten gingen zu einer Prüfung, in ... Verlauf sie ihr Wissen und Können zeigen mußten.
(5)   Das Fußballspiel, auf ... Ergebnis wir gespannt waren, verlief
sehr hart.
(6)   Das Buch, an ... Fertigstellung der Autor viele Jahre gearbeitet
hatte, wurde in der Presse kritisiert.
(7)   Die Schriftstellerin, ... Werk in der Schule besprochen worden
ist, ist gestorben.
(8)   Die Schule, in ... Aula die Versammlung stattfinden soll, wurde
kürzlich renoviert.

L 4   Artikelwort, Adjektiv und Substantiv **kongruieren** miteinander im Genus, Kasus und Numerus. Die Adjektive nach *der, derjenige, derselbe,
dieser, jeder, jener*, mit Einschränkungen auch nach *mancher, irgendwelcher, solcher, welcher, aller* werden entsprechend dem schwachen
(nominalen) Deklinationstyp (Adjektivdeklination nach bestimmtem
Artikel) (a), die Adjektive nach dem Nullartikel, nach *dessen, deren,
wessen, manch, solch, welch*, mit Einschränkungen auch nach *einige,
etliche, mehrere* werden entsprechend dem starken (pronominalen)
Deklinationstyp (Adjektivdeklination nach Nullartikel) (b) flektiert.
Adjektive nach den Artikelwörtern *ein, kein, mein*, ebenso nach
manch/solch/welch ein, ein mancher/solcher werden nach der Adjektivdeklination nach Possessivpronomina (c) flektiert:

> (a)   *der* tüchtig*e* Schüler
>   (alle Formen auf *-en*, nur Sing. Nom. Mask./Neutr./Fem.
>   und Sing. Akk. Neutr./Fem. auf *-e*)

(b) tüchtig*er* Schüler
  (*-e* bei Sing. Nom./Akk. Fem. und Plur. Nom./Akk.,
  -en bei Sing. Akk./Gen. Mask. und Gen. Neutr.; Plur.
  Dativ,
  -er bei Sing. Nom. Mask., Sing. Dat./Gen. Fem. und Plur.
  Gen.,
  -es bei Sing. Nom./Akk. Neutr.,
  -em bei Sing. Dat. Mask./Neutr.)
(c) *ein/sein* tüchtig*er* Schüler
  (wie (b), nur im Sing. Dat. Mask./Neutr. und im Sing.
  Dat./Gen. Fem. auf *-en*)

Einschränkungen: Nach *mancher* ist im Plural, nach *(irgend)welcher* generell, nach *solcher* gelegentlich (nicht jedoch im Sing. Nom./Akk. und im Gen. Mask./Neutr.) und nach *aller* selten eine Deklination wie (b) möglich. Nach *einige* (Sing. Gen./Dat. Mask./Neutr., Sing. Nom./ Akk. Neutr., Gen. Plur.), nach *mehrere* (Gen. Plur.) und nach *etliche* ist auch eine Deklination wie (a) möglich:

manche sowjetisch*e* / sowjetisch*en* Filme
einiger ausländisch*er* / ausländisch*en* Studenten

Setzen Sie in den folgenden Sätzen die in Klammern angegebenen Artikelwörter, Adjektive und Substantive im richtigen Kasus ein!

(1) Nach ... reiste der Student ins Ausland. (seine bestanden.. Prüfung)
(2) Er hatte ... wie im vorigen Jahr. (dasselbe reizvoll.. Reiseziel)
(3) Er sehnte sich nach ..., an die er lange denken konnte. (solche bleibend.. Erlebnisse)
(4) Tatsächlich hatte er ..., daß er zufrieden aus dem Ausland zurückkam. (solche schön.. Tage)
(5) Trotz ... konnte er in der Sowjetunion viele Städte besichtigen. (mehrere verregnet.. Tage)
(6) ... konnte er in den Museen besichtigen! (welche wertvoll.. Kunstschätze)
(7) ... hatte er in seiner Heimat noch nie gesehen. (solche interessant.. Sammlungen)
(8) Sicher wird er ... noch einmal besuchen. (diese oder jene schön.. Stadt).

L 5 Setzen Sie in die folgenden Sätze solche Artikelwörter ein, daß ein sinnvoller Satz entsteht!

(1) Wir treffen uns mit ... Lehrer, der uns schon lange bekannt ist.
(2) Er hat noch nie ... Bücher gekauft.
(3) In ... Geschäft kann man Schreibwaren, in ... Geschäft Tabakwaren kaufen.

(4)   ... Studenten mußten auch zur mündlichen Prüfung, ... nicht.
(5)   Bei ... schönem Wetter müssen wir unbedingt baden gehen!
(6)   ... schönes Geschenk haben Sie uns mitgebracht!
(7)   Haben Sie noch ... grundsätzlichen Fragen, die wir jetzt klären müßten?
(8)   Er hat in diesem Monat schon ... Geld ausgegeben.
(9)   Sie möchte gern ... Kleid wie ihre Schwester.
(10) In diesem Seminar muß ... Student ein Referat halten.

L 6   Mit Hilfe einiger Artikelwörter kann man Anzahl, Maß, Menge, Intensität graduieren, sowohl bei Gegenständen und Personen im Singular (*kein – ein – mancher – jeder*) und bei Gegenständen und Personen im Plural (*kein – wenige – manche – einige/mehrere – etliche – viele – alle*) als auch bei Stoffbezeichnungen und Abstrakta (*kein – weniger – einiger – etlicher – viel – aller*):

> Er hat kein (ein, manches, jedes) Buch gelesen.
> Er hat keine (wenige, manche, einige, mehrere, etliche, viele, alle) Freunde getroffen.
> Er hat kein (wenig, einiges, etliches, viel, alles) Geld gespart.

Drücken Sie in den folgenden Sätzen verschiedene Grade in der Quantität aus!

(1)   Mein Freund hat keine Bücher zu Hause.
(2)   Der Schneider kauft sich keine Anzüge von der Stange.
(3)   Der Sportler mußte keine Kraft aufbieten.
(4)   Er hatte keine Briefmarke im Schreibtisch.
(5)   Er hat keinen Alkohol getrunken.
(6)   Der Student kennt kein neues Fachbuch auf seinem Gebiet.
(7)   Der Kranke darf kein Fleisch essen.

L 7   **Ortsnamen** ohne Attribut haben Nullartikel, Ortsnamen mit Attribut haben den bestimmten Artikel:

> Er kommt aus *Dresden.*
> Er besuchte *das alte Prag.*

Diese Artikelregel gilt auch für viele Länder- und Landschaftsnamen. In jedem Falle steht der bestimmte Artikel bei den pluralischen Namen, bei den mit *Republik, Union, Staat, Königreich* u. a. gebildeten Namen, bei den Namen auf *-ei, -ie* sowie bei einigen anderen Ländernamen:

> Polen, Schweden, Bulgarien
> die Sowjetunion, die Deutsche Demokratische Republik, die USA

die Tschechoslowakei, die Normandie
die Schweiz, der Libanon, der Sudan

Setzen Sie in den folgenden Sätzen den Artikel bei Länder- und Ortsnamen richtig ein!

(1) Zwischen . . . Sowjetunion und . . . Vereinigten Staaten von Amerika wurde ein neues Handelsabkommen unterzeichnet.

(2) . . . Schweiz und . . . Schweden sind Länder, die nicht unter den
schweren Folgen der Kriege zu leiden hatten.

(3) Er hat eine Reise angetreten in . . . Tschechoslowakei, nach . . .
Ungarn und . . . Rumänien, und im nächsten Jahr will er in . . .
Nahen Osten fahren, darunter nach . . . Ägypten und Syrien, in
. . . Irak und . . . Iran.

(4) Sein Freund hat im Urlaub . . . Dresden, . . . Prag, . . . Budapest
und viele andere Städte besucht.

(5) . . . (altes) Prag und . . . (neuaufgebaut) Dresden haben ihm besonders gefallen.

(6) Viele Bürger . . . DDR verbringen ihren Urlaub in . . . Ungarn und
in . . . Tschechoslowakei.

(7) Die Länder arbeiten mit . . . Sowjetunion, . . . Bulgarien, . . . Rumänien, . . . Polen, . . . Mongolei und anderen Staaten eng zusammen.

L 8 Vor den Namen von **Gebirgen, Bergen, Seen, Meeren, Flüssen** und **Ge-
stirnen** steht der bestimmte Artikel, im Genus abhängig vom Substantiv. Die meisten deutschsprachigen Flußnamen und die fremdsprachi-
gen Flußnamen auf -*a* und -*e* sind Feminina, die übrigen Flußnamen
sind Maskulina:

die Alpen, der Brocken, der Müritzsee, das Mittelmeer, die
Sonne, die Saale, die Oder, die Spree; die Newa, die Seine, der
Don, der Ganges; der Rhein, der Main, der Neckar

Setzen Sie in den folgenden Sätzen den Artikel bei geographischen
Namen richtig ein!

(1) Der Dozent zeigt viele Aufnahmen von seinen Ferienreisen in
. . . Riesengebirge und . . . Tatra, in . . . Sowjetunion und nach . . .
Polen, an . . . Ostsee und nach . . . Bulgarien.

(2) Von . . . Sowjetunion kannten die meisten Zuhörer schon . . . (rie-
sig) Moskau mit den vielen Vororten, . . . Leningrad an . . . Newa,
. . . (wiederaufgebaut) Wolgograd und . . . Kiew, die alte Hauptstadt . . . Ukraine an . . . Dnjepr.

(3) Viele Urlauber aus . . . DDR fahren an . . . Schwarze Meer und auf
. . . Krim, an . . . Don und an . . . Wolga, in . . . Kaukasus mit . . . Elbrus, manche auch über . . . Ural . . . Sibirien.

(4) In der DDR werden solche Städte am meisten besucht wie . . .

Potsdam,... Weimar,... Dresden und... Berlin mit... Spree, die
sich zu mehreren Seen erweitert, unter denen... Müggelsee vielen bekannt ist.

(5) Im nächsten Jahr möchte er eine neue Reise nach... Balkan
machen und dabei... Ungarn,... Rumänien und... Bulgarien
besuchen.

(6) Er möchte von... Bratislava aus auf... Donau nach... (schön)
Budapest fahren und von dort... Balaton einen Besuch abstat-
ten.

(7) In... Bulgarien interessieren ihn außer... (Schwarz) Meer besonders... (herrlich gelegen) Sofia mit... Witoschagebirge,...
Rilagebirge mit dem weltbekannten Kloster sowie... (weniger
erschlossen) Balkangebirge, an Städten vor allem... Varna,...
Burgas und... (historisch) Plovdiv.

L 9 Berufsbezeichnungen vor Personennamen stehen gewöhnlich mit bestimmtem Artikel (a). Titel und Anredeformen (auch Berufsbezeichnungen, die als solche gebraucht werden) stehen ohne Attribut mit
Nullartikel (b), mit Attribut dagegen mit bestimmtem Artikel (c):

(a) der Schriftsteller Strittmatter
(b) Professor Münzer
(c) der verstorbene Professor Münzer

Verwenden Sie den Artikel bei Berufsbezeichnungen und Titeln richtig!

(1) ... Professor Müller hat seine Vorlesungen verlegen müssen.
(2) ... Dichter Keller hat ein großes Werk hinterlassen.
(3) ... Präsident Birnbaum hat sich bleibende Verdienste um die
Akademie erworben.
(4) ... Doktor Lenz hat heute keine Sprechstunde.
(5) ... Tischler Storz war zu Arbeitsbeginn nicht erschienen.
(6) ... Eisenbahner Schmidt hat die Situation gerettet.

L 10 Automarken, Flugzeugnamen, Zigarettenmarken u. ä. stehen mit bestimmtem Artikel (wenn das gemeinte Exemplar Element einer
gleichartigen Klasse ist) (a)
oder mit unbestimmtem Artikel (wenn ein beliebiges Exemplar des
Typs gemeint ist) (b).
Namen von Schiffen, Hotels, Kinos u. ä. haben immer den bestimmten
Artikel (c).

(a) *Der* Lada ist ein moderner Mittelklassewagen.
(b) Er kauft sich schon wieder *einen* neuen Škoda.
(c) *Die* „Dresden" verkehrt auf der Elbe zwischen Dresden und
Bad Schandau.

Setzen Sie in den folgenden Sätzen den richtigen Artikel ein!

(1) Die Linie nach Moskau wird heute mit ... (TU 134) beflogen.

(2) ... (IL 14) war ein Flugzeug, das nur für kurze Strecken einge- setzt wurde.

(3) Als er das letzte Mal in Berlin war, hat er in ... („Berolina") über- nachtet.

(4) Der neue Film erlebt seine Erstaufführung in ... („Casino").

(5) ... (Wolga) ist ein beliebter Dienstwagen für Betriebe.

(6) Der Betriebsleiter hat ... (Fiat).

(7) ... („Völkerfreundschaft") verkehrt in den Sommermonaten ge- wöhnlich zwischen Rostock und Leningrad.

(8) Der Ingenieur hat im letzten Sommer seinen Urlaub in ... („Nep- tun") in Warnemünde verbracht.

L 11 Der Nullartikel steht vor **Stoffbezeichnungen** im Singular, wenn die unbestimmte Menge eines Stoffes bezeichnet wird:

Zum Bau eines Hauses braucht man *Zement* und *Sand.*

Es steht jedoch der bestimmte Artikel, wenn das entsprechende Ob- jekt der Realität durch ein Attribut (oder Attributsatz) näher identifi- ziert ist:

Der Sand, den wir für das Haus brauchen, muß besorgt werden.

Setzen Sie in den folgenden Sätzen den richtigen Artikel ein!

(1) Die Mutter muß in diesem Geschäft noch ... (Butter) und ... (Milch) kaufen.

(2) ... (Milch), die die Mutter gekauft hat, war bereits sauer.

(3) Sie essen nachmittags gern ... (Kuchen) und trinken ... (Kaf- fee).

(4) Die Kinder essen gern ... (Apfelkuchen), den ihnen die Mutter gestern gebacken hat.

(5) Die Kinder haben gelernt, ihre Hände mit ... (Seife) zu waschen und ihre Zähne mit ... (Chlorodont) zu putzen.

(6) Die Mutter bat den Sohn, ... (Seife) und ... (Zahnpasta) zu kau- fen, die sie selbst vergessen hatte.

(7) Die Mutter wäscht gewöhnlich mit ... (Fewa).

L 12 Vor **Abstrakta** steht der Nullartikel, wenn sie ganz allgemein eine Ei- genschaft, einen Zustand bzw. einen Vorgang bezeichnen:

Der Patient mußte Geduld haben.

Wird das Substantiv durch Kontext bzw. Situation identifiziert (a) oder durch ein Adjektiv im Superlativ erläutert (b), steht der be- stimmte Artikel:

(a) *Die* Geduld ist ihm gerissen.

(b) Der Arzt hatte *die* größte Geduld, die man sich vorstellen kann.

Steht ein Adjektiv im Positiv vor dem Substantiv, so steht vor dem Substantiv der unbestimmte Artikel (c) oder — falls ein Attribut nähere Erläuterungen gibt — der bestimmte Artikel (d):

(c) Sie hatte *eine* bewundernswerte Geduld.

(d) Er hatte *die* Geduld, die zu seiner Heilung nötig war.

Setzen Sie in den folgenden Sätzen den richtigen Artikel vor Abstrakta ein!

(1) Der Schüler fiel durch ... (Konsequenz und Beharrlichkeit) auf.

(2) ... (Fleiß und Zielstrebigkeit) gehörten zu seinen positiven Eigenschaften.

(3) Der Lehrer hatte ... (pädagogisches Geschick), das für die Klasse erforderlich war.

(4) Der Lehrer zeigte ... (großes Verständnis) für seinen neuen Kollegen.

(5) Der Arzt brachte ... (Verständnis) für die Patienten auf, wie man es selten trifft.

(6) Der Sportler hatte ... (erstaunliche Ausdauer) beim Lauf.

(7) Das war für sie ... (schönstes Erlebnis) im Urlaub.

(8) Die Immatrikulation war ... (wichtiges Ereignis) in seinem Leben.

L 13 Der bestimmte Artikel steht vor einem Substantiv, wenn das entsprechende Objekt der Realität durch ein Attribut identifiziert ist, das entweder als Superlativ (a) oder als Ordinalzahl (b) erscheint und damit einen einmaligen Sachverhalt bezeichnet:

(a) Heute war *der* schönste Tag unseres Urlaubs.

(b) Heute war *der* fünfte Tag unseres Urlaubs.

Der Nullartikel kann jedoch stehen, wenn der Superlativ als Elativ verwendet wird (c); der unbestimmte Artikel steht dann, wenn die Ordinalzahl ein unbestimmtes Exemplar aus der Klasse heraushebt und es auf diese Weise nicht identifiziert (d):

(c) Sie verkaufen ausgesuchteste Stoffe.

(d) An der Unglücksstelle erschien *ein* zweiter Polizist.

Setzen Sie in den folgenden Sätzen den richtigen Artikel ein!

(1) Peter ist ... (bester Schüler der Klasse).

(2) Der Bahnhof hat drei Fahrkartenschalter. Jetzt wird ... (dritter Schalter) geöffnet.

(3) Von den insgesamt fünf Angestellten kommt jetzt ... (dritter) in das Büro.

(4)   ...(zweites Haus nach der Brücke) wird jetzt verputzt.

(5)   Das ist...(interessantestes Buch), das wir je gelesen haben.

(6)   Er verfügt über ...(beste Erfahrungen) auf seinem Spezialgebiet.

(7)   Dort wird...(größtes Kaufhaus der Stadt) eröffnet.

(8)   Heute ist...(zweiter Tag) der Woche.

L 14 Wenn das durch das Substantiv ausgedrückte Objekt der Realität durch **Generalisierung** identifiziert wird und auf diese Weise stellvertretend für die gesamte Klasse steht, kann sowohl der bestimmte Artikel (+ Singular) als auch der unbestimmte Artikel (+ Singular) oder der Nullartikel (+ Plural) stehen:

> *Das Auto* ist ein Verkehrsmittel.
> *Ein Auto* ist ein Verkehrsmittel.
> *Autos* sind Verkehrsmittel.

Ersetzen Sie in den folgenden Sätzen das Artikelwort *jeder* durch die genannten drei Möglichkeiten des Ausdrucks der Generalisierung!

(1)   Jeder Fahrer eines Kraftfahrzeuges muß einen Führerschein besitzen.

(2)   Jeder Mensch braucht täglich sieben Stunden Schlaf.

(3)   Jeder Angestellte hat das Recht auf Kündigung.

(4)   Jeder Facharbeiter muß eine gute Allgemeinbildung haben.

(5)   Jeder Künstler braucht eine schöpferische Atmosphäre.

(6)   Jeder Wissenschaftler sollte mehrere Fremdsprachen beherrschen.

L 15 Vor einem Substantiv als **Prädikativum** steht der unbestimmte Artikel, wenn dieses Substantiv die Klasse bezeichnet, in die ein einzelnes Objekt (in Subjektfunktion) eingeordnet wird (a). Das gilt auch dann, wenn das Substantiv als Prädikativ ein Eigenname ist, der eine Klasse bezeichnet (b):

> (a)   Die Tanne ist *ein* Nadelbaum.
> (b)   Dieses Bild ist *ein* Rembrandt.

Setzen Sie in den folgenden Sätzen die in Klammern stehenden Substantive als Prädikativum ein!

(1)   Dieses Flugzeug ist...(TU 134, Caravelle).

(2)   Die Untergrundbahn ist...(bequemes Verkehrsmittel).

(3)   Das Auto seines Vaters ist...(Volvo, Škoda).

(4)   Das Fernsehen ist...(Massenkommunikationsmittel).

(5)   Brot ist bei uns...(Grundnahrungsmittel).

(6)   Obst ist...(Vitaminspender).

   (7)   Dieses Werk ist ... (Dürer).

   (9)   Diese Lampe ist ... (guter Beleuchtungskörper).

L 16 Vor einem Substantiv im Prädikativum steht der Nullartikel, wenn das Substantiv Beruf, Funktion, Nationalität, Weltanschauung u.ä. bezeichnet:

> Er ist Lehrer.

Steht bei dem Substantiv jedoch ein Attribut, so steht der bestimmte oder unbestimmte Artikel:

> Er ist *ein* neuer Lehrer / *der* neue Lehrer.

Bezeichnet das Substantiv keinen Beruf, sondern eine allgemeine Eigenschaft, so steht der unbestimmte Artikel:

> Der Schüler ist *ein* Faulpelz.

Setzen Sie den richtigen Artikel bei den in Klammern stehenden Substantiven als Prädikativum ein!

   (1)   Seine Schwester ist ... (Verkäuferin).

   (2)   Sie ist ... (beste Verkäuferin in der Kaufhalle).

   (3)   Ihr Briefpartner ist ... (Franzose).

   (4)   Der Physiker war ... (Christ).

   (5)   Sein Vater wurde ... (Gaststättenleiter).

   (6)   Er war ... (guter Gaststättenleiter).

   (7)   Der Lehrer ist ... (Freund des Bürgermeisters).

   (8)   Der Arzt ist ... (tüchtiger und hilfsbereiter Mensch).

L 17 Adjektive als Prädikativa können in einigen Fällen durch abstrakte Substantive ersetzt werden, die bei *haben* im Akkusativ und mit Nullartikel stehen:

> Das Kind *ist hungrig*.
> → Das Kind *hat Hunger*.

Verwandeln Sie nach dem gleichen Muster die Sätze mit prädikativen Adjektiven in entsprechende Sätze mit Substantiven im Akkusativ!

   (1)   Das Mädchen ist immer ängstlich.

   (2)   Der Bergsteiger war mutig.

   (3)   Der Kranke war oft durstig.

   (4)   Der Kraftfahrer ist an dem Unfall schuld.

   (5)   Dieses Ereignis war für seine Entwicklung bedeutungsvoll.

   (6)   Der Patient ist nun schon seit zwei Tagen fiebrig.

   (7)   Das Ergebnis seiner Analyse ist auch für die Nachbarwissenschaft gewichtig.

L 18 Vor Substantiven im Akkusativ bei *haben* steht der unbestimmte Artikel, wenn ein Besitz-, Zugehörigkeits- oder Teil-Ganzes-Verhältnis bezeichnet ist (a),
steht der Nullartikel, wenn ein Abstraktum oder eine Stoffbezeichnung vorliegt (b),
steht der bestimmte Artikel, wenn das entsprechende Abstraktum oder die Stoffbezeichnung durch ein Attribut näher charakterisiert ist (c):

    (a) Er hat *einen* Wartburg.
    (b) Das Kind hat Hunger.
    (c) Der Sportler hat *die* Ausdauer, die für den Wettkampf nötig ist.

Setzen Sie in den folgenden Sätzen den Akkusativ des in Klammern stehenden Substantivs mit dem richtigen Artikel ein!

    (1)   Der Großvater hat ... (Enkel).
    (2)   Der Fußballspieler hat ... (verletzter Arm).
    (3)   Der Sportler hat ... (Mut).
    (4)   Die Familie hat ... (Geld, das sie für das Auto braucht).
    (5)   Der Arzt hat ... (Bungalow).
    (6)   Der Sohn hat ... (Größe seines Vaters).
    (7)   Die Uhr hat ... (Datumsanzeiger).
    (8)   Das Kind hat ... (Angst).

L 19 In **festen präpositionalen Gruppen** steht der Nullartikel, vor allem bei präpositionalen Adverbialbestimmungen, die durch ein synonymes Adverb ersetzt werden können (a), und bei präpositionalen Lokalbestimmungen neben Verben der Fortbewegung, bei *sein* und *bleiben* (b):

    (a) Die Menschheit will in Frieden (= friedlich) leben.
    (b) Der Schüler geht nach Hause.

Allerdings treten bei den gleichen Verben auch freie (unfeste) präpositionale Verbindungen − mit bestimmtem oder unbestimmtem Artikel − auf:

    Er bleibt *im* Hause / in *einem* Betrieb.

Setzen Sie in den folgenden Sätzen die richtige Präposition und den richtigen Artikel ein!

    (1)   Der Schüler muß wegen Krankheit ... (Haus) bleiben.
    (2)   Der Fußballspieler ist auf dem nassen Boden ... (Fall) gekommen.
    (3)   Das Mädchen erreicht das Klassenziel ... (Mühe).
    (4)   Der Matrose war längere Zeit ... (See).
    (5)   Wir möchten im nächsten Urlaub wieder ... (See) fahren.

   (6)   Das Kind geht abends zeitig ... (Bett).
   (7)   Der Lehrer las die Klassenarbeiten ... (Aufmerksamkeit).
   (8)   Vater kommt nach der Arbeit gleich ... (Haus).

L 20 Der Nullartikel steht vor Substantiven, wenn sie durch Konjunktion zu **Zwillingsformeln** phraseologisch verbunden sind:

        Haus und Hof, durch Wald und Flur

Vervollständigen Sie die folgenden Sätze, indem Sie die in Klammern stehenden Wörter mit richtiger Präposition bzw. Konjunktion und richtigem Artikel in den Satz einfügen!

   (1)   Er liest den Aufsatz Satz ... (Satz).
   (2)   Wir senden viele Grüße von Haus ... (Haus).
   (3)   In dieser menschenverlassenen Gegend gab es weder Baum ... (Strauch).
   (4)   Sie wanderten den ganzen Tag durch Wald ... (Feld).
   (5)   Die Bauern hatten Haus ... (Hof) verloren.
   (6)   Der Student hat die mündliche Prüfung nur mit Ach ... (Krach) bestanden.
   (7)   Auf dem verlassenen Gehöft fanden sie weder Mensch ... (Tier).
   (8)   Sie mußten die Arbeit Seite ... (Seite) korrigieren.

L 21 Der Nullartikel steht bei den indefiniten Zahladjektiven *viel, wenig, etwas, allerlei* (a) und bei den indefiniten Pronomina *jemand, niemand, nichts* (b) vor substantivisch gebrauchten Adjektiven bzw. Partizipien:

        (a) Er hat *viel* Interessantes gehört.
        (b) Sie hat *niemand* Bekanntes getroffen.

Ergänzen Sie in den folgenden Sätzen nach den indefiniten Zahladjektiven und Pronomina entsprechende substantivisch gebrauchte Adjektive oder Partizipien!

   (1)   Er hat in der heutigen Zeitung nichts ... gelesen.
   (2)   Im Schwimmbad hat er niemand ... getroffen.
   (3)   Die Schüler haben im Betrieb viel ... erfahren.
   (4)   Im Ausland hat sie viel ... erlebt.
   (5)   Während ihrer Tätigkeit im Ausland hat sich in der Heimat allerlei ... ereignet.
   (6)   Er hat sich beim Kellner etwas ... bestellt.
   (7)   Nach den Ferien bedient in der Verkaufsstelle jemand ...
   (8)   Über seinen Krankheitszustand ist wenig ... zu berichten.

L 22 Der Nullartikel steht, wenn die Position vor dem Substantiv durch ein anderes Glied besetzt ist, etwa durch einen vorangestellten Genitiv (meist eines Eigennamens):

> Dort hängt *Günters* Mantel.
> Das Völkerschlachtdenkmal ist *Leipzigs* Wahrzeichen.

Wird jedoch der Genitiv nachgestellt oder durch *von* umschrieben, steht der bestimmte oder unbestimmte Artikel (im letzten Falle aber ohne Bedeutungsäquivalenz mit dem vorangestellten Genitiv, da das Bezugswort nicht mehr eindeutig identifiziert ist):

> Dort hängt *der/ein* Mantel Günters / von Günter.
> Das Völkerschlachtdenkmal ist *das/ein* Wahrzeichen Leipzigs / von Leipzig.

Ersetzen Sie in folgenden Sätzen den vorangestellten Genitiv durch eine nachgestellte Präpositionalgruppe!

(1) Peters Dissertation liegt in der Bibliothek.
(2) Vor dem Haus steht Manfreds Wagen.
(3) Goethes Wohnsitz in Weimar wird von vielen besucht.
(4) Inges Koffer muß noch im Autobus sein.
(5) Indiens Bevölkerungsstruktur hat sich stark verändert.
(6) Der Balaton ist Ungarns Anziehungspunkt für Gäste aus vielen Ländern.
(7) Dieters Entschluß war zu spät gereift.
(8) Im Bücherschrank stehen Hegels Werke.

L 23 Unter bestimmten Bedingungen werden bestimmter Artikel und Präposition zusammengezogen. Eine solche **Zusammenziehung** ist formal möglich bei:

dem + Präposition: am, beim, (hinterm), im, (überm), (unterm), (vorm), vom, zum;
der + Präposition: zur
das + Präposition: ans, (aufs), (durchs), (fürs), (hinters), ins, (übers), (ums), (unters), (vors)
den + Präposition: (hintern), (übern), (untern)

Dabei sind die Formen ohne Klammern normalsprachlich, die in Klammern nur umgangssprachlich.

Versuchen Sie in den folgenden Sätzen eine Zusammenziehung von Artikel und Präposition und entscheiden Sie dabei, ob sie normalsprachlich, nur umgangssprachlich oder überhaupt nicht möglich ist!

(1) Der Junge hatte sich *unter dem* Tisch versteckt.
(2) Wir mußten ihn *an den* Termin erinnern.
(3) *An dem* Haken hingen zwei Regenmäntel.
(4) Die Schüler wollten im Urlaub *an das* Meer fahren.

(5) Die andere Klasse wollte lieber *in das* Gebirge.
(6) Das ist ein Geschenk *für das* Kind.
(7) Der Lehrer ging *zu der* Versammlung.
(8) Er wohnte *bei der* Tante.
(9) Der Kraftfahrzeugschlosser mußte sich *unter das* Auto legen.
(10) Er erzählte *von dem* Urlaub.

L 24 Die Zusammenziehung von Artikel und Präposition ist nicht beliebig möglich, sondern von verschiedenen Bedingungen abhängig. Sie ist obligatorisch in vielen festen Verbindungen (a), bei substantivierten Infinitiven (b), bei Adjektiven und Adverbien im Superlativ (c) und vor Eigennamen (d):

(a) *aufs* Land fahren, *durchs* Ziel gehen
(b) *beim* Essen, die Lust *zum* Lernen
(c) *am* besten, *aufs* deutlichste
(d) *im* Erzgebirge, Frankfurt *am* Main

Vervollständigen Sie die folgenden Sätze durch das in Klammern stehende Substantiv unter Zusammenziehung von Präposition und Artikel!
Nach welcher Regel erfolgt die Zusammenziehung?

(1) Der Wanderer ist bei einer Bergbesteigung um ... (Leben) gekommen.
(2) Das Mädchen hatte keine Lust zu ... (Tanzen).
(3) Er wohnt seit einigen Jahren in ... (Harz).
(4) Die Schüler haben den Lehrer bei ... (Wort) genommen.
(5) Die wissenschaftliche Zusammenarbeit ist zu ... (Nutzen) aller Beteiligten.
(6) Durch die Operation wird der Verunglückte an ... (Leben) bleiben.
(7) Er hat seine These an ... (ausführlichst) begründet.
(8) Das Kind zeigte wenig Interesse an ... (Spielen).
(9) Waren liegt an ... (Müritzsee).
(10) Er hat seine Lehrer auf ... (freundlichst) gegrüßt.

L 25 Eine Zusammenziehung von Präposition und Artikel ist nicht möglich, wenn der bestimmte Artikel betont ist (= *dieser*) (a) und/oder von dem folgenden Substantiv ein restriktiver Attributsatz (= *derjenige*) abhängt (b):

(a) An *dem* Montag war er gerade nicht zu Hause (, obwohl er sonst montags immer zu Hause ist).
(b) Wir gehen in *das* Kaufhaus, das er uns empfohlen hat.

Vervollständigen Sie die folgenden Sätze, ziehen Sie dabei Artikel und

Präposition – wenn möglich – zusammen und erklären Sie – wenn nicht möglich –, warum eine Zusammenziehung nicht statthaft ist!

(1) Ich habe ihm gesagt, er solle mich an ... (Dienstag) besuchen.
(2) Er soll aber nicht an ... (Dienstag) kommen, der nach Ostern liegt.
(3) Am Sonntag war er mit seiner Freundin in ... (Theater).
(4) Sie waren in ... (Theater), das erst neu eröffnet worden ist.
(5) Er bringt es nicht über ... (Herz), seinem Freund die bittere Wahrheit zu sagen.
(6) Der Schaffner muß am Ende seines Dienstes noch einmal zu ... (Bahnhof).
(7) Der Fahrgast muß sich das Fahrgeld auf ... (Bahnhof) zurückerstatten lassen, wo er die Fahrkarte gekauft hat.

L 26 Der bestimmte Artikel steht vor einem Substantiv, das im Kontext **vorher erwähnt** worden ist und deshalb bereits identifiziert ist. Bei **Ersterwähnung** des Substantivs steht dagegen der unbestimmte Artikel:

Dort steht *ein* unbekannter Mann. *Der* Mann trägt Arbeitskleidung.

Setzen Sie in den folgenden Text den richtigen Artikel und die richtige Endung des Adjektivs ein! Beachten Sie dabei, ob das entsprechende Substantiv bereits identifiziert ist!

Unser Dorf hat ... (neu-) Sportplatz. Gegenüber ... Sportplatz steht ... (neu-) Haus. In ... Haus wohnt ... Arzt. ... Arzt hält vormittags und nachmittags ... Sprechstunde ab. Mittags macht ... Arzt bei ... (schön-) Wetter ... Spaziergang bis zu ... (klein-) Wäldchen in ... Nähe. ... Wald hat ... Nadel- und Laubbäume, die vor allem in ... Frühling manche Spaziergänger anziehen. In ... Sommer legt sich ... Arzt manchmal auf ... Wiese, die sich mitten in ... Wald befindet und auf der er in ... Schatten ein wenig ... Ruhe genießt. Er beobachtet dabei, wie ... Wolken ziehen, und hört ... Singen ... Vögel zu.

L 27 Setzen Sie in den folgenden Sätzen den bestimmten, den unbestimmten oder den Nullartikel richtig ein!

(1) Mein Freund ist ... (Maurer).
(2) Er ist ... (fleißiger Arbeiter).
(3) Er hat gleich nach ... (Krieg) in ... (Fabrik) gearbeitet.
(4) Später hat er ... (Fernstudium) absolviert.
(5) Jetzt hat er ... (leitende Stellung) in ... (großer Betrieb).
(6) Er hat auch schon früh ... (Auto) fahren gelernt.
(7) In der Schule war er ... (fleißiger Schüler).

(8)   Er ging schon damals immer ohne Zögern an ... (Arbeit).

(9)   Auch seine Bücher und Hefte hat er immer in ... (Ordnung) gehalten.

L 28   Setzen Sie im folgenden Text den bestimmten, den unbestimmten oder den Nullartikel richtig ein! Fügen Sie auch die in Klammern stehenden Adjektive mit der richtigen Endung ein!

In ... DDR gibt es ... sehr viele Sehenswürdigkeiten. ... (ausländisch-) Besucher kommen oft in ... Stadt Leipzig und besuchen dort ... Völkerschlachtdenkmal, ... (neu) Universitätshochhaus und ... „Auerbachs Keller". Von hier fahren sie gern in ... (klassisch-) Weimar nach ... Thüringen und suchen dort ... Goethehaus und ... Buchenwald auf. Manchmal reisen sie auch über ... (mittelalterlich-) Meißen nach ... Dresden mit ... (berühmt-) Zwinger und ... (Brühlsch-) Terrasse und machen von dort ... Ausflug in ... Sächsische Schweiz. Sie können mit ... Schiff nach ... Bad Schandau fahren oder unterwegs in ... Königstein aussteigen. Unmittelbar an ... Elbe liegt ... Bastei. In ... (südlich-) DDR liegt auch ... Erzgebirge mit ... Fichtelberg, ... (höchst-) Erhebung in ... DDR. Oftmals führen die Exkursionen auch in ... Hauptstadt Berlin und nach ... Potsdam (wo ... Park Sanssouci und ... Schloß Cäcilienhof, in dem ... Potsdamer Abkommen abgeschlossen worden ist, besichtigt werden können), zu ... (herrlich-) Seen in ... Mark Brandenburg und in ... Mecklenburg. Wer noch mehr ... Zeit hat, sucht auch ... Ostsee auf und lernt vielleicht ... Insel Rügen, ... Hiddensee oder ... (malerisch-) Usedom kennen.

L 29   Setzen Sie im folgenden Text den bestimmten, den unbestimmten oder den Nullartikel richtig ein! Ergänzen Sie auch die richtige Endung der Adjektive!

Kurz vor ... 1800 saß einmal in ... klein- Dorfschule bei Braunschweig ... Lehrer, der aus irgendeinem Grunde ... Stunde lang von seinen Schülern nicht gefragt sein wollte. So stellte er ihnen ... leicht-, aber langwierig- Aufgabe, ... Zahlen von 1 bis 100 zu addieren. Damit wollte er seine Klasse für ... nächst- Stunde beschäftigen.
Nach wenigen Minuten trat ... Junge an ... Pult und legte seine Schreibtafel mit ... Lösung vor. Der Lehrer hielt dies für ... schlecht- Scherz, prüfte ... Ergebnis aber doch nach. Es erwies sich als richtig. ... Junge hatte nämlich nicht ... mühevoll- Weg eingeschlagen, ... Zahlen untereinander zu schreiben und dann zu addieren. Er hatte sich vielmehr ... Gedanken über ... Aufgabe gemacht und folgendes gefunden: Wenn ich ... erst- und letzt- Zahl addiere, 1 + 100, so erhalte ich 101. Addiere ich ... zweit- und zweitletzt- Zahl, 2 + 99, so erhalte ich wieder 101. Dasselbe geschieht bei ... dritt- und drittletzt- Zahl

usw. Man kann also ... Zahlenreihe zu ... Paaren zusammenfassen,
deren jedes ... Summe 101 ergibt. Es gibt 50 von solchen Paaren, ...
Gesamtsumme ist 50 × 101 = 5050.

... Junge wurde, bevor ... 15 Jahre vergangen waren, ... glänzendst-
Mathematiker ... Europas, ja ... ganz- Welt. Er wurde ... Fürst der Mathematiker genannt. Sein Name war ... Karl Friedrich Gauß.

Pronomen „es"

M 1 Das Pronomen *es* kann die Funktion a) eines Prowortes, b) eines Korrelats, c) eines formalen Subjekts oder Objekts haben.

Als **Prowort** ist das Pronomen *es* ersetzbar und nicht weglaßbar; es
tritt im aktuellen Satz als Subjekt, Objekt oder Prädikativ auf.

Das Pronomen *es* vertritt ein vorerwähntes Substantiv (Neutrum) im
Nominativ (= Subjekt) oder im Akkusativ (= Objekt). Als Nominativsubjekt kann *es* am Satzanfang oder im Satzinnern stehen, als Akkusativobjekt steht *es* nur im Satzinnern.

Beantworten Sie die Fragen nach Muster a) oder b)!

      a) Wo ist mein Heft?   (auf dem Tisch liegen)
        → Es liegt auf dem Tisch. / Auf dem Tisch liegt es.
      b) Wann gibst du mir mein Heft zurück?   (morgen)
        → Ich gebe es dir morgen zurück.

(1) Wem gehört das Wörterbuch?   (meine Freundin)
(2) Kennst du das neue Lexikon?   (noch nicht gesehen)
(3) Wo ist dein Kind tagsüber?   (in den Kindergarten gehen)
(4) Wer betreut dein Kind bei Krankheit?   (mein Mann und ich)
(5) Hast du das Medikament mitgebracht?   (in der Tasche sein)
(6) Von wem hast du das Rezept bekommen?   (Ärztin)
(7) Wie muß ich das Medikament einnehmen?   (in Wasser auflö-
    sen)

M 2 Prüfen Sie, ob in den Antworten das Pronomen *es* am Satzanfang stehen kann!

(1) Bist du in dem Geschäft gewesen? — Ich habe es nicht gefunden.
(2) Wie lange ist das Geschäft geöffnet? — Heute ist es bis 19 Uhr ge-
    öffnet.

(3)   Was hat man zu dem Spielergebnis gesagt? — Die meisten hat es überrascht.

(4)   Wie ist das genaue Ergebnis? — Ich weiß es nicht.

(5)   Was macht das Mädchen? — Im Kinderzimmer sitzt es und weint.

(6)   Warum weint das Mädchen? — Der Bruder hat es geschlagen.

(7)   Hat er das Gemüse gegessen? — Er hat es stehen lassen.

(8)   War das Gemüse nicht gut? — Mir hat es geschmeckt.

M 3   Das Pronomen *es* kann ein neutrales Substantiv nur im *reinen* Akkusativ vertreten. Als Ersatz für ein neutrales Substantiv im *präpositionalen* Akkusativ dient die Verbindung *da(r)-* + Präposition („Pronominaladverb"). Bilden Sie Sätze nach dem Muster!

> Die Tochter hat ein Telegramm geschickt.   (Mutter: erwarten / warten)
> → Die Mutter hat *es* erwartet.
> → Die Mutter hat *darauf* gewartet.

(1)   Der Dozent hat ein Bild gezeigt.   (Studenten: beschreiben / schreiben)

(2)   Ein Mahnschreiben ist eingegangen.   (Sekretärin: beantworten / antworten)

(3)   Auf der Rechnung fehlte das Datum.   (Buchhalter: erfragen / fragen)

(4)   Der Autor hat ein Kapitel seines neuen Romans vorgelesen.   (Zuhörer: beurteilen / urteilen)

(5)   Ein Tor war gefallen.   (Zuschauer: bejubeln / jubeln)

(6)   Vor der Kreuzung stand ein Vorfahrtschild.   (Kraftfahrer: nicht beachten / achten)

(7)   Er hatte ein arrogantes Auftreten.   (Kommilitonen: verspotten / spotten)

M 4   Das Pronomen *es* als Prowort kann sich auch auf das Prädikat des vorangehenden Satzes beziehen.

Ersetzen Sie nach dem Muster das Pronomen *es* durch ein Verbalabstraktum!

> Hans hat im Wettkampf *gesiegt. Es* hat ihn nicht überheblich gemacht.
> → *Der Sieg* hat ihn nicht überheblich gemacht.

(1)   Der Trainer hat Hans gelobt. Es hat ihn angespornt.

(2)   Der Lehrer mußte seine Klasse tadeln. Es hat alle Schüler geärgert.

(3)   Inge wollte ihre Mutter zum Geburtstag überraschen. Es ist ihr gelungen.

(4) Er schenkte seinem Sohn einen Fußball. Es war Anlaß zu großer Freude.

(5) Jens arbeitet in einem Forschungslabor. Es macht ihm Spaß.

(6) Alle Schüler strengten sich besonders an. Es hat sich gelohnt.

(7) Petra ist ausgezeichnet worden. Es hat sie gefreut.

M 5 Das Pronomen *es* als Nominativsubjekt steht für ein mask. oder fem. Subjekt in Sätzen mit dem Verb *sein* (in der 3. Person) + prädikatives Substantiv. Wenn es sich um eine Person handelt, ist für *es* auch *er* bzw. *sie* möglich. Das finite Verb kongruiert immer mit dem prädikativen Substantiv.

Bilden Sie aus den Impulsen Fragen und Antworten! Setzen Sie die Fragen und Antworten anschließend in den Plural (prädikatives Substantiv mit Nullartikel)!

Person: Mann — Ausländer

→ A: Was ist das für ein Mann?
→ B: *Es* ist ein Ausländer. / *Er* ist (ein) Ausländer.

Nicht-Person: Tisch — Couchtisch

→ A: Was ist das für ein Tisch?
→ B: *Es* ist ein Couchtisch.

1. Arzt — Internist
2. Studentin — Germanistin
3. Wagen — Škoda
4. Lehrling — Schlosserlehrling
5. Vogel — Kranich
6. Mantel — Übergangsmantel
7. Ausländerin — Französin
8. Blume — Tulpe

M 6 Das Pronomen *es* kann ein prädikatives Substantiv (Mask./Fem.) oder Adjektiv ersetzen. Im Gegensatz zum Substantiv oder Adjektiv steht das Pronomen unmittelbar nach dem finiten Verb.

Der Vater ist Arzt, und seine Söhne werden auch *Ärzte*.
→ Der Vater ist Arzt, und seine Söhne werden *es* auch.

Ersetzen Sie das prädikative Substantiv bzw. Adjektiv im zweiten Satz durch das Pronomen *es*!

(1) Paul ist schon seit zwei Jahren Rentner. Franz wird erst im nächsten Jahr Rentner.

(2) Im Januar wird ein neuer Kassierer gewählt. Bis dahin bleibt Kollege Berg Kassierer.

(3) Die anderen waren von der Wanderung müde, er war nicht müde.

(4) Er ist schon Student. Sein Bruder wird erst im kommenden Herbst Student.

(5) Seien Sie sachlich! Ich versuche auch sachlich zu bleiben.

(6) Alle seine Freunde sind schon Assistenten, nur er ist noch nicht Assistent.

(7) Fast alle Kinder wurden krank, nur zwei Mädchen wurden nicht krank.

(8) Anfangs erschien mir die Methode unzweckmäßig. Sie ist aber nicht unzweckmäßig.

M 7 Als **Korrelat** ist das Pronomen *es* nicht ersetzbar, aber weglaßbar. Es kann sich um ein Korrelat a) in Thema- Stellung, b) in unpersönlichen Sätzen (d. h. in Sätzen ohne Substantiv oder Äquivalent im Nominativ), c) im Hauptsatz vor Subjekt- und Objektnebensätzen handeln.

Das **Pronomen *es* in Thema-Stellung** ist nicht im Satz beweglich, sondern steht nur am Satzanfang. Wenn die erste Stelle durch ein anderes Satzglied besetzt ist, fällt es obligatorisch weg. Das thematische *es* hat die (stilistische) Funktion, einem Subjekt statt seiner Normstellung vor dem finiten Verb (Thema-Stellung) die Stellung nach dem finiten Verb (Rhema-Stellung) zu ermöglichen. Das Subjekt ist entweder ein Substantiv mit unbestimmtem oder Nullartikel oder ein substantivisches Indefinitpronomen, unbestimmtes Zahladjektiv o. ä. Das finite Verb kongruiert nicht mit dem Pronomen *es*, sondern mit dem Subjekt.
Thematische Funktion hat *es* auch in subjektlosen Passivsätzen. Das finite Verb steht hier immer in der 3. Pers. Sing.

Formen Sie die Sätze nach dem Muster um!

Viele Studenten haben sich am Volleyballturnier beteiligt.
→ Es haben sich viele Studenten am Volleyballturnier beteiligt.

(1) Eine gute Stimmung hat geherrscht.
(2) Einige Mädchenmannschaften waren auch dabei.
(3) Auch verschiedene ausländische Studenten haben teilgenommen.
(4) Alle waren mit viel Kampfgeist bei der Sache.
(5) Viele Kommilitonen aus anderen Instituten waren als Zuschauer erschienen.
(6) Niemand von den Lehrern hat gefehlt.
(7) Keinerlei Unfälle sind passiert.
(8) Im nächsten Jahr soll wieder ein Volleyballtunier stattfinden.

M 8 Bilden Sie aus dem Wortmaterial Passivsätze mit und ohne *es*!

(1) bauen (viele Einfamilienhäuser, in den letzten Jahren, am Stadtrand)

(2) beraten (den ganzen Nachmittag, in der Gemeindeversammlung, über den Bau einer neuen Straße)

(3) festlegen (ein neuer Termin, am Ende der Sitzung)

(4) diskutieren (lebhaft, auf der Versammlung, über das Stadtjubiläum)

(5) ausarbeiten (verschiedene Vorschläge, für die Neugestaltung des Marktplatzes)

(6) durchführen (eine gründliche Brandschutzkontrolle, in den Lagerräumen)

(7) tanzen (bis nach Mitternacht, im Dorfgasthof)

(8) lachen (viel, über das Kabarettprogramm)

M 9 Das **Pronomen *es* als Korrelat in unpersönlichen Sätzen** ist im Satz beweglich: Es steht entweder am Satzanfang oder — falls die erste Stelle durch ein anderes Satzglied besetzt ist — im Satzinnern. In letzterer Stellung ist das Pronomen *es* fakultativ und kann wegfallen. Als Korrelat in unpersönlichen Sätzen kommt *es* nur bei bestimmten Verben oder prädikativen Adjektiven vor, bei denen der Träger des Zustands nicht (wie gewöhnlich) im Nominativ, sondern im Dativ (bei wenigen Verben auch im Akkusativ) erscheint.

Bilden Sie nach dem Muster Sätze (mit Personenangabe — abhängig vom Verb — im Dativ oder Akkusativ)!

> frieren, Freund, ungeheiztes Zimmer
> → *Es* fror den Freund in dem ungeheizten Zimmer.
> → Den Freund fror (*es*) in dem ungeheizten Zimmer. / In dem ungeheizten Zimmer fror (*es*) den Freund.

(1) ekeln, Gast, Schmutz im Zimmer

(2) grauen, Studentin, lange Eisenbahnfahrt

(3) schwindeln, Tourist, Spitze des Berges

(4) frösteln, Mann, Morgenkälte

(5) grausen, Patient, Operation

(6) schaudern, Frau, Anblick des verunglückten Wagens

(7) gruseln, Kind, Dunkelheit

M 10 Bilden Sie nach dem Muster Sätze!

> kalt sein, Freund, ungeheiztes Zimmer
> → *Es* war dem Freund in dem ungeheizten Zimmer kalt.
> → Dem Freund war (*es*) in dem ungeheizten Zimmer kalt. / In dem ungeheizten Zimmer war (*es*) dem Freund kalt.

(1)   wohl sein, Kranker, warme Sonne
(2)   bange sein, Mädchen, 10-Meter-Turm
(3)   schlecht werden, Gast, Wurst
(4)   warm sein, Frau, Pelzmantel
(5)   angst sein, Mutter, Kind
(6)   schwindlig werden, Bergsteiger, Spitze des Berges
(7)   übel sein, Kind, Hitze

M 11 Das **Pronomen *es* im Hauptsatz vor Subjekt- und Objektnebensätzen** ist — wie das Pronomen *es* als Korrelat in unpersönlichen Sätzen — im Satz beweglich: Im Hauptsatz vor einem Subjektsatz steht es am Satzanfang oder fakultativ im Satzinnern, im Hauptsatz vor einem Objektsatz steht es fakultativ im Satzinnern. Im Unterschied zum Pronomen *es* als Korrelat in unpersönlichen Sätzen kann das Pronomen *es* vor Subjekt- und Objektsätzen bei Betonung mit dem Pronomen *das* alternieren. Das Pronomen *das* erscheint statt *es* auch am Satzanfang bei Objektsätzen als Nachsatz und — fakultativ — bei Subjekt- und Objektsätzen als Vordersatz.

Formen Sie die Sätze nach dem Muster um!

> *Es* freut mich, daß er kommt.
> → Mich freut (*es*), daß er kommt.
> → Daß er kommt, (*das*) freut mich.

(1)   Es gefiel dem Professor, daß der Student offen seine Meinung sagte.
(2)   Es war dem Studenten peinlich, daß er die Verabredung vergessen hatte.
(3)   Es entscheidet sich morgen, ob sie zum Studium zugelassen ist.
(4)   Es ist für mich ein Rätsel, wie er die Prüfung geschafft hat.
(5)   Es ist bei einem wissenschaftlichen Aufsatz üblich, die benutzte Literatur anzugeben.
(6)   Es ist einer Arbeitsgruppe gelungen, das Verfahren produktionsreif zu machen.
(7)   Es war lange unklar, ob das Verfahren rentabel sein würde.
(8)   Es war ein großer Zufall, daß ich ihn getroffen habe.
(9)   Es interessiert mich, was du von dem Film hältst.
(10)   Es ist mir gleichgültig, was du darüber denkst.

M 12 Bilden Sie Sätze nach dem Muster!

> versprechen — uns besuchen
> → Er hat (*es*) versprochen, uns zu besuchen.
> → Uns zu besuchen, (*das*) hat er versprochen.

(1)   versäumen   — den Kollegen anrufen
(2)   aufgeben   — seine Tochter ermahnen

(3)	bedauern	– den Gast nicht zum Bahnhof begleiten können
(4)	beschließen	– seinen Wagen verkaufen
(5)	vermeiden	– eine Anspielung auf den Vorfall machen
(6)	vorziehen	– im Winter verreisen
(7)	beabsichtigen	– seine Dissertation bald abschließen
(8)	übernehmen	– die Verwandten informieren
(9)	bereuen	– nicht mitgefahren sein
(10)	behaupten	– den Dozenten angerufen haben
(11)	ablehnen	– an dem Projekt mitarbeiten
(12)	nicht vertragen	– lange warten

M 13 Als **formales Subjekt und Objekt** ist das Pronomen *es* nicht ersetzbar und nicht weglaßbar. Das formale Subjekts-*es* kann am Satzanfang oder im Satzinnern stehen, das formale Objekts-*es* ist nur im Satzinnern möglich. Das Subjekts-*es* kommt in verschiedenen Typen unpersönlicher Sätze (d. h. Sätze ohne Substantiv oder Äquivalent im Nominativ) vor, z. B. bei Verben ohne Aktanten, die Naturerscheinungen oder Geräusche bezeichnen, bei Kopulaverben mit adjektivischem Prädikativ, das eine Natur- oder Zeiterscheinung ausdrückt, bei Verben mit personalem Akkusativ- oder Dativobjekt u. a. Das Objekts-*es* steht bei Verben, die feste Verbindungen (Wendungen) mit Objekten/Adverbialien bilden.

Bilden Sie Sätze nach dem Muster!

> blitzen (mehrmals, über der See)
> → *Es* blitzte mehrmals über der See.
> → Mehrmals blitzte *es* über der See.
> → Über der See blitzte *es* mehrmals.

- (1) regnen (den ganzen Tag, im Norden des Landes)
- (2) dämmern (in den Tropen, sehr schnell)
- (3) tauen (in den mittleren Lagen, seit mehreren Tagen)
- (4) spuken (angeblich, in dem alten Schloß)
- (5) ziehen (bei geöffnetem Fenster, in der ganzen Wohnung)
- (6) frieren (letzte Nacht, in den Bergen)
- (7) klopfen (soeben, an der Tür)
- (8) donnern (seit Stunden, auf der anderen Flußseite)
- (9) klingeln (zur Pause, in allen Räumen)

M 14 Stellen Sie die kursiv gedruckten Satzglieder an den Satzanfang!

- (1) Es war *vor dem Gewitter* sehr schwül.
- (2) Es wurde *gegen Abend* neblig.
- (3) Es ist *durch den Besuch* sehr spät geworden.

(4) Es ist *trotz der anderslautenden Wettervorhersage* sehr schön geworden.
(5) Es bleibt *bestimmt* noch einige Tage so kalt.
(6) Es war mir *zum Aufstehen* noch zu früh.
(7) Es ist *im Zimmer* nicht hell genug zum Lesen.
(8) Es war *unter den Bäumen* angenehm schattig.
(9) In einem Auenwald ist es *gewöhnlich* kühl und feucht.

M 15 Bilden Sie Sätze nach dem Muster!

       ziehen, ich, Sommer, Ostsee
       → *Es* zieht mich im Sommer an die Ostsee.
       → Im Sommer zieht *es* mich an die Ostsee.

(1) überlaufen, er, kalt, Gedanke an die Gefahr
(2) gehen, sie, gut, Operation
(3) nicht halten, ich, Sonnenschein, Wohnung
(4) gefallen, er, sehr gut, Bulgarien
(5) schütteln, er, Anblick des verunglückten Wagens
(6) fehlen, du, Selbstvertrauen
(7) jucken, ich, Arme und Beine, Mückenstiche

M 16 Prüfen Sie, ob das Pronomen *es* am Satzanfang stehen kann!

(1) Bei Sonnenschein hält es mich nicht in der Wohnung.
(2) Er hat es immer sehr eilig.
(3) Im Weitsprung nimmt es niemand mit ihm auf.
(4) An Fleiß und Ausdauer fehlt es ihm immer noch.
(5) Bei so wenig Fleiß wird er es in seinem Beruf nicht weit bringen.
(6) Er hat es sich mit seiner Diplomarbeit sehr leicht gemacht.
(7) Im Urlaub hat es mir sehr gut gefallen.
(8) Ich habe es immer gut mit dir gemeint.
(9) Seit dem Kuraufenthalt geht es ihr bedeutend besser.
(10) Die schwarze Handtasche hatte es ihr angetan.
(11) Von dem feinen Staub juckte es mich am ganzen Körper.
(12) Sie hatte es auf die grünen Schuhe abgesehen.
(13) Beim Anblick des verunglückten Wagens schüttelte es mich.

M 17 Stellen Sie die kursiv gedruckten Satzglieder an den Satzanfang! Entscheiden Sie, ob das Pronomen *es* im Satzinnern fakultativ (als Korrelat, vgl. Übung M 9) oder obligatorisch (formales Subjekt, vgl. Übung M 15) steht.

(1) Es schwindelte ihr *auf der Plattform des Aussichtsturmes.*
(2) Es überlief sie kalt *bei dem Gedanken an die Gefahr.*
(3) Es ekelte mich *vor der Unsauberkeit im Zimmer.*

(4)   Es juckt mich *schon bei der bloßen Vorstellung* am ganzen Kör-
       per.
(5)   Es hat mir *im Harz* sehr gut gefallen.
(6)   Es zieht mich *im Sommer* immer wieder an die Ostsee.
(7)   Es hatte ihr *oft* vor der Operation gegraust.
(8)   Es geht ihr *seit der Operation* viel besser.
(9)   Es graut mir *schon jetzt* vor der langen Fahrt.
(10) Es hat mich auf der Fahrt *trotz der Heizung* gefroren.
(11) Es schüttelte sie *beim Anblick des abgestürzten Flugzeuges.*
(12) Es fröstelte uns *in der Morgenkälte.*

M 18 Bestimmen Sie anhand der in den Übungen M 1, M 7, M 9, M 11 und
M 13 genannten Kriterien (Ersetzbarkeit, Weglaßbarkeit, Beweglich-
keit im Satz, Wechsel mit *das*) die Funktion des Pronomens *es* (Prowort, thematisches *es*, Korrelat oder formales Subjekt in unpersönlichen Sätzen usw.) in den folgenden Liedanfängen!

(1)   Sah ein Knab' ein Röslein stehn,
       Röslein auf der Heiden,
       War so jung und morgenschön,
       Lief er schnell, es nah zu sehn.
(2)   Ich weiß nicht, was soll es bedeuten, daß ich so traurig bin,
       Ein Märchen aus uralten Zeiten, das geht mir nicht aus dem
       Sinn!
(3)   O wie ist es kalt geworden —
       und so traurig, öd und leer —
       rauhe Winde weh'n von Norden,
       und die Sonne scheint nicht mehr.
(4)   Ade nun zur guten Nacht — jetzt wird der Schluß gemacht,
       daß ich muß scheiden! — Im Sommer, da wächst der Klee —
       im Winter, da schneit's den Schnee, da komm ich wieder!
(5)   Es war einmal ein treuer Husar — der liebt sein Mädel
       ein ganzes Jahr —
       ein ganzes Jahr und noch viel mehr — die Liebe nahm kein
       Ende mehr!

Präpositionen

Die Präpositionen haben wie die Konjunktionen die syntaktische Funktion von Fügewörtern. Im Unterschied zu den Konjunktionen, die Wörter (bzw. Wortgruppen) oder Sätze miteinander verbinden, werden mit Hilfe der Präpositionen nur Wörter (bzw. Wortgruppen) aneinander gefügt. Gewöhnlich handelt es sich bei den angefügten Wörtern um Substantive, von denen die Präpositionen einen bestimmten Kasus fordern (Kasusrektion).

Viele Präpositionen regieren nur einen Kasus:
— Genitiv: *außerhalb, diesseits, infolge, inmitten, jenseits, kraft, seitens, um ... willen, unterhalb* u.a.
— Dativ: *aus, bei, entgegen, gegenüber, gemäß, mit, nach, seit, von, zu* u.a.
— Akkusativ: *bis, durch, für, gegen, ohne, um* u.a.

Bei manchen Präpositionen schwankt der Kasus, d.h. neben dem Normalkasus ist unter bestimmten Bedingungen ohne Bedeutungsunterschied ein zweiter Kasus möglich:

neben Genitiv auch Dativ: *(an)statt, innerhalb, längs, laut, mittels, trotz, während, wegen, zugunsten*
neben Dativ auch Genitiv: *binnen, dank, zufolge*
neben Dativ auch Akkusativ: *ab, außer*
neben Akkusativ auch Dativ (selten auch Genitiv): *entlang*

Setzen Sie nach den (lokalen) Präpositionen den richtigen Kasus ein!

(1) Der Fluß fließt durch (ein See).
(2) Inmitten (der See) liegt eine Insel.
(3) Längs (der Fluß) steht eine Reihe von Wochenendhäusern.
(4) Von (der Turm) kann man bis zum Fichtelberg sehen.
(5) Der Kurort liegt jenseits (der Berg).
(6) Das Hotel liegt (der Bahnhof) gegenüber.
(7) Die Badeanstalt befindet sich unterhalb (der Bahnhof).
(8) Der Motorradfahrer ist gegen (ein Baum) gefahren.
(9) Die Spaziergänger kommen aus (der Park).
(10) Er wohnt am Waldrand außerhalb (das Dorf).
(11) Unweit (das Institut) entsteht ein Studentenwohnheim.
(12) Die Studenten stehen im Halbkreis um (ihr Dozent).
(13) Wir haben Silvester bei (mein Freund) gefeiert.
(14) Innerhalb (das Betriebsgelände) darf man nicht rauchen.
(15) Er ist am Wochenende zu (seine Eltern) gefahren.
(16) Dieses Buch ist für Kinder ab (neun Jahre).
(17) Der Weg führt (der Bach) entlang.

N 2 Setzen Sie nach den (modalen bzw. kausalen) Präpositionen den richtigen Kasus ein!

(1) Die Aufführung der Oper war von (hohes Niveau).
(2) (der starke Frost) wegen wurden die Bauarbeiten vorübergehend eingestellt.
(3) Der Brief wurde ihr durch (ein Bote) geschickt.
(4) Zufolge (der Vertrag) werden große Mengen Weizen importiert.
(5) (dein Ratschlag) gemäß habe ich das größere Gerät gekauft.
(6) Für (sein Alter) ist das Kind geistig schon sehr weit.
(7) Ohne (ein Spezialwerkzeug) kann die Tür nicht geöffnet werden.
(8) Die Tür mußte mittels (ein Schweißgerät) geöffnet werden.
(9) Ich schreibe am liebsten mit (ein Kugelschreiber).
(10) Seitens (der Arzt) gibt es keine Einwände, daß er Sport treibt.
(11) (aller Anschein) nach wird es heute noch regnen.
(12) Laut (sein Bericht) ist die Arbeit am Projekt abgeschlossen.
(13) Dank (das schnelle Eingreifen) der Feuerwehr konnte größerer Schaden vermieden werden.
(14) Infolge (starker Eisgang) war die Schiffahrt behindert.
(15) Kraft (sein Amt) ist er weisungsberechtigt.

N 3 Eine Gruppe von neun lokalen Präpositionen — *an, auf, hinter, in, neben, über, unter, vor, zwischen* — regiert valenzabhängige Substantive im Dativ oder Akkusativ.
Dativ steht bei nicht-zielgerichtetem Geschehen (Verben wie *sitzen, stehen, wohnen*) und bei zielgerichtetem Geschehen, das zielbetont ist (*aufstellen, eintreffen, ankommen*); Akkusativ erscheint bei zielgerichtetem Geschehen, das richtungsbetont ist (*setzen, stellen, kommen*):

> Die Blumenbank steht vor dem Fenster.
> Er stellt die Blumenbank vor dem Fenster auf.
> Er stellt die Blumenbank vor das Fenster.

Manche Verben können zielgerichtetes oder nicht-zielgerichtetes Geschehen bezeichnen (*fahren, fliegen, gehen*), andere Verben können (zielgerichtetes) richtungs- oder zielbetontes Geschehen zum Ausdruck bringen (*aufnehmen, klopfen, verschwinden*):

> Wir sind über die Wolken geflogen.
> Wir sind über den Wolken geflogen.
>
> Er wurde ins Krankenhaus aufgenommen.
> Er wurde im Krankenhaus aufgenommen.

Setzen Sie das Substantiv im richtigen Kasus ein!

(1) *die Wand:* Er hat den Schrank an ... geschoben. — Der Schrank steht an ...

(2)   *der Tisch:* Die Zeitungen liegen auf ... – Die Mutter legt die Zeitungen auf ...

(3)   *der Arm:* Das Mädchen nahm die Tasche unter ... – Das Mädchen trug die Tasche unter ...

(4)   *der Vorhang:* Die Schauspieler traten vor ... – Die Schauspieler standen vor ...

(5)   *die Couch:* Sie hat das Regal hinter ... aufgestellt. – Sie hat das Regal hinter ... gestellt.

(6)   *die Schule:* Die Kinder gehen um halb acht in ... – Die Kinder sind um acht in ...

(7)   *ihr Vater:* Die Tochter geht neben ... – Sie stellt sich neben ...

(8)   *der Schreibtisch:* Ich werde die Lampe über ... hängen. – Ich werde die Lampe über ... aufhängen.

(9)   *der Schrank und das Bett:* Er befestigte das Bild zwischen ... – Er steckte das Bild zwischen ...

(10)   *der Weihnachtsbaum:* Viele bunte Kugeln hingen an ... – Die Kinder hängten die Kugeln an ...

(11)   *der Bahnhof:* Er kam um sieben Uhr auf ... – Er kam um sieben Uhr auf ... an.

(12)   *seine beiden Kameraden:* Der Soldat stellte sich zwischen ... – Der Soldat marschiert zwischen ...

N 4   Die meisten Präpositionen stehen vor dem Wort, das sie regieren. Stets nach dem regierten Wort stehen *halber* und *zuliebe*. Einige Präpositionen – die Präpositionen *entgegen, entlang, gegenüber, gemäß, nach, ungeachtet, wegen, zufolge* – stehen vor oder nach dem regierten Wort, *um ... willen* davor und danach.

Setzen Sie die Präposition an der richtigen Stelle ein!

(1)   *infolge:* Die Straße war ... eines Unfalls ... mehrere Stunden gesperrt.

(2)   *zufolge:* ... des Vertrages ... werden beide Staaten diplomatische Beziehungen aufnehmen.

(3)   *halber:* In dem Wörterbuch stehen ... der Vollständigkeit ... auch veraltete Wörter.

(4)   *außerhalb:* Stilistische Fragen liegen ... seines Interessengebietes ...

(5)   *zufolge:* ... dem Abkommen ... werden die Handelsbeziehungen erweitert.

(6)   *entlang:* ... dem Ufer ... stehen hübsche Wochenendhäuser.

(7)   *inmitten:* Der Lehrer saß ... der Schüler ...

(8)   *entlang:* Die Schulklasse wanderte ... den Rennsteig ...

(9)   *gegenüber:* Das Hotel befindet sich ... dem Bahnhof ...

(10)   *jenseits:* ... des Flusses ... liegt ein ausgedehnter Wald.

(11)   *gegenüber:* Der junge Mann hat sich ... mir ... immer sehr höflich benommen.

(12) *zuliebe:* Die Tochter blieb am Sonntag ... ihrer Mutter ... zu Hause.

(13) *nach:* ... meiner Meinung ... ist der Spruch von Schiller.

(14) *nach:* Er zitierte den Spruch frei ... Goethe ...

(15) *anstatt:* ... eines Stereogeräts ... kaufte er ein kleines Kofferradio.

(16) *gemäß:* ... der Gebrauchsanweisung ... ist das Heizgerät nach 500 Stunden zu reinigen.

(17) *wegen:* ... des starken Frostes ... wurden die Bauarbeiten vorübergehend eingestellt.

(18) *dank:* ... seines raschen Handelns ... konnte der Fehler schnell behoben werden.

(19) *entgegen:* Der Soldat verließ ... dem Befehl des Offiziers ... seinen Posten.

(20) *wegen:* ... dem schlechten Wetter ... sind wir zu Hause geblieben.

N 5 Die Präpositionen *an* und *auf* berühren sich in lokaler Bedeutung: *an* meint „von der Seite" oder „von unten" (a), *auf* meint „von oben" (b):

(a) An der Wand steht ein großer Bücherschrank.
An der Decke hängt ein Kronleuchter.
(b) Auf dem Parkettfußboden liegt ein Teppich.

Setzen Sie *an* oder *auf* mit bestimmtem Artikel im Dativ oder Akkusativ ein!

(1) Die Holzteile schwammen ... Wasser. – Die Kinder standen ... Wasser und warfen Steine hinein.

(2) Der Kellner stellte Gläser und Flaschen ... Tisch. – Die Gäste setzten sich ... Tisch.

(3) ... Hochhaus befindet sich eine Gemeinschaftsantenne. – ... Haus befindet sich eine Gedenktafel für den Komponisten.

(4) ... Gedenktafel für den Komponisten steht ein Gedicht. – Der Dozent schrieb die neuen Wörter ... Tafel.

(5) Frankfurt liegt ... Oder. – ... Oder herrscht ein reger Schiffsverkehr.

(6) Er legte mir den Baumstamm ... Schulter. – Er packte mich fest ... Schulter.

(7) Der Junge traf seinen Freund mit dem Stein ... Kopf. – Die Frau setzte sich den Wasserkrug ... Kopf.

(8) Man darf nicht zu nahe ... Bahngleise treten. – Sie stand mitten ... Bahngleisen und winkte.

(9) Sie stieß sich mit dem Knie ... Tischbein. – Er schlug vor Wut mit der Faust ... Tisch.

N 6 Die Präposition *unter* berührt sich in einer Bedeutungsvariante mit der Bedeutung der Präposition *zwischen*: *unter* meint „in die / der Mitte einer **Menge** von Objekten der Realität" (a), *zwischen* meint meistens „in die / der Mitte von **zwei** Objekten der Realität" (b):

(a) Der Professor war auch *unter* den Gästen.
(b) Er saß *zwischen* seinen beiden Assistenten.

Ergänzen Sie die Präposition und setzen Sie das Substantiv im richtigen Kasus ein!

(1) Man muß in dem Buch auch (die Zeilen) zu lesen verstehen.
(2) Der Autor des Theaterstücks saß unerkannt mitten (die Zuschauer).
(3) Ich habe die Blumen (die beiden Bilder) gestellt.
(4) Es hat Streit (das Ehepaar) gegeben.
(5) Er ist (die fünf Brüder) der Begabteste.
(6) Die Tochter setzte sich (ihre Eltern).
(7) Er ist sehr verschlossen und geht nicht gern (Leute).
(8) (die einzelnen Häuser) ist jeweils ein schmaler Durchgang.
(9) Seine Freundin mischte sich (die Menge) und war verschwunden.
(10) Er fuhr mit dem Traktor (die Baumreihen der Obstplantage) hindurch.
(11) Die Verbindung (die Fernsprechteilnehmer) wurde getrennt.
(12) Sie haben die Hochzeit ganz (sich) gefeiert.
(13) Er steckte den Brief (die Seiten des Buches).
(14) Der Lehrer erklärte die Bedeutungsunterschiede (die verschiedenen Wörter).
(15) Es gibt (die Lehrer der Hochschule) eine Reihe international anerkannter Wissenschaftler.

N 7 Zur Bezeichnung der Richtung dienen vor allem die Präpositionen *an, auf, in, nach* und *zu*. Setzen Sie die passende Präposition ein!

(1) Jeden Morgen geht er (Bäcker), um frische Brötchen zu holen.
(2) Sie ist (Post) gegangen, um ein Telegramm aufzugeben.
(3) An der ersten Ecke gehen Sie (links), dann (rechts), schließlich geradeaus.
(4) Die Freunde gehen regelmäßig mittwochs (Schwimmen) (Stadtbad).
(5) Die Kinder gingen (Strand).
(6) Seine Tochter geht nicht (das tiefe Wasser), denn sie kann nicht schwimmen.
(7) Sonntag vormittag ging die Familie gemeinsam (Gottesdienst) (Kirche).
(8) Ihr jüngstes Kind geht noch nicht (Schule).
(9) Er geht jeden Tag um sechs Uhr (Arbeit).

(10) Wann gehst du dieses Jahr (Urlaub)?
(11) Die Mädchen sind gemeinsam (Party) gegangen.
(12) Er ging gut vorbereitet (Beratung der Arbeitsgruppe).
(13) Am Abend gingen die Passagiere (Bord).
(14) Die Fenster meines Arbeitszimmers gehen (Süden).
(15) Es klingelte, und er ging (Tür), um zu öffnen.
(16) Die Gäste sind erst spätabends (Haus) gegangen.
(17) Der Schauspieler geht im Herbst (Berlin) (das „Deutsche Theater").
(18) Kinder dürfen nicht zu spät (Bett) gehen.
(19) Ihr Sohn will unbedingt (Marine) gehen.
(20) Sonntags geht mein Onkel gern (Jagd).

N 8 Setzen Sie *an, auf, in, nach* oder *zu* ein!

(1) Wir sind mit dem Taxi (Bahnhof) gefahren.
(2) Er hat das Auto (Parkplatz) gefahren und dann seine Einkäufe gemacht.
(3) Er ist mit dem Zug (Rostock) gefahren.
(4) Die Studentin fährt jedes Wochenende (ihre Eltern).
(5) Mein Freund fährt diesen Sommer (Thüringer Wald).
(6) Wir wollen in diesem Jahr (Ostsee) fahren.
(7) Der Wissenschaftler fährt (Schweiz) (Kongreß).
(8) In den Ferien fahren die Kinder immer (Land) (ihre Großeltern).
(9) Der Taxifahrer fuhr schnell (Kreuzung) heran.
(10) Der Anfänger fuhr langsam (Kreuzung) zu.

N 9 Setzen Sie *an, auf, in, nach* oder *zu* ein!

(1) Der Wissenschaftler ist für zwei Wochen (Leipzig) gekommen.
(2) Er ist erst spätabends (Leipzig) angekommen.
(3) Ich habe den Tisch dicht (Fenster) gerückt.
(4) Sie hat den Schreibtisch (Ecke des Zimmers) gerückt.
(5) Die Mutter sieht vom Fenster (Straße).
(6) Sie sieht (Fenster) hinaus.
(7) Die Sekretärin legt den Brief (die anderen Papiere).
(8) Sie hängt den Mantel (Garderobe).
(9) Die Mutter setzte das Kind (Stuhl).
(10) Sie setzte sich (Sessel).
(11) Er ist (Sportklub) eingetreten.
(12) Bei der Morgengymnastik bewegt er die Arme (vorn), (hinten), (unten) und (oben).
(13) Das Auto ist (Baum) geprallt.
(14) Alle blickten gespannt (Tür).
(15) Er goß etwas Rum (Tee).

N 10 *bis* in temporaler Bedeutung (= Zeitdauer mit Angabe des Endpunktes) steht allein nur vor Zeitangaben mit Nullartikel (a). Bei Zeitangaben mit anderen Artikelwörtern steht als zweite Präposition *zu* (b).

> Die Arbeit muß *bis Weihnachten* geschafft werden. (a)
> Die Arbeit muß *bis Jahresende/bis zum Jahresende* geschafft werden. (a) und (b)
> Die Arbeit muß *bis zu den Ferien* geschafft werden. (b)

bis oder *bis zu?*

(1) Die Kinder haben (1. September) Sommerferien.
(2) Sonnabends ist die Kaufhalle nur (12 Uhr) geöffnet.
(3) (Ende August) habe ich noch Urlaub.
(4) Der zweite Weltkrieg dauerte (Jahr 1945).
(5) (voriges Jahrhundert) herrschte in Teilen Europas die Leibeigenschaft.
(6) (nächstes Jahr) soll der neue Universitätskomplex fertiggestellt sein.
(7) Es sind noch fünf Minuten (Pause).
(8) Von Ostern (Pfingsten) sind es sieben Wochen.
(9) Ich muß (morgen) noch eine Übersetzung aus dem Englischen ins Deutsche machen.
(10) Die Hochzeitsfeier ging (früher Morgen).
(11) Ich habe (spätabends) auf den Besuch gewartet.
(12) Er muß seine Diplomarbeit (Ende des Monats) abgeben.
(13) Du kannst das Buch (Sonnabend) behalten.
(14) (letzte Minute) hofften die Anhänger der Heimmannschaft auf den Ausgleich.

N 11 Die temporalen Präpositionen *vor* und *seit* stehen in einem bestimmten Verhältnis zueinander: *vor* drückt einen Zeitpunkt vor der Sprechergegenwart aus (oft verbunden mit einem perfektiven Verb), *seit* bezeichnet die Zeitdauer von diesem Zeitpunkt bis zur Sprechergegenwart (meist mit einem durativen Verb verbunden).

Formen Sie die Sätze nach dem Muster um!

> Die Erde ist *vor* ca. 4,4 Milliarden Jahren entstanden. (bestehen)
> → Die Erde besteht *seit* ca. 4,4 Milliarden Jahren.

(1) Ich habe den Dozenten schon vor Jahren kennengelernt. (kennen)
(2) Sein Vater ist vor einigen Jahren gestorben. (tot sein)
(3) Die Familie ist vor kurzem in eine Neubauwohnung gezogen. (wohnen)
(4) Mein Freund hat vor vierzehn Tagen geheiratet. (verheiratet sein)

(5) Sein Sohn wurde vor einer Woche ins Krankenhaus eingeliefert. (liegen)

(6) Der junge Algerier ist vor zwei Monaten nach Leipzig gekommen. (leben)

(7) Die Ausstellung „Polnische Grafik" wurde vor einigen Tagen eröffnet. (geöffnet sein)

N 12 Kausales *aus* und *vor* stehen vor Substantiven ohne Artikel („Nullartikel") und zumeist auch ohne Adjektiv, die einen psychischen Zustand (bei *vor* auch einen physischen Hinderungsgrund) ausdrücken. Die Präposition *aus* steht, wenn das Verb eine vom Willen abhängige Handlung ausdrückt; *vor* steht, wenn das Verb oder Adjektiv (*aus* steht nicht bei Adjektiven) eine unwillentliche Handlung oder einen Zustand ausdrückt. Ist das Verb in dieser Hinsicht neutral, so sind beide Präpositionen möglich.

aus oder *vor*?

(1) ... Nebel konnte man auf der Straße kaum zehn Meter weit sehen.

(2) Die Nachbarn haben der alten Frau ... Mitleid geholfen.

(3) ... Zahnschmerzen konnte sie die ganze Nacht nicht schlafen.

(4) ... Angst und Unkenntnis nehmen manche Menschen bei Krankheit keine Medikamente ein.

(5) Die Mutter war stumm ... Schreck, als ihr Kind plötzlich auf die Straße rannte.

(6) Er hat ... bloßer Langeweile das Gerät auseinandergenommen und wieder zusammengesetzt.

(7) Es war erkennbar, daß sich das Tier ... eigener Kraft nicht aus der Falle befreien konnte.

(8) ... lauter Schnee kam der Wagen auf der Gebirgsstraße kaum vorwärts.

(9) Der alte Mann wäre ... Kummer und Einsamkeit krank geworden, wenn ihm nicht die Nachbarn geholfen hätten.

(10) ... Versehen ist er seinem Nachbarn auf den Fuß getreten.

(11) Man konnte auf dem Platz ... Lärm die Worte des Reiseführers nur schwer verstehen.

(12) ... technischen Gründen verzögert sich die Einweihung des Kulturhauses um einige Tage.

(13) Die Kinder schrien jedesmal ... Begeisterung, wenn der Clown auftrat.

(14) Der Junge hat ... Übermut die Vase heruntergeworfen.

(15) Ihr Gesicht war blaß ... Angst.

(16) Er wußte ... eigener Erfahrung, wie gefährlich die Krankheit war.

(17) Als sie ihn gesund wiedersah, begann sie ... Freude zu weinen.

N 13 Setzen Sie die entsprechende kausale Präposition − *auf, aus, vor* oder
wegen − ein! Ergänzen Sie − wenn notwendig − auch den bestimmten
Artikel!

(1) (Anraten des Arztes) raucht er nicht mehr.
(2) Er kennt die Gefahren des Meeres (eigene Erfahrung).
(3) (Geburtstag seiner Tochter) wollte er nicht an der Veranstal-
      tung teilnehmen.
(4) Mir fielen (Müdigkeit) fast die Augen zu.
(5) (Furcht vor Strafe) belog der Junge seinen Vater.
(6) Der junge Mann ist (Diebstahl) zu 3 Monaten Gefängnis verur-
      teilt worden.
(7) (Anordnung der Polizei) darf ab 24 Uhr kein Alkohol mehr aus-
      geschenkt werden.
(8) Ich glaube, er hat dir nur (Höflichkeit) recht gegeben.
(9) Die Zuschauer im Stadion schrien (Begeisterung).
(10) (schlechtes Wetter) sind wir zu Hause geblieben.
(11) Die Kinder zitterten (Kälte).
(12) (große Kälte) heizen wir jetzt zweimal am Tag im Wohnzimmer.
(13) Ich habe das Buch (Empfehlung meines Freundes) gelesen.
(14) (sein Wunsch) wurde die Feier verschoben.
(15) Die Lexikologie-Vorlesung fällt (Erkrankung des Professors)
      aus.

N 14 Setzen Sie die entsprechende kausale Präposition − *halber, infolge*
oder *um ... willen* − ein! Ergänzen Sie − wenn notwendig − auch den
bestimmten Artikel bzw. unbestimmten Artikel!

(1) (Vollständigkeit) stehen in dem Wörterbuch auch veraltete Wör-
      ter.
(2) (schwerer Unfall) konnte er nicht mehr in seinem Betrieb arbei-
      ten.
(3) (seine Gesundheit) hat er das Rauchen aufgegeben.
(4) (Kinder) ließ sich das Ehepaar nicht scheiden.
(5) (Nebel) konnte das Flugzeug nicht starten.
(6) (besondere Umstände) mußte er seinen Wagen verkaufen.
(7) (starker Schneefall) war die Straße unpassierbar.
(8) (Bequemlichkeit) lasse ich mir die Neuerscheinungen von der
      Buchhandlung zuschicken.
(9) (Familienfrieden) erwiderte sie nichts auf die Vorwürfe ihres
      Mannes.
(10) (Straßenumleitungen) kam er nicht rechtzeitig zur Arbeit.
(11) (Einfachheit) werden im Buch für die Kasusbezeichnungen Ab-
      kürzungen verwendet.
(12) (er) hätte die Frau auf vieles verzichtet, er (sie) aber auf nichts.

N 15 *durch* oder *von*?

  (1)   Ich habe den Ausländer (Freunde) kennengelernt.
  (2)   Was hast du (deine Eltern) zum Geburtstag bekommen?
  (3)   Alle Kinder waren müde (die Wanderung).
  (4)   (sein inständiges Bitten) erreichte er meine Zustimmung.
  (5)   Sie hat sich (vieles Lesen) die Augen verdorben.
  (6)   Die Oper „Figaros Hochzeit" stammt (Mozart).
  (7)   Er hat es (Ausdauer und Fleiß) bis zum Chefkonstrukteur gebracht.
 *(8)   Man öffnet die Tür (Drücken des Knopfes).
  (9)   Der Mitarbeiter überzeugt (Wichtigkeit seines Vorschlages).
 (10)   Nur (ein Zufall) habe ich (seine Heirat) erfahren.

Partikeln

O 1 Im Unterschied zu den Adverbien haben die Partikeln keinen Satzgliedcharakter, sondern sind immer nur zusammen mit ihrem Bezugswort im Satz verschiebbar:

> *Ziemlich* gut hat er die Prüfung bestanden.   (= Partikel)
> *Diesmal* hat er die Prüfung gut bestanden.   (= Adverb)

Es gibt jedoch eine Anzahl von Wörtern, die als Partikel und als Adverb (mit Bedeutungsunterschied) fungiert. Dazu gehören etwa *eben* (= *gerade, genau* – Partikel; = *soeben, in diesem Augenblick* – Adverb), *erst* (= *nicht früher als, nicht mehr als, bis jetzt nur, allein, endlich* – Partikel; = *zuerst* – Adverb) und *gerade* (= *genau, ausgerechnet* – Partikel; = *soeben* – Adverb).

Ersetzen Sie in den folgenden Sätzen die Wörter *eben, erst* und *gerade* und stellen Sie danach fest, ob sie als Partikel oder als Adverb verwendet sind!

  (1)   Eben diesen Zug wollte meine Frau benutzen.
  (2)   Eben ist der Schnellzug aus Warschau angekommen.
  (3)   Er kommt erst in der nächsten Woche aus dem Urlaub zurück.
  (4)   Wir haben heute erst fünf Stunden gearbeitet.
  (5)   Erst mußte der Internist seine Vorlesungen halten, danach konnte er seine Patienten aufsuchen.
  (6)   Erst der Facharzt konnte ihm helfen.
  (7) ·Er ist gerade 70 Jahre alt geworden.
  (8)   Er ist gerade aus dem Urlaub zurückgekommen.

O 2 Die Wörter *besonders*, *selbst* und *so* treten als Partikel und als Adverb
auf und werden verschieden substituiert:

besonders	= in erster Linie, vor allem, in hohem Maße	(= Partikel)
	= getrennt, gesondert, für sich allein	(= Adverb)
selbst	= sogar	(= Partikel)
	= höchstselbst, in eigener Person	(= Adverb)
so	= denn, eigentlich, überhaupt, ebenso	(= Partikel)
	= auf diese Art und Weise	(= Adverb)

Ersetzen Sie in den folgenden Sätzen die Wörter *besonders*, *selbst* und
so und stellen Sie danach fest, ob sie als Partikel oder als Adverb verwendet sind!

(1) Besonders gute Leistungen hat er in Mathematik.
(2) Diese Frage muß besonders behandelt werden.
(3) Als Wissenschaftsorganisator arbeitet er besonders gut.
(4) Selbst der weltbekannte Herzchirurg konnte ihm nicht helfen.
(5) Der Rektor erschien selbst zur Eröffnung der Konferenz.
(6) Selbst der Rektor erschien zur Eröffnung der Konferenz.
(7) So konnte er die Arbeit nicht schaffen.
(8) Er schwimmt so schnell wie sein Vater.

O 3 Die Wörter *immer*, *nun* und *schon* können als Partikel und als Adverb
auftreten; dabei haben sie eine verschiedene Bedeutung:

immer	= in zunehmendem Maße	(= Partikel)
	= zu jeder Zeit, ständig	(= Adverb)
nun	= wirklich	(= Partikel)
	= jetzt	(= Adverb)
schon	= bereits, doch, endlich, mehr als erwartet	(= Partikel)
	= schneller als erwartet	(= Adverb)

Ersetzen Sie in den folgenden Sätzen die Wörter *immer*, *nun* und
schon und stellen Sie danach fest, ob sie als Partikel oder als Adverb
verwendet sind!

(1) Die Straße wird immer schlechter.
(2) Seit mehreren Jahren ist er immer krank.
(3) Kommst du nun morgen mit ins Kino?
(4) Der Lehrer ist nun wieder aus dem Urlaub zurück.
(5) Der Abiturient hat die Fragen schon beantwortet.
(6) Sag uns schon die Wahrheit!
(7) Sie haben heute schon mehr als 8 Stunden gearbeitet.
(8) Schon kündigt der Lautsprecher die Abfahrt des Zuges an.

O 4 Setzen Sie in den folgenden Sätzen die Partikeln *noch, nur, erst* und/
oder *schon* ein!

(1) Das Kind ist ... in der Schule, obwohl es sonst um diese Zeit
schon zu Hause ist.

(2) Die Schule beginnt gewöhnlich um 8 Uhr, morgen jedoch ... um
9 Uhr.

(3) Ich habe von ihm bisher ... einen flüchtigen Eindruck.

(4) Der Gast wollte ... am Sonntag ankommen, er ist jedoch ... am
Montag eingetroffen.

(5) Zuerst wollte er am Mittwoch abreisen, er ist jedoch ... zwei
Tage länger geblieben.

(6) Von hier sind es ... hundert Kilometer bis nach Dresden.

(7) Wir kamen ... kurz vor der Abfahrt des Zuges auf dem Bahnhof
an und fanden deshalb ... einen freien Platz in diesem Abteil.

O 5 Einige Partikeln, die zu Adjektiven und Adverbien treten können, haben graduierenden Charakter. Von diesen **Intensifikatoren** oder
Gradpartikeln stehen *viel* und *weit* vor dem Komparativ, *weitaus* vor
dem Komparativ oder Superlativ, *etwas* vor dem Positiv oder Komparativ, *höchst, recht, überaus, ziemlich* vor dem Positiv:

> Die linguistischen Beiträge in der Zeitschrift sind *etwas/
> höchst/recht/ziemlich/überaus* anspruchsvoll.
> Seine Dissertation ist *viel/weit/weitaus/etwas* besser als die
> seines Freundes.
> Der syrische Student spricht *weitaus* am besten von der ganzen
> Gruppe Deutsch.

Setzen Sie in die folgenden Sätze graduierende Partikeln ein!

(1) Das Wetter ist heute ... schöner als gestern.

(2) Die Arbeit an den Hochöfen ist im Sommer bei großer Hitze ...
anstrengend.

(3) Der Schauspieler wirkt in der heutigen Aufführung ... unsicher.

(4) Der dritte Sprung ist dem Sportler ... am besten gelungen.

(5) Das Wetter ist in diesem Sommer ... angenehmer als im vorigen
Jahr.

(6) Die Produktion des Betriebes ist ... effektiver geworden.

(7) Von den Lehrveranstaltungen ist die Vorlesung über Lexikolo-
gie ... am interessantesten.

Modalwörter

P 1 **Adverbien** drücken die objektive Art und Weise (Zeit, Ort usw.) des im Verb ausgedrückten Geschehens aus und werden durch vorangestelltes *nicht* verneint, **Modalwörter** drücken die subjektiv-modale Stellungnahme des Sprechers zu dem im Verb ausgedrückten Geschehen aus. Eine Verneinung der Modalwörter wie bei den Adverbien ist nicht möglich. Im Satz auftretendes *nicht* steht nur nach dem Modalwort und verneint das Prädikat (als Satznegation).

> Er kommt nicht *pünktlich* zur Dienstbesprechung.　(= Adverb)
> Er kommt *vermutlich* nicht zur Dienstbesprechung.　(= Modalwort)
> → Man vermutet (es ist vermutlich so), daß er *nicht* zur Dienstbesprechung kommt.

Verneinen Sie die folgenden Sätze mit Adverb bzw. mit Modalwort!

(1) Der Vater kann zweifellos zum Fußball gehen.
(2) Im Sommer wandern wir gern.
(3) Der Lehrer beobachtet uns offenbar.
(4) Er korrigiert die Hefte der Schüler sorgfältig.
(5) Der Student hat die Prüfung angeblich gemacht.
(6) Der Kraftfahrzeugschlosser fährt das neue Auto vorsichtig ein.
(7) Die Bauarbeiter haben sehr rationell gearbeitet.
(8) Sie wird vermutlich zum Geburtstag kommen.

P 2 Verneinen Sie die folgenden Sätze mit *nicht*!

(1) Der Lehrer arbeitet fleißig. – Der Lehrer arbeitet bestimmt.
(2) Er besucht uns vielleicht. – Er besucht uns gern.
(3) Sie kennt ihn angeblich. – Sie kennt ihn genau.
(4) Das Kind schläft ruhig. – Das Kind schläft wahrscheinlich.
(5) Er ist wohl zurückgekommen. – Er ist rechtzeitig zurückgekommen.
(6) Der Dozent beherrscht dieses Spezialgebiet gründlich. – Der Dozent beherrscht dieses Spezialgebiet zweifellos.

P 3 Im Unterschied zu den Adverbien drücken die Modalwörter die Einstellung des Sprechers zum Geschehen aus. Als Einstellungsausdrücke sind sie nur oberflächlich mit dem Satzinhalt verbunden. Sie lassen sich
(a) in einen übergeordneten Hauptsatz transformieren und verselbständigen (wobei der Satzinhalt zum Nebensatz wird) und
(b) als Schaltsatz parenthetisch aus dem Satzinhalt herauslösen:

Er ist *vermutlich* zur Arbeit gegangen.

(a) → Es ist *vermutlich* so (man vermutet), daß er zur Arbeit gegangen ist.

(b) → Er ist – wie wir *vermuten* (wir vermuten es) – zur Arbeit gegangen.

Lösen Sie nach diesem Muster die Modalwörter aus den Sätzen heraus, und verselbständigen Sie sie zu übergeordneten Hauptsätzen und zu Schaltsätzen!

(1) Diese Herzoperation stellt zweifellos ein großes Risiko dar.

(2) Er hat die Lektionen sicherlich genau durchgearbeitet.

(3) Die Schülerin hat sich offensichtlich gründlich auf die Prüfung vorbereitet.

(4) Der Junge hat möglicherweise seine Mutter vom Bahnhof abgeholt.

(5) Sie hat ihren Vater bedauerlicherweise nur gesehen, nicht gesprochen.

(6) Die Fußballmannschaft wird das Spiel wahrscheinlich gewinnen.

(7) Er hat ihn angeblich gestern besucht.

P 4 Da außer den Modalwörtern auch die **Modalverben** (modalen Hilfsverben) zum Ausdruck der Modalität dienen, können die Modalverben ohne wesentliche Bedeutungsveränderung durch Modalwörter ersetzt werden. So entsprechen sich

Er *kann (mag, dürfte)* schon verreist sein.
→ Er ist *vermutlich (wahrscheinlich, vielleicht)* schon verreist.

Er *muß* in seinem Zimmer sein.
→ Er ist *bestimmt (gewiß, sicher, zweifellos)* in seinem Zimmer.

Er *will (soll)* gestern beim Arzt gewesen sein.
→ Er ist *angeblich* gestern beim Arzt gewesen.

Ersetzen Sie die Modalverben in den folgenden Sätzen durch entsprechende Modalwörter!

(1) Wenn er pünktlich weggefahren ist, kann er schon in Berlin sein.

(2) Sie dürfte die Torte in der Konditorei am Markt gekauft haben.

(3) In diesem Falle mag der Schüler im Recht sein.

(4) Der Schüler will seine Hausaufgaben gemacht haben.

(5) Ihnen dürfte das Buch bereits bekannt sein.

(6) Der Arbeiter könnte bei diesem schönen Wetter nach Hause gelaufen sein.

(7) Der Arzt muß im Urlaub gewesen sein.

P 5 Ersetzen Sie die Modalwörter in den folgenden Sätzen durch die richtigen Modalverben!

(1) Wahrscheinlich hat er sich beim Sturz den Fuß gebrochen.
(2) Der Junge hat das Fußballspiel angeblich selbst gesehen.
(3) Zweifellos hat der Student seine Diplomarbeit schon abgegeben.
(4) Der Urlauber hat vermutlich den Berg schon bestiegen.
(5) Bestimmt ist die Störung in der Fernsprechleitung sehr schnell beseitigt worden.
(6) Er ist in seinem Urlaub vielleicht an die Ostsee gefahren.

P 6 Zum Ausdruck der Modalität dienen — außer den Modalwörtern und den Modalverben — auch einige **modale Vollverben**, durch die die Modalwörter ohne wesentliche Bedeutungsveränderung ersetzt werden können:

> *Vermutlich* ist er im Urlaub.
> → Man *vermutet*, daß er im Urlaub ist.

Ersetzen Sie die Modalwörter in folgenden Sätzen durch entsprechende Vollverben mit modaler Bedeutung!

(1) Erstaunlicherweise hat die Mannschaft das Spiel noch gewonnen.
(2) Zweifellos ist diese Mannschaft in diesem Jahr die beste in der Oberliga.
(3) Hoffentlich gelingt der Mannschaft der Aufstieg in die Oberliga.
(4) In dieser Gegend hat es anscheinend lange nicht geregnet.
(5) Der Pförtner hat angeblich zur fraglichen Zeit keine fremden Personen im Betrieb gesehen.
(6) Er ist mutmaßlich an der Umstellung der Produktion maßgeblich beteiligt gewesen.

P 7 Ersetzen Sie die modalen Vollverben in folgenden Sätzen durch die richtigen Modalwörter!

(1) Man vermutet, daß er umgezogen ist.
(2) Es scheint, daß sich das Kind beim Baden erkältet hat.
(3) Wir bedauern, daß wir ihn nicht einstellen können.
(4) Jedermann hofft, daß die technischen Vorzüge des neuen Produktionsverfahrens endlich die erwarteten Verbesserungen bringen.
(5) Wir zweifeln nicht daran, daß er seine Dissertation mit Erfolg verteidigt.
(6) Man begreift, daß er nach seiner längeren Krankheit viel nachzuholen hat.

P 8   Die gleichen Beziehungen, die durch Modalwörter ausgedrückt werden, können vielfach auch durch **Präpositionalgruppen** wiedergegeben werden:

> Er war *anscheinend* sehr überarbeitet.
> → *Dem Anschein nach* war er sehr überarbeitet.

Ersetzen Sie nach diesem Muster die Modalwörter in folgenden Sätzen durch entsprechende Präpositionalgruppen!

(1)   Der Zauberkünstler hat scheinbar den Ball in seine Tasche gesteckt.

(2)   Der Fahrer hat unglücklicherweise nicht mehr bremsen können.

(3)   Die Redaktion kann den Aufsatz bedauerlicherweise in diesem Jahr nicht mehr veröffentlichen.

(4)   Wir werden seine Meinung keinesfalls kritiklos hinnehmen.

(5)   Mit dieser Behauptung hat der Opponent zweifellos recht.

(6)   Wenn der Fahrer nicht gestürzt wäre, hätte er sicherlich das Etappenziel als erster erreicht.

P 9   Ersetzen Sie die hervorgehobenen Präpositionalgruppen in den folgenden Sätzen durch entsprechende Modalwörter!

(1)   *Zu unserem Erstaunen* hat er eine sehr gute Prüfung abgelegt.

(2)   Er hat nur *dem Scheine nach* die Thesen seines Opponenten angefochten.

(3)   *Zu seinem Glück* hat der Urlauber nicht den Zug benutzt, der später entgleist ist.

(4)   *Dem Augenschein nach* ist die Fußgängerin an dem Unfall schuld.

(5)   Er ist *aller Wahrscheinlichkeit nach* zu einem Kongreß ins Ausland gefahren.

(6)   *Nach ihren Angaben* ist der Zug in Görlitz pünktlich abgefahren.

Negationswörter

Q 1   Als Negationswort steht *kein,* wenn das nicht-verneinte Substantiv (a) den unbestimmten Artikel oder (b) — bei Stoffnamen — den Nullartikel hat. *Kein* steht (c) auch in einigen festen Verbindungen (vor allem mit *haben* und *sein*), die durch Verben oder Adjektive ersetzbar sind:

(a) Er hat *einen* Hasen gesehen.
     → Er hat *keinen* Hasen gesehen.
(b) Er trank Bier.
     → Er trank *kein* Bier.
(c) Sie hatte Angst.
     → Sie hatte *keine* Angst.

Negieren Sie nach diesem Muster folgende Sätze!

(1) In diesem Sommer haben die Schüler eine Reise unternommen.
(2) Peter hat einen Bruder.
(3) Die Mutter hat Kartoffeln eingekauft.
(4) Die Regierung hat in diesem Jahr ein neues Wirtschaftsabkommen mit dem Nachbarland unterzeichnet.
(5) Diese Thematik ist von großer Bedeutung.
(6) Der Student hat die Hoffnung, die Prüfung mit „sehr gut" zu bestehen.
(7) Er hat sich eine neue Sonnenbrille gekauft.
(8) Die Kinder essen Gemüse.
(9) In diesem Gebiet wird Kohle gefördert.

Q 2 Als Negationswort steht *nicht*, wenn das nicht-verneinte Substantiv Nullartikel hat; es handelt sich dabei
um feste Verbindungen von Verb und Akkusativ ohne Objektscharakter (a),
um geographische Namen (b)
oder um Berufsbezeichnungen nach einem Verb + *als* (c):

(a) Sie schreibt Maschine.
     → Sie schreibt *nicht* Maschine.
(b) Mein Freund arbeitet in Berlin.
     → Mein Freund arbeitet *nicht* in Berlin.
(c) Sie arbeitet als Gaststättenleiterin.
     → Sie arbeitet *nicht* als Gaststättenleiterin.

Beantworten Sie positive Entscheidungsfragen negativ!

Hat dein Freund Wort gehalten?
Nein, er hat *nicht* Wort gehalten.

(1) Kann sein Sohn Auto fahren?
(2) Laufen die Urlauber heute Ski?
(3) Wohnte die Studentin damals in Warschau?
(4) Ist der Schriftsteller in Bulgarien gestorben?
(5) Ist der Professor als Dekan tätig?
(6) Spielt das Mädchen Klavier?
(7) Hat man den Assistenten als Reiseleiter eingesetzt?

Q 3 Negieren Sie die folgenden Sätze und beachten Sie dabei, wann *kein* und wann *nicht* stehen muß!

(1) Der Patient darf Kaffee trinken.
(2) Er arbeitete als Gaststättenleiter.
(3) Die Rentnerin hatte Mut, so weit zu verreisen.
(4) Auf dieser Straße fuhr der Kraftfahrer Schritt.
(5) Am nächsten Morgen hatte er Hunger.
(6) Der Kraftfahrer wollte ein Glas Bier trinken.
(7) Er wollte Tee trinken.
(8) Der Kunde hatte Interesse an dem Sportwagen.

Q 4 Während die **Sondernegation** immer nur Teile des Satzes verneint (Satzglieder, Wörter), trifft die **Satznegation** die gesamte Prädikation des Satzes. Die Satznegation *nicht* steht in der Regel am Ende des Satzes (a), *nicht* wird jedoch vom Endplatz verdrängt durch (b) infinite Verbformen (Infinitiv, Partizip), durch (c) trennbare Verbteile oder durch (d) substantivische bzw. adjektivische Prädikativa. Bei nicht-valenzgebundenen Gliedern (e) und adverbialen Prädikativa (f) kann die Satznegation vor oder hinter diesen Gliedern stehen:

(a) Er kauft die Bücher trotz der Empfehlung seines Lehrers *nicht.*
(b) Er hat die Bücher trotz der Empfehlung *nicht* gekauft.
(c) Er steigt in Berlin *nicht* aus.
(d) Die Tochter wird *nicht* Lehrerin.
(e) Er kauft die Bücher *nicht* trotz der Empfehlung seines Lehrers.
(f) Die Verkäuferin ist dort *nicht.* / Die Verkäuferin ist *nicht* dort.

Setzen Sie in den folgenden Sätzen die Satznegation *nicht* an der richtigen Stelle ein!

(1) Der Zug fährt nach den Ankündigungen des Lautsprechers heute.
(2) Der Zug ist entsprechend der Auskunft am Schalter in Prag abgefahren.
(3) Er wird die Exkursion der Gruppe nach Dresden vorbereiten.
(4) Das Sonderflugzeug kam heute an.
(5) Der Zaun des Gartens ist hoch.
(6) Der Kollege wird Vorsitzender der Gewerkschaftsgruppe.
(7) Das bekannte Café ist hier.
(8) Er besucht ihn zur vorgesehenen Aussprache.

Q 5 Die Satznegation *nicht* steht in der Regel nach den **reinen Kasusobjekten** (a). Umfangreichere Objekte können jedoch auch nach der

Satznegation stehen (b). Der Akkusativ steht obligatorisch nach der Satznegation, wenn er kein passivfähiges Objekt ist, sondern mit dem Verb eine enge semantische Einheit bildet (c). Die Satznegation *nicht* kann sowohl **vor** als auch **nach** Präpositionalobjekten stehen (d):

    (a) Der Schüler kauft das Buch *nicht.*
    (b) Der Arzt untersuchte *nicht* den psychischen Zustand des Patienten.
    (c) Er fährt *nicht* Auto.
    (d) Ich zweifle an seiner Ehrlichkeit *nicht.*
        Ich zweifle *nicht* an seiner Ehrlichkeit.

Setzen Sie in den folgenden Sätzen die Satznegation *nicht* an der richtigen Stelle ein!

  (1) Der Arzt untersucht den Patienten.
  (2) Der Sportler holt Atem.
  (3) Peter bewundert die vorbildlichen Leistungen seiner Mitschüler.
  (4) Der Betriebsleiter erkannte die Schwierigkeit der gegenwärtigen Situation.
  (5) Von seinen Freunden nahm er Abschied.
  (6) Seine Tochter spielt Klavier.
  (7) Das Kind bedankte sich für die Schokolade.
  (8) Der Schriftsteller besteht auf seiner Meinung.
  (9) Das Kind ißt das Gemüse.
 (10) Wir warten auf den angekündigten Brief.

Q 6 Die Satznegation *nicht* steht generell vor **valenzgebundenen Adverbialbestimmungen** (a), während bei den meisten freien, nicht-valenzgebundenen Adverbialbestimmungen sowohl eine Voran- als auch eine Nachstellung der Satznegation möglich ist (b):

    (a) Die Versammlung dauert *nicht* lange.
    (b) Ich traf ihn im Café *nicht.*
        Ich traf ihn *nicht* im Café.

Beantworten Sie folgende Entscheidungsfragen negativ mit Hilfe der Satznegation *nicht*!

  (1) Hat sich die Klasse ruhig verhalten?
  (2) Liegt Leipzig an einem großen Fluß?
  (3) Habt ihr euch auf der Fahrt unterhalten?
  (4) Kannst du auf der Couch schlafen?
  (5) Hat er die Wertsachen in den Tresor gelegt?
  (6) Hielt sich der Ausländer in Dresden auf?
  (7) Hat sich das Kind anständig benommen?
  (8) Wird die Mannschaft in Magdeburg spielen?

Q 7 Die Satznegation *nicht* steht vor oder hinter **freien Kausalbestimmungen,** wenn diese durch Präpositionalgruppen repräsentiert sind (a). Sie steht aber hinter freien Kausalangaben, wenn diese durch Adverbien repräsentiert sind (b):

> (a) Er erschien wegen der Krankheit *nicht.*
> Er erschien *nicht* wegen der Krankheit.
> (b) Er erschien deshalb *nicht.*

Die Negation *nicht* kann auch *vor* Kausaladverbien erscheinen, ist dann aber Sondernegation:

> (c) Er erschien *nicht* deshalb (, sondern aus einem anderen Grund).

Beantworten Sie folgende Entscheidungsfragen negativ, benutzen Sie dabei sowohl die angegebenen Präpositionalgruppen als auch die angegebenen Adverbien!

> (1) Besucht er euch?   (wegen unseres Streits / deshalb)
> (2) Operiert er die Patientin?   (wegen der Herzschwäche / deshalb)
> (3) Lobt er den Schüler?   (wegen seines Verhaltens / deshalb)
> (4) Schläft der Kranke?   (wegen der Aufregung / deshalb)
> (5) Freut sich das Kind?   (wegen des Tadels / deshalb)
> (6) Besteigen die Alpinisten den Berg?   (wegen der Lawinengefahr / deshalb)

Q 8 Die Satznegation *nicht* steht vor oder nach **freien Temporalangaben,** wenn diese durch Präpositionalgruppen repräsentiert sind (a). Die Satznegation steht nach der freien Temporalangabe, wenn diese durch einen Akkusativ repräsentiert ist (b). Sie steht ebenso nach bestimmten Temporaladverbien (*heute, morgen, gestern, oft, lange* u. a.), die unabhängig vom Standpunkt des Sprechenden sind (c). Die Negation (die dann nicht mehr Satz-, sondern Sondernegation ist) steht jedoch vor anderen Temporaladverbien (*gleich, bald, spät, zeitig* u. a.), die vom Standpunkt des Sprechenden abhängig sind (d):

> (a) Er besucht uns in der nächsten Woche *nicht.*
> Er besucht uns *nicht* in der nächsten Woche.
> (b) Der Autobus fährt zwei Tage *nicht.*
> (c) Er kommt heute *nicht.*
> (d) Er kommt *nicht* spät.

Setzen Sie die Negation *nicht* in folgenden Sätzen mit freien Temporalangaben richtig ein!

> (1) Der Zug fährt morgen.
> (2) Der Zug fährt gleich.
> (3) Der Zug fährt im Winter.
> (4) Der Zug fährt den ganzen Tag.

(5)   Der Arzt kommt heute.
(6)   Der Arzt kommt bald.
(7)   Die Kinder gehen zeitig zu Bett.
(8)   Die Kinder haben lange geschlafen.
(9)   Er arbeitet die ganze Woche.
(10) Er arbeitet in dieser Woche.

Q 9 Die Negation *nicht* steht vor **freien Modalangaben**, unabhängig davon, ob sie durch Präpositionalgruppe (a) oder durch Modaladverb (b) realisiert sind − es handelt sich dabei um Sondernegation, nicht um Satznegation −, aber nach Modalwörtern (c):

    (a) Er las *nicht* mit ordentlicher Aussprache.
    (b) Er las *nicht* richtig.
    (c) Er las vermutlich *nicht.*

Setzen Sie das Negationswort *nicht* an der richtigen Stelle in die folgenden Sätze ein!

(1)   Der Student besteht die Prüfung wahrscheinlich.
(2)   Er hat die Prüfung gründlich vorbereitet.
(3)   Die Sekretärin arbeitete mit großer Sorgfalt.
(4)   In diesem Falle hat die Lehrerin zweifellos recht.
(5)   Sie wandert gern in den Bergen.
(6)   Die Schüler haben den Text wörtlich übersetzt.

Q 10 Geben Sie auf die folgenden Fragen eine negative Antwort! Beachten Sie dabei, wann *nicht* oder *kein* verwendet wird und an welcher Stelle *nicht* stehen muß!

(1)   Brauchen Sie einen Fahrplan?
(2)   Brauchen Sie den Fahrplan?
(3)   Schmeckt der Obstsalat gut?
(4)   Ist Peter hier?
(5)   Wird er das Buch auf den Schreibtisch legen?
(6)   Rufst du mich morgen an?
(7)   Schreibst du die Vorlesung mit?
(8)   Hat er laut genug gesprochen?
(9)   Hast du Mut, vom 10-Meter-Turm zu springen?
(10) Schwimmst du heute?

Q 11 Zur Negation dienen auch bestimmte **Präfixe**: *un-* bei zahlreichen Adjektiven und Substantiven (*uninteressant, Unbeständigkeit*), *miß-* bei einigen Verben und Substantiven (*mißfallen, Mißerfolg*) sowie die fremden Präfixe *a(n)-, des-, dis-* und *in-* bei einigen Adjektiven und Substantiven (*anormal, Desorganisation, Disproportion, inhuman*).

Verneinen Sie in den folgenden Sätzen die kursiv gedruckten Wörter durch die richtigen Präfixe!

(1)   Der letzte Sprung *gelang* dem Sportler.
(2)   Seine Handschrift war *leserlich.*
(3)   Sein plötzliches Versagen war *erklärlich.*
(4)   Das *Interesse* der Schüler an diesem Thema war offensichtlich.
(5)   Der Lehrer verhielt sich seinen Schülern gegenüber *konsequent.*
(6)   Sein *Erfolg* hat zum Nachlassen in den Leistungen geführt.
(7)   Der Satz des Ausländers war *grammatisch.*
(8)   Im Zimmer der Studenten herrschte *Ordnung.*
(9)   Diese Wärme ist für die Jahreszeit *normal.*
(10) Der chemische Prozeß verläuft *kontinuierlich.*

Q 12 Der Inhalt von Nebensätzen nach den Konjunktionen *ohne daß, anstatt daß* und *als daß* ist verneint, ohne daß dabei ein formales Negationselement im Satz auftritt:

> Er betritt das Zimmer. Er grüßt *nicht.*
> → Er betritt das Zimmer, *ohne daß* er grüßt.

Bilden Sie nach diesem Muster aus den folgenden jeweils zwei Sachverhalten Satzgefüge mit den Konjunktionen *ohne daß, anstatt daß* oder *als daß!*

(1)   Das Kind hat sich ins Bett gelegt. Es schläft nicht.
(2)   Der Lehrer bietet den Schülern Zigaretten an. Er verbietet das Rauchen nicht.
(3)   Die Rentnerin geht über die Straße. Sie achtet nicht auf den Verkehr.
(4)   Das Zimmer war zu klein. Wir konnten darin keine Besprechung abhalten.
(5)   Der Schüler besucht das Fußballspiel. Er erledigt seine Hausaufgaben nicht.
(6)   Das Wetter war zu schlecht. Wir konnten den Ausflug nicht unternehmen.

Q 13 Der Inhalt bestimmter Nebensätze und Infinitivkonstruktionen ist verneint (ohne Auftreten eines formalen Negationselements), wenn im übergeordneten Satz Verben enthalten sind, die eine kommunikative Negierungsoperation ausdrücken, z. B. solche des Zurückweisens (*abstreiten, bestreiten, leugnen, widerlegen* u. a.), solche des Verneinens (*negieren, in Abrede stellen, widerrufen* u. a.), solche des Verbietens (*abraten, hindern, untersagen, verbieten, warnen* u. a.), solche der Weigerung (*ablassen von, ablehnen, unterlassen, verzichten, sich weigern* u. a.):

Der Lehrer sagt zu seiner Tochter: „Komm *nicht* zu spät nach Hause!"

→ Der Lehrer *warnt* seine Tochter / *untersagt, verbietet* seiner Tochter, zu spät nach Hause zu kommen.

Bilden Sie nach diesem Muster Sätze mit Infinitivkonstruktionen, verwenden Sie dabei die in Klammern stehenden Verben für den Hauptsatz!

(1) Der Lehrer sagt zu den Schülern: „Verlaßt euch nicht auf den Zufall!" (abraten, warnen)

(2) Der Heimleiter sagt zu den Jugendlichen: „Raucht nicht in den Betten!" (untersagen, verbieten)

(3) Der Trainer sagt zu den Spielern: „Eßt nicht vor dem Wettkampf!" (abraten, untersagen, verbieten, warnen)

(4) Die beiden Geschäftspartner sagen: „Wir schließen keinen Vertrag ab." (ablehnen, verzichten, sich weigern)

(5) Das Kind sagt: „Ich habe den Schlüssel nicht abgezogen." (abstreiten, bestreiten, leugnen)

(6) Der Journalist sagt: „Diese Meinung habe ich nicht geäußert." (bestreiten, in Abrede stellen)

Q 14 Das Negationswort *noch nicht* steht in einem zeitlichen Verhältnis zum Negationswort *nicht mehr;* ersteres bezeichnet ein Geschehen, das bis in die Sprechergegenwart nicht eingetreten ist, letzteres ein Geschehen, das in der Vergangenheit bestand, aber in der Sprechergegenwart nicht mehr besteht:

Er ist *noch nicht* in der Schule.
(= Er war und ist nicht in der Schule, wird aber in die Schule kommen.)
Er ist *nicht mehr* in der Schule.
(= Er war in der Schule, ist aber nicht länger dort.)

Ersetzen Sie in den folgenden Sätzen *noch nicht* durch *nicht mehr!*

(1) Er arbeitet noch nicht an der Universität.
(2) Der Lehrer ist noch nicht im Urlaub.
(3) Das Kind hat noch nicht geschlafen, als sie zurückkamen.
(4) Es regnete noch nicht, als ich von zu Hause losging.
(5) Die Lehrerin ist noch nicht im Schwangerschaftsurlaub.
(6) Die Ausstellung wurde noch nicht gezeigt, als ich dort war.

Q 15 Das verstärkende und steigernde *sogar* wird verneint durch das abschwächende und mindernde Negationswort *nicht einmal:*

Er ist *sogar* drei Wochen verreist.
→ Er ist *nicht einmal* drei Wochen verreist.

Ersetzen Sie in den folgenden Sätzen die verstärkende durch die abschwächende Partikel und umgekehrt!

(1) Der Schriftsteller hat sogar zwei Jahre an dem Roman gearbeitet.

(2) Heute ist der Junge nicht einmal eine halbe Stunde im Wasser geblieben.

(3) Wir sind diesmal sogar vier Stunden bis nach Berlin gefahren.

(4) Die Mannschaft hat sogar zwei Tore geschossen.

(5) In dieser Woche hat es nicht einmal Frost gegeben.

(6) Wir konnten in der Gaststätte sogar warme Speisen bekommen.

Q 16 Setzen Sie in die folgenden Sätze *sogar* oder *nicht einmal* ein!

(1) Ich dachte, der Schlosser würde den ganzen Tag zur Reparatur brauchen. Sie dauerte aber . . . zwei Stunden.

(2) Wir nahmen an, in der Gartengaststätte gäbe es nur kalte Speisen. Wir haben aber . . . Wildbraten bekommen.

(3) Für seine Dissertation hat der Assistent . . . zwei Jahre gebraucht.

(4) In diesem Sommer hat er wegen dienstlicher Verpflichtungen . . . zwei Wochen Urlaub nehmen können.

(5) Die Schüler hatten vor, eine zweitägige Klassenfahrt zu unternehmen. Sie sind dann . . . vier Tage gemeinsam unterwegs gewesen.

(6) Nach der Operation sollte sie eine Woche in der Klinik bleiben. Nach . . . 4 Tagen konnte sie jedoch schon entlassen werden.

Satzglieder

R 1 Das **Objektsprädikativ** ist ein nicht-verbaler Teil des Prädikats (Substantiv im Akkusativ, Adjektiv, Präposition + Adjektiv, Präposition + Substantiv), der sich auf das Objekt bezieht und durch eine Passivtransformation zum Subjektsprädikativ wird (Substantiv im Nominativ, Adjektiv usw.), das sich seinerseits auf das Subjekt bezieht:

> Der Lehrer nennt ihn *einen Faulpelz.*
> → Er wird vom Lehrer *ein Faulpelz* genannt.

Verwandeln Sie nach diesem Muster die Objektsprädikative in den folgenden Sätzen durch die Passivtransformation in Subjektsprädikative!

(1) Der Professor hat diesen Gedanken der Dissertation einen großen Erkenntniszuwachs genannt.

(2) Der Arzt hält den Gesundheitszustand des Kranken nicht für besorgniserregend.

(3) Der Lehrer bezeichnet den Aufsatz als eine mangelhafte Leistung.

(4) Sie schilt ihren kleinen Bruder einen Lügner.

(5) Er findet seine jetzige Freundin liebenswert.

R 2 Das Objektsprädikativ kann auch – über das Subjektsprädikativ – in ein Attribut verwandelt werden. Dabei bleibt jedoch – im Unterschied zum Subjektsprädikativ bei *sein* – das Verb des Ausgangssatzes stets als Partizip erhalten:

> Er nennt das Mädchen *entzückend*.
> (→ Das Mädchen wird von ihm *entzückend* genannt.)
> → das von ihm *entzückend* genannte Mädchen

Aber:

> Der Schüler ist *begabt*.
> → der *begabte* Schüler

Verwandeln Sie die Objektsprädikative in den folgenden Sätzen nach dem obigen Muster in ein Attribut!

(1) Der Lehrer nennt die Schülerin begabt.

(2) Der Meister bezeichnet seinen Fleiß als vorbildlich.

(3) Der Kunde findet die Verkäuferin häßlich.

(4) Der Direktor hält den Arbeitsablauf für in Ordnung.

(5) Die Theaterbesucher halten das Programm für einen großen Fortschritt.

(6) Der Leiter bezeichnet die Abteilung als Seele des ganzen Betriebes.

R 3 Das **Subjekt** eines Satzes wird (falls der Satz kein Akkusativobjekt enthält) durch eine Nominalisierungstransformation zum Genitivattribut, wenn es durch ein Substantiv im Nominativ repräsentiert ist (a). Es wird durch eine Nominalisierungstransformation jedoch zum Possessivpronomen, wenn es durch ein Personalpronomen repräsentiert ist (b):

> (a) *Der Arbeiter* liest.
>   → das Lesen *des Arbeiters*
> (b) *Er* liest.
>   → *sein* Lesen

Verwandeln Sie das Subjekt in den folgenden Sätzen durch Nominalisierung zum Genitivattribut oder zum Possessivpronomen!

(1)   Er raucht stark.
(2)   Der Musiklehrer spielt.
(3)   Er trainiert auf dem Sportplatz.
(4)   Der Zug läuft pünktlich ein.
(5)   Sie bereitet sich gründlich auf die Prüfung vor.
(6)   Manche Oberschüler arbeiten in den Ferien.

R 4   Durch eine Nominalisierungstransformation wird das **Akkusativobjekt** in der Regel zum Genitivattribut (a), werden **Dativ-, Genitiv-** und **Präpositionalobjekt** zum präpositionalen Attribut mit verschiedenen Präpositionen (b):

    (a) Fachleute bedienen *den Computer.*
    → das Bedienen *des Computers* durch Fachleute
    (b) Wir helfen *seinem Freund.*
    → unsere Hilfe *für seinen* Freund
    Sie erinnern sich *des Hochzeitstages.*
    → ihre Erinnerung *an den Hochzeitstag*
    Die Regierung hofft *auf gute Beziehungen.*
    → die Hoffnung der Regierung *auf gute Beziehungen*

Nominalisieren Sie die folgenden Sätze nach diesem Muster!

(1)   Der Schüler beobachtet das Wetter.
(2)   Wir warten auf eine bessere Gelegenheit zum Wohnungstausch.
(3)   Der Richter untersucht diesen Fall.
(4)   Sie ähnelt ihrer Schwester.
(5)   Die Einwohner gedenken der Opfer des Erdbebens.
(6)   Die Schüler danken den Lehrern.
(7)   Der Bürgermeister tritt für den Bau einer neuen Schwimmhalle ein.
(8)   Sie erinnern sich an ihren gemeinsamen Urlaub.

R 5   Der Akkusativ eines Substantivs kann durch ein Pronomen ersetzt werden, wenn er **Objekt** ist (a); er kann durch ein Adverb ersetzt werden, wenn er **Adverbialbestimmung** ist (b):

    (a) Er liest *das ganze Buch.*
    → Er liest *es.*
    (b) Er liest *den ganzen Abend.*
    → Er liest *heute (dann, oft, täglich, abends).*

Ersetzen Sie in den folgenden Sätzen die Akkusative entweder durch Pronomina oder durch Adverbien!

(1)   Er hört drei Stunden Schallplatten.
(2)   Der Lehrer korrigiert den ganzen Tag.
(3)   Er korrigiert die Aufsätze der Schüler.
(4)   Das Kind beobachtet die Straße.
(5)   Der Einheimische läuft die Dorfstraße hinab.
(6)   Wir betreten das neue Grundstück.
(7)   Der Redner begrüßte den ausländischen Gast.
(8)   Der Schüler fehlte eine Woche im Unterricht.
(9)   Die Familie verreist nächstes Jahr in die Tatra.
(10) Das Kind hat die ganze Nacht geschrien.

R 6   Objekte können in der Regel durch Personalpronomina, Adverbialbestimmungen durch Adverbien substituiert werden. Beim Präpositionalobjekt ist die Präposition (die ohne erkennbare Semantik ist) syntaktisch vom finiten Verb regiert, bei adverbialen Präpositionalgruppen spezifiziert die Präposition semantisch die Beziehung zu dem von ihr regierten Wort. Beim Präpositionalobjekt sind nur ganz bestimmte Präpositionen (in den meisten Fällen: eine einzige) vom übergeordneten Wort her zulässig, bei Adverbialbestimmungen jedoch mehrere.

Entscheiden Sie nach den verschiedenen Kriterien, ob es sich bei den Präpositionalgruppen in den folgenden Sätzen um Objekte oder Adverbialbestimmungen handelt!

(1)   Das Buch besteht aus zehn Kapiteln.
(2)   Die Firma besteht seit hundert Jahren.
(3)   Der Schlosser arbeitet heute nicht an seinem Arbeitsplatz.
(4)   Der Assistent arbeitet an seiner Dissertation.
(5)   Der Junge kommt mit in die Stadt.
(6)   Der Junge kommt mit seinen Mitschülern nicht mehr mit.
(7)   Es kommt auf jeden Verbesserungsvorschlag an.
(8)   Der Zug kommt pünktlich in Berlin an.
(9)   Der Lehrer kommt aus der Stadt.
(10)   Der Rentner kam um sein Geld.
(11)   Diese Idee geht auf Hegel zurück.
(12)   Der Ausländer ging zum Bahnhof zurück.
(13)   Der Lehrer erinnerte sich im Lehrerzimmer, daß er die Diktate vergessen hat.
(14)   Der Lehrer erinnerte sich an die Diktate.

R 7   Die Adverbialbestimmungen gehören verschiedenen semantischen Klassen an: **Temporalbestimmungen** (wann? wie oft? wie lange? seit wann? bis wann?), **Lokalbestimmungen** (wo? woher? wohin?), **Modalbestimmungen** (wie?), **Kausalbestimmungen** (warum?), **Konditionalbestimmungen** (unter welcher Bedingung?), **Konzessivbestimmungen** (trotz welchen Umstandes?), **Konsekutivbestimmungen** (mit welcher Folge?), **Finalbestimmungen** (wozu? zu welchem Zweck?).

Erfragen Sie die im folgenden Text hervorgehobenen Adverbialbestimmungen und ordnen Sie sie entsprechend der Frage den verschiedenen semantischen Klassen zu!

Im Oktober 1842 wurde Marx Chefredakteur der „Rheinischen Zeitung" und siedelte *nach Köln* über. *Zu dieser Zeit* beschäftigte er sich
zum ersten Male mit ökonomischen Problemen, studierte sie *von da
ab sein ganzes Leben lang* und unterbrach dieses Studium *bis zu seinem Tode* keinen Tag. Marx arbeitete sehr *sorgfältig* und studierte die
vorhandene Literatur sehr *gewissenhaft*. Er wurde *wegen seines Ein-
tretens* für das Proletariat *fortwährend* angefeindet. *Zum Erstaunen
seiner Zeitgenossen* arbeitete er fast *ohne Unterbrechung*. Er ging *täglich zum Quellenstudium in die Bibliothek* und bereitete das „Kapi-
tal" zum Druck vor. Nur *bei rastloser Arbeit* konnte er dieses Werk
schaffen. *Trotz aller Anfeindungen* verlor er *nie* den Glauben an den
Sieg des Proletariats.

R 8 Das **prädikative Attribut** unterscheidet sich — trotz der gleichen Position im konkreten Satz — von der Adverbialbestimmung dadurch, daß
es nicht eine nähere Bestimmung zum Prädikat, sondern eine solche
zu Subjekt oder Objekt ist und folglich in ein Prädikativ (zu Subjekt
oder Objekt) verwandelt werden kann:

> Man trug ihn *verletzt* vom Sportplatz. (= prädikatives Attribut)
> → Man trug ihn vom Sportplatz. *Er* war verletzt.
> Man trug ihn *eilig* vom Sportplatz. (= Adverbialbestimmung)
> → Man trug ihn vom Sportplatz. *Das Tragen* war (geschah) eilig.

Transformieren Sie die folgenden Sätze nach diesem Muster in die zugrunde liegenden vollständigen Strukturen!

(1) Der Zug fuhr pünktlich im Bahnhof ein.
(2) Die Verkäuferin kam gut erholt aus dem Urlaub zurück.
(3) Er kam zu früh aus dem Urlaub zurück.
(4) Das Kind trank den Sirup unverdünnt.
(5) Die Kundin kaufte das Kostüm sofort.
(6) Die Kundin holte das Kostüm unfertig von der Schneiderin ab.
(7) Man griff ihn betrunken auf der Straße auf.
(8) Der Betrieb griff den Vorschlag sofort auf.

R 9 Das prädikative Attribut kann sich auf das Subjekt (a) oder auf das
Objekt (b) beziehen. Mitunter ist auch vom konkreten Satz her nicht
eindeutig zu entscheiden, ob es eine Prädikation zum Subjekt oder
zum Objekt ist (c):

> (a) Der Lehrer kam *krank* aus dem Ausland zurück.
> → Der Lehrer kam aus dem Ausland zurück. *Der Lehrer* war
> (zu diesem Zeitpunkt) krank.

(b) Er aß die Mohrrüben *roh.*
  → Er aß die Mohrrüben. *Die Mohrrüben* waren (zu diesem
     Zeitpunkt) roh.
(c) Der Lehrer traf seinen Freund *im dunklen Anzug.*
  → Der Lehrer traf seinen Freund. *Der Lehrer* war (zu diesem
     Zeitpunkt) im dunklen Anzug.
  → Der Lehrer traf seinen Freund. *Sein Freund* war (zu die-
     sem Zeitpunkt) im dunklen Anzug.

Transformieren Sie die folgenden Sätze nach diesem Muster in die zugrunde liegenden vollständigen Strukturen!

(1) Sie hat den Apfel ungeschält gegessen.
(2) Wir treffen den Abiturienten in einem verzweifelten Zustand.
(3) Das Auto brachte den Verletzten bewußtlos ins Krankenhaus.
(4) Der Professor liest die Dissertation unvoreingenommen.
(5) Wir haben den Jungen ohne Kopfbedeckung beobachtet.
(6) Wir holten den Anzug gereinigt zurück.

R 10 Der **Dativ** kann syntaktisch als Objektsdativ (a) oder als sekundäres
Satzglied auftreten („freier Dativ"), im zweiten Falle sind mehrere Arten unterscheidbar, u.a. dativus commodi (b) und possessiver Dativ (c)
(zur genaueren Aufschlüsselung vgl. H 34):

(a) Er gibt *seinem Vater* einen Brief.
(b) Er trägt *seiner Mutter* die Koffer.
  → Er trägt die Koffer *für* seine Mutter.
(c) Sie wäscht *dem Kind* die Füße.
  → Sie wäscht die Füße *des Kindes.*

Freilich sind mitunter doppelte Interpretationen möglich:

Wir schreiben dem Vater einen Brief.
(als (a) oder (b); Vater als Empfänger oder interessierte Person)

Transformieren Sie die folgenden Sätze — wenn möglich — nach dem
obigen Muster (in *für*-Gruppen bzw. Genitive), und entscheiden Sie
danach, welche syntaktische Funktion der Dativ jeweils ausübt!

(1) Der Zahnarzt zieht dem Patienten einen Backenzahn.
(2) Der Minister überreicht den Professoren die Berufungsurkun-
     den.
(3) Der Autor widmet seinen Kindern das Buch.
(4) Er entwendet seinem Nachbarn ein Buch.
(5) Sie reicht ihrem Vater das Salz.
(6) Der Schüler trägt seiner Lehrerin die Tasche.
(7) Der Chirurg näht dem Verletzten die Wunde.
(8) Er löst seinem jüngeren Bruder die Aufgabe.

R 11 Die possessiven Dative stehen zwar in der Position von Objekten im Satz, hängen jedoch nicht vom Verb, sondern von einem substantivischen Glied im Satz (Subjekt, Objekt, Adverbialbestimmung) ab. Zu diesem substantivischen Glied können sie auch als Genitivattribute erscheinen:

> Der Arzt operierte *dem Kranken* den Magen.
> → Der Arzt operierte den Magen *des Kranken.*

Verwandeln Sie in den folgenden Sätzen die Genitive bei Körperteilen in possessive Dative!

(1) Der Chirurg hat die Bauchhöhle des Patienten geöffnet.
(2) Der Arzt sieht in die Ohren des Patienten.
(3) In der Klinik wurde das Bein des Patienten amputiert.
(4) Das linke Bein des Verletzten tat weh.
(5) Der Verteidiger hat den Fuß seines Gegenspielers verletzt.
(6) Die Mutter hat die Haare des Mädchens gewaschen.

R 12 Der **Genitiv** kann die unterschiedlichsten syntaktischen Funktionen ausüben (vgl. dazu auch Übung T 1):

(a) Sie gedachten *der Toten.*   (= Objekt zum Verb)
(b) Der Wanderer ist *des Weges*   (= Objekt zum Prädikativ)
     unkundig.
(c) Der Patient ist *frohen Mutes.*   (= Prädikativ)
(d) Er besuchte uns *eines Abends.*   (= Adverbialbestimmung)
(e) Das Auto *des Klinikdirektors*   (= Attribut)
     stand vor der Universität.

Entscheiden Sie, welche Satzgliedfunktionen die Genitive in folgenden Sätzen ausüben!

(1) Der Schüler ist großer Leistungen fähig.
(2) Der Bungalow des Betriebes liegt im Thüringer Wald.
(3) Eines Abends erinnerte er sich seines ehemaligen Lehrers.
(4) Gestern war er zur Überraschung seiner Mitarbeiter besonders guter Laune.
(5) Der Kunde verließ den Laden des Juweliers unverrichteter Dinge.
(6) Man beschuldigte ihn der Verletzung innerbetrieblicher Vereinbarungen.

R 13 Die **präpositionalen Kasus** können die unterschiedlichsten syntaktischen Funktionen ausüben:

(a) Der Musiker wurde *für ein Genie*   (= Subjektsprädikativ)
     gehalten.

    (b) Wir bezeichnen ihn *als Experten*   (= Objektsprädikativ)
        auf seinem Fachgebiet.
    (c) Sie warten *auf den Lehrer.*   (= Objekt zum Verb)
    (d) Die Sowjetunion ist reich *an*   (= Objekt zum Prädi-
        Rohstoffen.   kativ)
    (e) Er arbeitet *in Leipzig.*   (= Adverbialbestim-
                                       mung)
    (f) Er hilft *bei dem Vorhaben.*   (= sekundäres Satz-
                                       glied zum Satz)
    (g) Wir trafen ihn   (= prädikatives Attri-
        im dunklen Anzug.   but)
    (h) Die Freude *am Erfolg*   (= Attribut)
        war unverkennbar.

Entscheiden Sie, welche Satzgliedfunktionen die präpositionalen Kasus in den folgenden Sätzen ausüben!

  (1)   Wir freuen uns über ihre Auszeichnung.
  (2)   Er holt für seine Eltern die Koffer vom Bahnhof.
  (3)   Unser Interesse an der Lösung dieser Fragen ist sehr groß.
  (4)   Wir halten ihn für den talentiertesten Studenten der Seminar-
       gruppe.
  (5)   An der Ecke wartet er auf seinen Freund.
  (6)   Man soll das Wasser nicht in ungekochtem Zustand trinken.
  (7)   Er ist auf einem Ohr fast taub.
  (8)   Diese Thematik ist von brennender Aktualität.

R 14 Die Satzglieder sind nicht in direkter Weise bestimmten semantischen Funktionen zugeordnet (vgl. auch H 32–36). Das **Subjekt** z. B.
kann (a) das Agens, (b) die Ursache („Kausator"), (c) den Vorgangsträger, (d) den Zustandsträger, (e) das Patiens, (f) das Resultat („Resultativ"), (g) den Adressaten, (h) das Instrument bzw. Mittel („Instrumental"), (i) den Ort („Lokativ") u. a. bezeichnen:

    (a) *Die Mutter* wäscht die Socken.
    (b) *Das Laub* raschelt.
    (c) *Die Wäsche* trocknet.
    (d) *Die Wäsche* liegt im Schrank.
    (e) *Frank* wird beim Fußballspiel verletzt.
    (f) *Der Brief* wurde gestern geschrieben.
    (g) *Der Doktorand* bekommt die Urkunde überreicht.
    (h) *Das Messer* schneidet das Brot.
    (i) *Die Schachtel* enthält noch viele Zigaretten.

Entscheiden Sie, welche semantische Funktion das Subjekt in den folgenden Sätzen hat!

  (1)   Am Nachmittag hatten sich dunkle Wolken gebildet.

(2)   Rügen ist windig.
(3)   Das Buch befindet sich auf dem Schreibtisch.
(4)   Der Schlüssel öffnet die Tür.
(5)   Der Kuchen wird heute gegessen.
(6)   Der Kuchen wurde gestern gebacken.
(7)   Der Roman wird in den nächsten Monaten geschrieben.
(8)   Der Roman wird im nächsten Jahr gedruckt.
(9)   Die Pflanzen gehen infolge der Dürre ein.
(10)   Sie gießt die Blumen auf dem Balkon.
(11)   Der Verletzte erhält sofort ärztliche Hilfe.
(12)   Der herabfallende Ziegelstein hat den Passanten verletzt.

Satzgliedstellung

S 1   Die **Stellung des finiten Verbs** im einfachen Satz hängt von der Satzart ab. Im Aussagesatz und in der Ergänzungsfrage steht das finite Verb an *zweiter* Stelle (a), in der Entscheidungsfrage und im Aufforderungssatz an *erster* Stelle (b):

      (a) Der Student *liest* den Roman.
           Was *liest* der Student?
      (b) *Liest* der Student den Roman?
           Lesen Sie den Roman!

Bilden Sie aus den folgenden Aussagesätzen Entscheidungs- oder Ergänzungsfragen, indem Sie die kursiv gedruckten Satzglieder erfragen!

(1)   Ich nehme meinen Urlaub *im Juli.*
(2)   Ich *habe* einen Ferienplatz.
(3)   Der Ferienplatz ist *im Thüringer Wald.*
(4)   Wir fahren *mit der Eisenbahn.*
(5)   Wir *wohnen* zusammen in einem Zimmer.
(6)   Wir unternehmen *Wanderungen und Ausflüge.*
(7)   Wir *besichtigen* auch die Wartburg.

S 2   Bilden Sie Aufforderungssätze mit dem Imperativ der Höflichkeitsform!

   Hausaufgaben für die nächste Deutschstunde

(1)   den neuen Text lesen

    (2)   die unbekannten Wörter lernen
    (3)   die Wendungen durch Synonyme ersetzen
    (4)   zu den Adjektiven Antonyme suchen
    (5)   mit den Verben Sätze bilden
    (6)   die Fachbegriffe definieren

S 3   Die Stellung des finiten Verbs im Ausrufesatz ist verschieden (sowohl
Zweit- und Erststellung als auch — wenn mit Einleitungswort *wie* —
Endstellung wie im eingeleiteten Nebensatz).
Man vergleiche:

Aussagesatz: Es *ist* hier heiß. Hier *ist* es heiß. (Zweitstellung)
Ausrufesatz: Hier *ist* es aber heiß! Heiß *ist* es hier! (Zweitstellung)
                Ist es hier heiß! (Erststellung)
                Wie heiß es hier *ist*! (Endstellung)

Bilden Sie aus den Aussagesätzen Ausrufesätze!

    (1)   Der Zug fährt schnell.
    (2)   Draußen ist es kalt.
    (3)   Du kommst spät.
    (4)   Es wird früh hell.
    (5)   Er hat viele Bücher.

S 4   Wenn ein Prädikat mehrteilig ist, treten im Aussagesatz die nicht-finiten Teile an das Ende des Satzes und bilden mit dem finiten Verb den
verbalen Rahmen (Satzklammer). Solche nicht-finiten Teile sind:

    (a) Infinitiv und Partizip II (vor allem bei finiten Hilfsverben)
         Der Zug *wird* gegen zehn Uhr auf dem Hauptbahnhof *an-
         kommen.*
    (b) trennbarer erster Teil
         Der Zug *kommt* gegen zehn Uhr auf dem Hauptbahnhof *an.*
    (c) adjektivisches und substantivisches Prädikativ (bei *sein-*
         Verben und Verben wie *nennen, halten für* usw.)
         Die Studentin *wurde* wegen ihrer ausgezeichneten Leistun-
         gen in diesem Jahr *Assistentin.*
         Der Dozent *bezeichnet* ihre Leistungen in diesem Jahr *als
         sehr gut.*

Bei mehreren nicht-finiten Teilen des Prädikats am Satzende steht (a)
als letztes Glied:

         Die Studentin ist wegen ihrer ausgezeichneten Leistungen in
         diesem Jahr *Assistentin geworden.*

Setzen Sie die Sätze ins Futur!

    (1)   Am Freitag fährt unsere Seminargruppe nach Berlin.

(2) Nach unserer Ankunft besuchen wir zunächst das Audiovisuelle Zentrum der Humboldt-Universität.

(3) Wir hören dort einen Vortrag über die technische Einrichtung des Zentrums.

(4) Danach ist Gelegenheit zu praktischen Übungen an den verschiedenen Geräten.

(5) Das Mittagessen bekommen wir in der Mensa der Universität.

(6) Nach dem Essen machen wir gemeinsam einen Bummel durch das Berliner Zentrum.

(7) Uns führt dabei ein Student aus Berlin.

(8) Der Rest des Nachmittags ist für alle frei.

(9) Gegen 20 Uhr sind wir wieder in Halle.

Setzen Sie die Sätze ins Perfekt!

S 5 Wählen Sie das passende Synonym!

annehmen — bloßstellen — feststellen — umformen — vorherrschen — weiterbilden — zusammenfassen — zusammenstellen — zurückwerfen

(1) Sein Freund akzeptierte den Vorschlag.

(2) Auf dem Bild dominiert ein helles Blau.

(3) Helle Kleidung reflektiert die Wärmestrahlen besser als dunkle.

(4) Sie qualifiziert sich durch einen Abendkurs an der Volkshochschule.

(5) Er blamierte mit seiner Bemerkung seinen Freund vor den Kollegen.

(6) Am Ende des Vortrages resümierte der Professor die Hauptgedanken in Form von fünf Thesen.

(7) Der Trainer formierte aus den besten Teilnehmern des Wettkampfes eine neue Mannschaft.

(8) Der Student transformierte die Passivsätze in Aktivsätze.

(9) In der Linguistik konstatiert man eine immer schnellere Ablösung der Theorien.

S 6 Bilden Sie Aufforderungssätze mit dem Imperativ der Höflichkeitsform!

In der Deutschstunde

(1) die Bücher aufschlagen

(2) den ersten Textabschnitt laut vorlesen

(3) den Inhalt des Textes mit eigenen Worten wiedergeben

(4) die Fachwörter in einer Liste zusammenstellen

(5) die erweiterten Attribute aus dem Text herausschreiben

(6) die Attribute in Attributsätze umformen

(7) die Hefte mit dem Banknachbarn austauschen

(8) die Fehler mit dem Bleistift anstreichen

S 7 Bilden Sie mit Hilfe der gegebenen Satzglieder Sätze im Präteritum!
Zur Stellung der Satzglieder innerhalb des Rahmens vergleichen Sie
das Schema von Übung S 21!

(1) bleiben: die ganze Nacht / offen / das Fenster / trotz der Kälte /
einen Spalt breit

(2) nennen: den jungen Eiskunstläufer / der Trainer / einen Meisterschaftsanwärter / in einem Interview

(3) werden: auf Grund eines Antrags der Universität / die Abteilung / ein selbständiges Institut / entsprechend einer Verfügung
des Ministeriums

(4) bleiben: die beiden Mädchen / trotz charakterlicher Unterschiede / Freundinnen / wegen gemeinsamer Interessen / während der ganzen Schulzeit

(5) bezeichnen: ihren Sohn / im Gespräch mit den Eltern / die Klassenlehrerin / wegen seines Fleißes / als ein Vorbild für die anderen Kinder / ohne jede Einschränkung

(6) sein: als Kind / Ingeborg / ähnlich / zum Verwechseln / ihrer
Schwester / im Gesicht

Setzen Sie die Sätze ins Perfekt!

S 8 Einen verbalen Rahmen bilden mit dem finiten Verb nicht nur die
nicht-finiten Teile des Prädikats, sondern auch vom Prädikat abhängige präpositionale Substantivgruppen. Das sind vor allem a) obligatorische Richtungsangaben und b) die nominalen Teile von Funktionsverbgefügen:

a) Der Student *ging* am Abend mit seinem Freund *ins Konzert.*
b) Der Junge *nahm* seinen Freund vor den anderen Klassenkameraden *in Schutz.*

Bilden Sie mit Hilfe der gegebenen Satzglieder Sätze im Präteritum!
Zur Stellung der Satzglieder innerhalb des Rahmens vergleichen Sie
das Schema von Übung S 21!

(1) kommen: im Schauspielhaus / am vergangenen Wochenende /
zur Aufführung / ein Stück von Peter Hacks / in Anwesenheit
des Autors / mit großem Erfolg

(2) fahren: der Arbeiter / für vierzehn Tage / im Juli / in ein Ferienheim / mit seiner Familie / zur Erholung

(3) bringen: in Ordnung / mit Hilfe ihrer Tochter / die Mutter / das
Kinderzimmer / wieder / am Abend

(4) stellen: am Schuljahresende / als Belohnung / der Vater / in Aussicht / einen Fotoapparat / seinem Sohn

(5) nehmen: den Hund des Nachbarn / aus Gutmütigkeit / in Pflege /
Frau Müller / trotz ihrer Krankheit / während der Urlaubszeit

(6) gehen: im Herbst / der Assistent / mit seiner Frau / ins Ausland /
für drei Jahre / als Deutschlehrer

(7) bringen: in der Versammlung / der Meister / zur Sprache / als ein
dringend zu lösendes Problem / die schlechte Versorgung in der
Nachtschicht / unter allgemeiner Zustimmung

Setzen Sie die Sätze ins Perfekt!

S 9 Der verbale Rahmen kann verkürzt werden, indem einzelne Glieder
hinter das rahmenschließende Glied treten. Diese als **Ausrahmung**
(Ausklammerung) bezeichnete Erscheinung betrifft vor allem:

(a) präpositionale Substantivgruppen (darunter auch die Komparativbestimmungen mit *wie* und *als*)
Die Delegation setzt sich zusammen *aus mehreren Vertretern des Ministeriums und einer Expertengruppe.*
Er ist diesmal noch schneller geschwommen *als im Länderkampf gegen Polen.*
(b) Infinitive mit *zu*
Es hat aufgehört *zu regnen.*
(c) Attributsätze
Er hat mich in das Wochenendhaus eingeladen, *das seinen Eltern gehört.*

Stellen Sie die vom Autor (F. Engels) ausgerahmten präpositionalen
Substantivgruppen in den verbalen Rahmen!

(1) Mit der Aufklärung sollte der Aberglaube, das Unrecht, das Privilegium und die Unterdrückung verdrängt werden durch die ewige Wahrheit, die ewige Gerechtigkeit, die in der Natur begründete Gleichheit und die unveräußerlichen Menschenrechte.

(2) So wenig wie alle ihre Vorgänger konnten die großen Denker des 18. Jahrhunderts hinaus über ihre Schranken, die ihnen ihre eigene Epoche gesetzt hatte.

(3) Der Rousseausche Gesellschaftsvertrag hatte seine Verwirklichung gefunden in der Schreckenszeit, aus der das Bürgertum sich geflüchtet hatte zuerst in die Korruption des Direktoriums und schließlich unter den Schutz des napoleonischen Despotismus.

(4) Der verheißne ewige Friede war umgeschlagen in einen endlosen Eroberungskrieg.

(5) Der Gegensatz von arm und reich war verschärft worden durch die Beseitigung der ihn überbrückenden zünftigen und anderen Privilegien und der ihn mildernden kirchlichen Wohltätigkeitsanstalten.

S 10 Setzen Sie die Satzglieder mit *wie* und *als* in und nach dem verbalen
Rahmen ein!

(1) als im Länderkampf gegen Polen
     Er ist diesmal noch schneller geschwommen.
(2) wie die anderen Spieler
     Peter hat mindestens genau so viele Stunden trainiert.
(3) als in Kleinstädten
     In industriellen Ballungszentren haben die Menschen mehr unter Luftverschmutzung zu leiden.
(4) wie an der Errichtung von neuen Wohnvierteln
     Die Stadtbewohner sind an der Erhaltung des historischen Zentrums ebenso interessiert.
(5) wie vor zweihundert Jahren
     Manche Fassaden der Altstadt sehen heute noch so aus.
(6) als der erste
     Der zweite Teil des Fernsehfilms hat mir besser gefallen.
(7) als eine Dokumentation der wahren Verhältnisse
     Der Filmregisseur hatte nichts anderes beabsichtigt.

S 11 Setzen Sie den Infinitiv für das Korrelat ein (in und nach dem verbalen Rahmen)!

(1) widersprechen: Der Sohn hat es nicht gewagt.
(2) kommen: Ihre Freundin hat es versprochen.
(3) schreiben: Ich habe es mir vorgenommen.
(4) rauchen: Die Tochter hat damit angefangen.
(5) springen: Er hat es dreimal versucht.
(6) ihn zurückhalten: Niemand hat es vermocht.
(7) einige benachrichtigen: Peter hatte es vergessen.
(8) ihn hier treffen: Ich habe darauf gehofft.

S 12 Setzen Sie den erweiterten Infinitiv für das Korrelat ein (nach dem verbalen Rahmen)!

(1) die Diskothek besuchen
     Der Vater hat es dem Sohn untersagt.
(2) die Seereise unternehmen
     Der Arzt hat dem Patienten davon abgeraten.
(3) das Fenster schließen
     Die ältere Dame hat den Mitreisenden darum gebeten.
(4) die Fenster putzen
     Die Mutter hat es der Tochter aufgetragen.
(5) mit größter Sorgfalt arbeiten
     Die neue Untersuchungsmethode zwingt jeden Studenten dazu.
(6) Fremde nicht beißen
     Der Junge hat es dem Hund beigebracht.

S 13 Rahmen Sie die Attributsätze aus!

(1) Der Bergbau hatte in der Niederlausitz ein Erbe, das sehr häßlich war, hinterlassen.

(2) Bereits im Jahre 1946 wurden Überlegungen, wie das Territorium nach dem Bergbau sinnvoll und schön zu gestalten ist, angestellt.

(3) Welche Möglichkeiten gibt es aber, um wieder zu einer Umwelt, in der sich der Mensch wohlfühlen kann, zu kommen?

(4) Einer dieser Gedanken war es, Tagebaurestlöcher zu Seen, die unter anderem auch der Erholung dienen könnten, umzugestalten.

(5) Aus dem Tagebaurestloch mußte dabei ein See mit abgeflachten Ufern, die gefahrlos genutzt werden können, entstehen.

(6) Alle Überlegungen waren von dem Gedanken, wie der See am besten genutzt werden kann, getragen.

(7) Der See nimmt verschiedene Funktionen, zu denen neben der Erholung auch die Fischzucht, die Wasserversorgung und die Hochwasserregulierung gehören, wahr.

S 14 Das **Subjekt** steht zumeist in Kontaktstellung mit dem finiten Verb: Bei Zweitstellung des finiten Verbs erscheint es unmittelbar vor oder nach, bei Erststellung unmittelbar nach dem finiten Verb (a).
Bei Nachstellung des Subjekts (außer wenn es ein Personalpronomen ist) können reine Objekte in Form eines Personalpronomens zwischen finites Verb und Subjekt treten (b).
Besonders bei Nachstellung eines substantivischen Subjekts mit unbestimmtem oder Nullartikel können auch Adverbien zwischen finites Verb und Subjekt treten (c).

(a) Am Sonntag besucht *der Ausländer* den Dozenten.
Der Ausländer besucht den Dozenten am Sonntag.
Besucht *der Ausländer* den Dozenten am Sonntag?
(b) Am Sonntag besucht **ihn** *der Ausländer*.
(c) Am Sonntag besucht **manchmal** *ein Ausländer* den Dozenten.
Am Sonntag besucht **ihn manchmal** *ein Ausländer*.

Bilden Sie Sätze nach Muster (a) bis (c)!

(1) besuchen (der / ein Kollege, den Kranken / ihn, in der Besuchszeit, oft)

(2) begegnen (der / ein Schüler, dem Lehrer / ihm, auf dem Heimweg, gestern)

(3) mißlingen (der / ein Versuch, dem Studenten / ihm, trotz großer Sorgfalt, dreimal)

(4) abfragen (der / ein Zimmernachbar, den Studenten / ihn, vor der Prüfung, immer)

(5) anhalten (der / ein Polizist, den Jugendlichen / ihn, nach Mitternacht, dort)

(6) absagen (der / ein Referent, seinen Vortrag / ihn, wegen Krankheit, später)

S 15 Sind im Satz substantivische **Objekte** im reinen Dativ und Akkusativ nebeneinander vorhanden, so steht bei gleichem Artikelwort das Dativobjekt (= Person) gewöhnlich voran (a). Bei verschiedenen Artikelwörtern steht zumeist das Objekt mit dem unbestimmten Artikel zuletzt (b).

(a) Der Direktor überreicht dem Mitarbeiter die Urkunde.
　　　Der Direktor überreicht einem Mitarbeiter eine Urkunde.

(b) Der Direktor überreicht dem Mitarbeiter eine Urkunde.
　　　Der Direktor überreicht die Urkunde einem Mitarbeiter.

Bilden Sie Sätze aus dem Wortmaterial nach den verschiedenen Mustern!

(1) liefern (Autowerk, Reparaturwerkstatt, Ersatzteil)
(2) empfehlen (Fachzeitschrift, Professor, Assistent)
(3) zeigen (Kommilitonin, Studentin, Foto)
(4) borgen (Junge, Schallplatte, Klassenkamerad)
(5) schreiben (Student, Mädchen, Postkarte)
(6) schenken (Fahrrad, Großvater, Enkelkind)

S 16 Ein reines Dativobjekt in Form eines Personalpronomens steht vor einem substantivischen Akkusativobjekt:

Der Direktor überreicht *ihm* die Urkunde.

Wenn das reine Akkusativobjekt ebenfalls die Form eines Personalpronomens hat, steht das Dativobjekt gewöhnlich zuletzt:

Der Direktor überreicht sie *dem Mitarbeiter*.
Der Direktor überreicht sie *ihm*.

Formen Sie die Sätze der vorhergehenden Übung entsprechend den obigen Mustern um!

S 17 Wo ist das zweite Objekt bei neutraler Satzgliedstellung einzusetzen?

(1) Der Junge hat ... nichts ... gesagt.　(sein Freund)
(2) Der Großvater hat ... dem Enkel ... vorgelesen.　(sie)
(3) Der Student hat ... das Buch ... geliehen.　(jemand)
(4) Das Warenhaus hat ... den Kühlschrank ... geliefert.　(der Kunde)
(5) Der Torwart hat ... dem Mittelstürmer ... zugeworfen.　(ihn)

(6) Die Stadt hat ... den Preis ... verliehen. (ein Schriftsteller)
(7) Das Mädchen hat ... niemandem ... verraten. (etwas)
(8) Die Hochschule hat ... einen Lehrauftrag ... erteilt. (der Assistent)
(9) Der Lehrer hat ... es ... erlaubt. (einige)

S 18 Objekte im Präpositionalkasus stehen gewöhnlich nach Objekten im reinen Kasus.

Bilden Sie Sätze aus dem Wortmaterial!

(1) antworten auf (die Eltern, sein Brief, ihr Sohn)
(2) einladen zu (der Geburtstag, das Mädchen, ihre Freundinnen)
(3) warnen vor (der Vater, der Alkohol, sein Sohn)
(4) helfen bei (die Tochter, ihre Mutter, die Hausarbeit)
(5) bitten um (der Junge, ein Bleistift, sein Banknachbar)
(6) danken für (die Kollegen, der Meister, ihre Glückwünsche)
(7) abhalten von (die Arbeit, der Bruder, seine Schwester)
(8) fragen nach (eine Verkäuferin, der Kunde, der Preis)
(9) erzählen von (der Student, seine Reise, seine Freunde)
(10) hinweisen auf (ihre Fehler, die Schüler, der Lehrer)
(11) verhelfen zu (der Trainer, sein Erfolg, der Sportler)
(12) schreiben an (die Schülerin, eine Glückwunschkarte, ihre Briefpartnerin)

S 19 Bei **Objekten zum Prädikativ** ist zwischen Objekten im reinen Kasus und Objekten im Präpositionalkasus zu unterscheiden: Objekte im reinen Kasus stehen (unmittelbar oder getrennt durch Adverbialbestimmungen) *vor* dem Prädikativ (a), Objekte im Präpositionalkasus stehen *vor* oder *nach* dem Prädikativ (Nachstellung ist gleichbedeutend mit Ausrahmung!) (b):

(a) Der Afrikaner ist *das europäische Klima* nicht gewöhnt.
   Der Afrikaner ist *an das europäische Klima* nicht gewöhnt.
(b) Der Afrikaner ist nicht gewöhnt *an das europäische Klima*.
   (= Ausrahmung)

Steht das Objekt nur *vor* oder auch *nach* dem Prädikativ?

(1) die Studenten: Der Dozent ist ... beliebt ...
(2) die Schüler: Die Wendung war ... nicht bekannt ...
(3) der Unfall: Der Autofahrer war ... schuld ...
(4) ihr Sieg: Die Mannschaft war ... sicher ...
(5) sein erster Preis: Der Schüler war ... stolz ...
(6) ihre Diplomarbeit: Die ausländische Studentin ist ... fertig ...
(7) das Deutsche: Der Ausländer ist ... nicht mächtig ...
(8) große Leistungen: Der junge Wissenschaftler ist ... fähig ...

(9)   ihre Freundin: Das Mädchen war . . . böse . . .

(10)   der Professor, der Ratschlag: Der Assistent ist . . . . . . dankbar . . .
. . .

(11)   die Hausarbeit, die Mutter: Die Tochter ist . . . . . . behilflich
. . . . . .

(12)   ihre Mitschüler, Mathematik: Das Mädchen ist . . . . . . weit überlegen . . . . . .

S 20 Ordnen Sie das gegebene Wortmaterial nach folgender Grundreihen-
folge der Satzglieder im Aussagesatz!

1	2	3	4		
Subjekt	fin. Verb	Adverbial- best. 1 (frei)	Adverbial- best. 2 (frei)		
		Temporalbest. Kausalbest.	Lokalbest. Modalbest.		

5	6	7	8	9
Objekt 1 (Person)	Objekt 2 (Nicht- Person)	Adverbial- best. 3 (notwendig)	Prädikats- teile 1	Prädikats- teile 2
Dat./Akk. Akk. Dat./Akk./ Präp.- Kasus	− Akk. − Gen. − Präp.- Kasus	Richtungs- angabe	trennbarer Verbteil Prädikativ	Infinitiv Partizip II

(1)   schenken: ein Motorrad / überraschend / im vergangenen Jahr /
die Eltern / zum Geburtstag / ihrem Sohn

(2)   abfragen: zum neuen Text / der Vater / nach dem Abendessen /
die Vokabeln / die Tochter

(3)   fahren: nach Berlin / wegen des vielen Gepäcks / ich / dieses
Mal / mit dem Auto

(4)   bezichtigen: in großer Erregung / vor den Hausbewohnern /
ihren Nachbarn / die Frau / der Lüge

(5)   sprechen: im Biologieunterricht / ein Arzt / vor den Schülern /
eindringlich / vor kurzem / über die Gefahren des Alkoholmiß-
brauchs

(6)   sich bedanken: der ausländische Besucher / bei seinen Gastgebern / noch einmal / nach seiner Ankunft in der Heimat / brieflich / für ihre Unterstützung und Hilfe

(7)   widmen: das Buch / seinen Eltern / aus Dankbarkeit / der junge
Autor / damals

(8)   übertragen: das Gedicht / der Schriftsteller / ins Englische / aus
dem Deutschen / frei

S 21 Das Reflexivpronomen (außer dem Reflexivpronomen mit Präposition) steht bei vorangestelltem Subjekt gewöhnlich unmittelbar nach dem finiten Verb (a). Nachgestelltes Subjekt in Form eines Personalpronomens tritt zwischen finites Verb und Reflexivpronomen (b), oft tritt noch zusätzlich zwischen finites Verb und Reflexivpronomen ein reines Akkusativobjekt in Form eines Personalpronomens (nur bei Reflexivpronomen im Dativ möglich) (c).

(a) **Ich** konnte *mir* die Größe des Landes nicht vorstellen.
(b) Früher konnte **ich** *mir* die Größe des Landes nicht vorstellen.
(c) Früher konnte **ich sie** *mir* nicht vorstellen.

Ersetzen Sie die kursiv gedruckten Substantive durch Personalpronomina und verändern Sie dementsprechend die Stellung des Reflexivpronomens!

(1) Danach bedankte sich *das Mädchen* bei der Tante für das Geschenk.
(2) Zu Hause sah sich *der Student den Bildband* genauer an.
(3) Gestern hat sich der Lehrer *das Fachbuch* gekauft.
(4) Nach dem Aufstehen putzte sich *der Junge* zuerst die Zähne.
(5) Später erinnerte sich *seine Frau* wieder an seine Worte.
(6) Die Schüler hatten sich für den Lehrer *eine Überraschung* ausgedacht.
(7) Bei seiner Rezitation versprach sich *der Schüler* vor Aufregung mehrmals.
(8) Der Lehrer hat sich *die Korrekturen* für das Wochenende vorgenommen.

Attribut

T 1 Substantive werden als Attribut im Genitiv oder im Präpositionalkasus angeschlossen. Das **Genitiv-Attribut** kann verschiedene Beziehungen ausdrücken wie z.B. Subjekt (a) oder Objekt (b):

(a) die begeisterte Mitwirkung *aller Schüler* am Festprogramm
→ *Alle Schüler* wirken begeistert am Festprogramm mit.
(b) die mündliche Prüfung *des Abiturienten* in Physik
→ Man prüft *den Abiturienten* in Physik mündlich.

Entscheiden Sie, ob die Umformung nach Muster (a) oder (b) möglich ist!

- (1) die vielseitige Verwendung der Technik im Sprachunterricht
- (2) die erfolgreiche Teilnahme des Jungen an der Schachmeisterschaft
- (3) die zeitweilige Befreiung des Schülers vom Sport
- (4) die ausführliche Behandlung der Klassiker im Literaturunterricht
- (5) das häufige Abfragen der Schüler im Chemieunterricht
- (6) die schnelle Antwort des Schülers auf die Frage
- (7) das häufige Zuspätkommen des Mädchens zum Unterricht
- (8) das leidenschaftliche Interesse des Jungen für die Chemie
- (9) die gründliche Unterweisung der Kursteilnehmer in der Ersten Hilfe
- (10) das unkameradschaftliche Verhalten des Jungen seinen Mitschülern gegenüber
- (11) die vorzügliche Unterbringung der Sportler während der Wettkämpfe

T 2   Wenn das Genitiv-Attribut ein Objekt repräsentiert, wird das Subjekt im Präpositionalkasus mit *durch* angeschlossen (im Unterschied zur verbalen Konstruktion, wo zumeist *von* steht):

Der Schüler löste die Aufgabe richtig.
Die Aufgabe wurde von dem Schüler richtig gelöst.
→ die richtige Lösung der Aufgabe *durch* den Schüler

Formen Sie die Sätze nach dem Muster um!

- (1) Die audiovisuelle Technik wurde vom Deutschlehrer vielseitig eingesetzt.
- (2) Die Sprachlabors wurden von der Schule ganztägig genutzt.
- (3) Der Abiturient wurde vom Chemielehrer mündlich geprüft.
- (4) Die Frage wurde von dem Mädchen unvollständig beantwortet.
- (5) Die Gesetzmäßigkeit wurde von dem Schüler selbständig erkannt.
- (6) Die jungen Sportler wurden vom Sportarzt gründlich untersucht.
- (7) Die Lagerteilnehmer wurden vom Sanitäter medizinisch unterwiesen.

T 3   Nebeneinander bei einem Verbalabstraktum (oder einem substantivierten Infinitiv) auftretende Genitiv- und Präpositionalattribute lassen sich wie folgt zurückführen: Bei zugrunde liegendem *intransitivem* Verb entspricht das Genitivattribut dem Subjekt, das Präpositionalattribut dem Objekt (a). Bei zugrunde liegendem *transitivem* Verb verhält es sich oft ebenso (b); wenn jedoch das Präpositionalattribut mit *durch* angeschlossen ist (besonders oft bei Verbalabstrakta auf *-ung*), entspricht umgekehrt das Genitivattribut dem Objekt, das Präpositionalattribut dem Subjekt (c).

(a) die Antwort des Schülers auf die Frage
  ← Der Schüler antwortet auf die Frage.
(b) die Frage des Lehrers an den Schüler
  ← Der Lehrer fragt den Schüler.
(c) die Beantwortung der Frage durch den Schüler
  ← Der Schüler beantwortet die Frage.

Führen Sie die Attribute entsprechend den Mustern zurück!

(1)   die Begegnung des Außenministers mit dem Staatspräsidenten
(2)   die Suche des Mathematikers nach dem Fehler
(3)   die Befragung der Sportler durch die Journalisten
(4)   das Gedenken der Versammlung an den Verstorbenen
(5)   der Bericht des Institutsdirektors an das Ministerium
(6)   die Besteigung des Berggipfels durch die Expedition
(7)   das Bedürfnis des Kranken nach Ruhe
(8)   die Veränderung des Aussehens durch die moderne Frisur
(9)   die Liebe des Jungen zu den Tieren
(10) die Schädlichkeit des Rauchens für die Gesundheit
(11) der Vorschlag des Freundes zu einem Theaterbesuch
(12) die Gewährung eines Kredits an das Ehepaar durch die Bank

T 4 Maß- und Mengenangaben haben substantivische Attribute gewöhnlich im **merkmallosen** Kasus mit Nullartikel nach sich. Dabei ist zu unterscheiden zwischen

Maßangaben, bei denen das Attribut mit Nullartikel nur im merkmallosen Kasus steht:

eine Woche Urlaub

Mengenangaben, bei denen das Attribut mit Nullartikel im merkmallosen Kasus oder im Präpositionalkasus mit *von* steht:

eine Gruppe Touristen — eine Gruppe von Touristen

Bei den Maßangaben ist weiter danach zu unterscheiden, ob sie

(a) im Singular und Plural stehen können (Feminina wie *Flasche, Kiste, Million, Portion, Tasse, Tonne* und *der Tag, das Jahr*)

eine *Tasse* Kaffee — zwei *Tassen* Kaffee
ein *Tag* Urlaub — zwei *Tage* Urlaub

(b) nur im Singular stehen (Maskulina wie *Fuß, Grad, Sack, Satz, Schuß* und Neutra wie *Blatt, Bund, Dutzend, Faß, Glas, Gramm, Kilo, Maß, Paar, Pfund, Stück*),

Steht die Maß- und Mengenangabe im Singular oder im Plural? Ist das Attribut nur im merkmallosen Kasus oder auch im Präpositionalkasus mit *von* möglich?

(1) Die Reise nach Kuba hat ihr eine (Menge) (Eindruck) vermittelt.
(2) Im Sommer haben die Kinder acht (Woche) (Ferien).
(3) Hans bestellte für die Geburtstagsfeier zwei (Kasten) (Bier).
(4) Der Besucher kam mit einer (Flasche) (Sekt) als Geschenk.
(5) Der Schüler experimentierte mit einigen (Stück) (Zucker).
(6) Der Student hat in seinem Aufsatz eine (Reihe) (Fehler) gemacht.
(7) Die Reparatur des Wagens hat mich zwei (Tag) (Arbeit) gekostet.
(8) Sie kaufte hundert (Blatt) (Schreibmaschinenpapier).
(9) Das Studienjahr besteht aus drei (Gruppe) (Direktstudent) und einer (Gruppe) (Fernstudent).
(10) Der Wagen war mit zwanzig (Sack) (Kartoffeln) beladen.
(11) Auf dem Bauplatz lagern mehrere (Stapel) (Brett).
(12) Die Lieferung bestand aus zehn (Kiste) (Wein).
(13) Am Straßenrand wurden große (Haufen) (Sand) abgeladen.
(14) Er nahm einen Eimer mit fünf (Kilo) (Farbe).
(15) Sie kaufte zwei (Büchse) (Fisch).
(16) Der Gast begnügte sich mit einer (Tasse) (Tee).
(17) Die Verkäuferin wog dreihundert (Gramm) (Wurst) ab.
(18) Der Zug hatte auf dem Bahnhof zehn (Minute) (Aufenthalt).
(19) Die Kundin fragte die Verkäuferin nach drei (Meter) (Wollstoff).

T 5 Wenn bei Maß- und Mengenangaben das **Attribut mit einem Adjektiv** (bzw. Partizip) gebraucht wird, kongruiert bei den Maßangaben das Adjektiv gewöhnlich im Kasus mit der Maßangabe (a); bei den Mengenangaben tritt in diesem Fall das Attribut mit dem Adjektiv zusammen in den Genitiv (b):

(a) Abends trinkt er gern mehrere Tassen schwarzen Tee.
(b) Er trug einen Stapel alter Bücher.

Wenn bei Maß- und Mengenangaben das **Attribut mit einem anderen Artikelwort als dem Nullartikel** gebraucht wird, steht das Attribut entweder im Genitiv oder im Präpositionalkasus mit *von*:

eine Tasse solchen Kaffees — eine Tasse von solchem Kaffee

Setzen Sie das Attribut in den richtigen Kasus!

(1) Die Übersetzung weist eine Reihe (stilistischer Mangel) auf.
(2) Eine Anzahl (dieser Mangel) ist auf Flüchtigkeit zurückzuführen.

(3) Die Reparatur des Wagens hat mich fast zehn Stunden (harte Arbeit) gekostet.

(4) Drei Wochen (der Urlaub) sind schon vorbei.

(5) Die Reise hat ihr eine Menge (neuer Eindruck) vermittelt.

(6) Ich gab ihm zwanzig Blatt (mein Schreibmaschinenpapier).

(7) Der Maler nahm einen Eimer mit fünf Kilo (weiße Farbe).

(8) Auf dem Bauplatz lagern mehrere Stapel (frischgeschnittenes Brett).

(9) Die Lieferung bestand aus zehn Kisten (bulgarischer Wein) und zwanzig Kästen (tschechisches Bier).

(10) Dem Braten wird eine Tasse (diese Brühe) zugefügt.

(11) Er trank ein Glas (kalte Milch).

(12) Sie schrieb auf einem Blatt (liniiertes Papier).

(13) Das Studienjahr besteht aus fünf Gruppen (deutscher und ausländischer Student).

(14) Die Entwicklung hängt von einer Reihe (verschiedener Faktor) ab.

T 6 In beschränktem Umfang können außer den Substantiven auch **substantivische Pronomina** Attribute bei sich haben, die ein partitives Verhältnis ausdrücken. Solche Attribute treten vor allem bei Interrogativ-, Demonstrativ- und Indefinitpronomina auf. Bei Pronomina, die auch als Artikelwörter vorkommen (*welcher, keiner* usw.), ist der Anschluß mit Genitiv oder Präpositionalkasus mit *von* möglich (a), bei den anderen Pronomina (*was, niemand* usw.) ist nur der Anschluß mit *von* möglich (b):

(a) keiner der Studenten — keiner von den Studenten
(b) niemand von den Studenten

Entscheiden Sie, ob der Anschluß des Attributs mit Genitiv möglich ist!

(1) Wem von den Studenten hast du geschrieben?

(2) Keiner von den Schülern fehlte bei der Abschlußarbeit.

(3) Der Assistent hatte niemanden von den Studenten informiert.

(4) Irgendwer von den Kindern hat die Fensterscheibe eingeschlagen.

(5) Mehrere von seinen Freunden begleiteten ihn zum Bahnhof.

(6) Weißt du, mit welcher von den drei Schwestern er sich verlobt hat?

(7) Was von diesen Sachen soll ich einpacken?

(8) Welches von den Büchern willst du haben?

(9) Manche von den Äpfeln waren madig.

(10) Gib mir etwas von dem Gemüse!

(11) Ich möchte nichts von dem Eis.

(12) Er hat einige von den Bildern verschenkt.

T 7   Bilden Sie aus dem Wortmaterial Sätze nach dem Muster!

> Frage beantworten
> A: Hat er keine Frage beantwortet?
>   Hat er keine der Fragen beantwortet?
> B: Er hat nur eine Frage beantwortet.
>   Er hat nur eine der Fragen beantwortet.

- (1) Lied singen
- (2) Gedicht lernen
- (3) Erzählung lesen
- (4) Konzert besuchen
- (5) Aufgabe lösen
- (6) Experiment machen

T 8   Formen Sie die Sätze nach dem Muster um!

> Kraków ist eine alte polnische Stadt.
> → Kraków ist eine der ältesten polnischen Städte.

- (1) Binz ist ein beliebtes Ostseebad.
- (2) Leipzig ist eine bedeutende Messestadt.
- (3) Heine ist ein großer deutscher Dichter.
- (4) Das Dresdner Grüne Gewölbe ist eine wertvolle Kunstsammlung.
- (5) Der Berliner Tierpark ist ein moderner Tierpark.
- (6) Wilhelm von Humboldt ist ein bedeutender Sprachwissenschaftler.
- (7) Strittmatter ist ein bekannter Schriftsteller der Gegenwart.

T 9   Gebrauchen Sie das substantivische Pronomen als Artikelwort, indem Sie das substantivische Bezugswort einsetzen!

- (1) Der Vorschlag des Abteilungsleiters und der des Institutsdirektors wurden diskutiert.
- (2) Neben fernbeheizten Wohnungen gibt es in dem Stadtgebiet auch solche mit Ofenheizung.
- (3) Nur einer im ersten Studienjahr ist durch die Prüfung gefallen.
- (4) Der Dozent kennt jeden von der Studentengruppe.
- (5) Aus dem Verhalten des normalen Gases kann man auch dasjenige des komprimierten Gases ableiten.
- (6) Mehrere aus der Klasse wurden für ihre Leistungen bei dem Übersetzungswettbewerb ausgezeichnet.
- (7) Der Name Blausäure oder Cyanwasserstoff sowie der des Cyans selbst rührt von dem blauen Niederschlag her.
- (8) Keiner im Hause hatte den Wasserrohrbruch im Keller bemerkt.

T 10 Die lockere Apposition ist eine Sonderform des substantivischen Attributs. Nachgestellt wie gewöhnlich das substantivische Attribut, kongruiert die lockere Apposition im Kasus mit dem Bezugswort und wird in Komma eingeschlossen:

> Immanuel Kant, *der Begründer der klassischen deutschen Philosophie*, wurde am 22.4.1724 in Königsberg geboren.
> Die Kosmogonie Immanuel Kants, *des Begründers der klassischen deutschen Philosophie*, wurde berühmt.

Setzen Sie die Apposition in den richtigen Kasus!

(1) Gottfried Wilhelm Leibniz, ..., wurde im Jahre 1646 geboren.

(2) Die Geburtsstadt Gottfried Wilhelm Leibniz', ..., ist Leipzig.

(3) Es gelang Leibniz, ..., eine einheitliche mathematische Zeichensprache zu entwickeln.

(4) Der russische Zar Peter I. machte Leibniz, ..., zu seinem Berater.

der berühmte Philosoph und Mathematiker

(5) Emil von Behring, ..., entdeckte das Diphtherie- und das Tetanusserum.

(6) In einer Feierstunde wurde Emil von Behrings, ..., gedacht.

(7) Im Jahre 1901 wurde Emil von Behring, ..., der Nobelpreis für Medizin verliehen.

(8) Man berief Emil von Behring, ..., an die berühmte Berliner Charité.

einer der bedeutendsten Serologen

(9) Alexander von Humboldt, ..., befaßte sich mit nahezu allen Bereichen der Naturwissenschaften.

(10) Die Vielseitigkeit Alexander von Humboldts, ..., ist eine seiner hervorragendsten Eigenschaften.

(11) Die methodischen Grundlagen der Klimatologie und der Pflanzengeographie wurden von Alexander von Humboldt, ..., geschaffen.

(12) Die Reaktion griff Alexander von Humboldt, ..., immer wieder wegen seiner fortschrittlichen Einstellung an.

der große Gelehrte und Forschungsreisende

T 11 Das **Partizip I** ist auf verschiedene verbale Konstruktionen zurückzuführen:
(a) Präsens Aktiv,
(b) Präsens Aktiv reflexiver Verben,
(c) Präsens des Passivs mit Modalverb.

    (a) das lesende Mädchen
       ← das Mädchen liest.
    (b) der *sich* nähernde Zug
       ← der Zug nähert *sich*.
    (c) die an*zu*erkennende Leistung
       ← Die Leistung *muß* anerkannt *werden*.

Führen Sie die Partizipien I auf die entsprechenden verbalen Konstruktionen zurück!

(1)   die zu entscheidende Streitfrage
(2)   der entscheidende Augenblick
(3)   die sich für den Kandidaten entscheidende Kommission
(4)   die sich verteidigenden Soldaten
(5)   die ihren 1. Platz verteidigenden Handballer
(6)   der zu verteidigende 1. Platz
(7)   die vollautomatisch waschende Waschmaschine
(8)   die zu waschenden Kleidungsstücke
(9)   das sich waschende Kind
(10) die bei der Abschlußprüfung zu lösenden Aufgaben
(11) der die Zunge lösende Wein
(12) die sich in Wasser schlecht lösende Tablette

T 12 Das **Partizip II** ist auf verschiedene verbale Konstruktionen zurückzuführen: (a) Perfekt Passiv (bei Transitiva), (b) Perfekt Aktiv (bei Intransitiva), (c) Perfekt Aktiv (bei reflexiven Verben im engeren Sinne), (d) Perfekt Passiv/Aktiv (bei reflexiven Konstruktionen).

    (a) das gelesene Buch
       ← Das Buch ist gelesen worden.
    (b) der eingefahrene Zug
       ← Der Zug ist eingefahren.
    (c) das verliebte Mädchen
       ← Das Mädchen hat sich verliebt.
    (d) das gekämmte Kind
       ← Das Kind hat sich gekämmt.   (= c)
       ← Das Kind ist gekämmt worden.   (= a)

Führen Sie die Partizipien II auf die entsprechenden verbalen Konstruktionen zurück!

(1)   die veraltete Methode
(2)   die angewandte Methode
(3)   die bewährte Methode
(4)   der erkrankte Lehrer
(5)   der erholte Lehrer
(6)   der rasierte Lehrer
(7)   der verwöhnte Junge

(8)   der abgehärtete Junge
(9)   der zurückgebliebene Junge
(10) der erkältete Junge

T 13 Entscheiden Sie, ob das Partizip II nach Muster (a) oder (b) attribuiert wird!

(a) Der Wanderer hat den Turm bestiegen.
→ der von dem Wanderer bestiegene Turm
(b) Der Wanderer ist auf den Turm gestiegen.
→ der auf den Turm gestiegene Wanderer

(1)   Die Maschine ist nach Prag geflogen.
(2)   Die Maschine hat die Strecke Prag—Havanna beflogen.
(3)   Die Landstraße haben vor allem Traktoren befahren.
(4)   Der Zug ist mit zehn Minuten Verspätung abgefahren.
(5)   Schädlinge haben viele Bäume der Obstplantage befallen.
(6)   Der Junge ist in den Bach gefallen.
(7)   Der Sänger ist in der Nachmittagsveranstaltung aufgetreten.
(8)   Seit Jahren hat niemand den Raum betreten.
(9)   Die Geologen haben das Erdölgebiet des Kaukasus bereist.
(10) Die Familie ist mit dem Flugzeug gereist.

T 14 Von den **Intransitiva** können nur die perfektiven Intransitiva das Partizip II attributiv gebrauchen. Das sind vor allem die Verben der **Zustandsveränderung** (a) im Gegensatz zu den Verben, die einen Zustand bezeichnen und nicht attributfähig sind (b):

(a) Die Blume ist aufgeblüht. → die aufgeblühte Blume
(b) Die Blume hat geblüht. → * die geblühte Blume

Verwenden Sie das Partizip II − wenn möglich − attributiv!

(1)   Die Raumsonde hat geglüht. − Die Raumsonde ist verglüht.
(2)   Das Feuer ist erloschen. − Das Feuer hat gebrannt.
(3)   Die Krankenschwester ist aufgewacht. − Die Krankenschwester hat gewacht.
(4)   Das Gast hat geschwiegen. − Der Gast ist verstummt.
(5)   Der Maler ist verstorben. − Der Maler hat lange gelebt.
(6)   Das Kind hat lange geschlafen. − Das Kind ist spät eingeschlafen.
(7)   Die Frau ist erkrankt. − Die Frau hat lange gekränkelt. − Die Frau ist wieder genesen.

T 15 Zu den perfektiven Intransitiva gehören auch viele Verben der **Orts-veränderung**, vor allem solche mit einem Präfix oder einer perfektivierenden adverbialen Angabe im Satz (a). Verschiedene einfache

Verben wie *laufen, fahren* usw. ohne solche Zusätze sind dagegen nicht perfektiv und nicht attributfähig (b).

    (a) Der Junge ist aus dem Zimmer gelaufen.
        → der aus dem Zimmer gelaufene Junge
    (b) Der Junge ist gelaufen.
        → * der gelaufene Junge

Verwenden Sie das Partizip II — wenn möglich — attributiv!

  (1)   Die Reisegruppe ist in der Nacht angekommen.
  (2)   Der Gast ist gekommen.
  (3)   Die Kinder sind im Regen schnell gelaufen.
  (4)   Der Minister ist zu Verhandlungen nach Rom geflogen.
  (5)   Die Maschine ist wegen Nebel nicht geflogen.
  (6)   Das Sportflugzeug ist auf einer Wiese gelandet.
  (7)   Der Ballon ist langsam in die Höhe geschwebt.
  (8)   Der Junge ist über den Fluß geschwommen.
  (9)   Der Spaziergänger ist am Bach entlang gegangen.
 (10)   Die Sonne ist hinter Wolken untergegangen.

T 16 Verschiedene Partizipien II können nicht auf eine verbale Konstruktion zurückgeführt werden. Hier handelt es sich um adjektivische Partizipien:

    der im Basteln geschickte Schüler
    → * Der Schüler ist im Basteln geschickt worden.

Aber zurückführbar:

    die von der Mutter zum Bäcker geschickte Tochter
    → Die Tochter ist von der Mutter zum Bäcker geschickt worden.

Führen Sie die attributiven Partizipien II — wenn möglich — auf eine verbale Konstruktion zurück!

  (1)   der kulturell gebildete Mensch — der von den Studenten gebildete Satz
  (2)   das beim Skilaufen gebrochene Bein — das gebrochene Deutsch des Ausländers
  (3)   der einstimmig gewählte Kommissionsvorsitzende — die gewählte Ausdrucksweise des Dozenten
  (4)   der in Fachkreisen bekannte Wissenschaftler — die von dem Schüler offen bekannte Mitschuld
  (5)   der sprichwörtlich zerstreute Professor — das durch die staubhaltige Luft zerstreute Licht
  (6)   der in der dritten Runde zweimal niedergeschlagene Boxer — der über seinen Mißerfolg niedergeschlagene Assistent
  (7)   der gegenüber den anderen Mitarbeitern verschlossene Kollege — der wegen der Kinder verschlossene Schreibtisch

T 17 Adjektivische Partizipien können im Unterschied zu Partizipien, die auf eine verbale Konstruktion zurückführbar sind, durch Partikeln wie *sehr, völlig, besonders* usw. erweitert werden. Man vgl.:

> der im Basteln *sehr* geschickte Schüler
> * die von der Mutter zum Bäcker *sehr* geschickte Tochter

Erweitern Sie — wenn möglich — die attributiven Partizipien II der vorhergehenden Übung durch die Partikel *sehr*!

T 18 Die **Verbindungen** von zwei (oder mehr) attributiven **Adjektiven** können neben- oder unterordnend sein. Die Stellung der Adjektive in **Nebenordnung** ist frei, zwischen den Adjektiven steht Komma oder *und* (a). Die Stellung der Adjektive bei **Unterordnung** ist festgelegt: Das direkt auf das Substantiv bezogene Adjektiv (Bezugsadjektive, Stoff- und Farbadjektive, phraseologisch gebundene Adjektive) steht an zweiter Stelle; das Adjektiv (vor allem qualitative Adjektive), das dem gesamten Komplex aus Adjektiv und Substantiv untergeordnet ist, steht an erster Stelle. Es sind weder Komma noch *und* möglich (b).

> (a) dunkel, klein (Zimmer) → ein dunkles, kleines Zimmer
> ein kleines, dunkles Zimmer
> ein dunkles und kleines Zimmer
> (b) neu, italienisch (Film) → ein neuer italienischer Film
> * ein italienischer neuer Film
> * ein neuer und italienischer Film

Entscheiden Sie, ob die Verbindung der Adjektive mit dem Substantiv entsprechend (a) oder (b) möglich ist!

(1) frei, gut (Übersetzung)
(2) historisch, wichtig (Gesetzmäßigkeit)
(3) frei, unabhängig (Land)
(4) bunt, hölzern (Spielzeug)
(5) fleckig, holzig (Früchte)
(6) frisch, sauer (Sahne)
(7) frisch, groß (Erdbeeren)
(8) jung, nervös (Frau)
(9) chronisch, nervös (Leiden)
(10) lang, schwer (Krankheit)
(11) historisch, russisch (Roman)

T 19 Die adjektivischen und partizipialen Attribute sind oft durch zusätzliche Glieder **erweitert**. Die Stellung der einzelnen Teile des erweiterten Attributs ist festgelegt und ergibt den **nominalen Rahmen**:
(Präposition) — **Artikelwort** — Erweiterungsglieder — **adjektivisches / partizipiales Attribut** — substantivisches Bezugswort

Er sprach von **dem** *vor kurzem in Rostock für die DDR* **uraufge-führten** sowjetischen Stück.

Formen Sie die Attributsätze in erweiterte Attribute um!

(1)   Der Name „Humanismus", der aus dem Neulateinischen stammt, wurde erst zu Beginn des 19.Jahrhunderts geprägt.

(2)   Das Ziel des Renaissance-Humanismus war es, ein Welt- und Menschenbild zu schaffen, das von kirchlicher Autorität unab-hängig war und auf Wissen und Vernunft begründet war.

(3)   Der Mensch als aktiv-tätiges Wesen, das denkt und erkennt, das leidet und nach Höherem strebt – das war das große Thema der griechischen Philosophie und Kunst des 5.Jahrhunderts.

(4)   Das wahre Menschentum ist das höchste Gut und Ziel, das alle Menschen in gleicher Weise verpflichtet.

T 20   Bilden Sie aus den zusammengesetzten Adjektiven und Partizipien erweiterte Attribute!

Ich besitze eine wassergeschützte Uhr.
→ Ich besitze eine gegen Wasser geschützte Uhr.

(1)   Sie hat ein Paar pelzgefütterte Handschuhe gekauft.
(2)   Jeder sollte eine fettarme und vitaminreiche Kost bevorzugen.
(3)   Sein Aufsatz enthält mehrere sinnentstellende Fehler.
(4)   Der Wagen hat einen luftgekühlten Motor.
(5)   Die Landwirtschaft ist eine witterungsabhängige Produktion.
(6)   Er hat sich einen preisgünstigen Wintermantel gekauft.
(7)   Man gab dem Patienten ein schmerzstillendes Mittel.
(8)   Das Zelt stand an einer windgeschützten Stelle.
(9)   Der Lehrer bezeichnete ihn als einen lerneifrigen Schüler.
(10) Sein Aufsatz ist keine publikationsreife Arbeit.
(11) Am Institut wird ein fachbezogener Sprachunterricht durchge-führt.
(12) Spee ist ein faserschonendes Waschmittel.

T 21   Ein Attributsatz kann nur unter bestimmten Bedingungen in ein At-tribut umgeformt werden. So schließen bestimmte Verben im Neben-satz (Modalverben – außer *müssen* mit Passiv – und andere Hilfsver-ben; viele Intransitiva, wenn es um attributives Partizip II geht) die Bildung eines Attributs aus. Wenn das Relativpronomen satzgliedmä-ßig nicht das Subjekt des Nebensatzes (syntaktisches Subjekt und lo-gisches Objekt bei Transitiva, syntaktisches und logisches Subjekt bei Intransitiva) darstellt, ist ebenfalls die Ausdrucksmöglichkeit mit At-tribut nicht möglich. Das ist auch der Fall, wenn vom Attributsatz wei-tere Nebensätze (außer umformbare Attributsätze) abhängen.

Gebrauchen Sie, sofern es möglich ist, statt der Attributsätze das Attribut!

(1) Herder wendet sich mit Schärfe gegen die Verächtlichmachung anderer Völker und charakterisiert einen Staat, der auf die Unterdrückung fremder Nationen ausgeht, als unsittlich.

(2) Er spricht auch davon, daß die Entwicklung der Humanität ein Werk ist, das unablässig fortgesetzt werden muß.

(3) Nach Herder steht das Recht auf Persönlichkeitsentwicklung des Menschen auch den Angehörigen der unteren Volksschichten zu, denen in der alten Gesellschaft der Zugang zur Bildung fast vollständig versperrt wurde.

(4) Jede Staats- und Gesellschaftsordnung, die die Menschen an der Erreichung dieses hohen Ziels behindert, ist moralisch und menschlich zu verurteilen.

(5) Eine Ordnung zu schaffen, in der der Mensch als Mensch leben und seine schöpferischen Kräfte frei und ungehindert im Dienste der Gemeinschaft entfalten kann, darin sah Herder das „eigentliche und einzige Geschäft unseres Geschlechts".

(6) Herder glaubte, daß mit der Französischen Revolution von 1789 die neue Epoche begonnen habe, in der sich nun endlich die große humanistische Aufgabe werde verwirklichen lassen.

(7) Bereits Schiller hat in seinem „Don Carlos" ausgesprochen, daß der einzelne Mensch, der von den Ideen der Humanität erfüllt und überzeugt ist und mit allen Kräften danach strebt, „das kühne Traumbild eines neuen Staates" zu verwirklichen, unvermeidlich an einer gesellschaftlichen Ordnung scheitern muß, in der ein Großinquisitor das letzte Wort hat.

Satzmodelle

U 1 Verben (z.T. auch Adjektive und Substantive) eröffnen durch ihre **Valenz** im Satz bestimmte Leerstellen, die durch **obligatorische Aktanten** (im Stellenplan des Verbs festgelegt, nicht weglaßbar) besetzt werden müssen und dadurch **fakultative Aktanten** (im Stellenplan des Verbs auch enthalten, aber unter bestimmten Kontextbedingungen weglaßbar) besetzt werden können. Außer den obligatorischen und fakultativen Aktanten treten im Satz **freie Angaben** auf, die von der Valenz des Verbs (Adjektivs, Substantivs) nicht determiniert sind und syntaktisch beliebige Erweiterungen der Grundstrukturen darstellen:

Peter arbeitete *oft / manchmal / fleißig / in Dresden.*

Diese freien Angaben sind — im Unterschied zu den Aktanten — redu-
zierte Sätze und auf vollständige Sätze zurückführbar:

> → Peter arbeitete. Das Arbeiten war (geschah) in Dresden.
> → Peter arbeitete, als er in Dresden war.

Die obligatorischen Aktanten unterscheiden sich von den fakultativen
Aktanten und den freien Angaben dadurch, daß sie nicht weggelassen
werden können, ohne daß der Satz ungrammatisch wird (Weglaßprobe, Eliminierungstest):

> Er steigt *in die Straßenbahn* ein.   (= fak. Aktant)
> → Er steigt ein.
>
> Berlin liegt *an der Spree.*   (= obl. Aktant)
> → *Berlin liegt.

Führen Sie die genannten Proben an folgenden Sätzen durch und entscheiden Sie danach, ob die vorkommenden reinen Kasus (Akkusativ,
Dativ, Genitiv) obligatorische Aktanten, fakultative Aktanten oder
freie Angaben sind!

(1) Der Junge schrieb den ganzen Tag Briefe.
(2) Der Autor widmete das Buch vergangenes Jahr seinem Kolle-
     gen.
(3) Die Betriebsleitung nannte den Arbeiter ein Vorbild.
(4) Die Verkäuferin nannte dem Kunden den Preis.
(5) Der Konsum eröffnet nächsten Monat ein neues Geschäft.
(6) Die Studentin vertraut ihrem Freund ein Geheimnis an.
(7) Der Vater gewöhnt seinem Sohn die Unpünktlichkeit ab.
(8) Die Mutter wäscht ihrer Tochter die Haare.
(9) Dieter trägt seiner Mutter die Einkaufstasche.
(10) Er schenkt seinem Bruder ein Buch.
(11) Der Regenschauer dauerte nur wenige Minuten.
(12) Die Diebe bemächtigten sich des Geldes.
(13) Eines Abends erinnerten wir uns der gemeinsamen Reise.
(14) Der Direktor bezichtigte ihn des Vertrauensbruchs.
(15) Eines Tages besuchte uns ein Freund des Arztes.

U 2 Entscheiden Sie nach den genannten Proben, ob die Präpositionalkasus in den folgenden Sätzen obligatorische Aktanten, fakultative Aktanten oder freie Angaben sind!

(1) Der Abteilungsleiter besteht auf seiner Forderung.
(2) Er wartet vor dem Haus auf seine Freundin.
(3) Der Direktor ersucht seinen Mitarbeiter um eine Stellung-
     nahme.
(4) Die Familie freut sich auf den gemeinsamen Urlaub an der Ost-
     see.

(5)   In der vergangenen Nacht ist der Patient an einer Nervenläh-
mung erkrankt.
(6)   In dieser Wohnung wohnt er seit drei Jahren.
(7)   Das Ferienheim liegt direkt am Meer.
(8)   Die DDR ist arm an Rohstoffen.
(9)   Seine Hoffnung auf Wiederherstellung seiner Gesundheit hat
getäuscht.
(10) Im vergangenen Monat hat er sich in Berlin aufgehalten.

U 3   Entscheiden Sie nach den genannten Proben, welche Satzglieder in
den folgenden Sätzen obligatorische Aktanten, fakultative Aktanten
und freie Angaben sind!

(1)   Er hat in der Zeitung eine Anzeige über einen Ferienplatz gelesen.
(2)   Wir trafen den Bekannten gestern auf dem Flugplatz.
(3)   Der Lehrer gewöhnt seinen Schülern aus der 5. Klasse eine
strengere Disziplin an.
(4)   Der Direktor erwartet seine Gäste seit einer Stunde im Konfe-
renzsaal.
(5)   Er hat gestern seinen Terminkalender auf den Schreibtisch im
Arbeitszimmer gelegt.
(6)   Nach dem Essen marschierten die Soldaten aus der Kaserne in
die Stadt.
(7)   Das Lehrerkollegium erwartet trotz der Meinungsverschieden-
heiten in der nächsten Woche eine Klärung.
(8)   Nach dem Anruf besuchte der Arzt den Kranken.
(9)   Der Schüler nennt der Prüfungskommission eine falsche Lösung der Aufgabe.
(10) Paris liegt an der Seine.
(11) Seit drei Wochen liegt der Patient im Bett.
(12) Er raucht auf dem Balkon.
(13) Der Referent verhält sich in der Diskussion ungeschickt.
(14) Peter trifft seine Freundin im Garten.

U 4   Entscheiden Sie, ob in den folgenden Sätzen die Nebensätze oder Infinitivkonstruktionen valenzgebunden oder frei sind!

(1)   Er fährt jedes Jahr an die Ostsee, um sich dort zu erholen.
(2)   Der Chef bittet seine Sekretärin, die Post zu holen.
(3)   Er dankt seinem Nachbarn, daß er den Arzt gerufen hat.
(4)   Der Junge bemerkt, daß seine Eltern zurückgekommen sind.
(5)   Man erwartet, daß die Studenten die Vorlesungen regelmäßig
besuchen.
(6)   Der Jugendliche benimmt sich gesetzwidrig, so daß die Polizei
eingreifen muß.

(7)   Wir befürchten, daß der Regen der Ernte geschadet hat.
(8)   Er hofft, bald an der Universität immatrikuliert zu werden.
(9)   Der Lehrer hat sich gründlich vorbereitet, damit er im nächsten Jahr eine neue Funktion übernehmen kann.
(10)   Daß er gekommen ist, hat uns überrascht.

U 5 Wenn man die konkreten Sätze um die freien Angaben reduziert, erhält man die entsprechenden **morphosyntaktischen Satzmodelle** als **Grundstrukturen**, bestehend aus obligatorischen und fakultativen Aktanten:

> Er besucht nach seiner Krankheit ab nächste Woche wieder die Vorlesungen.
> → Er besucht die Vorlesungen.
> Substantiv im Nominativ — Verb — Substantiv im Akkusativ

Führen Sie folgende Sätze nach diesem Muster auf die zugrunde liegenden morphosyntaktischen Satzmodelle zurück!

(1)   Die Verkäuferin ist in diesem Monat schon das dritte Mal krank.
(2)   Die Mutter erwartet zu ihrem Geburtstag in unserem Bungalow viele Gäste.
(3)   Er hat den Schüler schon mehrere Male wegen seiner ausgezeichneten Leistungen als ein Talent bezeichnet.
(4)   Der Leiter beauftragte gestern zum Zwecke einer raschen Klärung einen Mitarbeiter, die nötigen Informationen zu sammeln.
(5)   Trotz aller Bemühungen gelang es dem Schüler nicht, das Klassenziel zu erreichen.
(6)   Die Eltern gewöhnen die Kinder seit vielen Jahren an Ordnung.
(7)   Der Autor übersetzt das Buch für den Verlag im nächsten Jahr aus dem Russischen ins Deutsche.

U 6 Wenn man die konkreten Sätze — mit Hilfe der Weglaßprobe — um die freien Angaben und die fakultativen Aktanten reduziert, erhält man das nur aus den obligatorischen Aktanten bestehende **Satzminimum**:

> Der Messegast bedankte sich an der Kreuzung bei dem Polizisten für die Auskunft.
> → Der Messegast bedankte sich.

Reduzieren Sie folgende Sätze nach diesem Muster auf das obligatorische Satzminimum!

(1)   Er schwimmt trotz der kühlen Witterung mit eiserner Konsequenz im Freibad.
(2)   Der Physiker bearbeitet sein Lehrbuch zum zweiten Male.
(3)   Er legte das Buch bei völliger Übermüdung in ein falsches Fach.
(4)   Der Lehrer liest jeden Abend die Zeitungen.

(5) Die Mutter kauft jeden Tag für die Nachbarn in der Kaufhalle ein.

(6) Wir holen den Gast am Nachmittag vom Bahnhof ab.

(7) Der Patient erwiderte dem Arzt auf dessen Frage, daß die Schmerzen zugenommen haben.

(8) Die Familie zieht am Montag in die Kreisstadt um.

U 7 In vielen Fällen kann ein Aktant durch einen anderen Aktanten ersetzt werden (alternative Aktanten), ohne daß sich dabei die Bedeutung des Satzes ändert:

> Die Mannschaft hofft *auf einen Spielgewinn.*
> → Die Mannschaft hofft *darauf, daß sie das Spiel gewinnt.*
> → Die Mannschaft hofft *darauf, das Spiel zu gewinnen.*

Ersetzen Sie nach diesem Muster in den folgenden Sätzen die Akkusative bzw. Präpositionalgruppen durch alternative Aktanten (Nebensätze und Infinitivkonstruktionen)!

(1) Der Lehrerin graut vor der Korrektur der Hausaufsätze.

(2) Sie bittet ihren Freund um die Beschaffung der Theaterkarten.

(3) Wir laden sie zu einer gemeinsamen Wanderung ein.

(4) Der Vater empfahl dem Sohn einen Arztbesuch.

(5) Er beauftragt seinen Stellvertreter mit der Durchführung der Beratung.

(6) Die Mutter gewöhnt ihre Kinder an das zeitige Aufstehen.

(7) Wir beschränken uns auf die Wiedergabe des Inhalts.

(8) Die Mutter fordert den Jungen zum sorgfältigen Umgang mit seinen Schulsachen auf.

U 8 Auch bei einigen Adjektiven treten obligatorische Aktanten in verschiedenen Kasus (Akkusativ, Dativ, Genitiv, Präpositionalkasus) auf, bei deren Eliminierung die Sätze ungrammatisch werden:

> Das Kind ist *seinem Vater* ähnlich.
> Er ist *die Sorgen* los.

Vervollständigen Sie die folgenden Sätze durch die obligatorischen Aktanten des Adjektivs, und verwenden Sie dabei den richtigen Kasus!

(die Medikamente − die Sorgen − die Auszeichnung − die Studenten − der Weg − die Ursache der Krankheit − die Spritzen − das viele Stehen − eine gründliche Vorbereitung − die Freunde)

(1) Die Eltern sind ... ledig.

(2) Der Aufsatz ist ... nicht wert.

(3) Der Patient ist sich ... bewußt.

(4)   Der Angestellte ist ... nicht gewöhnt.
(5)   Der unerwartete Erfolg in der Prüfung war ... willkommen.
(6)   Der Kranke ist ... überdrüssig.
(7)   Der Künstler ist ... würdig.
(8)   Der Wanderer ist ... nicht kundig.
(9)   Der Patient ist ... angewiesen.
(10) Das Kind ist nach dem Wohnungswechsel ... fremd geworden.

U 9 Manche transitiven Verben können durch Eliminierung des Akkusativs intransitiv verwendet werden; in diesen Fällen ist der Akkusativ ein fakultativer Aktant:

Der Schriftsteller schreibt einen Roman.
→ Der Schriftsteller schreibt.

Entscheiden Sie — mit Hilfe der Weglaßprobe —, ob der Akkusativ in den folgenden Sätzen ein obligatorischer oder ein fakultativer Aktant ist!

(1)   Der Junge ißt eine Apfelsine.
(2)   Der Vater besucht seinen Sohn.
(3)   Der Lehrer ermutigt die Schüler.
(4)   Die Mutter kocht die Suppe.
(5)   Er gewöhnt ihnen die Disziplinlosigkeit ab.
(6)   Der Journalist raucht viele Zigaretten.
(7)   Das Mädchen liest Fachbücher.
(8)   Wir erwarten die Gäste des Vaters.

U 10 **Semantische Satzmodelle** ergeben sich durch den Bestand an semantischen Kasus (z. B. Agens, Patiens, Adressat, Instrumental, Lokativ, Vorgangsträger, Zustandsträger — vgl. R 14), die von der Bedeutung des jeweiligen Prädikats gefordert werden. Diese semantischen Satzmodelle stehen in keiner direkten Entsprechung zu den morphosyntaktischen Satzmodellen. Vielmehr entsprechen **einem** morphosyntaktischen Modell (z. B. Substantiv im Nominativ — Verb — Substantiv im Akkusativ) **mehrere** semantische Satzmodelle, z. B.:

(a) Er zerbricht das Glas.   (Agens — Prädikat — Patiens)
(b) Er unterstützt seine Mutter.   (Agens — Prädikat — Adressat)
(c) Sie bäckt den Kuchen.   (Agens — Prädikat — Resultativ)
(d) Das Erdbeben zerstörte das Haus.   (Kausator — Prädikat — Patiens)
(e) Der Lehrer betritt das Zimmer.   (Agens — Prädikat — Lokativ)
(f) Das Messer schneidet das Brot.   (Instrumental — Prädikat — Patiens)

Zeigen Sie an Hand folgender Sätze, welche semantische Satzmodelle durch die morphosyntaktischen Satzmodelle Substantiv im Nominativ – Verb und Substantiv im Nominativ – Verb – Präposition + Substantiv ausgedrückt werden können!

(1) Der Chemiker arbeitet.
(2) Die Blume verwelkt.
(3) Die Wäsche trocknet.
(4) Das Kind schläft.
(5) Wasserflecke sind entstanden.
(6) Das Dorf brannte.
(7) Die Familie wohnt in der Stadt.
(8) Das Kind ißt mit Messer und Gabel.
(9) Er schreibt an die Stadtverwaltung.
(10) Die Patientin schreit vor Schmerzen.

Zusammengesetzter Satz

V 1 Mehrere Sachverhalte können in koordinativer Weise zu einer **Satzverbindung** verknüpft werden. Nach den inhaltlichen Beziehungen der beiden Teile werden kopulative Satzverbindungen (z. B.: *und, sowohl... als auch, weder... noch; außerdem, überdies, ebenso*), disjunktive Satzverbindungen (*oder; sonst, andernfalls*), adversative Satzverbindungen (z. B.: *aber, jedoch; dagegen, indessen*), restriktive Satzverbindungen (z. B.: *aber, allein; freilich, zwar, nur*), kausale Satzverbindungen (*denn; nämlich*), konsekutive Satzverbindungen (z. B.: *also, folglich, deshalb*) und konzessive Satzverbindungen (z. B.: *trotzdem, gleichwohl*) unterschieden. Die Verbindung der Teilsätze wird entweder durch eine Konjunktion (a) oder ein Konjunktionaladverb (b) formal signalisiert; sie kann jedoch auch unbezeichnet (asyndetisch) sein (c):

(a) Wir müssen pünktlich sein, *denn* der Zug wartet nicht.
(b) Wir müssen pünktlich sein, der Zug wartet *nämlich* nicht.
(c) Wir müssen pünktlich sein, der Zug wartet nicht.

Entscheiden Sie, welche inhaltliche Beziehung zwischen den beiden Teilen der folgenden Satzverbindungen vorliegt!

(1) Die Lehrerin hat entweder Haushaltstag, oder sie ist krank.
(2) Er arbeitet in Dresden, seine Frau ist in Riesa beschäftigt.

(3)   Die Delegation ist in Prag gewesen, von dort hat sie einen Aus-flug ins Riesengebirge gemacht.

(4)   Wir müssen die Umwelt schützen, es besteht die Gefahr der Umweltverschmutzung.

(5)   Die Sonne schien den ganzen Tag, trotzdem war es sehr kühl.

(6)   Er ist 1946 geboren, folglich hat er den 2. Weltkrieg nicht selbst erlebt.

(7)   Vormittags hatte es geregnet, doch danach hatten sich die Wolken zerteilt.

(8)   Der Student hatte wohl die nötigen Voraussetzungen, nur fehlte es ihm an Geistesgegenwart.

(9)   Er hatte eine Autopanne, deshalb kam er zu spät in den Betrieb.

(10)   Er hatte die Vorfahrt nicht beachtet, außerdem hatte er kein Blinkzeichen gegeben.

V 2   Manche Beziehungen, die durch Satzverbindungen ausgedrückt werden, können auch durch **Satzgefüge** (mit Hilfe von Nebensätzen, die durch eine subordinierende Konjunktion eingeleitet sind) ausgedrückt werden:

> Er kam zu spät, *weil* er eine Autopanne hatte.   (= Satzgefüge)
> Er kam zu spät, *denn* er hatte eine Autopanne. (= Satzverbindung)

Verwandeln Sie nach diesem Muster die folgenden Satzgefüge in Satzverbindungen, und verwenden Sie dabei die richtigen Konjunktionen oder Konjunktionaladverbien!

(1)   Die Temperaturen waren plötzlich erheblich gesunken, so daß er in seinem leichten Mantel fror.

(2)   Obwohl die Vorlesung angekündigt war, fand sie nicht statt.

(3)   Während in der DDR hochsommerliches Wetter herrschte, war es in Polen ziemlich kalt.

(4)   Der Lehrer konnte an der Versammlung nicht teilnehmen, da er auf Dienstreise war.

(5)   Wenn er auch die Grundlagen seines Faches sicher beherrscht, so fehlt es ihm doch an Spezialkenntnissen.

(6)   Die Besprechung lag viele Monate zurück, so daß er sich an den gefaßten Beschluß nicht mehr genau erinnern konnte.

V 3   **Kopulative Satzverbindungen** können sowohl durch Konjunktionen (*und, sowohl ... als auch, weder ... noch, nicht nur ... sondern auch*) als auch durch Konjunktionaladverbien (*auch, außerdem, ferner, zudem, überdies, ebenso, ebenfalls, gleichfalls*) signalisiert sein. Manchmal wird innerhalb der kopulativen Satzverbindung eine Hervorhebung (*sogar, überdies, nämlich, und zwar*) oder eine Einteilung (*teils ... teils,* *einerseits ... andererseits, erstens ... zweitens*), eine lokale (*dort, von dort, dorthin*), eine temporale (*da, dann, danach*) oder eine komparative Beziehung (*ebenso, anders, ebenfalls*) akzentuiert.

Bilden Sie aus den folgenden Teilsätzen kopulative Satzverbindungen, und verwenden Sie dabei sowohl Konjunktionen als auch Konjunktionaladverbien!

(1) Der Arzt hat der Patientin Tabletten verschrieben. – Er hat ihr Bettruhe verordnet.
(2) Der Student hat in den Ferien viele Bücher gelesen. – Er hat sich einige Wochen erholt.
(3) Im Ausland hat er an einer Konferenz teilgenommen. – Er hat mehrere Gastvorlesungen gehalten.
(4) Die Ausländer haben auf ihrer Exkursion einen Betrieb besichtigt. – Sie sind mit dem Schiff auf der Elbe gefahren.
(5) Der Zweitaktmotor in diesem Auto hat Vorteile. – Er hat auch Nachteile.
(6) Heute müssen wir uns um das Auto kümmern. – Wir müssen ein Geschenk einkaufen.

V 4 **Disjunktive Satzverbindungen** können durch Konjunktionen (*oder, entweder... oder*) oder durch Konjunktionaladverbien (*sonst, andernfalls*) signalisiert sein.

Bilden Sie aus den folgenden Teilsätzen disjunktive Satzverbindungen, und verwenden Sie dabei sowohl Konjunktionen als auch Konjunktionaladverbien!

(1) Er muß sich krank schreiben lassen. – Er muß zur Arbeit gehen.
(2) Der Junge sollte sofort zum Arzt gehen. – Er wird ernsthaft krank.
(3) Die Kinder müssen ihre Sachen zusammenpacken. – Sie dürfen nicht mit in den Urlaub fahren.
(4) Er behält das alte Auto. – Er kauft ein neues Auto.
(5) Der Hochschullehrer nimmt an der wissenschaftlichen Konferenz teil. – Er nimmt zu dieser Zeit seinen Jahresurlaub.
(6) Wir fahren mit dem Auto nach Polen, wenn das Auto in Ordnung ist. – Wir nehmen den Zug.

V 5 **Adversative Satzverbindungen** können sowohl durch Konjunktionen (*aber, doch, jedoch, sondern*) als auch durch Konjunktionaladverbien (*dagegen, hingegen, indessen, vielmehr*) signalisiert sein.

Bilden Sie aus den folgenden Teilsätzen adversative Satzverbindungen, und verwenden Sie dabei sowohl Konjunktionen als auch Konjunktionaladverbien!

(1) Er ist mit seiner Frau im Riesengebirge gewesen. – Ihre Kinder haben den Urlaub im Kinderferienlager verbracht.

(2) Unser Nachbar ist Tiefbauarbeiter. – Seine Frau ist Postangestellte.

(3) Auf der letzten Konferenz hat er ein Hauptreferat gehalten. – Diesmal hält er nur einen Diskussionsbeitrag.

(4) Die Familie des Bekannten kauft sich zuerst ein japanisches Farbfernsehgerät. – Wir haben uns zuerst eine Waschmaschine gekauft.

(5) Ihr wollt im Gebirge viel sehen und viel laufen. – Wir wollen uns an der See erholen.

(6) Die neue Universität ist im Zentrum konzentriert. – Die alten Gebäude waren über die Stadt verstreut.

(7) Er ist dieses Jahr in seinem Urlaub nicht weggefahren. – Er hat an seinem Bungalow gebaut.

(8) Die Sekretärin kann heute die Briefe nicht mehr schreiben. – Sie möchte an der Jubiläumsfeier teilnehmen.

V 6 **Kausale Satzverbindungen** können durch eine Konjunktion (*denn*) oder durch ein Konjunktionaladverb (*nämlich*) signalisiert sein.

Bilden Sie aus den folgenden Teilsätzen kausale Satzverbindungen, und verwenden Sie dabei sowohl die Konjunktion als auch das Konjunktionaladverb!

(1) Trotz seiner großen Fortschritte muß der Promovend noch viel arbeiten. – Er hat den schwierigsten Teil seiner Dissertation noch nicht abgeschlossen.

(2) Der Tourist muß sich ein Visum besorgen. – Er will nach Bulgarien fahren.

(3) Er muß sich in acht nehmen. – Er hat gerade eine Grippe hinter sich.

(4) Wir müssen uns wärmer anziehen. – Das Wetter ist schlechter geworden.

(5) Er muß sich einen neuen Bücherschrank kaufen. – Er hat sich in der letzten Zeit viele Bücher angeschafft.

(6) Die Rentner möchten ins Feierabendheim ziehen. – Sie können ihre Wohnung nicht mehr in Ordnung halten.

V 7 **Konsekutive** und **konzessive Satzverbindungen** können nur durch Konjunktionaladverbien (konsekutiv: *also, folglich, daher, darum, demnach, deshalb, deswegen, mithin, somit, infolgedessen;* konzessiv: *trotzdem, gleichwohl, nichtsdestoweniger, dessenungeachtet*) signalisiert sein.

Bilden Sie aus den folgenden Teilsätzen konsekutive oder konzessive

Satzverbindungen, und verwenden Sie dabei die verschiedenen Konjunktionaladverbien!

(1) Wir haben eigentlich keine Zeit. – Wir fahren in den Urlaub.
(2) Er war auf Dienstreise. – Er konnte die Versammlung nicht besuchen.
(3) Die Kaufhalle war wegen Inventur geschlossen. – Die Mutter konnte heute nicht einkaufen.
(4) Der Lehrer hat gerade eine schwere Krankheit hinter sich. – Er sieht sehr gesund aus.
(5) Die Zahnwurzel ist vereitert. – Der Zahn muß gezogen werden.
(6) Die Fußballmannschaft hat in dieser Saison schlecht gespielt. – Sie braucht nicht in die niedrigere Spielklasse abzusteigen.

V 8 Verbinden Sie die beiden Teilsätze – entsprechend den verschiedenen inhaltlichen Beziehungen zwischen ihnen – zu Satzverbindungen mit den richtigen Konjunktionen bzw. Konjunktionaladverbien!

(1) Er hat im Urlaub schlechtes Wetter gehabt. – Er hat sich gut erholt.
(2) Die Gutachter haben die Dissertation noch nicht gelesen. – Die Verteidigung kann nicht stattfinden.
(3) Wir waren mehrere Male in der Hohen Tatra. – Die Niedere Tatra kennen wir noch nicht.
(4) Der Lehrer konnte das Buch richtig einschätzen. – Er ist Experte auf diesem Gebiet.
(5) Der Dozent hat viele Lehrverpflichtungen. – Er legt ständig wertvolle Forschungsergebnisse vor.
(6) Der Student studiert Mathematik. – Seine Braut ist Medizinerin.
(7) Der Ingenieur ist geschickt. – Er führt größere Reparaturen an seinem Auto nicht selbst aus.
(8) Er hat die bisherigen Theorien kritisch gemustert. – Er hat eine eigene Theorie entwickelt.
(9) Wir müssen die Blumen im Garten gießen. – Es hat lange nicht geregnet.
(10) Ihr habt Bulgarien besucht. – Das Rilakloster habt ihr nicht kennengelernt.

V 9 Eingeleitete Nebensätze können – entsprechend dem Einleitungswort und der Art der syntaktischen Verknüpfung – Relativsätze (eingeleitet durch Relativpronomen oder Relativadverb) (a), Konjunktionalsätze (eingeleitet durch subordinierende Konjunktion) (b) oder eingeleitete Nebensätze mit *w*-Fragewort (c) sein:

(a) Die DDR ist ein Land, *das* mitten in Europa liegt.

   (b) Die Gäste wurden freundlich empfangen, *als* sie im Ferienheim ankamen.

   (c) Wir erkundigten uns, *wohin* der Weg führte.

Unterscheiden Sie die folgenden eingeleiteten Nebensätze nach der Form des Einleitungswortes!

(1) Er fragte seine Frau, wann sie nach Berlin fahre.
(2) Sie antwortete, daß sie morgen fahren müsse.
(3) Er sieht im Schaufenster das Buch, das er gern kaufen möchte.
(4) Die Schüler haben das Buch bereits gekauft, was den Lehrer sehr gefreut hat.
(5) Er weiß nicht, ob er das Buch kaufen soll.
(6) Der Ausländer weiß nicht, wo er das Buch kaufen soll.
(7) Falls es möglich ist, treffen wir uns morgen im Institut.
(8) In Prag, wo es am schönsten war, wart ihr nur zwei Tage.

V 10 Als **uneingeleitete Nebensätze** kommen vor allem Objektsätze (mit finitem Verb an zweiter Stelle) (a), Konditionalsätze (mit finitem Verb an erster Stelle) (b) und Konzessivsätze (mit finitem Verb an erster Stelle) (c), seltener auch Subjektsätze (mit finitem Verb an zweiter Stelle) (d) vor:

   (a) Ich hoffe, *daß* er das Studium abgeschlossen *hat*.
      → Ich hoffe, er *hat* das Studium abgeschlossen.
   (b) *Wenn* es *regnet*, treffen wir uns am Bahnhof.
      → *Regnet* es, treffen wir uns am Bahnhof.
   (c) *Obwohl* der Termin kurz *ist*, müssen wir ihn halten.
      → *Ist* der Termin *auch* kurz, wir müssen ihn halten.
   (d) Es ist günstiger, *daß (wenn)* du mit dem ersten Zug *fährst*.
      → Es ist günstiger, du *fährst* mit dem ersten Zug.

Verwandeln Sie nach diesem Muster die folgenden eingeleiteten Nebensätze in uneingeleitete Nebensätze, und beachten Sie dabei die Wortstellung!

(1) Sie nimmt an, daß sie die Prüfung bestehen wird.
(2) Wenn er die Prüfung bestanden hat, darf er ins Ausland fahren.
(3) Wir nehmen an, daß die Messe zu erfolgreichen Abschlüssen geführt hat.
(4) Obwohl er alle Voraussetzungen hat, entsprechen seine Leistungen nicht den Anforderungen.
(5) Sie schreibt ihren Eltern, daß sie pünktlich kommt.
(6) Die Schüler vermuten, daß sie am nächsten Tag einen Klassenaufsatz schreiben müssen.
(7) Obwohl das Wetter schlecht war, ging er baden.
(8) Es schien der Kandidatin, daß sie bei der Prüfung durchgefallen sei.

V 11 Ein konzessives Verhältnis kann sowohl durch eine Satzverbindung (mit den Konjunktionaladverbien *trotzdem, gleichwohl, nichtsdestoweniger, dessenungeachtet*) als auch durch ein Satzgefüge mit eingeleitetem Nebensatz (mit den subordinierenden Konjunktionen *obwohl, wenn auch, wenn schon, trotzdem*) oder uneingeleitetem Nebensatz ausgedrückt werden:

Draußen ist es sehr warm, dessenungeachtet muß der Musiker den schwarzen Anzug anziehen.

Obwohl es draußen sehr warm ist, muß der Musiker den schwarzen Anzug anziehen.

Ist es draußen auch sehr warm, der Musiker muß den schwarzen Anzug anziehen.

Setzen Sie die folgenden jeweils zwei Sachverhalte in ein konzessives Verhältnis zueinander, und verwenden Sie dabei die drei möglichen Ausdrucksformen!

(1) Ich bin sehr müde. – Ich muß heute noch arbeiten.
(2) Seine Arbeitsstelle liegt weit von der Wohnung entfernt. – Er geht jeden Tag zu Fuß.
(3) Er ist immer kränklich. – Er raucht sehr stark.
(4) Der Zug fuhr pünktlich in Leipzig ab. – Er kam zu spät in Dresden an.
(5) Dem Verunglückten wurde sofort ärztliche Hilfe zuteil. – Er konnte nicht mehr gerettet werden.
(6) Er hat sich sehr bemüht. – Der Versuch ist mißlungen.

V 12 Im Satzgefüge werden vielfältige funktionale Beziehungen zwischen Haupt- und Nebensatz ausgedrückt: So werden – entsprechend den Satzgliedern – Subjektsätze, Objektsätze, verschiedene Arten der Adverbialsätze (Temporal-, Lokal-, Modal-, Komparativ-, Kausal-, Konsekutiv-, Konzessiv-, Final-, Instrumentalsätze usw.) und Attributsätze unterschieden. Nicht immer ist am Einleitungswort erkennbar, welche funktionale Beziehung vorliegt.

Unterscheiden Sie folgende Nebensätze mit dem gleichen Einleitungswort nach ihrer syntaktischen Funktion (nach ihrem Satzgliedwert) und (bei Adverbialsätzen) auch nach ihrer semantischen Funktion!

(1) Ich weiß nicht mehr, *wo* die Tankstelle ist.
(2) *Wo* die Straße nach links abbiegt, ist ein Parkplatz.
(3) Wie hieß die Stadt, *wo* wir übernachtet haben?
(4) *Wie* der Bauer im Frühjahr sät, wird er im Sommer ernten.
(5) *Wie* erfolgreich das Studium ist, hängt auch vom Fleiß der Studenten ab.
(6) Der Geschäftsleiter muß nach Wegen suchen, *wie* er sein Schaufenster attraktiver gestalten kann.

  (7)   Die Medizin kann beweisen, *wie* sich körperliche Bewegung auf den Kreislauf auswirkt.

  (8)   Er glaubte, *daß* er die Tür verschlossen hatte.

  (9)   *Daß* du gekommen bist, freut mich sehr.

 (10)   Er hatte bei der Fahrprüfung solche Angst, *daß* er zu zittern begann.

 (11)   Die Mutter hatte Angst, *daß* sich der Sohn zur Schule verspätete.

V 13   Der **Schaltsatz** hat nur äußerlich die Form eines Hauptsatzes, der in einen anderen Hauptsatz „eingeschaltet" ist; funktional ist er jedoch untergeordnet und enthält einen Kommentar des Sprechers zum Inhalt der Aussage:

> (a) Das Buch wird — ich habe es gestern erfahren — in den nächsten Wochen erscheinen.
> → Das Buch wird, wie ich gestern erfahren habe, in den nächsten Wochen erscheinen.
>
> (b) Die neuen Bücher — sie waren gerade eingetroffen — begeisterten die Studenten.
> → Die neuen Bücher, die gerade eingetroffen waren, begeisterten die Studenten.

Lösen Sie die folgenden Schaltsätze nach dem Muster (a) oder (b) in Satzgefüge auf!

  (1)   Der Student wird — wir hoffen es alle — die Nachprüfung bestehen.

  (2)   Das Orchester wird — so lasen wir es kürzlich in der Zeitung — eine längere Auslandsreise antreten.

  (3)   Die Kunden — sie hatten sich schon vor Öffnung des Geschäfts angesammelt — strömten in den Laden.

  (4)   Das Reisebüro hat — so war auf einem Anschlag zu lesen — diesen Sonnabend geöffnet.

  (5)   Der Zug — er sollte vor einigen Minuten ankommen — hat über eine Stunde Verspätung.

V 14   Eine **Satzperiode** ist ein vielfach zusammengesetzter Satz, in dem die koordinative (Satzverbindung) und die subordinative Art der Verbindung (Satzgefüge) gleichzeitig auftreten. Nebensätze, die vom Hauptsatz direkt abhängen, sind Nebensätze ersten Grades; solche, die von Nebensätzen ersten Grades abhängen, sind Nebensätze zweiten Grades usw.

> Die Studenten, die ihre Zeugnisse erhalten haben, nachdem sie die Prüfung bestanden haben, verlassen die Universitätsstadt, und sie nehmen im September ihre Arbeit auf.

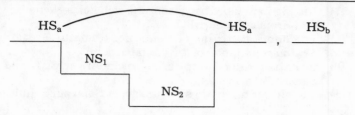

Analysieren Sie die Abhängigkeitsstruktur folgender Satzperioden, fertigen Sie nach dem obigen Muster Satzbilder an, und bestimmen Sie die Nebensätze auch nach der Form (Relativ-, Konjunktional-, eingeleiteter Nebensatz mit *w*-Fragewort, uneingeleiteter Nebensatz, Infinitiv- oder Partizipialkonstruktion), nach der Stellung (Vorder-, Zwischen- oder Nachsatz) und nach der Funktion (Subjekt-, Objekt-, Adverbialsatz verschiedener Art, Attributsatz)!

(1) In einem Lande wie Deutschland, wo noch gut die Hälfte der Bevölkerung vom Landbau lebt, ist es notwendig, daß die sozialistischen Arbeiter und durch sie die Bauern erfahren, wie das heutige Grundeigentum, großes und kleines, entstanden ist; notwendig, daß dem heutigen Elend der Taglöhner und der heutigen Verschuldungsknechtschaft der Kleinbauern entgegengehalten werde das alte Gemeineigentum aller freien Männer an dem, was damals für sie in Wahrheit ein „Vaterland", ein ererbter freier Grundbesitz war. (Engels)

(2) In Ländern wie in Frankreich, wo die Bauernklasse weit mehr als die Hälfte der Bevölkerung ausmacht, war es natürlich, daß Schriftsteller, die für das Proletariat gegen die Bourgeoisie auftraten, an ihre Kritik des Bourgeoisregimes den kleinbürgerlichen und kleinbäuerlichen Maßstab anlegten und die Partei der Arbeiter vom Standpunkt des Kleinbürgertums ergriffen. (Marx / Engels)

(3) Da trafen sie auf eine Zigeunerin, die, auf einem Schemel sitzend, dem Volk, das sie umringte, aus dem Kalender wahrsagte, und fragten sie scherzhafter Weise, ob sie ihnen nicht auch etwas, was ihnen lieb wäre, zu eröffnen hätte. (Kleist)

(4) Der Roßkamm, der wohl sah, daß er hier der Gewalttätigkeit weichen mußte, entschloß sich, die Forderung, weil doch nichts anderes übrigblieb, zu erfüllen, spannte die Rappen aus und führte sie in einen Stall, den ihm der Schloßvogt zuwies. (Kleist)

(5) Tätig zu sein ist des Menschen erste Bestimmung, und alle Zwischenzeiten, in denen er auszuruhen genötigt ist, sollte er anwenden, eine deutliche Erkenntnis der äußerlichen Dinge zu erlangen, die ihm in der Folge abermals eine Tätigkeit erleichtert. (Goethe)

(6) Mager, der, zu Willkommensbücklingen bereit, im Eingangstor stand, hatte zugesehen, wie der Hausknecht den beiden ersteren von den Trittbrettern auf das Pflaster half, während die Kammerkatze, Klärchen gerufen, sich von dem Schwager verabschiedete, bei dem sie gesessen hatte und mit dem sie sich gut unterhalten zu haben schien.   (Th. Mann)

(7) Da ich den Freund im Auge behielt auch während der Konversation mit einem und dem anderen der Gäste, verfehlte ich nicht, den Wink aufzufassen, den er mir mit Kopf und Brauen erteilte und der besagte, ich solle die Versammelten zum Einnehmen ihrer Plätze anhalten.   (Th. Mann)

(8) Jetzt begriff Käthe, daß sie nicht einsam war, daß ihr Schicksal nicht eine absonderliche Ausnahme bildete, daß es viele gab, die vom gleichen Los betroffen worden waren, die, wie sie es getan hatte, sich in Trauer quälten um Menschen, deren Leben keineswegs verloren war.   (A. Seghers)

V 15 In einem **zusammengezogenen Satz** — ein solcher entsteht aus einer Satzverbindung durch Reduktion (Tilgung von identischen Satzgliedern) — bezieht sich (mindestens) **ein** (identisches) Satzglied auf **mehrere** andere (verschiedene) Satzglieder der gleichen Art:

Er lief *in die Stadt*, und seine Frau fuhr mit dem Bus *in die Stadt.*

→ Er lief und seine Frau fuhr mit dem Bus *in die Stadt.*

Bilden Sie aus folgenden Satzverbindungen zusammengezogene Sätze! Achten Sie dabei auch auf die Wortstellung!

(1) Die Kassiererin nahm das Geld ein; sie gab den Kunden die Waren heraus.

(2) Die eine Fußballmannschaft spielt in Dresden, die andere Fußballmannschaft spielt in Berlin.

(3) Der Lehrer fuhr mit der Straßenbahn in die Schule, sein Kollege fuhr mit dem Rad in die Schule.

(4) Der Angestellte bestellte das Visum, sein Kollege holte das Visum.

(5) Der Junge murmelte etwas, und sogleich holte er die Sachen.

(6) Der Schüler bestellte die Bücher, der Lehrer bezahlte die Bücher.

(7) Die Eltern haben zu Weihnachten ihrem Sohn ein Buch geschenkt, und sie haben ihrer Tochter eine Schallplatte geschenkt.

V 16 Wenn es sich bei zusammengezogenen Sätzen um Nebensätze gleichen Grades handelt, kann die zweite subordinierende Konjunktion eliminiert werden. Sie wird jedoch bei identischem Subjekt in beiden Nebensätzen meist nur gemeinsam mit dem Subjekt (und manchmal auch weiteren Gliedern) des zweiten Nebensatzes weggelassen:

> Er wußte, daß sie gut vorbereitet war und *daß sie* keine Angst vor der Prüfung hatte.
>
> → Er wußte, daß sie gut vorbereitet war und keine Angst vor der Prüfung hatte.

Ziehen Sie folgende koordinierten Sätze zusammen bei Beibehaltung der koordinierenden Konjunktion!

(1) Wir nahmen an, daß der Schüler krank war und daß er im Krankenhaus lag.

(2) Peter mußte in die Stadt, weil er einkaufen mußte und weil er ein Buch besorgen wollte.

(3) Wir erinnerten uns, daß Peter in den Ferien an der Ostsee war und daß Gisela in den Ferien im Harz war.

(4) Als der Lehrer die Klasse betreten hatte und als er seine Bücher auf den Tisch gelegt hatte, begann sofort der Unterricht.

(5) Obwohl das Wetter schlecht war und der Boden feucht war, gingen wir in den Wald.

(6) Wir teilten der Verwaltung mit, daß der Student zur Prüfung zugelassen worden ist und daß er die Prüfung mit „gut" bestanden hat.

V 17 Nebensätze sind in der Regel an ein Beziehungswort (Korrelat) im übergeordneten Satz gebunden, das jedoch im konkreten Satz nicht immer auftritt:

> Was er uns sagt, (*das*) müssen wir glauben.

Fügen Sie in den folgenden Satzgefügen im Hauptsatz jeweils ein passendes Korrelat ein!

(1) Weil er in Berlin war, ... konnte er uns nicht besuchen.

(2) Wenn dein Zug pünktlich kommt, ... können wir uns am Bahnhof treffen.

(3) Ihn wiederzusehen, ... freuen wir uns schon lange.

(4) Wir nehmen ... an, daß er pünktlich kommt.

(5) Er hofft ..., in seiner Heimatstadt angestellt zu werden.

(6) Wer wagt, ... gewinnt.

(7) Was er uns versprochen hat, ... wird er auch halten.

(8) Der Lehrer gestattet ..., daß der Schüler vorzeitig nach Hause geht.

(9) Er fährt ... an die Ostsee, weil er sich dort am besten erholen kann.

(10) Die Erdbeeren reifen ... am besten, wenn es viel Sonnenschein gibt.

V 18 Ein Signal für die Bedeutung der Nebensätze ist auch der erste Teil von mehrteiligen Konjunktionen, vor allem dann, wenn der zweite Teil der Konjunktion keine eindeutige Bedeutung hat.

Erschließen Sie aus dem ersten Teil der zusammengesetzten Konjunktion die Bedeutung der Nebensätze!

(1) Der Lehrer gibt lieber mehr Stunden Unterricht, *als daß* er an seiner Dissertation arbeitet.

(2) Es hat geschneit, *so daß* wir nicht mit dem Fahrrad fahren konnten.

(3) *Kaum daß* er gekommen war, fing er an zu erzählen.

(4) Man merkte ihm nichts an, *außer daß* er etwas aufgeregt war.

(5) Sie hat sich den Film angesehen, *ohne daß* sie ihn vollständig verstanden hätte.

(6) Die Frau arbeitete lieber im Büro, *anstatt daß* sie die Hausarbeit besorgte.

(7) Es war im Zimmer zu warm, *als daß* man hätte arbeiten können.

(8) Der Student war sehr begabt, *nur daß* er wenig Praxiserfahrung hatte.

V 19 Wenn der Nebensatz ein Vordersatz ist, steht im nachfolgenden Hauptsatz das finite Verb nicht — wie im Satzgefüge mit einem Nebensatz als Nach- oder Zwischensatz — an zweiter Stelle, sondern an **erster** Stelle, weil der voraufgehende Nebensatz als Äquivalent für ein Satzglied aufgefaßt wird:

Er *besuchte* seinen Freund, nachdem er in Dresden angekommen war.

→ Nachdem er in Dresden angekommen war, *besuchte* er seinen Freund.

Verwandeln Sie in den folgenden Satzgefügen den als Nachsatz stehenden Nebensatz in einen Vordersatz!

(1) Wir können uns treffen, wenn du pünktlich kommst.

(2) Er könnte seinen Gesundheitszustand verbessern, indem er seine Freizeit sinnvoller nutzt.

(3) Uns überrascht es, daß die Sportler so viele Medaillen gewonnen haben.

(4) Wir kommen zu deinem Geburtstag, obwohl wir wenig Zeit haben.

(5) Die beiden Kollegen haben sich herzlich begrüßt, als sie sich zufällig trafen.

(6) Die erste Aufgabe muß abgeschlossen werden, bevor detaillierte Überlegungen zu einem neuen Projekt angestellt werden.

V 20 Ist der Nebensatz in einem Satzgefüge ein Vordersatz, so steht im dar-
auffolgenden Hauptsatz das finite Verb dann nicht an erster, sondern
an zweiter Stelle, wenn der Vordersatz ein Konzessivsatz mit der Partikel *auch* (uneingeleitet oder mit *wenn, wer, wem, wen, wann, wo*
usw.) ist (a) oder der folgende Hauptsatz mit einem Korrelat (*so, da,
dann, deshalb* usw.) beginnt (b), das den Ertrag des vorangegangenen
Nebensatzes zusammenfaßt:

> (a) Wenn er auch krank war, er *kam* zur Arbeit.
> (b) Wenn der Zug pünktlich ankommt, dann *können* wir uns
>   treffen.

Dasselbe gilt
für Konzessivsätze mit einleitendem *w*-Wort + (*auch*) *immer* (c),
für *ob*-Sätze, die die Irrelevanz des in ihnen ausgedrückten Geschehens bezeichnen (d),
für uneingeleitete Konzessivsätze (e)
und für Konzessivsätze mit graduierendem *so* (f):

> (c) *Was immer* er sagt, es *zeugt* stets von Sachkenntnis.
> (d) *Ob* es regnet oder schneit, wir *gehen* in den Wald.
> (e) Dauert es auch lange, der Patient *wird* wieder laufen kön-
>   nen.
> (f) *So* verschieden die Meinungsäußerungen waren, die Be-
>   triebsleitung *konnte* daraus eine gemeinsame Schlußfolge-
>   rung ableiten.

Verwandeln Sie die Nachsätze in folgenden Satzgefügen in Vorder-
sätze!

(1) Er grüßte jeden im Haus, wen er auch traf.
(2) Sie wird dann wieder zu ihm zurückkehren, wenn er sich für
    sein Verhalten entschuldigt hat.
(3) Er konnte gut schlafen, wo er auch übernachten mußte.
(4) Wir werden ihn deshalb zu einer Aussprache einladen, weil er
    die letzten Besprechungen versäumt hat.
(5) Der Student hat die Vorlesungen regelmäßig besucht, wenn er
    auch nicht alles verstanden hat.
(6) Er hat dann alle Voraussetzungen für die Promotion erfüllt,
    wenn er die Thesen eingereicht hat.
(7) Wir warten auf ihn am Bahnhof, ob der Zug pünktlich kommt
    oder nicht.
(8) Das Gericht wird den Angeklagten anhören, was er auch vorzu-
    bringen hat.
(9) Wir werden den Termin für die Reise beibehalten, so viele Vor-
    bereitungen auch noch zu treffen sind.
(10) Dem Kind schmeckt es immer, wann immer es (auch) etwas be-
    kommt.

V 21 **Subjektsätze** können durch eine **Infinitivkonstruktion** vertreten werden, wenn das Subjekt des Nebensatzes mit dem Objekt des Hauptsatzes identisch ist (a) oder als Subjekt des Nebensatzes das unbestimmtpersönliche *man* erscheint (b):

     (a) Daß *er* das Spiel gewonnen hat, freut *ihn.*
         → Das Spiel gewonnen zu haben freut ihn.
     (b) Daß *man* pünktlich kommt, ist ratsam.
         → Pünktlich zu kommen ist ratsam.

Formen Sie – wenn möglich – die folgenden Nebensätze (Subjektsätze) in Infinitivkonstruktionen um und begründen Sie – im negativen Falle –, warum das nicht möglich ist!

(1) Daß man dieses Medikament regelmäßig einnimmt, ist notwendig.
(2) Daß wir die Angelegenheit mit ihm besprechen können, ist uns angenehm.
(3) Daß wir ihn noch begrüßen können, überrascht uns.
(4) Daß die Studentin die Aufgabe richtig lösen kann, freut uns.
(5) Es macht ihn nervös, daß er während des Konzerts die ganze Zeit still sitzen muß.
(6) Es macht ihn nervös, daß sein Nachbar den ganzen Tag das Radio laufen läßt.

V 22 **Objektsätze** können durch eine **Infinitivkonstruktion** vertreten werden, wenn das Subjekt des Nebensatzes mit dem Subjekt des Hauptsatzes identisch ist (a), wenn das Subjekt des Nebensatzes mit dem Objekt des Hauptsatzes identisch ist (b) oder mit dem logischen Subjekt des Hauptsatzes übereinstimmt, das jedoch nur in der Grundstruktur als grammatisches Subjekt erscheint (c):

     (a) *Er* hofft, daß *er* im nächsten Jahr promovieren kann.
         → Er hofft, im nächsten Jahr promovieren zu können.

     (b) Der Arzt bittet *die Patientin*, daß *sie* am nächsten Tag wiederkommt.
         → Der Arzt bittet die Patientin, am nächsten Tag wiederzukommen.

     (c) *Er* bemüht sich, daß *er* die Prüfung gut besteht.
         → *sein* Bemühen, daß *er* die Prüfung gut besteht
         → sein Bemühen, die Prüfung gut zu bestehen

Formen Sie – wenn möglich – die folgenden Nebensätze (Objektsätze) in Infinitivkonstruktionen um und begründen Sie – im negativen Falle –, warum das nicht möglich ist!

(1) Wir nehmen an, daß wir mittags in Prag sind.
(2) Die Kinder stellen sich vor, daß wir mittags in Prag sind.

(3) Die jungen Eheleute sind gewiß, daß sie im Kaufhaus ein Schlafzimmer nach ihrem Geschmack kaufen können.

(4) Wir sind gewiß, daß sich gute Beziehungen zwischen den Nach-
barländern durchsetzen werden.

(5) Die Hochschule bemüht sich darum, daß sie wissenschaftliche
Beziehungen zu ausländischen Universitäten aufnimmt.

(6) Die Hochschule bemüht sich darum, daß der ausländische Wissenschaftler zu einem Gastvortrag kommt.

(7) Der Professor regt den Doktoranden an, daß er das aktuelle
Thema bearbeitet.

(8) Man veranlaßt ihn, daß er die Leitung des Betriebes übernimmt.

(9) Er äußert den Wunsch, daß er an der Konferenz teilnimmt.

(10) Der Junge äußert den Wunsch, daß seine Freundin an der Feier
zu seinem Geburtstag teilnimmt.

V 23 Folgende **Adverbialsätze** können durch eine **Infinitivkonstruktion** ersetzt werden: Finalsätze mit *damit* (→ *um zu*), Modalsätze des fehlenden Begleitumstandes oder negative Konsekutivsätze mit *ohne daß*
(→ *ohne zu*), Substitutivsätze mit *anstatt daß* (→ *anstatt zu*), Konsekutivsätze mit *zu ... als daß* (→ *zu ... um zu*), mit *genug ... daß* (→ *genug
... um zu*) und mit *so ... daß* (→ *so ... zu*) — sämtlich Konsekutivsätze,
bei denen sich die Folge aus einer Gradangabe im übergeordneten
Satz ergibt.

Die Adverbialsätze mit *ohne daß, anstatt daß* und *so ... daß* können
nur dann durch eine Infinitivkonstruktion ersetzt werden, wenn die
Subjekte in Haupt- und Nebensatz identisch sind (a):

(a) *Er* überquerte die Straße, ohne daß *er* auf den Verkehr achtete.
→ Er überquerte die Straße, ohne auf den Verkehr zu achten.

Auch die anderen Adverbialsätze werden meist bei Identität der beiden Subjekte durch Infinitivkonstruktionen ersetzt (b). Vereinzelt ist
jedoch bei ihnen auch ein Ersatz möglich, wenn das Subjekt des Nebensatzes mit dem logischen Subjekt (grammatischen Objekt) des
Hauptsatzes identisch ist (c) oder als Subjekt des Nebensatzes das unbestimmt-persönliche *man* erscheint (d):

(b) *Der Student* arbeitet sehr fleißig, damit *er* auf die Prüfung
gut vorbereitet ist.
→ Der Student arbeitet sehr fleißig, um auf die Prüfung gut
vorbereitet zu sein.

(c) Ein kleiner Hinweis genügte *dem Schüler*, damit *er* die Aufgabe löste.
→ Ein kleiner Hinweis genügte dem Schüler, um die Aufgabe zu lösen.

   (d) Der Raum war zu klein, als daß *man* die Verteidigung darin durchführen konnte.
      → Der Raum war *zu* klein, *um* die Verteidigung darin durch*zu*führen.

Formen Sie — wenn möglich — die folgenden Nebensätze (Adverbialsätze) in Infinitivkonstruktionen um und begründen Sie — im negativen Falle —, warum das nicht möglich ist!

(1) Der Arzt mußte wieder zurückfahren, ohne daß er seinen Patienten angetroffen hatte.
(2) Der Lehrer fuhr an die Ostsee, damit er sich von den Anstrengungen des Schuljahres erholte.
(3) Die Wirtsleute taten alles, damit die Gäste sich wohlfühlten.
(4) Die Schülerin ging ins Kino, anstatt daß sie ihren Hausaufsatz schrieb.
(5) Die Eltern mußten ihre Kinder besuchen, anstatt daß die Kinder ihre Eltern aufsuchten.
(6) Er badete in kaltem Wasser, ohne daß er sich erkältete.
(7) Der Hund hat das Kind gebissen, ohne daß es dabei ernsthafte Verletzungen erlitt.
(8) Der Schüler war so klug, daß er seinen Fehler selbst einsah.
(9) Das Klassenzimmer war groß genug, daß man zwei Gruppen in ihm unterbringen konnte.
(10) Seine Erfahrung reicht aus, daß man ihn die Veranstaltung durchführen lassen kann.

V 24 Die in der Infinitivkonstruktion verdunkelten Beziehungen zwischen den Subjekten von Haupt- und Nebensatz werden deutlich, wenn man die Infinitivkonstruktion in den entsprechenden Nebensatz verwandelt:

    Der Lehrer empfahl den Schülern, diese zusätzliche Aufgabe zu lösen.
    → Der Lehrer empfahl *den Schülern*, daß *sie* diese zusätzliche Aufgabe lösen.
    Der Lehrer versprach den Schülern, mit ihnen ins Theater zu gehen.
    → *Der Lehrer* versprach den Schülern, daß *er* mit ihnen ins Theater geht.

Verwandeln Sie die folgenden Infinitivkonstruktionen in Nebensätze und machen Sie auf diese Weise das in der Infinitivkonstruktion eliminierte Subjekt deutlich!

(1) Der Arzt hoffte, den Zustand der Patientin verbessern zu können.
(2) Der Arzt riet der Patientin, regelmäßig die Medikamente einzunehmen.

(3) Der Arzt versprach der Patientin, sie am nächsten Tage zu besuchen.

(4) Sein Versuch, sie im Büro anzutreffen, war erfolglos.

(5) Es empfiehlt sich, diese Veranstaltung zu besuchen.

(6) Den Freund nach langer Zeit wiederzusehen ist uns angenehm.

(7) Die Aufgabe war zu schwierig, um sie in kurzer Zeit lösen zu können.

V 25 Infinitivkonstruktionen mit *um zu* können verschiedene Bedeutungen haben:

(a) Der Schüler brauchte nur einen kleinen Hinweis, um die Aufgabe zu lösen.

→ Der Schüler brauchte nur einen kleinen Hinweis, *damit* er die Aufgabe lösen konnte. (= final)

(b) Das Wasser war *zu* kalt, um darin baden zu können.

→ Das Wasser war *so* kalt, *daß* man *nicht* darin baden konnte.

→ Das Wasser war *zu* kalt, *als daß* man darin baden konnte. (= konsekutiv$_1$; die Folge bleibt auf Grund des Übermaßes des im übergeordneten Satz ausgedrückten Geschehens aus)

(c) Er war klug *genug,* (um) seinen Fehler einzusehen.

→ Er war klug *genug, daß* er seinen Fehler einsah. (= konsekutiv$_2$; die Folge tritt auf Grund des erreichten Maßes des im übergeordneten Satz ausgedrückten Geschehens ein)

(d) Er betrat das Lokal, um es nach einer Stunde wieder zu verlassen.

→ Er betrat das Lokal *und* verließ es nach einer Stunde wieder. (= kopulativ)

Führen Sie die folgenden Infinitivkonstruktionen mit *um zu* auf die ihnen entsprechenden Satzgefüge und Satzverbindungen zurück!

(1) Er spart eifrig, um sich ein Auto zu kaufen.

(2) Die Mutter betrat das Kaufhaus, um es nach einer halben Stunde wieder zu verlassen.

(3) Der Kaffee war zu heiß, um ihn sofort trinken zu können.

(4) Der Schüler mußte besser vorbereitet werden, um beim Wettkampf besser abzuschneiden.

(5) Der Junge war selbständig genug, um die Reise allein antreten zu können.

(6) Er fuhr in die Stadt, um seinen Arzt zu konsultieren.

V 26 Manche Verben nehmen auf Grund ihrer Bedeutung vorwiegend den Infinitiv Präsens (a), andere den Infinitiv Perfekt (b) zu sich:

(a) Er rät seiner Frau ab, den Mantel *zu kaufen.*

(b) Der Staatsanwalt klagt ihn an, den Verkehrsunfall *verursacht zu haben.*

Vervollständigen Sie die folgenden Sätze durch eine Infinitivkonstruktion mit Infinitiv I (Präsens) oder Infinitiv II (Perfekt)!

(1) Der Lehrer hofft,...

(2) Die Lehrerin überführt das Kind,...

(3) Der Junge verspricht seiner Mutter,...

(4) Sie beschuldigte die über ihr wohnenden Mieter,...

(5) Der Professor forderte seinen Assistenten auf,...

(6) Dem Kassierer wurde vorgeworfen,...

(7) Die Familie nimmt sich vor,...

(8) Der Offizier befiehlt den Soldaten,...

V 27 **Partizipialkonstruktionen** sind (im Unterschied zu den Infinitivkonstruktionen) niemals valenzbedingt und können folglich auch nicht Subjekte oder Objekte des übergeordneten Satzes vertreten. Es sind zwei Subklassen zu unterscheiden: **attributive** Partizipialkonstruktionen (a), die sich auf ein Substantiv beziehen, relativ stellungsfest sind, durch einen attributiven Relativsatz paraphrasiert werden können und sich in erweiterte Partizipialattribute verwandeln lassen, und **nicht-attributive** (adverbiale und nebenprädikativische) Partizipialkonstruktionen (b), die sich auf ein Verb beziehen, nicht stellungsfest sind, durch einen expliziten konjunktionalen bzw. einen weiterführenden Nebensatz paraphrasiert werden können und sich nicht in erweiterte Partizipialattribute verwandeln lassen:

(a) Der Schriftsteller, 1930 in Berlin geboren, hat vor kurzem einen neuen Roman veröffentlicht.

→ Der Schriftsteller, *der* 1930 in Berlin geboren ist, hat vor kurzem einen neuen Roman veröffentlicht.

→ Der *1930 in Berlin geborene* Schriftsteller hat vor kurzem einen neuen Roman veröffentlicht.

(b) Der Lehrer, in Dresden angekommen, besuchte sofort seinen Freund.

→ *In Dresden angekommen,* besuchte der Lehrer sofort seinen Freund.

→ *Nachdem* der Lehrer in Dresden angekommen war, besuchte er sofort seinen Freund.

Verwandeln Sie die folgenden Partizipialkonstruktionen in Relativsätze bzw. konjunktionale Adverbialsätze, und entscheiden Sie danach, ob sie attributiv oder nicht-attributiv sind! Versuchen Sie auch, ob die Stellung verändert werden kann und eine Verwandlung in ein erweitertes Partizipialattribut möglich ist!

(1) Das Flugzeug, mit Medikamenten für das notleidende Gebiet beladen, erreichte seinen Bestimmungsort.

(2) Das Obst, sorgfältig in Kisten verpackt, wurde ausgeladen.

(3) Der Autofahrer, durch einen Unfall schwer verletzt, mußte in ein Krankenhaus eingeliefert werden.

(4) Das Mädchen, sich vor der Dunkelheit fürchtend, vermied den Weg durch den Wald.

(5) Die Eltern, besorgt die Stirn runzelnd, sahen dem wilden Spiel der Kinder zu.

(6) Der Direktor, seinen engsten Mitarbeitern zulächelnd, gab seine Entscheidung bekannt.

(7) Der Lektor, mit der Aufstellung der Stundenpläne betraut, hat sich der Zustimmung seiner Kollegen versichert.

(8) Eine stationäre Behandlung, aufbauend auf einer rechtzeitigen Diagnose, hatte den Patienten gerettet.

V 28 Wenn die Partizipialkonstruktionen **adverbialen** Charakter haben, lassen sie unterschiedliche semantische Interpretationen zu (die sich nicht immer ausschließen) und sind auf entsprechende explizite adverbiale Nebensätze zurückführbar (deren Konjunktion die zugrunde liegende semantische Relation signalisiert):

(a) In Dresden angekommen, besuchte der Lehrer sofort seinen Freund.
→ *Nachdem* der Lehrer in Dresden angekommen war, besuchte er sofort seinen Freund. (= temporal)

(b) Sich vor der Dunkelheit fürchtend, rannte der Junge sofort nach Hause.
→ *Weil* sich der Junge vor der Dunkelheit fürchtete, rannte er sofort nach Hause. (= kausal)

(c) Der Soldat starb, von den Kugeln der Feinde getroffen.
→ Der Soldat starb, *indem* er von den Kugeln der Feinde getroffen wurde. (= modal)

(d) Mit anderen Gebieten verglichen, sind die Ernteerträge hier geringer.
→ *Wenn* man sie mit anderen Gebieten vergleicht, sind die Ernteerträge hier geringer. (= konditional)

Mit mehrfacher Interpretation:

(e) Durch das Hauptreferat angeregt, meldete er sich zur Diskussion.
→ *Nachdem/Weil* er durch das Hauptreferat angeregt worden war, meldete er sich zur Diskussion. (= temporal kausal)

Bilden Sie aus den folgenden Partizipialkonstruktionen nach diesem Muster konjunktionale Nebensätze (und stellen Sie dabei die semantischen Relationen fest)!

(1) Der Patient, in die Klinik eingeliefert, wurde sofort operiert.

(2) Von der Krankheit genesen, konnte das Kind das Krankenhaus wieder verlassen.

(3) Der Assistent ermunterte den Studenten, ihm auf die Schulter klopfend, zu weiteren Untersuchungen.

(4) Von seiner Meinung überzeugt, entfachte der Schriftsteller eine scharfe Polemik.

(5) Von anderen Kriterien ausgehend, kommt man zu anderen Ergebnissen.

(6) Von den guten Leistungen seiner Klasse überrascht, lobte der Lehrer seine Schüler.

(7) Verängstigt von den vielen anwesenden Menschen, fing der Hund plötzlich zu bellen an.

(8) Er verabschiedete sich sehr freundlich, die Hand an die Mütze hebend.

V 29 Es gibt eine Anzahl konditionaler Partizipialkonstruktionen, bestehend nur aus einem Partizip II und einem Modaladverb, deren eliminiertes Subjekt das unbestimmt-persönliche *man* im entsprechenden Nebensatz ist:

> Wenn *man* es streng nimmt, hat der Kandidat seine These nicht bewiesen.
> → Streng genommen, hat der Kandidat seine These nicht bewiesen.

Verwandeln Sie nach diesem Muster die folgenden Konditionalsätze in die entsprechenden Partizipialkonstruktionen!

(1) Wenn man es höflich ausdrückt, ist er ein etwas eigenwilliger Mensch.

(2) Wenn man es inhaltlich sieht, so werden die Gemeinsamkeiten besser deutlich.

(3) Wenn man grob schätzt, können nur 50 Prozent der Bewerber angenommen werden.

(4) Wenn man es allgemein formuliert, kann man sagen, daß die Mannschaft eine sehr gute Leistung vollbracht hat.

(5) Wenn man es kurz sagt, entsprechen die Thesen nicht den Anforderungen.

(6) Wenn man es so betrachtet, hat der Redner mit seinen Schlußfolgerungen recht.

V 30 Die Partizipialkonstruktionen können manchmal noch weiter — um bedeutungsleere Partizipien wie *habend, seiend, haltend* — verkürzt werden:

> Der Lehrer, der die Hefte unter dem Arm hatte (trug), betrat das Klassenzimmer.
> → Die Hefte unter dem Arm *habend/tragend*, betrat der Lehrer das Klassenzimmer.
> → Die Hefte unter dem Arm, betrat der Lehrer das Klassenzimmer.

Bilden Sie nach diesem Muster aus dem zweiten Satz jeweils eine verkürzte Partizipialkonstruktion (zum ersten Satz)!

(1) Der Schriftsteller las aus seinen Werken. Er hatte eine Pfeife im Mund.

(2) Der Prüfling hatte es im Examen schwer. Er war nicht an die schwierigen Aufgaben gewöhnt.

(3) Er konnte sich schwer in das Kollektiv einordnen. Er war von Kind auf zum Individualisten erzogen.

(4) Der Trainer stoppte die Läufer. Er hielt die Uhr in der Hand.

(5) Der Rentner starb an Grippe. Er war durch längere Krankheit geschwächt.

(6) Der Patient betrat das Sprechzimmer. Er hatte die Tasche mit den Krankenpapieren in der Hand.

V 31 Als **Subjekt** treten alternativ zu einem Substantiv im Nominativ vielfach ein Nebensatz (Subjektsatz) oder eine Infinitivkonstruktion auf. Beide können sowohl vor dem übergeordneten Satz (als Vordersatz) als auch nach dem übergeordneten Satz (als Nachsatz) stehen:

> Ein Besuch bei ihm ist wünschenswert.
> (a) → Daß jemand ihn besucht, ist wünschenswert.
> → Es ist wünschenswert, daß jemand ihn besucht.
> (b) → Ihn zu besuchen ist wünschenswert.
> → Es ist wünschenswert, ihn zu besuchen.

Verwandeln Sie in folgenden Sätzen die Subjekte in Subjektsätze und entsprechende Infinitivkonstruktionen, verwenden Sie dabei sowohl Vorderstellung als auch Nachstellung!

(1) Eine gute Vorbereitung auf die Prüfung ist wünschenswert.

(2) Die Fahrt nach Dresden lohnt sich.

(3) Eine solide Arbeit zahlt sich im Ergebnis aus.

(4) Die Beobachtung des Vogels ist sehr interessant.

(5) Die Drohung mit Exmatrikulation ist die letzte Möglichkeit.

(6) Das Lesen des Buches war eine Freude.

(7) Eine Wiederholung der Prüfung ist erforderlich.

V 32   Wenn statt eines Subjekts ein Subjektsatz erscheint, wird dieser Subjektsatz — abhängig vom Verb oder vom Prädikativ (Adjektiv bzw. Substantiv) des übergeordneten Satzes — eingeleitet mit *daß* (a), mit *ob* (b) oder mit *daß* bzw. *ob* (oder einem *w*-Fragewort) (c):

        (a) *Daß* er kommt, ist gewiß.
        (b) *Ob* er kommt, entscheidet sich morgen.
        (c) *Daß/ob* er die Details kennt, ist unwesentlich.

Formen Sie in folgenden Sätzen die Subjekte in Subjektsätze um und beachten Sie dabei, welches Einleitungswort auftreten kann bzw. muß!

    (1)   Seine Vergeßlichkeit hat uns sehr überrascht.
    (2)   Der Mutter war ihre Krankheit anzumerken.
    (3)   Sein Sieg war nach der dritten Runde sicher.
    (4)   Sein Kommen ist nicht sicher.
    (5)   Seine Höflichkeit hat uns gefreut.
    (6)   Ihre Aufnahme in die Schule wird sich morgen klären.
    (7)   Ihre Behandlung dieses Themas ist für uns uninteressant.
    (8)   Seine Rettung ist fraglich.

V 33   Bilden Sie aus den jeweils zwei Sätzen Satzgefüge, in denen der erste Satz als Subjektsatz — soweit wie möglich — in verschiedenen Formen (als Nebensatz mit *daß*, mit *ob* bzw. *w*-Fragewort oder als Infinitivkonstruktion) erscheint:

        Er besucht uns. Es ist fraglich.
        → *Ob* er uns besucht, ist fraglich.
        → *Wann/wo/warum/mit wem* er uns besucht, ist fraglich.
        → Es ist fraglich, *ob/wann/wo/warum/mit wem* er uns besucht.

    (1)   Er besucht uns. Es ist unwichtig.
    (2)   Wir treffen ihn. Es ist schön.
    (3)   Sie trinken Milch. Es ist gesund.
    (4)   Man analysiert den Bedarf. Es ist schwierig.
    (5)   Wir überzeugen ihn. Es ist möglich.
    (6)   Er überrascht uns. Es ist unbestimmt.
    (7)   Er kommt. Es ist gewiß.
    (8)   Wir lesen auch die Zusatzliteratur. Es ist ratsam.

V 34   Zu den Subjektsätzen gehören auch die äußerlich wie restriktive Relativsätze erscheinenden Sätze mit *derjenige, der*, die in *wer*-Sätze verwandelt werden können:

        Derjenige, der wagt, gewinnt.
        → *Wer* wagt, gewinnt.

Verwenden Sie für die Nebensätze in folgenden Sätzen nach diesem Muster Subjektsätze mit *wer*!

(1) Derjenige, der kein Testat hat, wird nicht zur Prüfung zugelassen.

(2) Derjenige, der seine Pflichtexemplare nicht abgeliefert hat, bekommt keine Promotionsurkunde.

(3) Derjenige, der die Stunde versäumt hat, muß den Stoff nachholen.

(4) Derjenige, der keine Berufung zur Wissenschaft verspürt, sollte nicht an einer Universität arbeiten.

(5) Derjenige, der keinen Führerschein hat, darf nicht Auto fahren.

(6) Derjenige, der die Hauptstadt wirklich kennt, wird gern wiederkommen.

V 35 Als **Objekt** treten alternativ zu einem Substantiv (im Akkusativ, Dativ, Genitiv oder mit Präposition) vielfach ein Nebensatz (Objektsatz) oder eine Infinitivkonstruktion auf. Beide können sowohl vor dem übergeordneten Satz (als Vordersatz) als auch nach dem übergeordneten Satz (als Nachsatz) stehen:

Er sieht seinen Fehler ein.

(a) → Er sieht ein, daß er einen Fehler gemacht hat.
      → Daß er einen Fehler gemacht hat, sieht er ein.

(b) → Er sieht ein, einen Fehler gemacht zu haben.
      → Einen Fehler gemacht zu haben, sieht er ein.

Verwandeln Sie in folgenden Sätzen die Objekte in Objektsätze und entsprechende Infinitivkonstruktionen, verwenden Sie dabei sowohl Vorderstellung als auch Nachstellung!

(1) Wir bitten ihn um baldige Bezahlung der Rechnung.

(2) Er entscheidet sich für eine Reise nach Polen.

(3) Der Angeklagte bestreitet den Diebstahl.

(4) Ich trage der Sekretärin das Schreiben des Briefes auf.

(5) Wir beschränken uns auf das einmalige Abschreiben des Briefes.

(6) Er beschuldigt sie des Vertrauensbruches.

V 36 Wenn statt eines Objekts ein Objektsatz erscheint, wird dieser Objektsatz — abhängig vom Prädikat des übergeordneten Satzes — eingeleitet mit *daß* (a), mit *ob* oder einem *w*-Fragewort (b) oder sowohl mit *daß* als auch mit *ob* (bzw. *w*-Fragewort) (c):

(a) Er befürchtet, *daß* er nicht in den Urlaub fahren kann.

(b) Wir müssen uns erkundigen, *ob/wo* wir hier einen Film kaufen können.

(c) Die Studenten haben erfahren, *daß/ob/wo* sie geprüft werden.

Formen Sie in folgenden Sätzen die Objekte in Objektsätze um und beachten Sie dabei, welches Einleitungswort auftreten kann bzw. muß!

(1) Die Klinik bescheinigt die Krankheit des Studenten.
(2) Die Kommission beantragt die Wiederholung der Prüfung.
(3) Viele Fehler beruhen auf der Unachtsamkeit der Schüler.
(4) Wir sind über das gute Ergebnis der Prüfung froh.
(5) Die Familienangehörigen fragen den Arzt nach der Schwere der Krankheit.
(6) Die Hochschulen müssen sich auf die Vorkenntnisse der Studenten verlassen.
(7) Die Experten warten auf die Einrichtung eines Konsulats.
(8) Bei der Beurteilung müssen wir seine Teilnahme an fakultativen Veranstaltungen berücksichtigen.

V 37 Bilden Sie aus den jeweils zwei Sätzen Satzgefüge, in denen der zweite Satz als Objektsatz — soweit wie möglich — in verschiedenen Formen (als Nebensatz mit *daß*, mit *ob* bzw. *w*-Fragewort oder als Infinitivkonstruktion) erscheint:

Wir beauftragen ihn: Er holt die Post ab.
→ Wir beauftragen ihn, *daß* er die Post abholt.
→ Wir beauftragen ihn, die Post abzuholen.
→ Die Post abzuholen, beauftragen wir ihn.

(1) Er strebt danach: Er wird immatrikuliert.
(2) Der Vorsitzende der Kommission sagt es ihm: Er wird mündlich geprüft.
(3) Der Student befürchtet es: Er muß die Prüfung wiederholen.
(4) Die Lehrerin erlaubt dem Schüler: Er geht früher nach Hause.
(5) Der Redakteur wartet es ab: Wir müssen nach Berlin fahren.
(6) Der Arzt fordert die Patientin energisch auf: Sie legt sich sofort ins Bett.
(7) Wir sind glücklich: Der Junge ist immatrikuliert worden.
(8) Der Student informiert sich: Die Bibliothek hat am Sonntag geöffnet.

V 38 Durch die Nominalisierung des Verbs oder Adjektivs im übergeordneten Satz bleiben die von ihnen abhängigen Objektsätze in der Bedeutung gleich, erscheinen jedoch in der Oberfläche als Attribute:

Er hofft, daß sein Kollege pünktlich kommt.
→ Er hat die Hoffnung, daß sein Kollege pünktlich kommt.

Verwandeln Sie nach diesem Muster die folgenden Objektsätze durch Nominalisierung des übergeordneten Verbs bzw. Adjektivs in Oberflächen-Attribute!

(1) Wir sind davon überzeugt, daß das Angebot an Möbeln noch wesentlich verbessert werden kann.

(2) Die Inventur veranlaßte ihn, eine zusätzliche Kontrolle dieser Abteilung vorzunehmen.

(3) Der Assistent war daran interessiert, seine Dissertation bald zu verteidigen.

(4) Wir sind nicht sicher, daß wir auf dem richtigen Weg zum Gipfel sind.

(5) Der Patient glaubt, daß er die Krankheit übersteht.

(6) Der Student fragte, ob auch eine andere Lösung der Aufgabe möglich ist.

V 39 Bei Objektsätzen muß man — abhängig vom Verb des übergeordneten Satzes — solche unterscheiden, bei denen das Korrelat im übergeordneten Satz (*es, das*, Pronominaladverb) obligatorisch steht (a), von anderen, in denen das Korrelat fakultativ steht (b), sehr selten ist (c) oder gar ausgeschlossen ist (d):

(a) Er achtet *darauf*, daß er keinen Fehler macht.

(b) Wir bedauern (*es*), die Angelegenheit nicht erledigen zu können.

(c) Wir empfehlen ((*es*)) ihm, die Konsultation zu besuchen.

(d) Er weigert sich, zum Arzt zu gehen.

Setzen Sie in den folgenden Satzgefügen das Korrelat im übergeordneten Satz richtig ein!

(1) Wir verzichten . . . (darauf), daß er sich entschuldigt.

(2) Die Lehrer hoffen . . . (es), daß alle Schüler die Prüfung bestehen.

(3) Der Direktor besteht . . . (darauf), daß alle Mitarbeiter pünktlich mit ihrer Arbeit beginnen.

(4) Die Mutter beschwört sie . . . (dazu), daß sie pünktlich zu Hause sind.

(5) Wir werfen . . . (es) ihnen vor, daß sie den Patienten nicht gründlich genug untersucht haben.

(6) Der Student neigt . . . (dazu), daß er sich auf seine Fähigkeiten verläßt.

(7) Die Familie bereut . . . (es) nicht, daß sie im Urlaub ins Ausland gefahren ist.

(8) Der Dozent beschränkt sich . . . (darauf), daß er das Inhaltsverzeichnis durchliest.

Adverbialsätze

W 1   Mit den Konjunktionen *als* und *wenn* werden sowohl Gleichzeitigkeit als auch Vorzeitigkeit bezeichnet. Wenn *als* und *wenn* zur Bezeichnung der **Gleichzeitigkeit** dienen, hat der Nebensatz meist das gleiche Tempus wie der Hauptsatz (neben Präteritum ist aber auch Perfekt, neben Futur ist auch Präsens möglich). Der *als*-Satz bezeichnet eine einmalige Handlung in der Vergangenheit (a), der *wenn*-Satz eine einmalige Handlung in der Gegenwart und Zukunft (b) sowie eine wiederholte Handlung in allen Zeiten (c).

(a) *Als* ich voriges Jahr in Weimar war, war das Goethe-Haus gerade geschlossen.

(b) *Wenn* ich in diesem Jahr wieder nach Weimar komme, werde ich unbedingt das Goethe-Haus besuchen.

(c) *Wenn* ich nach Weimar fahre, besuche ich (jedesmal, meistens, . . .) auch das Goethe-Haus.

Setzen Sie die fehlenden Konjunktionen ein!

. . . ich geboren wurde, war der schöne Monat Mai, und es war Sonntag. Es gibt die Meinung, . . . man an einem Sonntag geboren wird, hat man im Leben immer Glück. . . . ich die ersten Jahre zur Schule ging, merkte ich von diesem Glück recht wenig. Immer . . . ich einmal nicht aufpaßte, entdeckte es mein Lehrer. . . . ich dann nach Hause kam, gab es auch keine glücklichen Stunden. . . . ich in die 5. Klasse kam, wurde ich krank. . . . ich nach drei Monaten wieder in die Schule gehen konnte, verstand ich im Deutschunterricht kein Wort. . . . ich heute an meine erste Deutschzensur denke, schäme ich mich. . . . ich erkannte, daß ich fleißiger lernen muß, war es fast schon zu spät. Nun gab ich mir immer viel Mühe, . . . wir eine Klassenarbeit schrieben. . . . wir dann die Arbeit zurückbekamen, konnte ich meistens zufrieden sein. . . . mich dann einmal mein Deutschlehrer wegen einer Arbeit sehr lobte, war ich richtig stolz und hatte nun viel mehr Lust zum Lernen. . . . mich die Leute fragten, was ich werden wollte, sagte ich immer nur „Deutschlehrer". . . . ich die Oberschule beendete, hatte ich schon einen Studienplatz für Germanistik. . . . man mich nach dem 2. Studienjahr fragte, ob ich im Ausland studieren wollte, sagte ich sofort „Ja". . . . ich heute an meine Schul- und Studienjahre zurückdenke, glaube ich, daß es doch stimmt, . . . man sagt, daß Sonntagskinder Glück haben.

W 2   Wenn der Nebensatz im Verhältnis der **Vorzeitigkeit** zum Hauptsatz steht, ist folgende Zeitenfolge üblich:
Vorzeitigkeit in der Vergangenheit
Präteritum im Hauptsatz — Plusquamperfekt im Nebensatz

Vorzeitigkeit in der Gegenwart und Zukunft

Präsens bzw. Futur im Hauptsatz — Perfekt im Nebensatz

Zum Ausdruck der Vorzeitigkeit dienen die Konjunktionen *als, wenn* und *nachdem:*

- (a) einmalig, vergangen — *nachdem, als*

  Nachdem (*als*) der Ausländer sein Staatsexamen abgeschlossen hatte, fuhr er in seine Heimat zurück.

- (b) einmalig, gegenwärtig — *nachdem*

  Nachdem mein Freund viele Jahre mit dem Fahrrad zur Arbeit gekommen ist, fährt er jetzt mit dem Auto.

- (c) einmalig, zukünftig — *nachdem, wenn*

  Nachdem (*wenn*) sie die Prüfung abgelegt hat, geht sie ins Ausland.

- (d) wiederholt, in allen Zeiten — *wenn*

  Wenn ich aufgestanden war (bin), machte (mache) ich immer zuerst 10 Minuten Gymnastik.

Verbinden Sie die Satzpaare mit der Konjunktion *als, wenn* oder *nachdem*!

(1) Tagelang ist die Sonne gar nicht hervorgekommen. Heute ist plötzlich strahlend blauer Himmel und Sonnenschein.

(2) Es hat geregnet. Die Anlagen und Blumenbeete sind immer besonders frisch.

(3) Der Schüler hatte den Fehler gefunden. Er meldete sich.

(4) Die Verhandlungen zwischen den beiden Außenministern waren abgeschlossen worden. Ein gemeinsames Kommuniqué wurde herausgegeben.

(5) Die Reisegruppe ist in Berlin eingetroffen. Sie wird zuerst eine Rundfahrt durch die Stadt unternehmen.

(6) Wir hatten im Urlaub Mittag gegessen. Wir machten gewöhnlich einen langen Spaziergang durch den Park.

(7) Er hatte sich in der Aufnahme der Poliklinik gemeldet. Er setzte sich ins Wartezimmer.

(8) Der Wissenschaftler hat seine Untersuchungen abgeschlossen. Er wird die Ergebnisse in einer Fachzeitschrift veröffentlichen.

W 3 Gleichzeitigkeit oder Vorzeitigkeit? Präteritum oder Plusquamperfekt?

(1) Als Bach seine Entlassung am Weimarer Hof (erzwungen), übersiedelte er nach Köthen.

(2) Als er in Köthen das Amt des Hofkapellmeisters (antreten), schuf er seine wichtigsten Instrumentalwerke.

(3) Als er die Tätigkeit des Hofkapellmeisters mit der des Thomaskantors in Leipzig (vertauschen), war das kein leichter Entschluß.

(4) Als Bachs Söhne (heranwachsen), sah sich der Vater nach günstigen Ausbildungsmöglichkeiten für sie um.

(5) Als Bach eine unumgängliche Prüfung (ablegen), stand einer Übersiedlung nach Leipzig nichts mehr im Wege.

(6) Bach kam in eine wohlhabende Stadt, als er 1723 nach Leipzig (reisen).

(7) Bach war im besten Mannesalter, als er sein Amt als Thomaskantor (antreten).

(8) Als Bach nach Leipzig (berufen werden), war er als Komponist noch nicht sehr bekannt.

W 4 Zum Ausdruck der **Nachzeitigkeit** dient der Nebensatz mit den Konjunktionen *bevor* und *ehe*. Der Nebensatz hat oft das gleiche Tempus wie der Hauptsatz.

Bevor (*ehe*) er zur Arbeit geht (ging), bringt (brachte) er das Kind in den Kindergarten.

Verbinden Sie die Satzpaare mit der Konjunktion *bevor* oder *ehe*! Achten Sie darauf, ob der erste oder der zweite Satz als Nebensatz erscheinen muß! Prüfen Sie auch die Tempusverhältnisse!

(1) Der Schüler gab seinen Aufsatz ab. Er sah ihn auf Fehler durch.

(2) Die Ausländerin reiste in ihre Heimat ab. Sie besuchte noch ihren Professor.

(3) Der Student arbeitet eine Gliederung aus. Er schreibt seine Arbeit nieder.

(4) Ich treffe keine Entscheidung. Ich kenne nicht den ganzen Sachverhalt.

(5) Man bespricht die Einzelheiten. Man muß das Grundsätzliche klären.

(6) Ich mußte es erst sehen. Ich konnte es glauben.

(7) Sie hat zuerst die deutsche Sprache in der Schule gelernt. Sie begann an der Universität Germanistik zu studieren.

(8) Der Lehrer hatte den Satz ausgesprochen. Der Schüler wußte schon die Lösung der Aufgabe.

(9) Die Prüfungen sind nicht abgeschlossen. Der Dozent kann nicht in Urlaub fahren.

W 5 Drücken Sie die Zeitbestimmungen durch Nebensätze aus!

(1) Vor / bei / nach Sonnenaufgang begannen wir mit dem Aufstieg auf den Berg.

(2) Vor / bei / nach Dunkelwerden kamen wir zu einer kleinen Berghütte.

(3) Vor / bei / nach Einfahrt des Zuges wurde eine Meldung über den Lautsprecher durchgegeben.

(4) Vor / bei / nach dem Läuten betritt der Lehrer das Klassenzimmer.

(5) Vor / bei / nach Beginn der Stunde nehmen die Schüler die Hefte heraus.

(6) Vor / bei / nach dem Frühstück lese ich gewöhnlich die Zeitung.

W 6 Der Nebensatz mit der Konjunktion *seit(dem)* bezeichnet

(a) bei perfektiven Verben den Anfangspunkt (= Vorzeitigkeit)

(b) bei durativen Verben Anfangspunkt und Dauer des Hauptsatzgeschehens (= Gleichzeitigkeit)

Bei gegenwartsbezogenen Äußerungen steht das perfektive Verb gewöhnlich im Perfekt, das durative Verb im Präsens.
Bei vergangenheitsbezogenen Äußerungen (wie z. B. gewöhnlich in der Belletristik) steht das perfektive Verb im Plusquamperfekt, das durative Verb im Präteritum.

(a) *Seit(dem)* mein Freund nach Berlin gezogen ist, sehen wir uns nur noch selten.
(*Seit(dem)* sein Freund nach Berlin gezogen war, sahen sie sich nur noch selten.)

(b) *Seit(dem)* mein Freund in Berlin wohnt, sehen wir uns nur noch selten.
(*Seit(dem)* sein Freund in Berlin wohnte, sahen sie sich nur noch selten.)

Präsens oder Perfekt?

(1) Der Dozent ist Nichtraucher, seitdem ich ihn (kennen).
(2) Mein Schulfreund hat sich sehr verändert, seitdem ich ihn das letzte Mal (sehen).
(3) Der Junge hat sich gut entwickelt, seitdem er Sport (treiben).
(4) Seitdem die Uhr (repariert werden), geht sie wieder ganz genau.
(5) Seitdem er die Lehre (abschließen), arbeitet er als Kfz-Schlosser in einer Reparaturwerkstatt.
(6) Seitdem er in Jena (studieren), trifft er sich nur noch selten mit seinen alten Freunden.
(7) Die Leistungen des Schülers haben sich sehr verbessert, seitdem er in der neuen Klasse (sein).
(8) Dem Patienten geht es besser, seitdem er das neue Medikament (nehmen).
(9) Die Schülerleistungen in Mathematik sind gestiegen, seitdem die neuen Lehrpläne (eingeführt werden).
(10) Seitdem das Talsperrensystem (angelegt werden), gibt es im Harz keine Überschwemmungen mehr.
(11) Seitdem die Sonderausstellung im Dresdner Albertinum (eröffnet werden), ist das Museum jeden Tag überfüllt.

W 7 Der Nebensatz mit der Konjunktion *solange* bezeichnet die Dauer, der Nebensatz mit der Konjunktion *bis* den Endpunkt des Hauptsatzgeschehens:

> Ich wartete unter einem Baum, *solange* der Regen dauerte. (= Gleichzeitigkeit, bei durativen Verben)
> Ich wartete unter einem Baum, *bis* der Regen aufhörte. (= Nachzeitigkeit, bei perfektiven Verben)

Formen Sie die Sätze mit der Konjunktion *solange* in Sätze mit der Konjunktion *bis* und umgekehrt um! Benutzen Sie dazu die in Klammern gegebenen Verben!

(1) Wir unterhielten uns, solange der Zug hielt. (abfahren)
(2) Sein Sohn wohnte im Wohnheim, solange er die Oberschule besuchte. (verlassen)
(3) Die Studenten durften den Raum nicht verlassen, bis die Prüfung zu Ende war. (dauern)
(4) Die Eltern betraten das Kinderzimmer nicht, solange der Sohn schlief. (aufwachen)
(5) Man sah nicht, wie groß er war, bis er aufstand. (sitzen)
(6) Es war warm und hell, bis das Lagerfeuer erlosch. (brennen)
(7) Das Kind schlief fest, solange es dunkel war. (hell werden)
(8) Der Forscher war unermüdlich tätig, bis er starb. (leben)

W 8 Während *solange* die Gleichzeitigkeit und Dauer ausdrückt, wird mit *sobald* die Vorzeitigkeit, und zwar die unmittelbare Aufeinanderfolge ausgedrückt. Bei *solange* ist das Tempus in Haupt- und Nebensatz gewöhnlich gleich, bei *sobald* sind die Tempora entweder ebenfalls gleich oder wie sonst bei Vorzeitigkeit.

> *Solange* ich keine Einzelheiten weiß, kann ich dir nichts sagen.
> *Sobald* ich Einzelheiten erfahren habe (oder: erfahre), teile ich sie dir mit.

Solange oder *sobald? Wie heißt es im Sprichwort?*

(1) ...ich atme, hoffe ich.
(2) ...die Maus satt ist, schmeckt das Mehl bitter.
(3) Es irrt der Mensch, ... er strebt.
(4) Schmiede das Eisen, ... es heiß ist.
(5) Den Baum muß man biegen, ... er jung ist.
(6) ...die Katze aus dem Haus ist, tanzen die Mäuse.
(7) ... das Geld im Kasten klingt, die Seele aus dem Fegefeuer springt.
(8) ...das Haus fertig ist, kommt der Tod.
(9) ... man dem Teufel den kleinen Finger gibt, nimmt er die ganze Hand.
(10) Freut euch des Lebens, ... das Lämpchen glüht.

W 9 Formen Sie die kursiv gedruckten Satzglieder mit Hilfe der in Klammern gegebenen Konjunktionen in Nebensätze um!

(1) *Während seines Studiums in Berlin* ging der Ausländer oft ins Theater. (während)

(2) Ich lese die Zeitung gern *beim Frühstück.* (wenn)

(3) *Bis zu seiner Abreise* haben wir uns täglich getroffen. (bis)

(4) *Nach dem Dunkelwerden* gingen wir nach Hause. (als)

(5) *Seit Semesterbeginn* fahre ich nur einmal im Monat nach Hause. (seitdem)

(6) *Bei jedem Besuch* erzählt er mir von seinen Reisen. (sooft)

(7) *Sofort nach meiner Ankunft in Budapest* gebe ich dir Bescheid. (sowie)

(8) *Vor dem Druck des Artikels* muß man noch die Zitate überprüfen. (ehe)

(9) *Seit Einführung der Sommerzeit* ist die Energieausnutzung günstiger. (seitdem)

(10) *Nach Abschluß seiner Promotion* geht der Assistent für zwei Jahre ins Ausland. (nachdem)

(11) Der Ausländer besuchte *vor seiner Abreise* noch einmal seinen Doktorvater. (bevor)

(12) Wir sprechen *in seinem Beisein* nur Englisch. (solange)

(13) Der Gast wurde *beim Betreten der Wohnung* vom Hausherrn begrüßt. (als)

W 10 Der Instrumentalsatz wird mit der Konjunktion *indem* eingeleitet:

Er verbesserte seine Leistungen, *indem* er fleißig trainierte.

Formen Sie die Satzglieder mit der Präposition *durch* in Nebensätze mit der Konjunktion *indem* um!

Aus Bedienungsanleitungen

(1) Die gute Schneidfähigkeit des Rasierkopfes wird durch die Benutzung des Geräts ständig erhalten. (Rasierapparat)

(2) Wird kein Ton benötigt, so können Sie durch Drücken der Taste „Lautsprecher" den Lautsprecher abschalten. (Fernseher)

(3) Beim Einführen der Rührhaken ist besonders darauf zu achten, daß diese durch seitliches Drehen in die Schlitze des Mitnehmers einrasten. (Handmixgerät)

(4) Das Gerät wird außer Betrieb gesetzt durch Zurückdrehen des Drehgriffes des Gasschalters in die Geschlossenstellung. (Durchlauf-Wasserheizer)

(5) Die Temperatur kann durch Verdrehen des Regulierknopfes in begrenztem Umfang verändert werden. (Kühlschrank)

W 11 Verbinden Sie die Satzpaare mit der Konjunktion *indem!* Achten Sie darauf, ob der erste oder der zweite Satz als Nebensatz erscheinen muß!

(1) Darwin erbrachte die Beweise für seine Lehre von den Arten. Darwin verglich die Tiere entlegener Inseln mit denen der Kontinente.

(2) Der Organismus produziert Antikörper. Der Organismus reagiert auf die Einführung fremden Eiweißes.

(3) Der Boden bietet Nahrungsmittel für Menschen und Tiere. Der Boden ist Träger des Lebens.

(4) Die Weltbevölkerung kann ausreichend ernährt werden. Die Nahrungsmittelproduktion wird kontinuierlich gesteigert.

(5) Es wird eine geregelte Düngung vorgenommen. Die Erträge können beträchtlich gesteigert werden.

(6) Man organisiert den Pflanzenschutz. Man erhält gute Ernten.

(7) Man kann die Schaderreger bekämpfen. Man studiert die Lebensweise der Schaderreger.

W 12 Neben dem Instrumentalsatz mit *indem* gibt es noch den Instrumentalsatz mit Korrelat *dadurch* im Hauptsatz und Konjunktion *daß* im Nebensatz, der eine kausale Nebenbedeutung hat:

Ihm konnte das Leben gerettet werden, weil er sofort operiert wurde.

→ *Dadurch, daß* er sofort operiert wurde, konnte ihm das Leben gerettet werden.

Formen Sie die Sätze nach dem Muster um!

(1) Ich habe viel Unterricht versäumt, weil ich lange krank war.

(2) Das Spiel wurde gewonnen, weil sich jeder Spieler voll einsetzte.

(3) Er brachte es auf „sehr gut", weil er sich systematisch auf die Prüfung vorbereitet hatte.

(4) Er ist in seinen Leistungen zurückgeblieben, weil er häufig fehlt.

(5) Der Chemiker hat sich einen guten Ruf erworben, weil er sehr gründliche Analysen liefert.

(6) Er verschaffte sich besonderes Ansehen, weil er die Erscheinungen nicht nur feststellte, sondern auch erklärte.

W 13 Mit dem Proportionalsatz erfolgt eine Charakterisierung des Hauptsatz-Geschehens durch einen Vergleich als gleichmäßige Entsprechung zweier Sachverhalte. Im Proportionalsatz mit der mehrteiligen Konjunktion *je ... desto/um so* besteht das Entsprechungsverhältnis zwischen dem in der Entwicklung gesehenen Grad (Qualität) des Hauptsatz-Geschehens und einem entsprechenden Grad (Qualität) des Nebensatz-Geschehens. Die Grade des Geschehens werden mit

Adjektiven oder Adverbien angegeben, die im Komparativ stehen und unmittelbar auf die Konjunktion folgen. Der mit *desto/um so* eingeleitete Satz ist der Hauptsatz, der mit *je* eingeleitete Satz ist der Nebensatz. Der Hauptsatz ist gewöhnlich Nachsatz (a). Wenn das Verb des Hauptsatzes einen Prozeß ausdrücken kann, ist eine Variante mit vorangestelltem Hauptsatz mit Partikel *immer* und ohne Konjunktion möglich (b):

Ich betrachtete **lange** das Bild. Es gefiel mir **gut.**

(a) → *Je* **länger** ich das Bild betrachtete, *desto/umso* **besser** gefiel es mir.

(b) → Das Bild gefiel mir *immer* **besser**, *je* **länger** ich es betrachtete.

Bilden Sie Sätze nach den Mustern!

(1) Wir sind lange im Ausland. Wir lernen die Sprache gut.

(2) Man spricht wenig in der Muttersprache. Man lernt schnell in der Fremdsprache denken.

(3) Du hast viel Sprachpraxis. Du eignest dir die deutsche Sprache gut an.

(4) Sie lesen viele deutsche Bücher. Ihr Wortschatz wird umfangreich.

(5) Ich wiederhole die neuen Wörter oft. Ich präge sie mir fest ein.

(6) Du lernst fleißig. Deine Leistungen werden gut.

W 14 Beim Proportionalsatz mit der Konjunktion *je nachdem* stehen zwei alternative Geschehen im Hauptsatz in einem Entsprechungs- und Abhängigkeitsverhältnis zum Nebensatz-Geschehen in Form einer Alternativ- oder Ergänzungsfrage. Mit der Frageart wird das Entsprechungsverhältnis spezifiziert.

Der Kraftfahrer fährt langsam oder schnell, *je nachdem,* *ob* die Straße gut oder schlecht ist.
Die Vortragsreihe wird im September oder im Oktober beginnen, *je nachdem,* *wann* der Professor von seinem Auslandsaufenthalt zurückkehrt.

Bilden Sie Proportionalsätze mit *je nachdem!*

(1) Wir müssen Badesachen oder eine Wanderausrüstung mitnehmen. Das hängt davon ab, ob wir an die See oder ins Gebirge fahren.

(2) Als erzgebirgisches Souvenir kaufen wir uns eine Holzschnitzarbeit oder eine Spitzendecke. Das hängt davon ab, was uns besser gefällt.

(3) Man kann in Oberwiesenthal oder in Božidar zu Mittag essen. Das hängt davon ab, ob man die deutsche oder die tschechische Küche bevorzugt.

(4)   Ich werde an die Ostsee oder in den Thüringer Wald in Urlaub fahren. Das hängt davon ab, wieviel er kostet.

(5)   Ich treffe meine Bekannten in Dresden oder in Berlin. Das hängt davon ab, wo es ihnen lieber ist.

(6)   Der Verkehr fließt schnell oder langsam. Das hängt davon ab, wie hoch die Verkehrsdichte ist.

W 15 Formen Sie die Präpositionalgruppen mit *gemäß* und *entsprechend* in Nebensätze mit *je nachdem, wie* um!

(1)   Die Atomenergie kann, entsprechend ihrer Verwendung, das Leben auf der Erde bereichern oder zerstören.

(2)   In Mitteleuropa herrscht, entsprechend der Windrichtung, feuchtes oder trockenes Wetter.

(3)   Die ersten Ernten liefert der Teestrauch seinem Standort gemäß nach drei bis fünf Jahren.

(4)   Das Leben auf der Erde hat sich gemäß den Bedingungen der verschiedenen geographischen Bereiche unterschiedlich entwickelt.

(5)   Der Veränderung der Temperatur entsprechend, verringern oder vermehren sich die Bakterien.

(6)   Entsprechend der Schwere ihrer Krankheit werden die Patienten stationär oder ambulant behandelt.

W 16 Im **kausalen Satzgefüge** wird der Nebensatz mit der Konjunktion *da* oder *weil* eingeleitet. Die Nebensätze mit *weil* sind zumeist Nachsätze. Im vorangestellten Hauptsatz treten fakultative Korrelate auf (*daher, darum, deshalb, deswegen, aus dem Grunde*).

> Das Auto begann (*deshalb/darum/...*) zu schleudern, *weil/da* die Straße sehr glatt war.
>
> *Da* (*weil*) er nicht geimpft ist, kann er nicht ins Ausland fahren.

Bilden Sie aus den Satzpaaren kausale Satzgefüge mit *da* oder *weil*! Achten Sie darauf, ob der erste oder der zweite Satz als Nebensatz erscheinen muß!

(1)   Der Ackerbau muß erweitert werden. Die Weltbevölkerung vermehrt sich rasch.

(2)   Die Wälder sind ein wichtiger Klimafaktor. Sie müssen geschützt werden.

(3)   Die ackerbaulichen Bedingungen sind von Standort zu Standort unterschiedlich. Man muß die allgemeinen wissenschaftlichen Erkenntnisse spezifiziert anwenden.

(4)   Der Fischreichtum der Binnengewässer nahm im Laufe der Industrialisierung ständig ab. Die Wasserqualität verschlechterte sich.

(5)   Europa bietet günstige Bedingungen für die Landwirtschaft. Es
      herrscht ein mildes Klima und der Flachlandanteil ist hoch.
(6)   Im 17.Jahrhundert verfiel der Silberbergbau im Erzgebirge. Die
      Erzlagerstätten waren erschöpft.
(7)   Der Silberbergbau kam zum Erliegen. In vielen Orten wurde die
      Textilindustrie zum Haupterwerbszweig. .

W 17 Ein kausales Verhältnis kann auch durch andere Sprachmittel ausge-
      drückt werden. Zu den wichtigsten Konkurrenzformen des Kausalsat-
      zes mit *da* und *weil* gehören:

(a) Satzverbindung mit Konjunktion *denn*
    Er fuhr nicht mit, *denn* er war erkältet.
(b) Satzverbindung mit Konjunktionaladverb *nämlich*
    Er fuhr nicht mit, er war *nämlich* erkältet.
(c) Satzverbindung mit verschiebbarem Konjunktionaladverb
    daher, darum, deshalb, deswegen, aus dem Grunde
    Er war erkältet, *daher/darum/*...fuhr er nicht mit.
    (oder:..., er fuhr *daher/darum/*...nicht mit).
(d) *daß*-Satz in Verbindung mit Präpositionalphrase *auf Grund*
    dessen, auf Grund der Tatsache
    Auf Grund dessen, daß er erkältet war, fuhr er nicht mit.
(e) Satzverbindung mit Partikel *doch*
    Er fuhr nicht mit, war er *doch* erkältet.
(f) präpositionales Satzglied (mit Präposition *wegen, infolge,*
    aus, auf usw.)
    Wegen seiner Erkältung fuhr er nicht mit.

Formen Sie die kausalen Konkurrenzformen in Kausalsätze mit *da*
oder *weil* um!

(1)   Ich muß mich sehr in acht nehmen, denn ich habe gerade eine
      Grippe hinter mir.
(2)   Das Geschäft bleibt vorläufig wegen Renovierung geschlossen.
(3)   Die neue Wohnung ist sehr klein; deswegen können wir nicht
      alle Möbel aufstellen.
(4)   Wir möchten unsere Wohnung gegen eine größere tauschen. Wir
      haben nämlich nicht genug Platz für die Kinder.
(5)   Der Ort ist sehr ruhig, liegt er doch abseits von den großen Stra-
      ßen.
(6)   Aus Furcht vor Strafe belog der Junge seinen Vater.
(7)   Auf Grund dessen, daß die Arbeit zu sehr angewachsen ist, kann
      der Abteilungsleiter nicht mehr alles selbst übersehen und an-
      leiten.
(8)   Es wird abends kühl, ich habe daher die Jacke mitgenommen.
(9)   Ich komme später, denn ich habe noch etwas zu erledigen.
(10) Sie sah sehr blaß aus, war sie doch lange krank gewesen.

(11) Er hat den Vortrag schlecht verstanden, er ist nämlich schwerhörig.
(12) Infolge dichten Nebels konnte das Flugzeug nicht starten.
(13) Die Straße war vereist; er fuhr deshalb sehr langsam.
(14) Das Kleid war ihr zu weit. Darum hat sie es enger gemacht.
(15) Ich habe das Buch auf Empfehlung meines Freundes gekauft.

W 18 Im **konditionalen Satzgefüge** wird der Nebensatz mit der Konjunktion *wenn* eingeleitet. Seltener sind die Konjunktionen *falls* und *sofern* und Verbindungen mit der Konjunktion *daß* wie *in dem Falle, daß; unter der Voraussetzung, daß* u. ä. Im Hauptsatz erscheint als fakultatives Korrelat *dann*, im nachgestellten Hauptsatz auch *so*.

Wenn/Falls/In dem Falle, daß ... der Zug pünktlich ankommt, (*dann/so*) erreichen wir den Anschlußzug.

Bilden Sie aus den Satzpaaren konditionale Satzgefüge mit den angegebenen Konjunktionen bzw. konjunktionalen Verbindungen! Achten Sie darauf, ob der Nebensatz als Vorder- oder Nachsatz steht!

(1) Er spricht deutlich. Ich verstehe ihn. (wenn)
(2) Ich werde morgen fahren. Ich bekomme noch eine Platzkarte. (falls)
(3) Du hast deine Schularbeiten erledigt. Du darfst ins Kino gehen. (sofern)
(4) Ich kann nur gut arbeiten. Es ist ruhig im Wohnheim. (wenn)
(5) Er kann die Prüfung nur bestehen. Man unterstützt ihn bei der Vorbereitung. (unter der Voraussetzung, daß)
(6) Ich komme morgen zu dir. Du hast nichts dagegen. (sofern)
(7) Ich fahre doch noch. Ich gebe dir die Schlüssel. (im Falle daß)
(8) Es macht dir nicht zu viel Mühe. Bring mir bitte morgen das Buch mit! (falls)
(9) Ich schicke Ihnen das Buch. Sie schreiben mir Ihre Adresse. (wenn)

W 19 Formen Sie die Satzglieder mit der Präposition *bei* in Nebensätze mit der Konjunktion *wenn* um!

Aus Bedienungsanleitungen

(1) Bei Ausfall des Bildes oder Tones ist das Fernsehgerät sofort auszuschalten. Bei Annäherung eines Gewitters sind zusätzlich beim Ausschalten des Geräts die Antennenstecker zu ziehen.
(2) Bei Verwendung des Heizkissens für feuchtwarme Umschläge muß darauf geachtet werden, daß keine Feuchtigkeit in den Stufenschalter eindringen kann.
(3) Der Automatenschalter des Durchlauf-Wasserheizers gibt beim Öffnen des Warmwasserzapfventils die Gaszufuhr zum Brenner

selbsttätig frei und unterbricht die Gaszufuhr sofort beim Schließen des Ventils.

(4) Die Zusatzgeräte zum Handmixgerät müssen beim Aufsetzen fest angezogen werden. Das muß bei stillstehendem Motor geschehen.

(5) Bei sich wiederholendem Durchbrennen von Sicherungen ist der Rasierapparat zur Vertragswerkstatt zur Feststellung des Fehlers zu geben.

(6) Beim Überspielen von einem anderen Tonbandgerät und beim Abhören der Aufnahmen über einen Verstärker bzw. Rundfunkempfänger ist der Lautstärkeregler des Tonbandgeräts im Interesse der Qualität des Abspielens in Mittelstellung zu bringen.

W 20 Konditionalsätze werden auch konjunktionslos mit Spitzenstellung des finiten Verbs gebraucht:

> *Kommt* der Zug pünktlich an, (dann / so) erreichen wir den Anschlußzug.

Bilden Sie aus den Satzpaaren konditionale Satzgefüge ohne Konjunktion!

Aus dem deutschen Sprichwortschatz

(1) Der Bauer hat sein Brot. Auch der Städter leidet keine Not.
(2) Gewalt läßt sich blicken. Das Recht geht auf Krücken.
(3) Geld ist die Braut. Die Ehe wird selten gut.
(4) Der Wein ist im Manne. Der Verstand ist in der Kanne.
(5) Der Hahn kräht auf dem Mist. Das Wetter ändert sich, oder es bleibt, wie es ist.
(6) Du siehst einen Toren. Faß dich an den Ohren.
(7) Ein Hund bellt. Sie kläffen alle.
(8) Du bist geborgen. Du magst für andere sorgen.
(9) Du lernst etwas. Du kannst etwas.
(10) Du gibst dem Boden. Er gibt dir auch.
(11) Du hältst Maß in allen Dingen. Dir wird jedes Werk gelingen.

W 21 Bilden Sie konditionale Satzgefüge mit und ohne Konjunktion!

(1) Der Name Thüringen erklingt. Für viele tauchen Urlaubstage in den Bergen des Thüringer Waldes in der Erinnerung auf.
(2) Man denkt an Thüringens Geschichte. Es fällt einem sofort die Wartburg bei Eisenach ein.
(3) Wir gehen über die Wehrgänge der Burg. Wir gelangen in die Lutherstube.
(4) Die Sicht ist besonders gut. Vom Inselsberg ist sogar der Brocken zu erkennen.

(5) Man steht auf dem Turm der Wartburg. Man hat einen Rundblick über Thüringer Wald und Rhön.

(6) Wir fahren auf der Saale stromaufwärts. Unser Blick fällt auf zahlreiche Burgen.

W 22 Mit dem Modalverb *sollen* als finitem Verb (im Konj. Prät.) drückt der Konditionalsatz (mit / ohne Konjunktion) zusätzlich eine Eventualität aus:

> *Solltest* du an einem Zeitungskiosk vorbeikommen (oder: Wenn du an einem Zeitungskiosk vorbeikommen *solltest*), so kaufe mir bitte die Fernsehzeitung!

Bilden Sie Satzgefüge nach dem Muster!

Aus Bedienungsanweisungen

(1) Nach geraumer Zeit tritt eine Verschlechterung der Aufnahme- und Wiedergabequalität des Tonbandgeräts ein. Die Tonköpfe sind mit Hilfe des beigefügten Kopfreinigers zu reinigen.

(2) Ihr Kühlschrank läuft einmal nicht. Überzeugen Sie sich bitte zuerst, ob die Stromzuführung zum Schrank in Ordnung ist.

(3) Bei Inbetriebnahme oder nach längerem Gebrauch des Heizkissens zeigen sich an dem Kunststoffüberzug irgendwelche Beschädigungen. Das Gerät darf nicht mehr verwendet werden und muß zur Werkstatt.

(4) Ihr Fernsehempfang wird durch eine der aufgeführten Störungen laufend beeinträchtigt. Benachrichtigen Sie bitte den Entstörungsdienst der Deutschen Post!

(5) Sie füllen den Heimsprudler mit Leitungswasser auf. Es ist ratsam, das Wasser vorher in einem Gefäß einige Minuten stehen zu lassen.

W 23 Im **konzessiven Satzgefüge** wird der Nebensatz mit der Konjunktion *obwohl* eingeleitet. Seltener sind die Konjunktionen *obgleich, obschon, wenngleich, trotzdem.* Auf die Literatursprache beschränkt sind die Konjunktionen *obzwar, wiewohl.*

> Die Reise hat mir Freude gemacht, *obwohl / obgleich / obschon* ... sie anstrengend war.

Formen Sie die Satzglieder mit der Präposition *trotz* bzw. *ungeachtet* in Nebensätze mit verschiedenen Konjunktionen um! Gebrauchen Sie die Nebensätze als Nachsätze!

(1) Der Junge ging trotz dem Verbot des Vaters auf das Eis.

(2) Ich fand die Lösung des Rätsels trotz angestrengten Nachdenkens nicht.

(3) Der Sportler nahm ungeachtet seiner schlechten Kondition an dem Wettkampf teil.

(4) Ungeachtet des einsetzenden Regens gingen die Bauarbeiten weiter.

(5) Trotz seiner sehr guten Leistungen ist er nur Vierter in der Klasse.

(6) Er ging im Urlaub ungeachtet des schlechten Wetters jeden Tag mindestens zwei bis drei Stunden spazieren.

(7) Keiner dachte bei der Geburtstagsfeier trotz der vorgeschrittenen Zeit ans Heimgehen.

W 24 Wenn im konzessiven Satzgefüge der Hauptsatz nachgestellt ist, enthält er oft ein Korrelat (*doch, dennoch, trotzdem*). Das finite Verb im nachgestellten Hauptsatz steht entweder in Erststellung (a) oder nach dem Einleitungswort *so* (b) bzw. bei expressiver Ausdrucksweise auch nach dem Subjekt (c) in Zweitstellung. Bei (b) ist ein Korrelat obligatorisch.

(a) Obwohl die Reise anstrengend war, *hat* sie mir (doch) Freude gemacht.

(b) Obwohl die Reise anstrengend war, so *hat* sie mir doch Freude gemacht.

(c) Obwohl die Reise anstrengend war, sie *hat* mir (doch) Freude gemacht.

Formen Sie die Sätze der vorhergehenden Übung in Satzgefüge obigen Musters um!

W 25 Formen Sie die Sätze nach dem Muster um!

Er ist streng, kann aber auch sehr freundlich sein.
⇌ Obwohl er streng ist, kann er auch sehr freundlich sein.

(1) Ich habe lange an der Aufgabe gesessen, konnte sie aber nicht lösen.

(2) Obwohl sie zwei Jahre Deutsch gelernt hat, spricht sie nicht fließend.

(3) Obwohl ich den Artikel aufmerksam gelesen habe, habe ich ihn nur halb verstanden.

(4) Ich verstehe nichts von Malerei, schaue mir aber gern gute Bilder an.

(5) Er hat sehr viel zu tun, möchte aber gern mitkommen.

(6) Obwohl ich mich lange mit ihm unterhalten habe, habe ich nichts erreicht.

W 26 Ein konzessives Verhältnis kann auch durch andere Sprachmittel ausgedrückt werden. Zu den wichtigsten Konkurrenzformen des Konzessivsatzes mit *obwohl* gehören:

(a) Satzverbindung mit verschiebbarem Konjunktionaladverb *zwar* und koordinierender Konjunktion *aber* (und fakultativem *trotzdem* oder *dennoch*)
Es regnete zwar (Zwar regnete es), aber (trotzdem./ dennoch) wurde das Spiel fortgesetzt.

(b) Satzverbindung mit Konjunktionaladverb *trotzdem*
Es regnete, trotzdem wurde das Spiel fortgesetzt.

(c) *daß*-Satz in Verbindung mit Präpositionalphrase *trotz der Tatsache (des Umstandes), ungeachtet dessen*
Das Spiel wurde trotz der Tatsache (des Umstandes), daß es regnete, fortgesetzt.
Ungeachtet dessen, daß es regnete, wurde das Spiel fortgesetzt.

(d) präpositionales Satzglied (mit Präposition *trotz, ungeachtet*)
Trotz (Ungeachtet) des Regens wurde das Spiel fortgesetzt.

Verwenden Sie statt der Konzessivsätze mit *obwohl* die angegebenen Konkurrenzformen!

(1) Obwohl sich die Hausbewohner wiederholt beschwerten, wurde der Müll nicht pünktlich abgefahren.

(2) Die Mannschaft spielte, obwohl eine Niederlage drohte, unverdrossen weiter.

(3) Obwohl die technische Ausrüstung des Versuchslabors verbessert worden ist, haben die Wissenschaftler keine neuen Untersuchungsergebnisse erzielt.

(4) Obwohl die serologische Methode wertvoll ist, kann man die Aufgabe, alle Viruskrankheiten zu erkennen, nicht lösen.

(5) Obwohl das Medizinstudium hohe Anforderungen stellt, möchten viele junge Leute Medizin studieren.

(6) Alle Studenten besuchen das Seminar, obwohl es zu einer ungünstigen Zeit stattfindet.

W 27 Konzessive Bedeutung haben die Nebensätze mit Konjunktion *wenn* und verschiebbarer Partikel *auch* (oder: *sogar, selbst*). Sätze mit der Partikel unmittelbar vor der einleitenden Konjunktion beziehen sich oft auf einen angenommenen Fall (a), Sätze mit der Partikel im Satz dagegen oft auf einen konkret gegebenen Fall (b).
Für das finite Verb im nachgestellten Hauptsatz gelten prinzipiell die gleichen Stellungsregeln wie im Satzgefüge mit *obwohl*, bei (b) ist jedoch die Zweitstellung nach dem Subjekt besonders häufig und die Erststellung nur mit Korrelat möglich.

(a) *Auch wenn* ich mit einer Meinung nicht einverstanden bin, versuche ich (so versuche ich doch / ich versuche doch) immer, sie zu respektieren.

(b) *Wenn* ich im vorliegenden Fall *auch* nicht Ihrer Meinung bin, ich respektiere sie ((so) respektiere ich sie doch).

Formen Sie die Nebensätze mit *obwohl* in Sätze mit *auch wenn* bzw. *wenn auch* um! Setzen Sie das finite Verb des Hauptsatzes entsprechend den verschiedenen Möglichkeiten!

(1) Obwohl ich viel zu tun habe, besuche ich regelmäßig meine deutschen Bekannten.

(2) Obwohl sie sehr weit draußen wohnen, gehe ich zu Fuß.

(3) Obwohl ich schnell gehe, brauche ich für den Weg über eine Stunde.

(4) Obwohl ich nicht immer erwartet werde, bin ich ein willkommener Gast.

(5) Obwohl die Wohnung meiner Bekannten klein ist, haben sie gern Besuch.

(6) Obwohl nie viel getrunken wird, ist es immer sehr lustig.

(7) Obwohl alle berufstätig sind, sind wir oft bis Mitternacht beisammen.

W 28 Die Konzessivsätze mit der Partikel *auch* sind auch konjunktionslos mit Spitzenstellung des finiten Verbs möglich. Die Stellung des finiten Verbs im nachgestellten Hauptsatz ist wie bei den Gefügen mit *wenn* und der Partikel im Satz.

Wenn es *auch* kalt ist / *Auch wenn* es kalt ist, ich setze keinen Hut auf.

→ Ist es *auch* kalt, ich setze keinen Hut auf.

Formen Sie die Sätze der vorhergehenden Übung entsprechend dem Muster um!

W 29 Um Konzessivsätze handelt es sich bei Sätzen mit verschiedenen Fragewörtern (*w*-Wörter) und im Satz verschiebbarem *auch*. Für *auch* kann auch *immer* stehen, das auch mit *auch* kombiniert auftritt:

Wen auch (wen immer / wen auch immer / wen immer auch) ich fragte, niemand kannte die Straße.

Bilden Sie Sätze obigen Musters!

(1) Es war gleichgültig, wen ich fragte — niemand kannte die Straße.

(2) Es ist einerlei, wie morgen das Wetter ist — ich kann nicht länger bleiben.

(3) Es ist egal, wieviel Verspätung der Zug hat — ich werde auf dem Bahnhof auf dich warten.

(4) Es war ganz gleich, was sie von ihrer Reise erzählte — für uns war alles neu und interessant.

(5) Es ist einerlei, welche Ausreden er gebraucht — seine Schuld ist klar erwiesen.

(6) Es ist gleichgültig, wann und wo ich ihn treffe — er spricht immer nur von seinen beruflichen Sorgen und Problemen.

(7) Es ist ganz gleich, wohin du dich wendest — du wirst überall die gleiche Antwort bekommen.

W 30 Ein besonderer Typ der Konzessivsätze mit *w*-Wörtern sind die Sätze mit *wie* (oder: *so*) + Adjektiv / Adverb und der Partikel *auch* im Satz. Als finites Verb steht oft *mögen*.

> Es ist spät, aber ich muß das Buch zu Ende lesen.
> → Wie (So) spät es auch ist (sei, sein mag, sein möge), ich muß das Buch zu Ende lesen.

Formen Sie nach dem Muster um!

(1) Sie ist jung und unerfahren, aber sie erfüllt die ihr übertragenen Aufgaben zur vollsten Zufriedenheit.

(2) Es klingt unwahrscheinlich, aber ich bin ihm schon irgendwo begegnet.

(3) Die Verfilmung des Romans ist gut, aber der Roman gefällt mir besser.

(4) Die Reise war anstrengend, aber sie hat mir Freude gemacht.

(5) Die Schmerzen des Kindes waren stark, aber es sagte kein Wort.

(6) Der junge Mann fährt gut, aber seine Freundin ist die bessere Skiläuferin.

(7) Es hat mir im Gebirge sehr gefallen, aber ich fahre lieber an die See.

(8) Die Probleme sind groß, aber wir müssen den Termin einhalten.

(9) Du hast wenig Zeit, aber du mußt dir unbedingt das Theaterstück ansehen.

W 31 Im **konsekutiven Satzgefüge** wird der Nebensatz mit der zusammengesetzten Konjunktion *so daß* eingeleitet:

> Er ist krank, *so daß* er zu Hause bleiben muß.

Bilden Sie aus den Satzpaaren konsekutive Satzgefüge mit der zusammengesetzten Konjunktion *so daß*!

(1) Die Anlagen für den Büchertransport in der Bibliothek wurden modernisiert. Die Bücher stehen den Benutzern in kürzester Zeit zur Verfügung.

(2) Neue Magazinräume sind geschaffen worden. Der Buchbestand
       konnte wesentlich erweitert werden.

(3) Der Katalog ist neu geordnet. Man kann die gewünschten Buch-
       titel schneller finden.

(4) Die Arbeitsplätze in den Lesesälen wurden neu gestaltet. Es
       herrschen jetzt bessere Lichtverhältnisse.

(5) Ein neuer Lesesaal wurde geschaffen. Die Platzkapazität hat
       sich wesentlich erhöht.

(6) Die Auskunftsstelle ist ständig geöffnet. Man bekommt jeder-
       zeit Hilfe.

(7) Die Öffnungszeiten wurden verlängert. Man kann jetzt auch
       abends in der Bibliothek arbeiten.

W 32 Die zusammengesetzte Konjunktion *so daß* kann getrennt werden, indem der erste Teil als Korrelat in den Hauptsatz (zumeist vor ein Adjektiv oder Adverb) tritt. Mit dieser Stellung von *so* erhält der Konsekutivsatz eine modale Nebenbedeutung (Gradangabe).

> Er ist *so* krank, *daß* er im Bett liegen muß.

Bilden Sie aus den Kausalsätzen Konsekutivsätze mit *so ..., daß*!

> *Weil* er sehr krank ist, muß er im Bett liegen.
> → Er ist *so* krank, *daß* er im Bett liegen muß.

(1) Weil es heute sehr kühl ist, können wir nicht baden gehen.

(2) Weil es unter Mittag sehr heiß war, bin ich zu Hause geblieben.

(3) Weil es sehr stürmisch war, mußte die Regatta abgesagt werden.

(4) Weil es im Tal sehr neblig war, konnten wir nur Schritt fahren.

(5) Weil es sehr windig war, konnten wir heute nicht Tennis spielen.

(6) Weil es plötzlich sehr dunkel wurde, schaltete ich das Licht ein.

(7) Weil es in den letzten Tagen sehr warm geworden ist, haben wir
       die Heizung abgeschaltet.

W 33 Die mit der zusammengesetzten Konjunktion *ohne daß* eingeleiteten
Nebensätze drücken entweder einen fehlenden Begleitumstand (a)
oder das Nichteintreten einer sich erwartungsgemäß aus dem Hauptsatz ergebenden Folge aus (b). Die Interpretation (a) setzt Gleichzeitigkeit der beiden Geschehen, die Interpretation (b) Vorzeitigkeit des
Geschehens im übergeordneten Satz voraus.

> (a) Er verließ die Wohnung. Er schloß sie nicht ab.
> → Er verließ die Wohnung, *ohne daß* er sie abschloß.
> (b) Ich habe auf der Fahrt sehr gefroren. Ich habe mich nicht er-
>   kältet.
> → Ich habe auf der Fahrt sehr gefroren, *ohne daß* ich mich
>   erkältet habe.

Bilden Sie Sätze nach dem Muster!

(1) Das Kind lief dem Ball nach auf die Straße. Es achtete nicht auf den Verkehr.

(2) Der Patient hat das Medikament regelmäßig eingenommen. Es sind bei ihm keine Beschwerden aufgetreten.

(3) Man hat bei der Pflanze eine heilende Wirkung festgestellt. Man wußte nicht, welche Bestandteile wirksam waren.

(4) Wir können heute Informationen auf funktelegrafischem Wege übermitteln. Wir sind nicht an eine bestimmte Entfernung gebunden.

(5) Eine Kundin betrat das Geschäft. Der Verkäufer bemerkte es nicht.

(6) Er war vier Wochen zur Kur. Sein Gesundheitszustand hat sich nicht wesentlich gebessert.

(7) Der Redner sprach frei. Er stockte nicht einmal.

(8) In seinem Vortrag stellte er verschiedene Behauptungen auf. Er gab keine Beweise.

(9) Mein Freund ist in Urlaub gefahren. Wir haben uns nicht noch einmal gesehen.

W 34 Nebensätze mit *ohne daß* können durch Infinitivkonstruktionen ersetzt werden, wenn die Subjekte in beiden Teilsätzen identisch sind:

> *Er* verließ die Wohnung, ohne daß *er* sie abschloß.
> → Er verließ die Wohnung, ohne sie abzuschließen.

Entscheiden Sie, welche Zweitsätze in der vorhergehenden Übung mit *ohne . . . zu* angeschlossen werden können!

W 35 In den Satzgefügen mit der zusammengesetzten Konjunktion *(an)statt daß* zeigt der Nebensatz eine nicht wahrgenommene Möglichkeit, der Hauptsatz als Ersatz eine andere Möglichkeit. Vielfach ist damit eine Stellungnahme des Sprechers verbunden, indem die vom Subjekt vorgezogene Möglichkeit (im Hauptsatz) vom Sprecher als nicht richtig beurteilt wird.

> Der Junge machte nicht seine Schularbeiten, sondern ist ins Kino gegangen.
> → Der Junge ist ins Kino gegangen, *(an)statt daß* er seine Schularbeiten machte.

Formen Sie die Sätze nach dem Muster um!

(1) Das Mädchen rechnete die Aufgaben nicht noch einmal durch, sondern gab die Arbeit ab.

(2) Der Student bereitete sich nicht auf die Prüfung vor, sondern verbummelte die Zeit.

(3) Der Ausländer fuhr nicht mit der Straßenbahn, sondern machte den weiten Weg zu Fuß.

(4) Der Kranke legte sich nicht zu Bett, sondern ging zur Arbeit.

(5) Der Fahrer half dem Verletzten nicht, sondern flüchtete mit seinem Wagen.

(6) Der Arzt führte die Untersuchung nicht selbst durch, sondern überließ sie seinem Assistenten.

(7) Der Nachbar hat das Radio nicht in die Reparaturwerkstatt gebracht, sondern hat es selbst zu reparieren versucht.

W 36 Das Subjekt des Nebensatzes mit (*an*)*statt daß* ist häufig identisch mit dem Subjekt des Hauptsatzes. In diesem Falle kann auch die Infinitivkonstruktion mit (*an*)*statt . . . zu* gebraucht werden:

Der Junge ist ins Kino gegangen, (an)statt daß *er* seine Schularbeiten machte.

→ Der Junge ist ins Kino gegangen, (an)statt seine Schularbeiten zu machen.

Formen Sie die Sätze der vorhergehenden Übung in Sätze mit der Infinitivkonstruktion (*an*)*statt . . . zu* um!

W 37 Im **finalen Satzgefüge** wird der — zumeist nachgestellte — Nebensatz mit der Konjunktion *damit* (selten auch: (*auf*) *daß*) eingeleitet. Das finite Verb steht gewöhnlich im Indikativ, in literarischer Sprache kommt aber auch mit der gleichen Bedeutung Konjunktiv vor.

Er steckte den Pfirsichkern in die Erde, damit ein Baum daraus *wurde* (*werde, würde*).

Finalsätze mit der Konjunktion *damit* werden gewöhnlich nur gebildet, wenn die Subjekte in den beiden Teilsätzen nicht identisch sind (a). Wenn die Subjekte identisch sind (oder wenn das Subjekt des Nebensatzes *man* ist), wird zumeist die Infinitivkonstruktion mit *um . . . zu* gebraucht (b).

(a) *Er* schreibt die Regeln an, damit *wir* sie abschreiben.

(b) *Er* beeilt sich, (damit *er* noch den Zug erreicht.) , um noch den Zug zu erreichen.

Schließen Sie die Zweitsätze — abhängig vom Charakter des Subjekts — mit *damit* oder *um . . . zu* an!

(1) Der Lehrer läßt die Schüler Beispielsätze bilden. Sie prägen sich die Regeln ein.

(2) Der Dozent führt den Versuch durch. Er veranschaulicht den Studenten die chemischen Prozesse.

(3) Der Englischlehrer hat den Ausländer eingeladen. Die Schüler üben sich in englischer Konversation.

(4)   Die Studenten lernen Französisch. Sie können später Fachbücher im Original lesen.

(5)   Die Schülerin hat sich das Gedicht abgeschrieben. Sie lernt es zu Hause auswendig.

(6)   Der Assistent hat dem Studenten das Buch gegeben. Er lernt den Schriftsteller kennen.

(7)   Der Junge braucht dringend das Lehrbuch. Er bereitet sich auf die Prüfung vor.

W 38 Finalsätze mit *damit* entsprechen Konditional- oder Kausalsätzen mit *sollen*, finale Infinitivkonstruktionen mit *um ... zu* entsprechen Konditional- oder Kausalsätzen mit *wollen*.

Formen Sie die Konditional- und Kausalsätze in Finalsätze mit *damit* oder in finale Infinitivkonstruktionen mit *um ... zu* um!

(1)   Ich werde Sie Herrn Meier vorstellen, weil ich Sie miteinander bekanntmachen will.

(2)   Er muß fleißiger arbeiten, wenn die Prüfung gelingen soll.

(3)   Ich habe ihm das Geld geliehen, weil ich ihm helfen wollte.

(4)   Sie müssen eine Tablette nehmen, wenn die Schmerzen aufhören sollen.

(5)   Er muß fleißiger arbeiten, wenn er die Prüfung bestehen will.

(6)   Ich werde Sie Herrn Müller vorstellen, weil Sie ihn kennenlernen sollen.

(7)   Ich bin in die Auskunft gegangen, weil ich die genaue Abfahrtszeit des Zuges erfahren wollte.

(8)   Er muß sich beeilen, wenn er noch zum Zug zurechtkommen will.

(9)   Du mußt die Blumen regelmäßig gießen, wenn sie nicht vertrocknen sollen.

(10)   Mein Vater hat mir Geld geschickt, weil ich mir einen Wintermantel kaufen soll.

(11)   Du mußt dich mehr schonen, wenn du nicht krank werden willst.

(12)   Ich will Ihnen alles erklären, weil es keine Mißverständnisse zwischen uns geben soll.

(13)   Wir müssen uns anstrengen, wenn wir etwas erreichen wollen.

(14)   Ich habe ihn weggeschickt, weil ich allein sein will.

(15)   Ich habe Sie daran erinnert, weil Sie es nicht vergessen sollen.

W 39 Formen Sie die Satzglieder mit der Präposition *zu* in Nebensätze mit der Konjunktion *damit* (bei Nicht-Identität der Subjekte) oder in Infinitivkonstruktionen mit *um ... zu* (bei Identität der Subjekte bzw. Subjekt *man* im Nebensatz) um!

(1)   Der Ausländer ist zum Studium der Germanistik nach Leipzig gekommen.

(2) Der Dozent hat dem Ausländer zur Erinnerung an seinen Aufenthalt in Leipzig einen Bildband geschenkt.

(3) Zum Beweis der Richtigkeit seiner These brachte der Referent zahlreiche Beispiele.

(4) Der Arzt gab dem Patienten zur Beruhigung eine Spritze.

(5) Zur Wiederherstellung seiner Gesundheit ist er zur Kur gefahren.

(6) Zur Erholung der Bürger wird in dem Neubaugebiet ein Park angelegt.

(7) Zur sportlichen Betätigung der Jugendlichen gibt es in dem Freizeitzentrum zahlreiche Anlagen.

(8) Der Sportler ist zum Training auf den Sportplatz gegangen.

(9) Zur Erleichterung der Verwaltungsarbeiten hat die Universität ein Rechenzentrum bekommen.

(10) Vierzehntäglich erscheint zur Information der Universitätsangehörigen ein Mitteilungsblatt.

(11) Zur besseren Kontrolle des Verkehrs hat die Verkehrspolizei Fernsehkameras aufgestellt.

(12) Zum Schmelzen von Eisen braucht man eine hohe Temperatur.

(13) Ihr Mann hat die Wäsche zum Trocknen auf den Hof gehängt.

(14) Die Mutter hat den Pudding zum Abkühlen in eine Schüssel mit kaltem Wasser gestellt.

(15) Der Vater gab seinem Sohn Geld zum Kauf eines Mantels.

W 40 Im **adversativen Satzgefüge** wird der Nebensatz mit der Konjunktion *während* eingeleitet; der Hauptsatz hat kein Korrelat. Die Konjunktion *während* leitet auch temporale Nebensätze ein. Rein adversative Bedeutung liegt vor, wenn beide Teilsätze nicht im Verhältnis der Gleichzeitigkeit stehen (a) oder wenn zwischen beiden Teilsätzen ein antonymisches Verhältnis besteht, das zusätzlich durch die Gegenüberstellung zweier Elemente gestützt ist (b). Temporale oder adversative Bedeutung liegt vor, wenn beide Teilsätze gleichzeitig verlaufen und zwei Gegenüberstellungen enthalten, von denen jedoch keine antonymisch ist (c).

(a) Während es *gestern* schön war, ist *heute* das Wetter schlecht.
(b) Während *sie* die Prüfung *bestanden* hat, hat *er* sie *nicht bestanden.*
(c) Während er arbeitete, schlief sie.

Bilden Sie aus den folgenden Satzpaaren adversative Satzgefüge mit der Konjunktion *während*!

(1) Herr Müller fährt gern ins Gebirge. Frau Müller fährt lieber ans Meer.

(2) Er macht es sich gern zu Hause gemütlich. Sie geht lieber in ein Restaurant.

(3) Er ist ein ausgesprochener Frühaufsteher. Sie bleibt am liebsten bis mittags im Bett.
(4) Er ist ein sehr schweigsamer Mensch. Sie redet und lacht viel.
(5) Er sieht im Fernsehen am liebsten Fußball. Sie verpaßt keine Schlagersendung.
(6) Er fährt gerne Rad. Sie läßt sich lieber mit dem Taxi fahren.
(7) Müllers verstehen sich gut. Ihre Nachbarn streiten sich dauernd.

W 41 Neben *während* kommt als adversative Konjunktion gelegentlich auch *wohingegen* (auch: *wogegen*) vor. Die mit dieser Konjunktion eingeleiteten Nebensätze sind nur als Nachsätze möglich.

Sie hat die Prüfung bestanden, *wohingegen* er sie nicht bestanden hat.

Bilden Sie aus den Satzpaaren der vorhergehenden Übung Satzgefüge mit der Konjunktion *wohingegen!*

W 42 Ein adversatives Verhältnis wird auch durch koordinierende Konjunktionen, Konjunktionaladverbien und konjunktionale Fügungen ausgedrückt.

Bilden Sie Sätze nach dem Muster!

Ledertasche – Aktentasche
→ Die Ledertasche ist eine Tasche aus Leder, *während/wohingegen* die Aktentasche eine Tasche für Akten ist.
→ Die Ledertasche ist eine Tasche aus Leder, *aber/doch* die Aktentasche ist eine Tasche für Akten.
→ Die Ledertasche ist eine Tasche aus Leder, die Aktentasche *jedoch/dagegen* ist eine Tasche für Akten.
→ Die Ledertasche ist eine Tasche aus Leder, *im Gegensatz dazu/demgegenüber* ist die Aktentasche eine Tasche für Akten.

(1) Pelzmantel – Wintermantel
(2) Bücherregal – Holzregal
(3) Teelöffel – Silberlöffel
(4) Stoffschuh – Kinderschuh
(5) Wollteppich – Wandteppich
(6) Papierkorb – Bastkorb

Relativsätze

X 1 **Attributsätze** werden mit dem Relativpronomen *der* eingeleitet, das in seinen Formen mit dem bestimmten Artikel identisch ist (außer den vollen Formen im Genitiv *dessen, derer/deren* und im Dativ Plural *denen*). Im Satz wird die Form des Pronomens in Genus und Numerus durch das Bezugswort im übergeordneten Satz, im Kasus durch die Satzgliedfunktion des Relativpronomens im Nebensatz bestimmt.

Bilden Sie Attributsätze nach dem Muster (Relativpronomen für Nominativ-Subjekt und für Objekt im reinen Kasus)!

> Die Studenten haben sich bedankt. Der Assistent hat *den Studenten* geholfen.
> → Die Studenten, *denen* der Assistent geholfen hat, haben sich bedankt.

(1) Ich habe dem Ausländer geschrieben. Ich kenne *den Ausländer* seit dem Studium.

(2) Der Schüler wohnt jetzt in Dresden. Ich erinnere mich *des Schülers* noch gut.

(3) Ich habe meiner Freundin ein großes deutsch-englisches Wörterbuch geschenkt. *Meine Freundin* studiert Anglistik.

(4) Der Dozent hält die Lexikologie-Vorlesung. Wir sind *dem Dozenten* gestern begegnet.

(5) Der ausländische Gast möchte heute in der Bücherei arbeiten. Der Assistent betreut *den ausländischen Gast.*

(6) Mein Freund hat nicht geantwortet. Ich habe *meinem Freund* einen Brief geschrieben.

(7) Die Arbeitsgruppe wird die Versuchsreihe bald abschließen. Sie hat *die Versuchsreihe* vor einem Jahr begonnen.

(8) Der Professor unterstützt das neue Verfahren. *Das neue Verfahren* erschien ihm zuerst nicht praktikabel.

(9) Er spricht nicht gern von Erfolgen. Er ist *der Erfolge* nicht sicher.

X 2 Bilden Sie Attributsätze nach dem Muster (Relativpronomen für Objekt im präpositionalen Kasus)!

> Die Studenten haben ihr Examen abgelegt. Der Assistent hat *mit den Studenten* zusammengearbeitet.
> → Die Studenten, *mit denen* der Assistent zusammengearbeitet hat, haben ihr Examen abgelegt.

(1) Der Assistent hat an der Humboldt-Universität promoviert. Er hat auch *an der Humboldt-Universität* studiert.

(2) Das Thema hat ihm sein Lehrer vorgeschlagen. Er hat *über das Thema* gearbeitet.

(3) Sein Lehrer ist ein anerkannter Wissenschaftler. In seiner Dissertation beruft er sich *auf seinen Lehrer*.

(4) Die Experimente sind erfolgreich verlaufen. Er berichtet *über die Experimente* in seiner Arbeit.

(5) Die Thesen sind in der Wissenschaft noch umstritten. Er geht *von den Thesen* aus.

(6) Seine Verteidigung war ein großer Erfolg. Er hatte sich *auf die Verteidigung* gründlich vorbereitet.

X 3 Bilden Sie Attributsätze nach folgendem Muster (Relativpronomen für Genitiv-Attribut)!

> Mein Freund hat mich eingeladen. Die Eltern *meines Freundes* wohnen auf dem Land.
> → Mein Freund, *dessen* Eltern auf dem Land wohnen, hat mich eingeladen.

(1) Seine Eltern sind Rentner. In dem Haus *der Eltern* verbrachte ich die Ferien.

(2) Mein Zimmer lag im ersten Stock. Die Fenster *des Zimmers* gingen nach Süden.

(3) Wir saßen oft in dem großen Garten. Die Bäume *des Gartens* hingen voller Äpfel und Birnen.

(4) An heißen Tagen badeten wir in einem kleinen See. Das Wasser *des Sees* war kalt und klar.

(5) Wir bestiegen auch einige Berge. Von den Gipfeln *der Berge* hatte man eine schöne Aussicht.

(6) Eine Autofahrt führte uns in die nahe Kreisstadt. Mein Freund verheimlichte mir zunächst das Ziel *der Autofahrt*.

(7) Hier besuchten wir das Geburtshaus eines bekannten Dichters. Mein Freund erzählte mir von den Werken *des Dichters*.

X 4 Schließen Sie die Zweitsätze als Attributsätze mit dem Relativpronomen im Genitiv (Objekt *oder* Attribut) an!

(1) Die Studenten fahren nach Hause. Das Examen der Studenten ist abgeschlossen.

(2) Die Kommilitonen unterstützen die Studentin. Das Kind der Studentin ist oft krank.

(3) Der Student hat den Prüfungsbetrug nicht begangen. Man beschuldigt ihn des Prüfungsbetruges.

(4) Der Dozent ermahnte einen Studenten. Er war mit den Leistungen des Studenten unzufrieden.

(5) Ich bin von seinen sportlichen Erfolgen nicht überzeugt. Er rühmt sich der Erfolge.

(6) Die Abschlußfeier war ein großer Erfolg. An der Vorbereitung der Abschlußfeier hatten alle Schüler teilgenommen.

(7) Im Sanatorium hatte sie die notwendige Ruhe und Pflege. Sie bedurfte der Ruhe und Pflege nach der schweren Operation.

(8) Er hat alle Lieder gesammelt. Er wurde der Lieder habhaft.

X 5 Wenn das Bezugswort im Hauptsatz ein Personalpronomen der 1. oder der 2. Person ist, wird nach dem Relativpronomen als Subjekt des Nebensatzes gewöhnlich das entsprechende Personalpronomen gesetzt. Das Verb kongruiert in diesem Fall mit dem Personalpronomen:

> Du, der *du* an der Angelegenheit nicht schuld *bist*, mußt dir keine Vorwürfe machen.

Aber (Relativpronomen nicht als Subjekt):

> Du, dem die Angelegenheit unbekannt war, mußt dir keine Vorwürfe machen.

Bilden Sie aus den Zweitsätzen Attributsätze!

(1) Ich liebe unsere Stadt. Ich bin hier geboren.

(2) Ich werde sie nicht verlassen. Mir ist die Stadt ans Herz gewachsen.

(3) Du solltest deine Meinung sagen. Dir fehlt es doch sonst nicht an Mut.

(4) Du darfst dir keinen so groben Fehler leisten. Du hast vier Jahre Germanistik studiert.

(5) Sie hätten den Straßenzustand beachten müssen. Sie sind ein erfahrener Autofahrer.

(6) Ich habe von Ihnen im Aufsatz mehr erwartet. Sie waren in jeder Prüfung unter den Ersten.

(7) Ich glaube dir auch in dieser Frage. Du warst stets aufrichtig.

(8) Ich konnte alle Fragen beantworten. Mir hatte es vor der Prüfung so sehr gegraut.

X 6 Wenn das Relativwort für eine Orts- oder Richtungsangabe steht, wird neben dem Relativpronomen auch das Relativadverb *wo* (bei Ortsangaben) oder *woher/von wo* und *wohin* (bei Richtungsangaben) nach folgender Regel verwendet: bei Bezugswort im übergeordneten Satz mit Artikel entweder Pronomen oder Adverb, bei Bezugswort ohne Artikel nur Adverb. Man vergleiche:

> Er verläßt die Stadt, *in der/wo* er vier Jahre studiert hat.

Aber nur:

> Er verläßt Dresden, *wo* er vier Jahre studiert hat.

Ergänzen Sie!

(1) Er erzählte uns von Rügen, ... er stammt.
(2) Das Fischerdorf, ... er geboren wurde, liegt am Bodden.
(3) Der Bodden ist eine seichte Süßwasserbucht, ... es keinen Sand-
strand gibt.
(4) Mein Freund fährt deshalb oft nach Binz, ... Verwandte von ihm
wohnen.
(5) Binz ist ein bekanntes Seebad, ... es im Sommer Tausende von
Urlaubern zieht.
(6) Er unternimmt auch gern Ausflüge nach Saßnitz, ... die Schwe-
denfähre anlegt und zum Königsstuhl, ... man einen weiten
Blick über das Meer hat.

X 7 Wenn das Relativwort für eine Zeitangabe steht, wird neben dem Relativpronomen auch das Relativadverb *wenn* (für Gegenwart / Zukunft und Wiederholung in der Vergangenheit) und *als* (für Einmalig-
keit in der Vergangenheit) verwendet. Bei Bezugswort im übergeordneten Satz ohne Artikel („Nullartikel") steht nur das Adverb. Man
vergleiche:

> In den Jahren, *in denen/wenn* der Winter sehr kalt ist, soll der
> Sommer sehr heiß sein.
> Im letzten Jahr, *in dem/als* der Winter sehr kalt war, war der
> Sommer aber kühl.
> 1963, *als* der Winter sehr kalt war, war der Sommer auch kühl.

Ergänzen Sie!

(1) Ich denke oft an die Zeit zurück, ... ich noch studierte.
(2) Es war für mich ein ganz besonderer Tag, ... im Auditorium ma-
ximum die Immatrikulationsfeier stattfand.
(3) Später war es immer ein besonderer Tag, ... wir uns alle wieder
in der ersten Vorlesung nach den Ferien trafen.
(4) Ich erinnere mich auch gern an den fröhlichen Abend, ... wir unseren Studentenklub einweihten.
(5) Es war schon Morgen, ... wir nach Hause gingen.
(6) Natürlich freuten wir uns auch immer auf Weihnachten und
Ostern, ... wir für ein paar Tage nach Hause fahren konnten.
(7) Unvergeßlich bleibt mir die Feierstunde, ... uns der Lehrstuhl-
leiter die Diplome überreichte.

X 8 Wenn die Art oder Beschaffenheit des vom Bezugswort bezeichneten
Objekts der Realität bestimmt werden soll, verwendet man nicht den
Attributsatz (a), sondern den Komparativsatz mit *wie* (b). Im Komparativsatz steht nach *wie* das das Bezugswort vertretende Personalpronomen. Man vergleiche:

    (a) Er schreibt auf dem Briefpapier. *Dieses* Briefpapier hat ihm sein Freund geschenkt.
       → Er schreibt auf dem Briefpapier, *das* ihm sein Freund geschenkt hat.

    (b) Er will sich Briefpapier kaufen. *Solches* Briefpapier benutzt sein Freund.
       → Er will sich Briefpapier kaufen, *wie es* sein Freund benutzt.

Schließen Sie den Zweitsatz entsprechend dem Inhalt nach Muster (a) oder (b) an!

(1) Mein Freund besitzt ein Tonbandgerät. Ein solches Tonbandgerät brauche ich auch.

(2) Ich bringe mein Tonbandgerät zur Reparatur. Auf diesem Tonbandgerät ist noch Garantie.

(3) Wir bekamen noch Karten für das Konzert. Dieses Konzert war ausverkauft.

(4) Es war ein ausgezeichnetes Konzert. Ein solches Konzert bekommt man selten zu hören.

(5) Zu dem Gastspiel gab es sehr umfangreiche Programmhefte. Solche Programmhefte sind sonst nicht üblich.

(6) Mein Freund sammelt Programmhefte. Diese Programmhefte sind grafisch gut gestaltet.

(7) Die Schallplatten werden wegen ihrer Aufnahmequalität viel gekauft. Diese Aufnahmequalität wird von allen anerkannt.

(8) Die Schallplatten haben eine hohe Aufnahmequalität. Eine solche Aufnahmequalität wurde bisher nicht erreicht.

X 9 Attributsätze mit Relativpronomen *der* zum personalen Bezugswort *derjenige* als erstes Satzglied sind auch als Attributsätze mit Relativpronomen *wer* möglich. Der nachgestellte Hauptsatz wird mit fakultativem Korrelat *der* eingeleitet (a). Wenn das Bezugswort und das Relativpronomen nicht im Kasus übereinstimmen, ist das Korrelat nach dem Nebensatz mit *wer* obligatorisch (b).

    (a) Denjenigen, den ich zuerst treffe, (den) frage ich.
       → Wen ich zuerst treffe, (den) frage ich.

    (b) Denjenigen, dem ich zuerst begegne, (den) frage ich.
       → Wem ich zuerst begegne, den frage ich.

Bilden Sie aus den folgenden Repliken Sätze nach (a) oder (b)!

(1) Wer kann die Deutschprüfung vorzeitig ablegen? (Er hat sehr gute Leistungen im Deutschunterricht.)

(2) Wer wird nicht zur mündlichen Prüfung zugelassen? (Er hat die schriftliche Prüfung nicht bestanden.)

(3) Wem wird die mündliche Prüfung erlassen? (Er hat in der schriftlichen Prüfung ein „Sehr gut".)

(4) Wen schließt die Prüfungskommission von der Prüfung aus? (Er hat einen Betrugsversuch begangen.)

(5) Wer erhält ein Abschlußzeugnis? (Er hat alle Teilprüfungen erfolgreich abgelegt.)

(6) Wer erhält kein Staatsexamenszeugnis? (Er hat die Sprachprüfungen nicht abgelegt.)

(7) Wem wird eine Auszeichnung verliehen? (Er hat in allen Fächern ein „Sehr gut".)

X 10 Wenn das Bezugswort ein neutrales substantivisches Demonstrativ- oder Indefinitpronomen (*das, etwas, nichts, manches* usw.) oder ein neutrales substantivisch gebrauchtes Zahladjektiv bzw. Adjektiv im Superlativ (*eines, vieles, das Beste* usw.) ist, steht als Relativwort im Nominativ und im reinen Akkusativ *was*, in den präpositionalen Kasus *wo(r)-* + Präposition („Pronominaladverb"). Statt des Pronominaladverbs kann auch das Relativpronomen *der* mit Präposition verwendet werden.

Setzen Sie das fehlende Relativwort ein (Nominativ / Präpositionalkasus)!

(1) Es gibt in ihrem Brief etwas, ... mich ärgert / ... ich mich ärgere.

(2) Der Kranke darf nichts lesen, ... er sich aufregen könnte / ... ihn aufregen könnte.

(3) Ich las in dem Artikel manches, ... ich überrascht war / ... mich überraschte.

(4) Es ist nicht immer das Teuerste, ... Kinder am meisten freut / ... sich Kinder am meisten freuen.

(5) Er bemerkte in dem fremden Land vieles, ... er sich zunächst wunderte / ... ihn zunächst wunderte.

(6) Kinder sollten nichts im Fernsehen sehen, ... sie ängstigen könnte / ... sie sich ängstigen könnten.

(7) Er sagte in seinem Vortrag Verschiedenes, ... wir erstaunt waren / ... uns erstaunte.

(8) Seine Bemerkungen zu der Sekretärin waren das, ... sich alle entrüsteten / ... alle entrüstete.

X 11 Setzen Sie das fehlende Relativwort ein (reiner Akkusativ / Präpositionalkasus)!

(1) Es gibt in seiner Erzählung manches, ... ich bezweifle / ... ich zweifle.

(2) Der Assistent nannte uns einiges, ... wir bei dem Experiment denken müssen / ... wir bei dem Experiment bedenken müssen.

(3) Die Reinheit der Substanzen ist das Wichtigste, ... wir bei dem Experiment achten müssen / ... wir bei dem Experiment beachten müssen.

(4) Aus dem Archiv bekam der Wissenschaftler Verschiedenes, ... er erbeten hatte / ... er gebeten hatte.

(5) In der Prüfung wurde kaum etwas gefragt, ... ich nicht antworten konnte / ... ich nicht beantworten konnte.

(6) Die Clown-Nummer war das, ... die Kinder vor allem gewartet hatten / ... die Kinder vor allem erwartet hatten.

(7) In dem Dichternachlaß gibt es einiges, ... noch niemand bearbeitet hat / ... noch niemand gearbeitet hat.

(8) Die Reisekosten sind das erste, ... wir sprechen müssen / ... wir besprechen müssen.

X 12 *das* oder *was?*

(1) Das Buch enthält einiges Material, ... bisher noch nicht veröffentlicht wurde.

(2) Es gab in seinem Bericht manches, ... mir neu war.

(3) Das Buch enthält einiges, ... nur den Fachmann interessiert.

(4) Er hat in seinem Buch viel Material verarbeitet, ... er selbst in Jahrzehnten gesammelt hat.

(5) Es gibt in dem Bericht manches Detail, ... unglaubwürdig ist.

(6) Er hat in dem Buch vieles verarbeitet, ... er von anderen übernommen hat.

X 13 Ähnlichkeit mit den Attributsätzen, die auf neutrale substantivische Pronomina und substantivisch gebrauchte Adjektive bezogen sind, haben die **weiterführenden Nebensätze.** Sie werden gewöhnlich ebenfalls mit *was* (für Nominativ und reinen Akkusativ) oder Pronominaladverbien (für präpositionale Kasus) angeschlossen. Im Unterschied zu den Attributsätzen beziehen sie sich aber nicht auf ein Wort des übergeordneten Satzes, sondern auf den ganzen Satz (bzw. das Prädikat). Außerdem ist auch der Anschluß mit dem Relativpronomen *der* statt des Pronominaladverbs unmöglich. Man vergleiche:

Sie hat mir Verschiedenes geschrieben, *von dem/wovon* ich überrascht war. (Attributsatz)
Sie hat mir geschrieben, *wovon* ich überrascht war. (weiterführender Nebensatz)

Setzen Sie in die weiterführenden Nebensätze das fehlende Relativwort ein!

(1) Mein Freund hat lange nicht geschrieben, ... mich wundert / ... ich mich wundere.

(2) Die Schülerin kommt sehr oft zu spät, ... sich alle ärgern / ... alle ärgert.

(3) Sie will in Zukunft immer pünktlich sein, ... der Lehrer bezweifelt / ... der Lehrer zweifelt.

  (4) Der Kollege hat uns am Wochenende besucht, ... ich mich gefreut habe / ... mich gefreut hat.

  (5) Er hat ein Geschenk mitgebracht, ... mich überrascht hat / ... ich überrascht war.

X 14 Schließen Sie die Zweitsätze als weiterführende Nebensätze an!

  (1) Der Romanautor hat ein Theaterstück geschrieben. Das hat sein Publikum überrascht.

  (2) Das Stück wurde am Stadttheater inszeniert. Alle Theaterfreunde interessierten sich dafür.

  (3) Das Stück erzählt die Umgestaltung des Dorfes als Legende. Dadurch wurde das große Interesse hervorgerufen.

  (4) Der Autor verarbeitete die Erfahrungen seiner Kindheit. Das wird im ganzen Stück deutlich.

  (5) Der Regisseur hat sehr gründliche Milieustudien getrieben. Das ist vor allem an der Führung der Schauspieler zu merken.

X 15 Formen Sie die Sätze nach dem Muster um!

  Es gibt dem Stück eine lyrische Note, daß der Autor alte Volkslieder verwendet.
  → Der Autor verwendet alte Volkslieder, was dem Stück eine lyrische Note gibt.

  (1) Es betonte die volkstümliche Tradition, daß als Vorbild für die Kostüme Volkstrachten dienten.

  (2) Die Ausstattung wirkte auch dadurch sehr volkstümlich, daß viel natürliches Material verwendet wurde.

  (3) Die Verwendung von Fotomontagen trug dazu bei, daß das Bühnenbild sehr wirkungsvoll war.

  (4) Es gefiel dem Publikum sehr, daß die Bauern in aller Realistik dargestellt wurden.

  (5) Der Erfolg der Aufführung zeigt sich auch darin, daß das Stück bereits mehr als fünfzigmal gelaufen ist.

Lösungsteil

A 1 (1) nehmen ... teil (2) arbeiten ... aus (3) treibt / treiben (4) treffen uns (5) müssen uns mehr ... (6) seid

A 2 (1) bringt (2) besucht (3) empfangen (4) bestellen / bestellt (5) ruft ... an (6) muß ... korrigieren

A 3 (1) gefällt (2) ist / sind (3) ist / sind (4) dauert / dauern (5) wird veröffentlicht (6) kennzeichnet / kennzeichnen (7) ist / sind

A 4 (1) liegt (2) werden (3) sind (4) ist (5) wird

A 5 (1) Der Verlag kam mit dem Schriftsteller über den Abschluß eines Autorenvertrages überein. (2) Der Internist verabredet mit dem Chirurgen den Ablauf der Operation ...

A 6 (1) schleifte ... mit; hat ... mitgeschleift. (2) schliff; hat ... geschliffen. (3) weichte ... ein; hat ... eingeweicht. (4) wichen; sind ... gewichen. (5) bewogen; haben ... bewogen. (6) bewegte; hat ... bewegt. (7) schaffte; hat ... geschafft. (8) schuf, hat ... geschaffen. (9) wiegte; hat ... gewiegt. (10) wog; hat ... gewogen. (11) wog; hat ... gewogen. (12) wiegte; hat ... gewiegt.

A 7 (1) hängten; haben ... gehängt. (2) hingen; haben ... gehangen. (3) steckte; hat ... gesteckt. (4) stak / steckte; hat ... gesteckt. (5) quellten; haben ... gequellt. (6) quoll; ist ... gequollen. (7) bleichte; hat ... gebleicht. (8) verblich; ist ... verblichen. (9) erloschen; sind ... erloschen. (10) löschte; hat ... gelöscht.

A 8 (1) saß (2) setzte (3) fällten (4) fiel (5) legte (6) lag (7) ertränkten (8) ertranken

A 9 (1) 3. Pers. Sing. Fut. II Vorgangspassiv Ind. (2) 3. Pers. Plur. Prät. Vorgangspassiv Konj.; 3. Pers. Plur. Plusq. Vorgangspassiv Konj. (3) 2. Pers. Sing. Plusq. Zustandspassiv Ind.; 3. Pers. Sing. Plusq. Akt. Ind. (4) 3. Pers. Sing. Plusq. Akt. Konj.; 1. Pers. Sing. Plusq. Akt. Konj. (5) 3. Pers. Sing. Plusq. Akt. Konj.; 3. Pers. Sing. Plusq. Akt. Konj. (6) 3. Pers. Plur. Fut. II Akt. Ind. (7) 3. Pers. Sing. Perf. Zustandspassiv Ind.; 3. Pers. Sing. Plusq. Akt. Ind. (8) 3. Pers. Sing. Prät. Akt. Ind.; 3. Pers. Sing. Präs. Vorgangspassiv Konj. (9) 1. Pers. Plur.

Prät. Akt. Ind.; 1. Pers. Plur. Prät. Akt. Konj.   (10) 2. Pers. Plur. Perf. Akt. Ind.; 2. Pers. Fut. I Vorgangspassiv Ind.

A 10 (1) wir hätten schneller laufen müssen   (2) ich bin ausgezeichnet worden   (3) er/sie/es war verletzt   (4) ihr müßtet zur Kur fahren   (5) sie wären überfahren worden   (6) er/sie/es könne die Arbeitszeit besser ausnutzen

A 11 (1) Der Lehrer hilft seinen Schülern.   (2) Die Kinder unterstützen ihre Mutter.   (3) Alkohol schadet der Gesundheit.   (4) Der Frost schädigt die Obstbäume.   (5) Der Student gratuliert seiner Frau zum Geburtstag.   (6) Der Dozent beglückwünscht den Absolventen zum Abschluß der Promotion.   (7) Der Lehrer wird Direktor der Schule.   (8) Das frühere Agrarland wird zu einem entwickelten Industriestaat/wird ein entwickelter Industriestaat.   (9) Die Fußballmannschaft wird Favorit der Meisterschaft genannt.   (10) Die Mannschaft wird als Anwärter auf den Weltmeistertitel bezeichnet.

A 12 (1) Der Minister übergibt dem Wissenschaftler einen Preis.   (2) Der Angestellte verkauft dem Kunden einen Anzug.   (3) Der anerkannte Schriftsteller hat den jungen Künstler ein hoffnungsvolles Talent genannt.   (4) Der Arzt verzeiht der Schwester die Unterlassung.   (5) Der Meister beschuldigt den Lehrling der Ungenauigkeit.   (6) Die Mutter lehrt das Kind das Sprechen.   (7) Der Präsident enthebt den Minister des Amtes.   (8) Die Sozialversicherung bewilligt dem Invaliden die Rente.   (9) Der Vater überführt den Sohn der Lüge.   (10) Der Kollege schimpft ihn einen Feigling.

A 13 (1) worauf – Ich warte auf den Anruf des Kollegen.   (2) wobei – Ich habe ihm bei den Schularbeiten geholfen.   (3) wovon – Er hat mich von der Notwendigkeit des Auftrages überzeugt.   (4) worauf – Der Geschäftsinhaber hat sich auf die Lieferung verlassen.   (5) wozu – Ein gutes Essen trägt zum Gelingen des Abends bei.   (6) wofür – Der Sohn bedankt sich bei dem Vater für das Geschenk.   (7) wozu – Die Gewerkschaft fordert die Betriebsleitung zu einer Stellungnahme auf.   (8) woraus – Aus Trauben gewinnt man Wein.   (9) woran – Der Student wird an einem Forschungsvorhaben beteiligt.   (10) woran – Die Studenten erinnern sich an das Praktikum im Ausland.   (11) worauf – Wir müssen ihn auf die Widersprüche in seinen Thesen aufmerksam machen.   (12) woran – Es fehlt dem Kranken an Vitaminen.

A 14 (1) Der Referent spricht zu den Zuhörern über seine Forschungsergebnisse.   (2) Der Verlag verhandelt mit seinem ausländischen Partner über einen Lizenzvertrag.   (3) Der Prüfling schämt sich vor der Kommission für seine schlechten Leistungen.   (4) Der Lehrer übersetzt aus der Fremdsprache in die Muttersprache.   (5) Die Mannschaft kämpft mit ihren Rivalen um den Pokal. (6) Das Buch unterscheidet sich von Büchern ähnlicher Thematik durch größere Aktualität. (7) Der Staatsmann setzt sich beim Nachbarland für die Lösung strittiger Fragen ein. (8) Der Student rechtfertigt sich mit seiner Krankheit vor seinem Dozenten. (9) Die Feriengäste unterhalten sich mit dem Heimleiter über die Wandermöglichkeiten. (10) Wir schließen aus seinen bisherigen Leistungen auf hervorragende Resultate.

A 15 (1) an verschiedene Länder der Welt   (2) an die Polizei   (3) in den Betrieb   (4) in dem Studenten   (5) der Bergsteigergruppe   (6) an dem Preisausschreiben   (7) an ihren Symptomen   (8) in zwei Gruppen   (9) in dem Namen der Patienten   (10) an die Erhaltung des Friedens in der Welt   (11) in dem Bereich der Dialektologie   (12) in mehrere Gruppen   (13) an einem wichtigen Forschungsthema   (14) an unsere Eltern   (15) in das Buch

A 16 (1) auf wenige Thesen   (2) auf die Gesundheit des Jubilars   (3) in die Scheidung von ihrem Mann   (4) auf seine Forschungsarbeit   (5) in die Integralrechnung   (6) in das Deutsche   (7) auf modernste Quellen   (8) auf entsprechende experimentelle Untersuchungen   (9) in einen Vorteil   (10) in wenigen neuen Thesen   (11) auf einigen im Literaturverzeichnis nicht genannten Quellen   (12) auf die fleißige Mitarbeit der technischen Kräfte   (13) im Klavierspielen   (14) auf seiner früher zu Protokoll gegebenen Behauptung   (15) im Charakter ihrer Mitschülerin

A 17 (1) über den rücksichtslosen Kraftfahrer   (2) ums Leben   (3) um die Leistungen seiner Kinder in der Schule   (4) nach den Ursachen der mangelnden Qualität   (5) nach dem Gesundheitszustand unseres Kollegen   (6) um die bevorstehende Auslandsreise seines Mitarbeiters   (7) nach seiner Leistung   (8) um frisches Wasser   (9) nach einem Wiedersehen mit seiner Heimat   (10) nach seinem Gesundheitszustand   (11) über den fortwährenden Lärm auf der Straße   (12) um eine baldige Klärung der Angelegenheit

A 18 (1) von den Zeichensetzungsfehlern   (2) vor dem Essen   (3) von einem Schokoladenberg   (4) von vielen Voraussetzungen   (5) von alten Auffassungen   (6) vor einer Wiederholung der Operation   (7) von den Anstrengungen der Weltmeisterschaft   (8) vor den Kritikern   (9) von seiner Funktion   (10) vor dem leichtsinnigen Überholen   (11) vor einem Vortrag vor der gesamten Schule   (12) vor Übergriffen

A 19 (1) an einer schweren Herzlähmung   (2) zu einer gemeinsamen Fahrt   (3) bei der Schule nach dem Verhalten des Sohnes   (4) vor der Leitung mit seiner Unerfahrenheit   (5) zur Überheblichkeit   (6) mit deinen Studienfreunden über die Problematik (7) zu qualifizierten Fachleuten (8) bei der Betriebsleitung für die Änderung der Arbeitszeit (9) von der Teilnahme an dem Ausflug (10) für die Fußballspiele (11) auf den bevorstehenden Urlaub (12) an dem schönen Wetter / über das schöne Wetter

A 20 (1) für die Folgen des Unfalls (2) an die zuständige Stelle (3) für den Beruf eines Lehrers (4) über die gut gelungenen Bilder / an den gut gelungenen Bildern (5) auf seine bevorstehende Studienreise (6) für einen hervorragenden Spezialisten (7) mit vielen Versprechungen zu einem Wechsel des Arbeitsplatzes (8) zu den Jugendlichen / vor den Jugendlichen über seine Erlebnisse (9) mit den ausländischen Partnern über die Bezahlung der Waren (10) zur Unterzeichnung des Vertrages

A 21 (1) Der Schriftsteller trifft auf dem Kongreß seine Kollegen. (2) Der Assistent unterstützt die Studenten bei ihren Diplomarbeiten. (3) Diese Leistung imponiert der Prüfungskommission. (4) Die Fußballfans bedrohen den ungeschickten Schiedsrichter. (5) Er erwartet eine Verbesserung seines Gesundheitszustandes. (6) Der Großhandel beliefert das Geschäft mit den Waren. (7) Wegen des Quartiers müssen wir einige Hotels anschreiben. (8) Er beglückwünscht seinen Freund zum Geburtstag.

A 22 (1) Der Abiturient erhofft ein gutes Abschlußzeugnis. (2) Die Gärtnerei beliefert das Geschäft mit Blumen. (3) Der Reisende erwartete die Ankunft des Zuges. (4) Er hat in drei Stunden den Berg bestiegen. (5) Die kinderreiche Familie erstrebt eine Verbesserung ihrer Wohnverhältnisse. (6) Die ausländischen Studenten ersehnen ein Wiedersehen mit ihren Familien. (7) Das Hotel erbat die Bestätigung der Zimmerreservierungen. (8) Der Student beschenkt seine Freundin oft mit Blumen.

A 23 (1) setzten ... ein (2) haben sich entschieden (3) hat ... abgeschlossen (4) sind ... besprochen worden (5) zu ordnen (6) helfen

A 24 (1) Die Betriebsleitung benachrichtigte die Mitarbeiter sofort. (2) Die Lehrerin erlaubte den Schülern die Fahrt. (3) Der Herstellerbetrieb ersetzte den defekten Rasierapparat. (4) Die Stadtverwaltung hat dem Bürger sofort auf seine Eingabe geantwortet / hat dem Bürger die Eingabe sofort beantwortet. (5) Der Professor hat der Patientin versprochen, ... (6) Der Verlag kann nicht zusichern, ... (7) Die Fakultät beauftragt den Professor, ... (8) Der Pförtner teilte der Polizei mit, ... (9) Sie verzichtete auf das Erbe ihrer Eltern. (10) Der Forscher gab nicht an, ...

A 25 (1) ... mußte eine Vereinfachung erfahren. (2) ... Berücksichtigung finden. (3) ... hat eine wesentliche Verbesserung erfahren. (4) ... haben in ... eine herzliche Aufnahme gefunden. (5) ... haben ... keine Erklärung gefunden. (6) Sie findet in ihrer Arbeit bei ihren Kolleginnen immer Unterstützung. (7) ... hat kaum Beachtung gefunden. (8) ... möglichst schnell Anwendung finden.

A 26 (1) Die Bewerber erhalten (bekommen) von der Universität die Benachrichtigung über ihre erfolgte Zulassung zum Studium. (2) Die Mitarbeiter bekommen (erhalten) von uns Anweisung, ... (3) Der Doktorand hat vom Professor die Anregung zu seinem Promotionsthema erhalten (bekommen). (4) Der Betrieb bekommt (erhält) von dem ausländischen Partner ohne Verzögerung Antwort. (5) Die Praktikanten bekommen (erhalten) vom Mentor bei ihren ersten Unterrichtsversuchen Unterstützung. (6) Der Botschafter bekommt (erhält) den Auftrag zu diplomatischen Verhandlungen mit der neuen Regierung.

A 27 (1) ... gerät ... in Isolierung. (2) ... in Verdacht geraten. (3) ... zum Abschluß kommen. (4) ... zur Verteilung kommen (gelangen). (5) ... geht in Erfüllung. (6) ... kommt (gerät) wegen ... in Bedrängnis.

A 28 (1) ... hat von ... Abschied genommen. (2) ... in Brand gesetzt. (3) ... setzten die Studenten in Verwunderung. (4) ... in Rechnung stellen. (5) ... stellte während ... unter Beweis. (6) ... stellte er einen Antrag auf Urlaub für drei Tage. (7) ... nahm ... eine kontinuierliche Entwicklung. (8) Der Mitarbeiter wollte in die über ihn angefertigte Beurteilung Einsicht nehmen.

A 29 (1) in (2) zu (3) aufs (4) in (5) zur (6) unter dem (7) zur (8) in (9) zu (10) in

A 30 (1) ... hat einen erfolgreichen Verlauf genommen. (2) hat ... über die bevorstehenden Aufgaben Andeutungen gemacht. (3) ... sehr in Verwunderung gesetzt. (4) ... führte über die gesamte Diskussion Protokoll. (5) ... trifft Anordnungen über Umstellungen in seinem Betrieb. (6) ... hat den Studenten Anregungen gegeben. (7) ... leisteten den Empfehlungen ihrer Hochschullehrer Folge. (8) Der Arzt hat den Symptomen der Krankheit zu wenig Beachtung geschenkt.

A 31 (1) ... viele Ausführungen gemacht. (2) ... Ersatz für den Schaden geleistet. (3) ... Einsicht in die Personalakten nehmen. (4) ... in Schutz genommen. (5) ... unter Strafe gestellt. (6) Die Gewerkschaft stellt die Forderung, ... (7) Der Kunde muß eine Wahl zwischen den angebotenen Küchenmöbeln treffen. (8) Die Fakultät gibt ihre Einwilligung zur Verteidigung ... (9) ... keine Versprechungen machen. (10) ... Bemühungen um ... unternehmen.

A 32 (1) Der Wagen kam an der Kreuzung nicht mehr zum Halten. (2) Die Schüler bekommen Antwort auf ihre Fragen. (3) Der Schriftsteller bekam viele Anregungen für seinen neuen Roman. (4) Das Schulbuch ist rechtzeitig zur Auslieferung gekommen. (5) ...

A 33 (1) ... konnte nicht erfüllt werden. (2) ... ist die ältere Literatur bisher kaum beachtet worden. (3) ... müssen wesentlich verbessert werden. (4) ... ist beim Publikum gut aufgenommen worden. (5) ...

A 34 (1) ... kommen in ... zum Verkauf. (2) ... ihren Abschluß finden. (3) ... hat ... eine starke Vervollkommnung erfahren. (4) Der Schüler bekommt die Erlaubnis, ... (5) ... haben Anerkennung gefunden. (6) ... fanden in ... eine bessere Erklärung. (7) ... eine Vereinfachung erfahren. (8) ... kommen ... zum Ausdruck.

A 35 (1) ... war ... im Einsatz. (2) ... ist ... im Bau. (3) ... war lange in der Diskussion. (4) ... hatte Angst, ... (5) ... hatten Auswirkungen auf den Gesundheitszustand. (6) ... genießt ... Anerkennung. (7) ... genoß die Unterstützung ihrer Nachbarin. (8) ... befindet sich noch im Aufbau. (9) Er steht unter dem Einfluß seiner Mitschüler. (10) ... steht unter dem Verdacht, ... (11) ... lag ... unter Beschuß. (12) ... haben wir ... viele Wanderungen gemacht. (13) ... hatte an seinen Objekten Beobachtungen und Berechnungen, viele Untersuchungen und Überlegungen angestellt.

A 36 (1) ... geht ... in Führung. Der Nationalstürmer bringt ... in Führung. (2) ... geht in Druck. / ... kommt zum Druck. − Der Verlag bringt ... zum Druck. (3) ... kommt in Bewegung. − Der Lokomotivführer setzt ... in Bewegung. (4) ... kommt in Untersuchungshaft. − Die Polizei nimmt ... in Untersuchungshaft. (5) ... bekommt Einsicht ... − Das Archiv gibt ... Einsicht ... (6) ... kommt in ... Position. − Sein Klubkamerad bringt ... in ... Position. (7) Er kommt in Verbindung ... − Er setzt sich in Verbindung ... (8) ... bekommen Kenntnis ... − Er setzt uns in Kenntnis ... (9) ... kommt in Ordnung. − Der Arzt bringt ... in Ordnung. (10) bekommt ... Lebensmut. − Die Familie gibt ... Lebensmut.

A 37 (1) ... ist ... beim Unterschreiben der Briefe. (2) ... befindet sich ... in Entwicklung. (3) ... liegen ... in Streit. (4) ... befinden sich ... in Übereinstimmung. (5) Früher übten ... die Herrschaft aus. (6) ... üben Einfluß auf die Lernhaltung der Klasse aus. (7) ... steht ... in Blüte.

A 38 (1) ... gefunden. (2) ... befindet sich ... (3) ... gegeben. (4) ... gekommen. (5) ... gerät ... (6) ... empfangen / bekommen. (7) ... besitzt ... (8) ... erfährt ...

A 39 (1) Ich habe der Leitung schon einen detaillierten Bericht über das Erreichte und das noch nicht Erreichte erstattet.   (2) Das neue Meßverfahren nimmt eine sehr gute, die ursprünglichen Erwartungen über-
treffende Entwicklung.   (3) Er hat auf die Fragen eine eindeutige,
nicht zu erwartende Antwort gegeben.   (4) Wir haben ihm einen viel
Wissen und Verantwortung voraussetzenden Auftrag gegeben.   (5)
Der Student verfügt über umfangreiches und anwendungsbereites
Wissen.   (6) Er hat einen Antrag auf Veränderung der Arbeitszeit eingereicht.

A 40 (1) Solche Vereinbarungen über den Forschungsauftrag haben die beiden Betriebe bereits getroffen.   (2) Ihre Anträge auf Stipendium müssen die Studenten im Juni stellen.   (3) Solche Andeutungen hat der
Dozent schon gemacht.   (4) Solche Veränderungen muß die Industrieanlage noch erfahren.   (5) Eine Antwort hat der Ausländer noch nicht
gegeben.   (6) Anerkennung hat das Buch noch nicht gefunden.

B 1   (1) ... aufstehen. − ... aufzustehen.   (2) ..., die Treppe heraufzukommen. − ... heraufkommen.   (3) ... holen. − ..., Brot zu holen.   (4) ...(,)
im Hausflur(,) zu schreien. − ... schreien.   (5) ... stehen. − ..., die Wagen hinter das Haus zu stellen.   (6) ... schlafen. − ... zu schlafen.   (7)
... liegen. − ..., ruhig zu liegen.   (8) ..., die Zusammenhänge richtig zu
verstehen. − ... tragen.   (9) ... spielen. − ..., sich rücksichtsvoll zu benehmen.

B 2   (1) ... verreisen. − ...(,) gemeinsam(,) zu verreisen.   (2) ... zu kommen. − ... kommen.   (3) ... schwimmen. − ..., regelmäßig zu trainieren.   (4) ..., ruhig zu sitzen. − ... sitzen.   (5) ... erzählen. − ... zu erzählen.   (6) ... zu besprechen. − ... besprechen.   (7) ...(,) gestört zu
werden. − ... werden.   (8) ... rauchen. − ... zu rauchen.

B 3   (1) zu bezweifeln, anzuzweifeln   (2) zu besteigen, zu ersteigen   (3) zu
verschließen, abzuschließen   (4) zu mißbrauchen, zu gebrauchen   (5)
aufzuwachen, zu erwachen   (6) abzureißen, niederzureißen   (7) aus-
zuarbeiten, zu bearbeiten   (8) zu gefallen, aufzufallen   (9) nachzu-
senden, weiterzusenden

B 4   (1) zu umschreiben − umzuschreiben   (2) durchzufahren − zu durchfahren   (3) zu unterstellen − unterzustellen   (4) überzugehen − zu
übergehen   (5) zu untergraben − unterzugraben   (6) überzuziehen −
zu überziehen

B 5   (1) zu argwöhnen   (2) festzulegen   (3) schwerzufallen   (4) zu frohlocken   (5) zu langweilen   (6) übelzunehmen   (7) zu vollbringen   (8) teilzunehmen   (9) zu rechtfertigen   (10) heimzubrin-

gen (11) **ach**zugeben (12) zu **h**andhaben (13) **h**auszuhalten (14)
zu schlußfolgern

B 6 (1) „Hast du ihn singen hören?" – „Ja, ich habe ihn gehört." (2) „Was
haben Sie von ihm gewollt?" – „Ich habe ihn nach dem Buch fragen
wollen." (3) „Haben Sie nicht warten können?" – „Ich habe nach
Hause gemußt." (4) „Hast du das Buch gebraucht?" – „Nein, ich habe
es nicht zu lesen brauchen." (5) „Hast du mitgehen dürfen?" – „Ja,
ich habe gedurft." (6) „Hast du ihn gesehen?" – „Ja, ich habe ihn gerade vorbeigehen sehen." (7) „Wo hast du das Auto gelassen?" – „Ich
habe es vor dem Haus stehen lassen."

B 7 (1) vgl. Muster (2) Sie hat mich gefragt, was ich von ihm gewollt habe.
Ich habe ihr geantwortet, daß ich ihn nach dem Buch habe fragen wollen. (3) Sie hat mich gefragt, ob ich nicht habe warten können. Ich
habe ihr geantwortet, daß ich nach Hause gemußt habe. (4) Sie hat
mich gefragt, ob ich das Buch gebraucht habe. Ich habe ihr geantwortet, daß ich es nicht habe zu lesen brauchen. (5) ...

B 8 (*Beispiele von B 1*) (2) Ich habe den Besucher gebeten, die Treppe
heraufzukommen. – Ich habe den Besucher die Treppe heraufkommen sehen. (3) Die Mutter hat ihren Sohn Brot holen geschickt. –
Die Mutter hat ihren Sohn beauftragt, Brot zu holen. (4) Ich habe die
Kinder gewarnt, im Hausflur zu schreien. – Ich habe die Kinder im
Hausflur schreien hören. (5) ...
(*Beispiele von B 2*) (1) Wir haben gemeinsam verreisen wollen. – Wir
haben geplant, gemeinsam zu verreisen. (2) Du hast nicht so pünktlich zu kommen brauchen. – Du hast nicht so pünktlich kommen müssen. (3) Er ist jetzt regelmäßig schwimmen gegangen. – Er hat jetzt
begonnen, regelmäßig zu trainieren. (4) ...

B 9 (1) Der Termin der Veranstaltung muß durch Aushang bekanntgege-
ben werden. (2) Die Mitarbeiter brauchen nicht persönlich informiert zu werden. (3) Ein Projektor braucht nicht bereitgestellt zu
werden. (4) Der Referent muß vorgestellt werden. (5) Der Raum
braucht nicht verdunkelt zu werden. (6) Ein Protokoll muß geführt
werden. (7) Ein Schlußwort muß gesprochen werden.

B 10 (1) Er scheint zu spät benachrichtigt worden zu sein. Er mag zu spät
benachrichtigt worden sein. (2) Er scheint im Institut aufgehalten
worden zu sein. Er mag im Institut aufgehalten worden sein. (3) ...

B 11 (1) Die Köchin hat die Suppe gekostet / probiert. (2) Der Komponist
hat das Rundfunkorchester dirigiert / geleitet. (3) Der Arzt hat den
Patienten kuriert / geheilt. (4) Das Mädchen hat ihre Schwester fri-
siert / gekämmt. (5) Der Makler hat das Grundstück geschätzt / ta-
xiert. (6) Der Ober hat die Suppe gebracht / serviert.

B 12 (1) Der Wissenschaftler hat an der Richtigkeit der Hypothese gezweifelt. Der Wissenschaftler hat die Richtigkeit der Hypothese angezweifelt. Der Wissenschaftler hat die ... bezweifelt. (2) Der Pförtner hat die Tür verschlossen / abgeschlossen / geschlossen. (3) Der Bau ist verfallen / zusammengefallen / zerfallen. (4) Die Luft ist aus dem Behälter geströmt. Die Luft ist dem Behälter entströmt. Die Luft ist aus dem Behälter ausgeströmt. (5) Der Student hat das Buch entliehen / geliehen / ausgeliehen. (6) Der Polizist hat den Nachbarn ausgefragt / befragt. Der Polizist hat bei dem Nachbarn nachgefragt.

B 13 (1) umschrieben — umgeschrieben (2) durchgefahren — durchfahren (3) unterstellt — untergestellt (4) übergegangen — übergangen (5) untergraben — untergegraben (6) übergezogen — überzogen

B 14 (1) freigesprochen (2) frohlockt (3) gefrühstückt (4) ferngesehen (5) vollbracht (6) gelangweilt (7) schwergefallen (8) vollgeschrieben (9) gefachsimpelt (10) fehlgeschlagen (11) telegrafiert (12) notgelandet (13) gerechtfertigt

B 15 (1) ... es aufgegeben, daß er seine Tochter ständig ermahnt. (2) ... (darauf), daß es noch in diesem Jahr eine Neubauwohnung bekommt. (3) ... es übernommen, daß er heute das Protokoll führt. (4) ... es mich nicht getraut, daß ich den Dozenten frage. (5) ... (es) nicht, daß er seinem Vater widersprach. (6) ... dazu, daß er die Analysen sehr oberflächlich durchführt. (7) ... (davon), daß er selbst einmal das Labor leiten wird. (8) ... (darum) bemüht, daß ich ruhig bleibe und nichts sage. (9) ... (es), daß wir im Sommer gemeinsam verreisen (werden). (10) ... daran, daß sie die experimentellen Befunde auswerten. (11) ... darauf, daß er jedes Kind selbst untersucht. (12) ... es, daß er seine Eltern über den Vorfall informierte. (13) ... (dagegen) gewehrt, daß er sein Einverständnis zu der Reise gibt. (14) ... (darauf), daß er sich bei der Geschäftsführerin beschwerte. (15) ... (es) vergessen, daß er seinem Vater zum Geburtstag gratulierte. (16) ... (damit), daß sie ihrem Freund die Wahrheit sagte. (17) ... (es) mehrmals vergeblich versucht, daß ich meine Eltern anrufe. (18) ... darauf, daß er nur eine Messungsmethode demonstrierte. (19) ... (es) versäumt, daß er die Analyse kontrolliert.

B 16 (1) Sie brachte ihren Mann dazu, ... (2) Das junge Mädchen hat seinen Freund davon abgehalten, ... (3) Der Vater hat (es) dem Sohn untersagt, ... (4) Der Professor regte den Doktoranden (dazu) an, ... (5) Der Arzt riet dem Patienten (davon) ab, ... (6) Der Lehrer appellierte an die Schülerin, ... (7) Der Ausweis berechtigt den Besucher (dazu), ... (8) Das Mädchen bestärkte seine Freundin darin, ... (9) Die Eltern schärften (es) dem Sohn ein, ... (10) Der Dozent warnte den Studenten (davor), ... (11) Der Mensch überläßt es der adaptiven Maschine, ... (12) Der Praktikumsleiter beauftragte einen Studenten (damit), ... (13) Der Laborant hat das Versuchstier daran gewöhnt, ... (14) Das Mädchen drang in seine Freundin, ... (15) Die neue Untersuchungsmethode zwingt jeden Studenten (dazu), ... (16) Die Freunde wirkten auf den jungen Mann ein, ... (17) Die ältere Dame bat den Mitreisenden (darum), ... (18) Die Mutter hat (es) ihrer Tochter aufgetragen, ... (19) Der Arbeitsgruppenleiter hat (es) seinem Mitarbeiter nahegelegt, ... (20) Er hat den Hund dazu abgerichtet, ... (21) Er hat (es) dem Hund auch beigebracht, ... (22) Eine Krankheit hinderte den Direktor daran, ... (23) Das neue Labor ermöglicht es jedem Studenten, ...

B 17 vgl. Lösung zu B 16: 1. = Korrelat nicht in Klammern, 2. = Korrelat in Klammern

B 18 (1) Ich hörte meine Freunde im Nebenzimmer streiten. (2) Ich habe den Sohn schon oft seiner Mutter bei der Hausarbeit helfen sehen. (3) Wir hörten den Kuckuck im Wald rufen. (4) Er fühlte das Herz des Vogels in seiner Hand ängstlich schlagen. (5) Wir hörten den Wagen sich schnell nähern. (6) Ich habe meinen Freund am Vormittag in die Stadt gehen sehen.

B 19 (1) ..., daß die Stipendien in diesem Monat früher ausgezahlt werden. (2) ..., daß man den Schüler nicht bestraft. (3) ..., daß man nicht raucht. (4) ..., daß die Geschäfte um 12 Uhr geschlossen werden. (5) ..., daß ein Sammelband zu den Fragen der Sprachmethodik zusammengestellt wird. (6) ..., daß man seine Briefe veröffentlicht.

B 20 (1) ..., daß ich das Buch vorbestelle. (2) ..., daß sie mich nach Erscheinen des Buches sofort anruft. (3) ..., daß er ihr das Taschengeld entzieht. (4) ..., daß er sich in der Schule mehr anstrengt. (5) ..., daß er vorübergehend bei mir wohnt. (6) ..., daß er für das Zimmer Miete zahlt. (7) ..., daß sie sich ruhig verhalten. (8) ..., daß sie noch länger aufbleiben. (9) ..., daß er an der Festsitzung teilnimmt. (10) ..., daß er ihn zum Festsaal begleitet.

B 21 Der Tierhalter muß die Ställe sicher abgrenzen, (muß) die Ein- und Ausgänge kontrollieren sowie die Einfahrten bewachen wegen .../ Der Tierhalter hat die Ställe sicher abzugrenzen, (hat) die Ein- und Ausgänge zu kontrollieren sowie die Einfahrten zu bewachen wegen ... — Der Tierhalter muß kranke Tiere schnellstens isolieren, (muß) dem Tierarzt Krankheitsfälle schnellstens melden / Der Tierhalter hat kranke Tiere schnellstens zu isolieren, (hat) dem Tierarzt Krankheitsfälle schnellstens zu melden — ...

B 22 (1) Alle Reaktionen sind mit möglichst kleinen Substanzmengen auszuführen. (2) Von den Lösungen sind 1 bis 2 ml zu verwenden. (3)

Von den festen Substanzen sind etwa 50 mg zu nehmen. (4) Die entnommenen Substanzen sind nicht in die Vorratsflaschen zurückzugeben. (5) Der Rest der Analysesubstanz ist für Nachprüfungen aufzubewahren. (6) ...

B 23 (1) Eine Verzögerung der Lieferung von ein bis zwei Tagen kann man unter Umständen nicht vermeiden. (2) Eine weitere Verzögerung der Lieferung muß man jedoch möglichst vermeiden. (3) Die Reparatur des Ofens muß man unbedingt bis zu diesem Wochenende schaffen. (4) Die Reparatur der ganzen Anlage kann man allenfalls bis zum nächsten Wochenende schaffen. (5) Kinder darf man auf keinen Fall mit Schlägen belehren. (6) Die Lehrlinge muß man genauestens über die Arbeitsschutzbestimmungen belehren. (7) Manche Menschen können nur durch eigene schlechte Erfahrungen belehrt werden. (8) Der Text kann von Fortgeschrittenen leicht übersetzt werden. (9) Nach der Prüfungsvorschrift darf man bei der Übersetzung keine Wörterbücher benutzen. (10) Die Türen der Düsenmaschine kann man während des Fluges nicht öffnen. (12) Während der Fahrt muß man die Türen der Straßenbahn stets geschlossen halten. (13) Die Türen der alten Wohnung kann man schwer öffnen.

B 24 (1) Geld und Wertsachen sind zur Aufbewahrung abzugeben. (2) Das Ballspielen hat auf ... zu erfolgen. Jede Belästigung anderer Badegäste hat zu unterbleiben. (3) Besuchergruppen sind beim Aufsichtspersonal ordnungsgemäß an- und abzumelden. (4) Schwimmer haben sich innerhalb ... aufzuhalten. (5) Papier und Abfälle sind in ... zu werfen. (6) Den Anordnungen des Aufsichtspersonals ist unbedingt Folge zu leisten.

B 25 (1) ... ist ansteckend. (2) ... war überzeugend. (3) ... ist erfrischend. (4) ... war auffallend. (5) ... ist glänzend. (6) ... ist entscheidend. (7) ... war ermüdend. (8) ... war überraschend. (9) ... war anstrengend. (10) ... ist provozierend.

B 26 (1) Die Kinder durften baden gehen. (2) Von der ganzen Gruppe kann nur Peter den See durchschwimmen. (3) Vom Arzt aus darf das Mädchen nicht Sport treiben. (4) Der Schüler kann den Text nicht fehlerfrei übersetzen. (5) Die Eltern dürfen sich bei der Schulleitung beschweren. (6) Ich konnte nur schwer eine Flugkarte bekommen. (7) Kinder dürfen auf Baustellen nicht spielen. (8) Darf ich das Fenster öffnen? (9) Ich kann ohne Brille nicht lesen. (10) In dieser Gaststätte darf man nicht rauchen. (11) Er kann sein Publikum begeistern. (12) Er darf das Labor besichtigen. (13) Dürfen Sie das Werkgelände betreten? (14) Ich konnte nicht sofort antworten. (15) Wir dürfen heute von einer Revolution in der Technik sprechen.

B 27 (1) Ich möchte einmal Bulgarien kennenlernen. (2) Er will am Wochenende verreisen. (3) Sie mag nicht mit dem Flugzeug fliegen. (4) Ich wollte sie gerade fragen, aber er hielt mich zurück. (5) Ich will hier warten, bis du kommst. (6) Magst du heute abend mit ins Kino kommen? (7) Ich möchte mich heute einmal richtig ausschlafen. (8) Er will in Zukunft besser arbeiten. (9) Der Direktor möchte nicht gestört werden. (10) Sie will ihre Verlobung lösen. (11) Ich will das Buch kaufen. (12) Sie möchten selbst mit dem Institutsdirektor sprechen. (13) Ich wollte gerade gehen, da kam mein Freund.

B 28 (1) Ich soll Ihnen den Brief übergeben. (2) Im Westen der Stadt soll ein Neubauviertel errichtet werden. (3) Die Altstadt muß dringend saniert werden. (4) Auch die Fußgänger müssen die Verkehrsregeln beachten. (5) Der Praktikant soll eine Statistik anfertigen. (6) Die Festspiele sollen im nächsten Jahr in Halle stattfinden. (7) Bis zur Durchführung der Festspiele muß noch manches getan werden. (8) Er muß sich beeilen, wenn er den Zug noch erreichen will. (9) Du solltest dir das neue Theaterstück ansehen. (10) Manchmal muß man Kinder auch bestrafen. (11) Ich soll dich herzlich von Rolf grüßen. (12) Der Aufsatz soll nur einen kurzen Überblick geben. (13) Während des Faschismus mußten viele progressive Schriftsteller ins Exil gehen. (14) Das Zeichen y soll die zu suchende Größe angeben.

B 29 vgl. die Aufgaben zu den Übungen B 26 — B 28

B 30 (1) Wenn es manchmal jetzt auch schon recht kühl sein mag, ... (2) Falls es morgen regnen sollte, ... (3) Mag (Sollte) es auch kalt sein, ... (4) Mag er auch viel zu tun haben, ... (5) Solltest du Jens sehen, ... (6) Auch wenn Uwe nicht kommen sollte, ... (7) ..., wie das Wetter auch sein mochte. (8) Auch wenn Ilka recht gehabt haben mag (sollte), ...

B 31 (1) Sie scheint eine Versammlung zu haben. Sie wird / ... eine Versammlung haben. (2) Sie scheint noch beim Friseur zu sein. Sie wird / ... noch beim Friseur sein. (3) ...
(6) Sie scheint unerwarteten Besuch bekommen zu haben. Sie wird / ... unerwarteten Besuch bekommen haben. (7) Sie scheint plötzlich krank geworden sein. Sie wird / ... plötzlich krank geworden sein. (8) ...

B 32 ... Man behauptet, daß alljährlich am Karfreitag der Kobold betrunken ein Bad im Flusse Yayabo genommen hat. Dann wieder behauptet man, daß er sich auf rauschenden Festen in Santiago de Cuba als wunderbarer Tänzer erwiesen hat. In Santa Clara behauptet ein alter Mann, daß er einmal einen Gueije beobachtet hat, wie er aus dem Wasser entstieg. Ein Rundfunktechniker aus Camajuani behauptet sogar, daß er einen Gueije fotografiert hat — leider hat er das Foto verloren.

Man behauptet, daß noch vor einigen Jahren ein Gueije angeblich in einem Stadtteil von Havanna zwei Kinder ertränkt hat. ...

C 1 (1)...hat...gelesen. (2)...hat...bekommen. (3)...ist...durchgegangen. (4)...hat...gefunden. (5)...ist...losgeworden. (6)...hat...enthalten. (7)...haben...abgewartet, ...angekommen ist. (8)...hat...beantwortet.

C 2 (1) hat geblüht − ist verblüht (2) hat geblutet − ist verblutet (3) hat gebrannt − ist abgebrannt (4) haben gerostet − sind verrostet (5) hat geglüht − ist ausgeglüht (6) hat gefroren − ist erfroren (7) hat gekocht − ist übergekocht (8) hat gefault − ist verfault (9) hat gekränkelt − ist erkrankt (10) hat gewacht − ist aufgewacht

C 3 (1) hat getrocknet − ist getrocknet (2) ist zerbrochen − hat zerbrochen (3) hat verbrannt − ist verbrannt (4) ist geheilt − hat geheilt (5) hat gebräunt − ist gebräunt (6) ist zugeschlagen − hat zugeschlagen (7) hat ermüdet − ist ermüdet (8) hat erstickt − sind erstickt (9) ist verdorben − habe mir verdorben

C 4 (1) ist geschwankt − hat geschwankt (2) hat geschwebt − ist geschwebt (3) hat gehinkt − ist gehinkt (4) ist getanzt − hat getanzt (5) hat gestampft − ist gestampft (6) sind getrampelt − haben getrampelt (7) hat gespritzt − ist gespritzt

C 5 (1) Der Besucher ist in das Sekretariat des Direktors eingetreten. Der Besucher hat das Sekretariat des Direktors betreten. (2) Das Publikum hat sich erhoben. Das Publikum ist aufgestanden. (3) Der Polizist hat den Dieb verfolgt. Der Polizist ist dem Dieb gefolgt. (4) Der Läufer ist am Ziel angekommen. Der Läufer hat das Ziel erreicht. (5) Der Gast hat sich entfernt. Der Gast ist weggegangen. (6) Die Maschine hat die Strecke Paris−Havanna beflogen. Die Maschine ist auf der Strecke Paris−Havanna geflogen. (7) Das Kind ist an das Pferd herangegangen. Das Kind hat sich dem Pferd genähert. (8) Der Radfahrer ist dem Fußgänger ausgewichen. Der Radfahrer hat den Fußgänger überholt. (9) Die Kinder haben den Weg verloren. Die Kinder sind von dem Weg abgekommen. (10) Die Tür hat sich geöffnet. Die Tür ist aufgegangen.

C 6 (1) ist gefahren − ist gefahren − hat gefahren (2) haben gerollt − sind gerollt (3) ist gezogen − haben gezogen (4) hat sich getreten − ist getreten (5) ist geflogen − hat geflogen − ist geflogen (6) hat geritten − ist geritten − ist geritten (7) sind gejagt − haben gejagt (8) hat geschossen − sind geschossen (9) hat gestoßen − ist gestoßen (10) ist gebogen − hat gebogen (11) ist gebrochen − hat gebrochen

C 7 (1) hat geschneit (2) hat genieselt (3) ist angekommen (4) hat geherb-stet (5) hat gedonnert und geblitzt (6) hat gedämmert

C 8 (1) ist geglückt (2) hat geziemt (3) sind passiert (4) ist mißlun-gen (5) sind vorgekommen (6) hat sich ereignet (7) hat stattgefun-den (8) ist geschehen

C 9 a) (1) Zukunft (2) Vergangenheit (3) Zukunft (4) Zukunft (5) Zu-kunft (6) Gegenwart (7) Zukunft (8) Gegenwart
b) (1) Zukunft (2) Gegenwart (3) Zukunft (4) Gegenwart (5) Zu-kunft (6) Gegenwart (7) Gegenwart (8) Gegenwart
c) (2), (4), (7)

C 10 (1) − (generelles Präsens) (2) ... werden wir ... schreiben (3) Neu-lich habe ich ... getroffen. (4) Wir werden uns ... treffen. (5) Heute wird er ... schreiben. (6) − (Gegenwart) (7) − (Gegenwart) (8) ... wird er ... kaufen.

C 11 (1) gestern, jetzt, morgen (2) gestern, morgen (3) gestern, jetzt, mor-gen (4) gestern, jetzt, morgen (5) jetzt (6) jetzt, morgen (7) jetzt, morgen (8) jetzt

C 12 (1) ... wird er sich wieder erholt haben. (2) ... wird ... erfüllt ha-ben. (3) ... wird ... nicht bestanden haben. (4) Bald werden wir ... überstanden haben. (5) ... werden ... überzeugt haben. (6) ... wird jetzt eingefahren sein. (7) ... wird er ... abgeschlossen haben. (8) ... wird er abgeschlossen haben. (9) Er besuchte ... / wird ... besucht ha-ben. (10) ... wird er sich ... gekauft haben.

C 13 (1) resultative Vergangenheit (2) Vergangenheit (3) Zukunft (4) Zukunft (5) Vergangenheit (6) Zukunft (7) resultative Vergangen-heit

C 14 (1) heute / morgen ...

C 15 (1) Temporalangabe bei Beibehaltung der gleichen Geschehenszeit obl., Zukunft (2) Temporalangabe bei Beibehaltung der gleichen Ge-schehenszeit nicht obl., Vergangenheit (3) Temporalangabe nicht obl., resultative Vergangenheit (4) Temporalangabe obl., Zu-kunft (5) (a) Temporalangabe obl., wenn Bedeutung „im nächsten Sommer", Zukunft; (b) Temporalangabe nicht obl., wenn Bedeutung „im vergangenen Sommer", resultative Vergangenheit (6) Tempora-langabe nicht obl., Vergangenheit

C 16 (1) Er hat jetzt wohl Hunger. (2) Der Direktor klärt das Problem viel-leicht in der nächsten Woche in Berlin. (3) Der Direktor bespricht wohl die Fragen jetzt in Leipzig. (4) Er ist gewiß jetzt schon im Ausland. (5) Der Patient überlebt den nächsten Tag nicht mehr. (6) In der nächsten Woche erfahren die Schüler wohl das Resultat der Prüfungen. (7) Der Lehrer ist vermutlich krank. (8) Das Wetter bleibt wahrscheinlich nicht lange so schön. (9) Er arbeitet gewiß jetzt in seinem Büro.

C 17 (1) Der Lehrer ist wohl in der vorigen Woche auf Dienstreise gewesen. (2) Bis zum nächsten Sommer ist er wohl längst operiert worden. (3) Der Uhrmacher hat die Uhr vielleicht schon repariert. (4) Bis morgen hat der Schüler seinen Aufsatz abgegeben. (5) Er hat die Probleme vermutlich längst geklärt. (6) In der nächsten Woche hat er die Probleme längst geklärt. (7) Gestern ist er wohl in Dresden gewesen.

C 18 (1) In der vorigen Woche, bis nächsten Montag (2) jetzt, bis morgen früh (3) jetzt, morgen (4) gestern, bis nächsten Montag (5) jetzt, bis zum nächsten Sommer (6) jetzt, bald (7) in der vergangenen Woche, bis zum kommenden Wochenende (8) im letzten Jahr, bis zum nächsten Jahr

C 19 (1) Er wird (wohl) zu spät weggefahren sein. (2) Er wird (vermutlich) unterwegs eine Panne gehabt haben. (3) Die Zollabfertigung an der Grenze wird (vielleicht) länger gedauert haben. (4) Er wird (vielleicht) krank sein. (5) Er wird (wohl) den Zeitpunkt der Anreise vergessen haben. (6) Er wird (sicher) noch unterwegs sein. (7) Er wird wohl noch in der Nacht oder am nächsten Tag kommen.

C 20 (1) Er wird (vielleicht) das Telefon nicht hören. (2) Er wird (vermutlich) auf dem Balkon sein. (3) Er wird (wohl) nicht zu Hause sein. (4) Er wird (wahrscheinlich) noch nicht von der Arbeit zurückgekommen sein. (5) Er wird (vielleicht) nicht gestört sein wollen. (6) Er wird wohl erst später zurückkommen. (7) Er wird (wohl) in die Bibliothek gegangen sein.
Oder: (1) Er hört das Telefon vielleicht nicht. (2) Er ist vermutlich auf dem Balkon. (3) Er ist wohl nicht zu Hause. (4) Er ist wahrscheinlich noch nicht von der Arbeit zurückgekommen. (5) Er will vielleicht nicht gestört sein. (6) Er kommt wohl erst später zurück. (7) Er ist wohl in die Bibliothek gegangen.

D 1 (1) Der Fußgänger ist (von dem Kraftfahrer) überfahren worden. (2) Die Straße ist (von dem Fußgänger) an einer unübersichtlichen Stelle überquert worden. (3) Dem verunglückten Fußgänger wird (von den Passanten) geholfen. (4) Der Fußgänger wird (von dem Kraftfahrer) der Unvorsichtigkeit beschuldigt. (5) Für den Abtransport des Verletzten ins Krankenhaus wird (von den Passanten) gesorgt. (6) Die

Ursachen des Unfalls werden (von der Polizei) untersucht. (7) Der Kraftfahrer wird (vom Gericht) der mangelnden Rücksichtnahme angeklagt. (8) Er wurde als ein rücksichtsloser Fahrer bezeichnet. (9) Er wird (von einem Zeugen des Unfalls) ein unerfahrener Kraftfahrer genannt. (10) Ihm wird (vom Gericht) der Führerschein entzogen. (11) Auf eine Bestrafung wird (von den Angehörigen des Verletzten) gedrängt. (12) Auf die Briefe der Familie wird (von der Polizei) geantwortet. (13) Der Polizei wird (von ihnen) für die Aufklärung des Falles gedankt.

D 2 (1) Die Lehrerin beobachtet die Kinder genau. (2) Die Kinder tauschten die Arbeiten während der Klassenarbeit aus. (3) Die Lehrerin hat vor der Arbeit das Sprechen, Abschreiben und Austauschen verboten. (4) Die Schüler leisten den Anordnungen der Lehrerin nicht Folge. (5) Einige Schüler lachten sogar über die Anordnungen. (6) Nun bezichtigt die Lehrerin die Schüler des Betrugs. (7) Die Lehrerin befindet die Arbeiten der Schüler als nicht bewertbar. (8) Die Schüler hoffen auf eine Wiederholung der Arbeit.

D 3 (1) In der Klasse wurde sehr laut gesprochen. (2) Es wurde von den Zuschauern lange geklatscht. (3) Hier wird nicht geraucht. (4) Von den Schülern wurde sehr laut gelacht. (5) Hier wird sorgfältig gearbeitet. (6) Es wird von den Waschanstalten schnell gewaschen.

D 4 (1) Erhitzt springt man nicht in das Wasser. (2) Die Kollegen lachten im Nebenzimmer laut. (3) Während der Unterrichtsstunde ißt man nicht. (4) Während des Essens hat man nicht gesprochen. (5) Niemand rauchte in der Sitzung. (6) Im Nachbarzimmer schnarchte man.

D 5 (1) Es wurde während der Busfahrt gemeinsam gesungen. (2) Jetzt wird aber schnell ins Bett gegangen! (3) Es wird schnell und richtig gerechnet! (4) An diesem Tag wurde 12 Stunden gearbeitet. (5) Jetzt wird nicht mehr gestört! (6) In der Kaufhalle ist auch am Sonntag verkauft worden.

D 6 (1) In der neuen Straße wird ein Hochhaus gebaut. (2) Auf diesem Feld werden Kartoffeln angebaut. (3) ...

D 7 (1) In Polen werden viele Volkslieder gesungen. (2) In den arabischen Ländern wird Reis gegessen. (3) ...

D 8 (1) Im Kindergarten wird gespielt. (2) Im Winter wird oft zum Wintersport gefahren. (3) ...

D 9 Der Brief wird geschrieben und danach unterschrieben. Er wird noch einmal durchgelesen. Danach wird ein Umschlag gesucht. Der Umschlag wird beschriftet. Der Brief wird nun in den Umschlag gesteckt, der Umschlag wird zugeklebt, die Marke wird auf den Umschlag (auf)geklebt. Danach wird der Brief zur Post oder zum Briefkasten gebracht, er wird auf der Post abgegeben oder in den Briefkasten geworfen.

D 10 (1) Den ganzen Abend wurde von den Studenten diskutiert. (2) — (3) — (4) Der Fußgänger wurde von dem Auto erfaßt. (5) — (6) Das Päckchen ist der Frau von dem Briefträger gegeben worden. (7) — (8) — (9) Der Gast ist vom Institutsdirektor nicht empfangen worden. (10) — (11) Die Altersgrenze ist von dem Lehrer erreicht worden. (12) Die besten Plätze sind von den Stammgästen besetzt worden. (13) — (14) — (15) — (16) Die Suppe wurde von dem Koch gekostet. (17) — (18) — (19) Das Fleisch wurde von der Verkäuferin gewogen. (20) —

D 11 (1) Er wird von uns beauftragt, die Fahrkarten zu kaufen. (2) — (3) — (4) — (5) Er wird vom Professor angeregt nachzudenken. (6) — (7) Er wird von dem Polizisten gehindert wegzulaufen. (8) —

D 12 (1) In dieser Fabrik wird besonders rationell gearbeitet. (2) — (3) Es wird von den Fußballspielern um ein Tor gekämpft. (4) Dem Lehrer wird vom Direktor zum Geburtstag gratuliert. (5) — (6) — (7) Von den Schülern wird in die Lehrbücher gesehen. (8) Den Messebesuchern wird auf ihre Fragen geantwortet. (9) — (10) Dem Leh·er wird von dem Schüler eine bessere Mitarbeit in den Stunden versp·o-chen. (11) Dem Arzt wird von dem Patienten für die schnelle Hilfe gedankt. (12) Von dem Klassenlehrer wird für seine Klasse gesorgt. (13) — (14) — (15) —

D 13 (1) Der Patient wird von dem Arzt (durch den Arzt) sehr gründlich untersucht. (2) Die Kunstausstellung wurde von der Studentengruppe (durch die Studentengruppe) besucht. (3) Dem Jubilar wurden von uns (durch uns) Blumen überreicht. (4) Durch die Schwester wurde uns eine Nachricht von dem Arzt übermittelt. (5) Die Gäste wurden durch sein Benehmen (von seinem Benehmen) erheitert. (6) Der Brief wurde vom Direktor durch einen Boten geschickt. (7) Die Straße ist durch den Unfall (von dem Unfall) unpassierbar gemacht worden. (8) Von ihm ist durch seinen Unfall die Straße unpassierbar gemacht worden.

D 14 —

D 15 (1) Die Bauarbeiter leisten eine harte Arbeit. (2) Das Erdbeben zerstörte die Stadt. (3) Der Automat hat das Geld gewechselt. (4) Das Auto hat ihn angefahren. (5) Die Philosophie vertrat eine andere Auffassung.   (6) Viele Kriminalschriftsteller verwenden die gleichen Motive.   (7) Die Gewerkschaftsleitung brachte einen Vorschlag ein.   (8) Der Geschwindigkeitsmesser zeigte 100 Stundenkilometer an.

D 16   (1) Am Vormittag wurde der Brief geschrieben. Gegen Mittag war der Brief geschrieben.   (2) In der vorigen Woche wurden die Gardinen gewaschen. Jetzt sind die Gardinen gewaschen.   (3) Beim Oberligaspiel wurde der Fußballspieler verletzt. Beim Länderspiel war er verletzt.   (4) ...

D 17   (1) Das Zimmer ist schon mehrere Wochen bestellt.   (2) Der Fernsehapparat ist seit langem repariert.   (3) Die Aufsätze sind schon eine Woche korrigiert.   (4) ...

D 18   (1) Unser Haus ist schon (seit Monaten) gestrichen.   (2) Das Buch ist schon (seit langem) gedruckt.   (3) ...

D 19   (1) Nein, sie müssen nicht mehr korrigiert werden, sie sind schon korrigiert.   (2) Ja, er muß überholt werden, er ist noch nicht überholt.   (3) ...

D 20   (1) Meine Seminararbeit ist bereits abgegeben.   (2) Unsere Bücher sind schon geöffnet.   (3) ...

D 21   (1) Die Blumen sind schon lange gepflückt worden.   (2) Die Blumen welken schon lange.   (3) Die Blumen blühen bereits auf.   (4) Das Kind ist gut erzogen worden.   (5) Der Großvater schläft schon wieder ein.   (6) Das Flugzeug landet pünktlich.   (7) Der Autofahrer ist schwer verletzt worden.   (8) Das Getreide ist geerntet worden.

D 22   (1) Der Patient erholt sich.   (2) Der Brief ist vernichtet worden.   (3) Der Mantel ist ausgebürstet worden.   (4) Der Gast ist rasiert worden. / Der Gast rasiert sich.   (5) Der Kranke ist geimpft worden.   (6) Der Lehrer ist verletzt worden. / Der Lehrer verletzt sich.   (7) Die Fenster sind geputzt worden.   (8) Der Schüler erkältet sich.

D 23   (1) Der Zuschauer begeistert sich.   (2) Man wäscht den Mantel.   (3) Der Schauspieler erkältet sich.   (4) Das Lehrbuch bewährt sich.   (5) Man informiert den Studenten. / Der Student informiert sich.   (6) Der Forschungsstudent eignet sich.   (7) Man zerbricht den Aschenbecher.   (8) Man wäscht das Kind. / Das Kind wäscht sich.

D 24   (1) Die Pflanzen sind gegossen worden.   (2) Die Messe ist eröffnet worden.   (3) Der Lehrer erschrickt.   (4) Das Mädchen errötet.   (5) Das Vertrauen schwindet.   (6) Die Quelle versiegt.   (7) Die Haltestelle ist verlegt worden.   (8) Der Kranke ist gewaschen worden. / Der Kranke wäscht sich.   (9) Der Urlauber ruht sich aus.   (10) Das Buch verschwindet. (11) Der Himmel bewölkt sich. (12) Das Kind schleicht davon.

D 25 (1) Die Beeren sind geerntet. (2) Die Couch ist repariert. (3) — (4) Der Motor ist überholt. (5) Der Dieb ist gefaßt. (6) Die Tür ist verschlossen. (7) — (8) — (9) — (10) Der Sohn ist für die Reise angemeldet. (11) — (12) —

D 26 (1) ist (2) ist (3) — (4) — (5) sind (6) ist (7) ist

D 27 (1) Ist der Fußballspieler noch verletzt? — Nein, er ist nicht mehr verletzt. (2) Wird die Ausfallstraße nach Süden gesperrt? — Ja, sie wird nächste Woche gesperrt. / Ist die Ausfallstraße nach Süden gesperrt? — Nein, sie ist nicht mehr gesperrt. (3) Werden die Bilder neuer Meister in der Ausstellung gezeigt? — Ja, sie werden dort gezeigt. (4) Wird das Gehalt in der Dienststelle ausgezahlt? — Nein, es wird nicht in der Dienststelle ausgezahlt, sondern auf die Bank überwiesen. / Ist das Gehalt in der Dienststelle schon ausgezahlt? — Ja, es ist bereits ausgezahlt. (5) Wird der Student beim Assistenten erwartet? — Ja, er wird schon lange erwartet. (6) Wird der ausländische Besuch von der Betriebsleitung empfangen? — Nein, er wird von der Betriebsleitung nicht empfangen, dafür aber von der Gewerkschaft.

D 28 (1) Die Einfahrt ist verboten. (2) Reinigungskräfte werden gesucht. (3) Das Überholen ist verboten. (4) Eine Vorbestellung ist erwünscht. (5) Eine Geldbörse wurde gefunden. (6) Das Rauchen ist hier nicht gestattet.

D 29 (1) Die Kunstschätze werden / sind gestohlen. (Vorgangs- / Zustandspassiv) (2) Die Stadt wird / ist von hohen Bergen umgeben. (allgemeine Zustandsform) (3) Die Altstadt wird / ist von der Neustadt durch den Fluß getrennt. (allgemeine Zustandsform) (4) Eine neue Waschmaschine wird / ist von dem Kunden bestellt. (Vorgangs- / Zustandspassiv) (5) Die Rechnung wird / ist bezahlt. (Vorgangs- / Zustandspassiv) (6) Der Kurort wird / ist durch einen Waldgürtel mit der See verbunden. (allgemeine Zustandsform).

D 30 (1) Man lud die Eltern rechtzeitig zum Elternabend ein. (2) Man fordert den Lehrer zu einer Besprechung beim Direktor auf. (3) ...

D 31 (1) Der Direktor bekam aus dem Ausland die besten Wünsche übermittelt. (2) Die Mitarbeiter haben einen neuen Termin gestellt bekommen. (3) Die Warenhäuser bekommen (kriegen) in der nächsten Woche neue Teppiche geliefert. (4) Das Mädchen hat zum Geburtstag eine Puppe geschenkt bekommen (gekriegt). (5) Er bekam (kriegte) die Bücher mit der Post ins Haus geschickt. (6) Der Schriftsteller erhielt (bekam) den Kunstpreis der Stadt überreicht.

D 32 (1) Das Problem wird im Laufe der nächsten Woche geklärt. (2) Eine
Lösung des Problems wird gefunden. (3) Diese Speise kann gegessen
werden. (4) In diesen Sesseln kann bequem gesessen werden. (5)
Auf dieser Bahn kann ausgezeichnet gelaufen werden. (6) Die Handschrift kann schwer gelesen werden.

D 33 (1)...müssen...abgelegt werden. (2)...können kaum ertragen wer-
den. (3)...können...gekauft werden. (4)...kann...abgeholt wer-
den. (5)...muß...überlassen werden. (6)...müssen...geschrie-
ben werden. (7)...müssen...eingetragen werden.

D 34 (1) Seine Dissertation kann von breiten Kreisen verstanden werden. (2) Die Fortschritte in seinen Leistungen können anerkannt
werden. (3) Seine Arbeit im letzten Jahr kann ausgezeichnet werden. (4)...

D 35 (1) Ja, sie können gegessen werden. Ja, sie sind eßbar. (2) Ja, sie können genossen werden. Ja, sie sind genießbar. (3)...

D 36 (1) Das Manuskript kann kaum gelesen werden. Man kann das Manuskript kaum lesen. (2) Über diese Alternative kann gestritten werden. Man kann (sich) über diese Alternative streiten. (3)...

E 1 (1) ..., daß du eine gute Stimme hast./du habest eine gute
Stimme. (2) ..., daß er wieder einmal nicht pünktlich ist./er sei wieder einmal nicht pünktlich. (3) ..., daß sie mehr arbeiten muß./sie
müsse mehr arbeiten. (4) ..., daß sie beim Sprechen noch viele Fehler macht./sie mache beim Sprechen noch viele Fehler. (5) ..., daß
ich mit der Beurteilung nicht zufrieden bin./ich sei mit der Beurteilung nicht zufrieden. (6) ..., daß du jetzt den Artikel zu Ende
schreibst./du schreibest (schriebest) jetzt den Artikel zu Ende. (7)
.?., daß ich die Arbeit am Monatsende abgeben kann./ich könne die
Arbeit am Monatsende abgeben. (8) ..., daß wir immer hilfsbereit
und freundlich sind./wir seien immer hilfsbereit und freundlich. (9)
..., daß ihr nicht genug Verständnis für sie habt./ihr habet (hättet)
nicht genug Verständnis für sie.

E 2 (1)..., daß Rosi dir vieles verschweigt./Rosi verschweige dir vieles...,
daß Rosi mehr Vertrauen zu mir hat./Rosi habe mehr Vertrauen zu
mir. (2) ..., daß die Kinder an ihn nicht gewöhnt sind./die Kinder
seien an ihn nicht gewöhnt...., daß die Kinder ihr im Haushalt behilflich sind./die Kinder seien ihr im Haushalt behilflich. (3)..., daß der
Kollege mehr Unterstützung von ihnen braucht./der Kollege brauche
mehr Unterstützung von ihnen. ..., daß der Kollege immer zu euch
kommt und euch fragt./der Kollege komme immer zu euch und frage

euch. (4) ..., daß die Sekretärin mir viel Arbeit abnimmt./die Sekretärin nehme mir viel Arbeit ab. ..., daß die Sekretärin die Arbeit bestimmt für dich erledigt./die Sekretärin erledige die Arbeit bestimmt für dich. (5) ..., daß die Namen der Autoren ihnen sicher bekannt sind./die Namen der Autoren seien ihnen sicher bekannt. ..., daß die Titel der Bücher ihm auch nicht alle geläufig sind./die Titel der Bücher seien ihm auch nicht alle geläufig. (6) ..., daß Fritz uns die Entscheidung überläßt./Fritz überlasse uns die Entscheidung. ..., daß Fritz mir noch Bescheid geben will./Fritz wolle mir noch Bescheid geben. (7) ..., daß Corinna ihm nicht die Wahrheit sagt./Corinna sage ihm nicht die Wahrheit. ..., daß Corinna uns die Dinge immer anders erzählt./Corinna erzähle uns die Dinge immer anders.

E 3 ..., daß er aus Ungarn stamme. Seine Mutter sei Lehrerin. Seit einem Jahr studiere er in Dresden. Vorlesungen habe er von Montag bis Freitag. Sonnabends arbeite er zumeist in der Bibliothek. Am Sonntag mache er manchmal mit seinen Freunden einen Ausflug. Ab und zu gehe er auch tanzen. In den Ferien fahre er immer nach Hause.

E 4 ..., daß sie in ihrer Gruppe über 20 Studenten seien. Etwa die Hälfte seien Mädchen. Zwei von ihnen seien schon verheiratet. Es seien auch einige Ausländer in ihrer Gruppe. Sie seien aber erst seit einem halben Jahr mit ihnen zusammen. Sie seien zu einer Spezialausbildung in Leipzig.

E 5 ..., daß einige ihrer Kommilitonen aus afrikanischen Ländern kämen. Sie hätten die meisten Lehrveranstaltungen gemeinsam. Abends träfen sie sich manchmal im Studentenklub. Die ausländischen Studenten könnten alle schon gut Deutsch. Sie verstünden nur manche umgangssprachliche Ausdrücke nicht. Sie sprächen mit ihnen gern über ihre Heimat. Sie wüßten schon viel von den Sitten und Bräuchen in ihren Ländern.

E 6 ..., daß seine Freunde bei der Arbeit auf dem Grundstück mithelfen würden. Sie würden die Möbel im Häuschen zusammenschieben. Die unbrauchbaren Sachen würden sie in den Container werfen. Sie würden die alte Farbe von den Wänden waschen. Einige würden im Garten die Beete umgraben. Sie würden auch die Rasenkanten abstechen. Die Mädchen würden die Blumen gießen.

E 7 ..., daß ihr Bruder und sie Briefmarken sammeln würden. Sie träfen sich regelmäßig mit anderen Sammlern. Sie würden die Marken tauschen und (würden) selten welche kaufen. Die Mädchen würden sich auf Pflanzen- und Tiermotive konzentrieren. Die Jungen zögen Sportmotive vor. Manche würden die Marken auch nach Ländern ordnen. Sie würden sie in Alben stecken. Manchmal vergäßen sie über den Marken die Hausaufgaben.

E 8 ..., daß sie gestern spät nach Hause gekommen sei. Sie seien den ganzen Tag auf der Buchmesse gewesen. Anfangs sei es ihnen schwergefallen, sich ... Zuerst seien sie zum Stand des Enzyklopädie-Verlages
gegangen. In diesem Verlag seien im vergangenen Jahr einige interessante Sprachlehrbücher erschienen. Vor kurzem sei ein neues Gesprächsbuch herausgekommen. Anschließend sei sie bei einigen Verlagen für Kunst- und Reisebücher gewesen. Am Abend sei sie noch zu
einer Schriftstellerlesung gefahren.

E 9 (1) Anne erzählte, sie habe den ganzen Sonnabend in der Bücherei gearbeitet. Bert erzählte, sie hätten bei dem herrlichen Wetter Tennis
gespielt. (2) Anne erzählte, sie habe einen Geburtstagsbrief an Inge
geschrieben. Bert erzählte, sie hätten ihr ein Glückwunschtelegramm
geschickt. (3) Anne erzählte, sie habe sich nach dem Stand ihrer Dissertation erkundigt. Bert erzählte, sie hätten dieses unangenehme
Thema vermieden. (4) Anne erzählte, sie habe ihr wieder etwas Mut
gemacht. Bert erzählte, auch sie hätten ihr Erfolg gewünscht.

E 10 ..., daß er nächstes Wochenende heiraten werde. Er werde schon am
Donnerstag zu seiner Braut nach Schwerin fahren. Vorher habe er
noch eine Menge zu erledigen. Er müsse noch vom Juwelier die Ringe
abholen. Den Blumenstrauß werde er erst in Schwerin kaufen. Um
zehn Uhr seien sie am Sonnabend auf dem Standesamt angemeldet.
Zu Mittag würden sie in einem kleinen Restaurant essen. Am Nachmittag würden sie alle zur Wohnung der Brauteltern fahren. Dort würden sie weiter mit den Verwandten feiern. Einige Studienfreunde würden auch dort sein. Sie würden vielleicht schon zum Polterabend kommen (wollen).

E 11 ..., daß sie gestern in Dresden gewesen sei. Als sie durch die Stadt ge-
bummelt sei, habe sie eine alte Bekannte aus ihrer Heimat getroffen.
Sie hätten sich in ein Café gesetzt und ein wenig geplaudert. Sie (– die
Bekannte –) wohne schon geraume Zeit in der Elbestadt, sei dort verheiratet und gehe in einen Betrieb arbeiten. Sie fühle sich sehr wohl,
nur würden ihr manchmal die alten Freunde fehlen. In ihrer Freizeit
treibe sie viel Sport. Im vergangenen Jahr sei sie mit ihrem Mann
mehrere Wochen an einem See in Mecklenburg gewesen. Dort seien
sie viel geschwommen und (seien/hätten) gesegelt. Jetzt komme sie
weniger oft zum Schwimmen, da der Weg zum Bad sehr weit sei. Dafür
spiele sie Tennis. – Sie (– die Studentin –) habe sich gefreut, daß sie
in einer fremden Stadt eine so gute Bekannte habe.

E 12 (1) Ich habe ihn gefragt, wohin er fahre/fährt. Er hat geantwortet, er
fahre nach Naumburg zu Besuch. (2) ..., wen er besuche/besucht. ...,
er besuche einen Freund. (3) ..., ob er mit seiner Freundin fahre/
fährt. ..., er fahre allein. (4) ..., wie er nach Naumburg komme/
kommt. ..., er nehme den Zug. (5) ..., ob es mit dem Bus nicht günsti-

ger sei / ist. . . ., der Bus sei immer überfüllt.   (6) . . ., ob man nicht umsteigen müsse / muß. . . ., der Mittagszug fahre durch.   (7) . . ., wie lange
er bleibe / bleibt. . . ., er bleibe zwei Tage.   (8) . . ., wann er zurück-
komme / zurückkommt. . . ., er komme am Sonntag nachmittag zurück.

E 13   (1) Der Lehrer sagte zum Schüler, er solle / möge die Zeichnung abwischen.   (2) Der Lehrer sagte zum Schüler, er solle / möge die Formel
anschreiben.   (3) . . .

E 14   . . . Was er da mache, fragte der König. Der Bauer antwortete, er sitze
da und warte, bis der König vorbeikomme. Er solle sich hinter ihn aufs
Pferd setzen, sagte nun Heinrich IV., er führe ihn dorthin, wo er den
König nach Herzenslust betrachten könne. . . . fragte er den König, woran er (aber) den König erkennen werde. Der König antwortete, er
solle nur darauf achten, wer seinen Hut aufbehalten werde, denn alle
anderen würden den Kopf entblößen . . . Der König sagte zum Bauern,
welcher (also) der König sei. Der Bauer meinte, entweder sei er − der
Reiter − es oder er selber sei es, denn außer ihnen habe keiner den
Hut auf dem Kopf.
Ein Patient bat . . . Ricord, er möge ihm die Wahrheit sagen. Ricord
sagte, er werde gesund werden, denn die Statistik sage, daß bei seinem
Leiden einer auf hundert gesund werde. Der Patient fragte, wieso Ricord annehme, daß gerade er gesund werde. Ricord antwortete, daß er
gerade sein hundertster Fall sei. Die anderen neunundneunzig habe
er nicht gesund machen können.
. . . Dieser warf ihm eines Tages vor, daß er faul sei und sich durch
Frauen ablenken lasse. Er solle sich an ihm ein Beispiel nehmen. Er
arbeite jeden Tag zehn Stunden. Heinz Kahlau verteidigte sich störrisch, ob er mit 24 Jahren nicht auch noch etwas anderes getan habe,
. . . Brecht . . . sagte, wie er ihn erziehen solle, wenn er nicht an ihn
glaube.

E 15   (1) Er tut so, als ob er alles in Mathematik wüßte / wisse / wissen
würde / (weiß). Er tut so, als wüßte / wisse er alles in Mathematik /
würde er alles in Mathematik wissen.   (2) Er tut so, als ob er den Fehler nicht einsähe / einsehe / einsehen würde / (einsieht). Er tut so, als
sähe / sehe er den Fehler nicht ein / würde er den Fehler nicht einsehen.   (3) Er tut so, als ob er kein Wort Deutsch verstünde / verstehe /
verstehen würde / (versteht). Er tut so, als verstünde / verstehe er kein
Wort Deutsch / würde er kein Wort Deutsch verstehen.   (4) . . .

E 16   (1) Es sieht so aus, als ob es einen Unfall gegeben hätte / habe / (hat).
Es sieht so aus, als hätte / habe es einen Unfall gegeben.   (2) Es sieht
so aus, als ob der PKW ins Schleudern geraten wäre / sei / (ist). Es sieht
so aus, als wäre / sei der PKW ins Schleudern geraten.   (3) . . .

E 17   (1) Es scheint so, als ob die Kirschblüten erfrieren würden / (werden).

Es scheint so, als würden die Kirschblüten erfrieren. (2) Es scheint so, als ob die Apfelbäume gut tragen würden / (werden). Es scheint so, als würden die Apfelbäume gut tragen. (3) Es scheint so, als ob der Pfirsichbaum eingehen würde / werde / (wird). Es scheint so, als würde / werde der Pfirsichbaum eingehen. (4)...

E 18 (1)..., als ob es große Schmerzen hätte / habe. (2)..., als ob es erst gestern gewesen wäre / sei. (3)..., als ob sie ihn nicht kenne. (4)..., als ob er angestrengt über etwas nachdächte / nachdenke. (5)..., als ob sie den Streit vergessen hätte / habe. (6)..., als ob er schon jahrelang Auto führe / fahre.

E 19 (1) Ich würde euch gern am Wochenende besuchen, wenn ich Zeit hätte. (2) Ich würde dir das Buch gern borgen, wenn es mein Eigentum wäre. (3) Ich würde gern ein Glas Wein mit euch trinken, wenn ich nicht mit dem Wagen da wäre. (4) Ich würde dir gern das Lied vorsingen, wenn ich nicht heiser wäre. (5) Ich würde mit euch gern Volleyball spielen, wenn ich Sportzeug dabei hätte. (6) Ich würde dir gern einen Grog machen, wenn ich Rum im Haus hätte. (7) Ich würde gern an dem Ausflug teilnehmen, wenn ich nicht erkältet wäre. (8) Ich würde gern zum Fußballspiel mitkommen, wenn ich nicht Unterricht hätte.

E 20 (1) Wenn du Lust hättest (Hättest du Lust), würde ich einen Ausflug vorschlagen. (2) Wenn das Wetter schön wäre (Wäre das Wetter schön), könnten wir zum Stausee fahren. (3) Wenn der Bus pünktlich ankäme..., wäre eine Tagesfahrt mit dem Schiff möglich. (4) Wenn es zu kühl wäre, könnte man sich unter Deck aufhalten. (5) Wenn das Schiff unterwegs Aufenthalt hätte, würden wir die Fahrt unterbrechen. (6) Wenn es eine Wanderkarte zu kaufen gäbe, wäre eine Wanderung zur Höhle möglich. (7) Wenn die Waldgaststätte geöffnet wäre, würden wir dort zu Mittag essen.

E 21 (1) Aber wenn es nicht diesig gewesen wäre, hätten wir eine gute Aussicht gehabt. (2) Aber wenn sich nicht starker Nebel gebildet hätte, hätten wir den Gipfel besteigen können. (3) Aber wenn die Fähre in Betrieb gewesen wäre, hätten wir keinen Umweg machen müssen. (4) Aber wenn die Waldgaststätte geöffnet gewesen wäre, hätten wir Rast gemacht. (5) Aber wenn es Wegweiser gegeben hätte, hätten wir uns nicht nach der Karte orientieren müssen. (6) Aber wenn wir keinen Ortskundigen getroffen hätten, hätten wir den Rückweg nicht gefunden. (7) Aber wenn der Bus pünktlich gekommen wäre, hätten wir den Zug nicht verpaßt.

E 22 (1) Ich würde euch gern am Wochenende besuchen, aber ich habe keine Zeit. (2) Ich würde dir das Buch gern borgen, aber es ist nicht mein Eigentum. (3)...

E 23 (1) Wenn ich die Zeit nicht genau eingeteilt hätte, hätte ich ... (2) Wenn ich nicht Versuchspersonen befragt hätte (befragen würde), wären die Ergebnisse ... (3) Wenn du dich etwas mehr angestrengt hättest, hättest auch du ... (4) Wenn du dich voll auf die Arbeit konzentrieren würdest, würdest du ... (5) Wenn ich nicht intensiv die Literatur studiert hätte, hätte ich ... (6) Wenn du die Arbeit nochmals gelesen hättest, hättest du ... (7) Wenn man nicht ständig alles überprüfen würde, ließen sich ...

E 24 (1) Es wäre richtiger, wenn du sofort zum Arzt gingest (gehen würdest)/du gingest sofort zum Arzt (würdest ... gehen). (2) ..., wenn ich nicht so lange warten müßte/ich müßte nicht so lange warten. (3) ..., wenn du vorher anriefest (anrufen würdest)/du riefest vorher an (würdest vorher anrufen). (4) ..., wenn du dich krank schreiben ließest/du ließest ... (5) ..., wenn Sie zur Nachmittagssprechstunde gingen/Sie gingen ...

E 25 (1) Es wäre interessant, wenn man auch Peters Meinung zu dem Problem hörte (hören würde)/auch Peters Meinung zu dem Problem zu hören. (2) ..., wenn man alle Beteiligten dazu Stellung nehmen ließe/alle Beteiligten dazu Stellung nehmen zu lassen. (3) ..., wenn man ihn schon wieder um Hilfe bäte/ihn schon wieder um Hilfe zu bitten. (4) ..., wenn wir Sie bald einmal bei uns begrüßen könnten/Sie bald einmal bei uns begrüßen zu können. (5) ..., wenn man ihn nicht so streng bestrafte/ihn nicht so streng zu bestrafen. (6) ..., wenn wir wieder etwas von Ihnen hörten/wieder etwas von Ihnen zu hören.

E 26 (1) Auch wenn ich schwimmen könnte, würde ich nicht in dem See baden, denn er hat gefährliche Strudel. (2) Auch wenn es regnete (regnen würde), würden wir den Ausflug unternehmen, denn es ist alles bestellt und bezahlt. (3) Auch wenn ich kein Französisch könnte, würde ich den Inhalt des Liedes verstehen, denn der Sänger singt sehr ausdrucksvoll. (4) Auch wenn alle Kassenschalter geöffnet wären, würden sie nicht den Menschenandrang bewältigen, denn es sind zu wenig Schalter. (5) ...

E 27 (1) Könnte ich auch schwimmen, ich würde ... (2) Regnete es auch (Würde es auch regnen), wir würden ... (3) Könnte ich auch kein Französisch, ich würde ... (4) Wären auch alle Kassenschalter geöffnet, sie würden ... (5) ...

E 28 (1) Auch wenn die Schneeverhältnisse günstig gewesen wären, würde ich die Abfahrt auf der Piste nicht gewagt haben, denn ich bin kein geübter Skifahrer. (2) Auch wenn ich nichts von der Krankheit meiner Mutter gewußt hätte, würde ich nach Hause gefahren sein, denn ich fahre jedes Wochenende zu den Eltern. (3) ...

E 29 (1) Wären die Schneeverhältnisse auch günstig gewesen, ich würde
... (2) Hätte ich auch nichts von der Krankheit meiner Mutter gewußt, ich würde ... (3) ...

E 30 (1) Der Fluß ist so verschmutzt, daß man nicht darin baden kann. Der
Fluß ist zu verschmutzt, als daß man darin baden könnte (kann). (2)
Die Häuser sind so baufällig, daß eine Sanierung nicht möglich ist. Die
Häuser sind zu baufällig, als daß eine Sanierung möglich wäre
(ist). (3) Das Zimmer ist so klein, daß ich nicht alle meine Möbel aufstellen kann. Das Zimmer ist zu klein, als daß ich alle meine Möbel
aufstellen könnte (kann). (4) ...

E 31 (1) Das Stadion war so klein, daß es nicht alle Zuschauer fassen
konnte. Das Stadion war zu klein, als daß es alle Zuschauer hätten fassen können (als daß es alle Zuschauer fassen konnte). (2) Die Spieler
waren so verkrampft, daß an ein schönes Spiel nicht zu denken war.
Die Spieler waren zu verkrampft, als daß an ein schönes Spiel zu denken gewesen wäre (als daß an ein schönes Spiel zu denken war). (3)
...

E 32 Wenn doch schon Sommer wäre! Wenn das Semester doch schon zu
Ende wäre! Wenn die Prüfungen doch schon vorbei wären! Wenn ich
doch schon Ferien hätte! ...

E 33 Wäre doch schon Sommer! Wäre das Semester doch schon zu Ende! ...

E 34 (1) Wenn Sie doch (nur) in der Kurve nicht überholt hätten! (2) Wenn
Sie doch (nur) vor der Kreuzung die Geschwindigkeit herabgesetzt
hätten! (3) Wenn Sie doch (nur) nicht in der Mitte der Fahrbahn gefahren wären! (4) Wenn Sie doch (nur) auf den Gegenverkehr geachtet hätten! (5) Wenn Sie doch (nur) den Blinker rechtzeitig betätigt
hätten! (6) Wenn Sie doch (nur) das Vorfahrtsschild nicht übersehen
hätten! (7) Wenn Sie doch (nur) nicht bei Gelb auf die Kreuzung gefahren wären! (8) Wenn Sie doch (nur) rechtzeitig gebremst hätten!

E 35 (1) Sie hätten in der Kurve nicht überholen dürfen. (2) Sie hätten vor
der Kreuzung die Geschwindigkeit herabsetzen müssen / sollen. (3)
Sie hätten nicht in der Mitte der Fahrbahn fahren dürfen. (4) Sie hätten auf den Gegenverkehr achten müssen / sollen. (5) Sie hätten den
Blinker rechtzeitig betätigen müssen / sollen. (6) Sie hätten das Vorfahrtsschild nicht übersehen dürfen. (7) Sie hätten nicht bei Gelb auf
die Kreuzung fahren dürfen. (8) Sie hätten rechtzeitig bremsen müssen / sollen.

E 36 Sie hätten (Du hättest) zu Hause noch einmal alles gründlich durcharbeiten müssen. Sie hätten (Du hättest) die Gliederung nicht vergessen
dürfen. Sie hätten (Du hättest) in den Vorbereitungsstunden besser

aufpassen müssen. Sie hätten (Du hättest) auch auf die äußere Form
achten müssen....

E 37 (1) Form(e) (du) / Formt (ihr) / Formen Sie die Sätze nach dem Muster
um! (2) Ersetz(e) (du) / Ersetzt (ihr) / Ersetzen Sie die Wendungen
durch Synonyme! (3) Füg(e) (du) / Fügt (ihr) / Fügen Sie das notwendige Komma ein! (4) ...

E 38 (1) Erledige / Mach(e) sofort die Aufgabe! (2) Zähl(e) / Rechne schnel-
ler! (3) Tadle / Kritisiere den Jungen auch einmal! (4) Bemüh(e) /
Kümm(e)re dich selbst um die Stelle! (5) Klingle / Klopf(e) noch ein-
mal! (6) Informier(e) / Benachrichtige deinen Freund! (7) Zeichne /
Mal(e) das Bild einfach ab! (8) Klett(e)re / Steig(e) einmal auf den
Felsen! (9) Vergewiss(e)re / Erkundige dich zuerst! (10) Widme /
Opf(e)re dem Besuch etwas Zeit! (11) Befasse (Befaß) / Beschäftige
dich zuerst mit der Theorie!

E 39 (1) Hilf (2) Iß (3) Denk(e) (4) Vergiß (5) Geh(e) (6) Er-
kenn(e) (7) Steh(e) (8) Sprich (9) Werd(e) (10) Sieh dir (11)
Miß (12) Verbrenn(e) dir (13) Gib (14) Melk(e)

E 40 (1) Besuchen wir den kranken Kollegen! Wir wollen / Laßt uns den
kranken Kollegen besuchen! (2) Er soll uns begleiten! (3) Besorg(e)
(du) die Blumen! Du mußt / solltest die Blumen besorgen. (4) Gehen
wir am Abend hin! Wir wollen / Laßt uns am Abend hingehen! (5)
Kommt (ihr) nicht zu spät! Ihr dürft nicht zu spät kommen. (6) Er soll
die Blumen überreichen! (7) Sag(e) (du) ein paar nette Worte! Du
mußt / solltest ein paar nette Worte sagen.

E 41 (1) Du solltest / mußt (unbedingt) ins Museum für Völkerkunde gehen. (2) Du solltest / mußt dir (unbedingt) ein Stück im Schauspielhaus ansehen. (3) Du solltest / mußt (unbedingt) einen Bummel
durch die Innenstadt machen. (4) ...

E 42 Du darfst nie mit dem Anfang anfangen, sondern mußt immer drei
Meilen vor dem Anfang anfangen ... So mache (du) das auch! Du
darfst nicht frei sprechen ... Du mußt sprechen, wie du schreibst! Du
mußt mit langen, langen Sätzen sprechen − solchen, bei ... So sprich!
Leg alles in die Nebensätze! Du darfst nie sagen: „Die Steuern ... „Du
mußt sagen: „Ich möchte ... „Du mußt den Leuten ab und zu ein Glas
Wasser vortrinken − ... mußt du vorher lachen, damit ... Du mußt den
Schluß deiner Rede vorher ankündigen, und dann mußt du deine Rede
von vorn beginnen und noch eine halbe Stunde reden. Mach(e) dir
nicht nur eine Disposition, trag(e) sie den Leuten auch vor − das würzt
die Rede. Du darfst nie unter anderthalb Stunden sprechen ...

F 1 (1) Ich wasche *mich*/Du wäschst *dich*/Er wäscht *sich*/Wir waschen *uns*/Ihr wascht *euch*/Sie waschen *sich* mit kaltem Wasser. (2) Ich putze *mir*/Du putzt *dir*/Er putzt *sich*/Wir putzen *uns*/Ihr putzt *euch*/Sie putzen *sich* die Zähne mit Bürste und Zahnpasta. wie (1) noch: (3) (4) (6); wie (2) noch: (5) (7) (8) (9)

F 2 (1) seinen Sohn (2) ihrem Mann (3) seine Gesundheit (4) seinen Landsmann (5) ihrem Freund (6) dem Referenten (7) deinen Fähigkeiten (8) seinen Eltern (9) seinen Bruder

F 3 (1) dir (2) dich (3) nach dir (4) an mir (5) mich (6) mir (7) mich (8) auf sich (9) an sich (10) dir (11) mir (12) dich (13) über sich/von sich

F 4 (1) Beim Schilaufen hat er seinen Arm gebrochen. (2) Ich habe die wichtigsten Bemerkungen aus dem Vortrag für mich notiert. (3) Das Kind hat seine Knie aufgeschlagen. (4) Am Morgen kocht sie immer eine Suppe für sich. (5) Wir wärmen unsere Hände am Ofen. (6) Du mußt deine Haare kämmen. (7) Er hat auf dem Hof eine Garage für sich gebaut.

F 5 abtrocknen: a – b; brechen: b; flechten: b; kämmen: a – b; kratzen: a – b – c; lackieren: b; verbrennen: a – b; verstauchen: b

F 6 (1) Der Messegast erkundigte sich/fragte nach ... (2) Seine Tochter beklagte sich/klagte ständig über ... (3) Viele Schüler beteiligten sich am Wettbewerb/nahmen am Wettbewerb teil. (4) ..., standen die Schüler auf/erhoben sich die Schüler. (5) Der junge Mann brillierte mit .../tat sich mit ... hervor. (6) Die Besucher des Doms staunten/wunderten sich über ... (7) Das Rot der Dächer hob sich/stach deutlich vom Grün der Bäume ab. (8) Die Regierungsdelegation hielt sich eine Woche im ... auf/weilte eine Woche im ... (9) In dem Vortrag des Gastdozenten ging es/handelte es sich um ...

F 7 (1) Er hat sich seine Spezialkenntnisse in ... angeeignet/Er hat seine Spezialkenntnisse in ... erworben. (2) ... und kann keine Zahlen und Namen behalten/ ... und kann mir keine Zahlen und Namen merken. (3) Warum hast du dir nicht eine Bedenkzeit ausbedungen/Warum hast du nicht eine Bedenkzeit verlangt? (4) ... kann man leicht einen Schnupfen bekommen/ ... kann man sich leicht einen Schnupfen holen. (5) Ich habe mir die neuen Vokabeln in ... eingeprägt./Ich habe die neuen Vokabeln in ... gelernt. (6) Der Gerichtsprozeß ging so aus, wie es alle erwartet hatten./ ..., wie es sich alle vorgestellt hatten. (7) Er bildet sich ein, .../Er glaubt, ... (8) Du mußt dir unbedingt das Rauchen abgewöhnen./Du mußt unbedingt das Rauchen einstellen. (9) Auch den Alkohol mußt du meiden./ ... mußt du dir versagen.

F 8   (1) Bei Regen kühlt die Luft ab. —   (2) — Nach dem Essen ruht er
      gern eine Stunde aus.   (3) Ich hörte, wie jemand davonschlich. —   (4)
      Ein Besuch des Tierparkes lohnt immer. —   (5) — Am Sonntag will
      ich endlich einmal ausschlafen.   (6) — Bei Feuchtigkeit beschlägt der
      Spiegel.   (7) — Das Auto fuhr im Schnee fest.

F 9   (1) Die Spiele der Seelöwen amüsierten die Kinder.   (2) Kinder er-
      freuen oft Kleinigkeiten.   (3) Die Pelztierjäger erwärmten sich an
      dem Lagerfeuer.   (4) Die Frau ärgerte sich über seine Bemerkun-
      gen.   (5) Ich habe mich sehr über sein schlechtes Prüfungsergebnis
      gewundert.   (6) Seine Bausteine beschäftigen den Jungen stunden-
      lang.   (7) Die Rockmusik begeistert den Jungen.   (8) Sein Verhalten
      hat alle empört.   (9) Der Wissenschaftler interessiert sich für die
      neue Forschungsmethode.

F 10 (1) Der Stoff wäscht sich gut. Der Stoff läßt sich gut waschen. Den
      Stoff kann man gut waschen.   (2) Das Auto schaltet sich leicht. Das
      Auto läßt sich leicht schalten. Das Auto kann man leicht schalten.   (3)
      Der Pelzmantel trägt sich gut. Der Pelzmantel läßt sich gut tragen.
      Den Pelzmantel kann man gut tragen.   (4) ...

F 11 (1) In den Skistiefeln läuft es sich schlecht. In den Skistiefeln läßt es
      sich schlecht laufen. In den Skistiefeln kann man schlecht laufen.   (2)
      In dem Sessel sitzt es sich bequem. In dem Sessel läßt es sich bequem
      sitzen. In dem Sessel kann man bequem sitzen.   (3) Mit dem Ku-
      gelschreiber ...   (4) Mit dem Taschenrechner ...   (5) Auf dem Wan-
      derweg ...   (6) In dem Neubauviertel ...

F 12 (1) Der Angeklagte Meier beschuldigt sich (selbst), und der Ange-
      klagte Schober beschuldigt sich (selbst). / Der Angeklagte Meier be-
      schuldigt den Angeklagten Schober, und der Angeklagte Schober be-
      schuldigt den Angeklagten Meier. Der Angeklagte Meier und der An-
      geklagte Schober beschuldigen einander.   (2) Der Wanderleiter und
      die Kinder besprechen sich wegen der Fahrt miteinander. Der Wan-
      derleiter bespricht sich wegen der Fahrt mit den Kindern.
      wie (1) noch (4) (mit Dativ!) und (6)
      wie (2) noch (3), (5) und (7)

F 13 (1) Das Kind hat sich mit dem Hund gebalgt.   (2) Peter und die Nach-
      barskinder haben sich angefreundet.   (3) Die Hortnerin und die Leh-
      rerin wollen sich verständigen.   (4) Die Jungen streiten sich mit den
      Mädchen der Klasse.   (5) Der Praktikant muß sich mit dem Mentor
      über den Stoffverteilungsplan einigen.   (6) Die Mutter und der Leh-
      rer haben sich über das Erziehungsproblem ausgesprochen.   (7) Die
      Schüler werden sich mit den Studenten in einem Demonstrationszug
      vereinigen.

F 14 (1) (a) Der Junge hat sich noch nicht angezogen. (b) Der Junge ist
noch nicht angezogen worden. (2) (b) Das Bett ist frisch bezogen worden. (3) (a) Das Kind hat sich etwas erkältet. (4) (b) Die Gläser waren bald ausgetrunken worden. (5) (a) Der Fahrer hatte sich stark
betrunken. (6) (a) und (b); (7) (b); (8) (b); (9) (a); (10) (a) und (b); (11) (a);
(12) (b); (13) (b); (14) (a) und (b); (15) (a) und (b)

F 15 (1) Ich bin trotz des langen Urlaubs nicht erholt. — (2) Er ist über die
Mode entrüstet. — (3) — Sie sind nach allen Seiten gut geschützt. (4) Sie ist am Kopf verletzt. (← Sie ist am Kopf verletzt worden.) — (5) — Er ist für die Stelle nicht geeignet. (6) — Sie ist immer sehr gepflegt. (7) Ich bin mit der Familie befreundet. —

F 16 (1) das sich in der Praxis bewährende Heilmittel — das in der Praxis
bewährte Heilmittel (2) — das sich über das Geschenk freuende
Kind (3) der sich auf die mündliche Prüfung vorbereitende Schüler — der auf die mündliche Prüfung vorbereitete Schüler (← der
Schüler, der auf ... vorbereitet worden ist) (4) — der sich dem Bahnhof nähernde Zug (5) der sich stark bewölkende Himmel — der stark
bewölkte Himmel (6) das mit kaltem Wasser gewaschene Kind (←
das Kind, das mit ... gewaschen worden ist) — das sich mit kaltem
Wasser waschende Kind (7) der sich um die Stelle bewerbende Student —

G 1 (1) verfallen (2) fällt ... auf (3) fällt ... aus (4) mißfällt (5) gefällt (6) fällt ... ab (7) zerfällt (8) fällt ein (9) fallen zu (10) be-
fällt

G 2 (1) trat ... zusammen (2) betraten (3) traten ... an (4) vertrat (5)
trat ... auf (6) zertraten (7) trat ... aus

G 3 (1) kreuzt ... durch (2) durchkreuzte (3) stellt ... unter (4) unterstellen (5) übergingen (6) geht ... über (7) durchdringt (8) dringt
... durch (9) springt ... über (10) übersprang

G 4 (1) überhöre (2) kocht ... über (3) hinterließ (4) schluckte ... hinter (5) schreibt ... voll (6) vollendete (7) führt ... durch (8)
durchschaute (9) unterbrachen (10) brachte ... unter

G 5 (1) umfahren (2) fuhr ... um (3) umgehen (4) gingen ... um (5)
lagert ... um (6) umlagern (7) reißt ... um (8) umreißt (9) um-
schreibt (10) schreibt ... um

G 6   (1) verabredet   (2) erkannte ... zu   (3) zog ... heran   (4) erleben ...
       mit   (5) trug ... davon   (6) bestellte um   (7) beansprucht   (8) irrten
       ... umher

G 7   (1) legt ... fest   (2) rechtfertigt   (3) nehmen ... teil   (4) fachsim-
       peln   (5) langweilte   (6) wetteifern   (7) fällt ... schwer   (8) mutmaß-
       ten   (9) gab ... acht   (10) schlußfolgerte   (11) nimmt ... übel

H 1   (1) Der Roman behandelt das tragische Schicksal des geisteskranken
       Hölderlin / das tragische Schicksal Hölderlins / Hölderlins tragisches
       Schicksal / das tragische Schicksal von Hölderlin   (2) Wir bewundern
       das reiche musikalische Schaffen des genialen Mozart / das reiche
       musikalische Schaffen Mozarts / Mozarts reiches musikalisches
       Schaffen / das reiche musikalische Schaffen von Mozart.   (3) ...

H 2   (1) Der Doktorand beschäftigt sich mit Karl Kraus' Werk / mit dem
       Werk von Karl Kraus.   (2) Im Radio wird Brahms' Violinkonzert / das
       Violinkonzert von Brahms übertragen.   (3) Wir haben uns Ingeborgs
       Ferienbilder / die Ferienbilder von Ingeborg angesehen.   (4) Der Leh-
       rer hat an die Eltern von Felix geschrieben.   (5) ...

H 3   (1) Die Festansprache Bürgermeister Bärs / Bürgermeister Bärs
       Festansprache / Die Festansprache von Bürgermeister Bär / Die Fest-
       ansprache des Bürgermeisters Bär hat allen gefallen.   (2) Die Aufga-
       ben Oberschwester Inges / Oberschwester Inges Aufgaben / Die Auf-
       gaben von Oberschwester Inge / Die Aufgaben der Oberschwester
       Inge sind sehr mannigfaltig.   (3) Kennst du die Mitarbeiter Chefarzt
       Professor Langes / Chefarzt Professor Langes Mitarbeiter / die Mitar-
       beiter von Chefarzt Professor Lange / die Mitarbeiter des Chefarztes
       Professor Lange?   (4) Die wenigsten wissen etwas von den Leistun-
       gen Minister Goethes / Minister Goethes Leistungen / den Leistungen
       von Minister Goethe / den Leistungen des Ministers Goethe.   (5) ...

H 4   (1) Das Theater des alten Griechenland(s) ...   (2) Die geographische
       Lage Griechenlands / Griechenlands geographische Lage / Die geogra-
       phische Lage von Griechenland ...   (3) Das bedeutendste Museum
       Leningrads / Leningrads bedeutendstes Museum / Das bedeutendste
       Museum von Leningrad ...   (4) Das bekannteste Museum von Paris
       ...   (5) ... nach der Größe Asiens / Asiens Größe / der Größe von
       Asien.   (6) Das Klima des nördlichen Asien(s) ...   (7) Die tropischen
       Regenwälder des nördlichen Brasilien(s) ...   (8) Die klimatischen Be-
       dingungen von Honduras ...   (9) Die Westküste Rügens / Rügens
       Westküste / Die Westküste von Rügen ...   (10) ... Rückständigkeit
       des früheren Rügen(s).

H 5 die Völkerstämme des Kaukasus — die Erforschung des Mondes — die Wassermassen des Nil(s) — die Ufer der Elbe — die atmosphärische Hülle des Mars — die Braunkohlevorkommen der Niederlausitz — das Hochwasser des Rheins — die geographische Lage der Krim — die Länder des Balkans — die Schönheit des Darß — die Energiereserven des Jenissei(s) — die Bewohner des Sudan(s) — die ökonomische Entwicklung der Türkei — die Größe des Pazifiks

H 6 (1) Bekannter (2) Einheimischer (3) Einheimische (4) Bekannte (5) Vorsitzende (6) Delegierter (7) Abgeordneter (8) Abgeordnete (9) Delegierte (10) Vorsitzender (11) Kranker (12) Kranker (13) Freiwillige (14) Freiwilliger

H 7 (1) Verwandten (2) Verwandte (3) Kranken (4) Kranken (5) Angeklagte (6) Angeklagte(n) (7) Blinden (8) Blinde (9) Blinde(n) (10) Illustrierte (11) Illustrierte(n) (12) Illustrierten

H 8 (1) Hochzeit (2) Sinfonie (von Beethoven) (3) Eis (4) Klasse (5) Bier (6) Schnaps (7) Fleisch (8) Sohn (9) Linie (10) Kleid (11) Hand (12) Kind

H 9 (1) Russisch (2) Dänische ... Deutschen (3) Französisch (4) Deutsch(s) (5) Russischen (6) Deutsch (7) Spanischen ... Deutsche (8) Deutsch ... Deutsch (9) Englischen (10) Englisch (11) Sorbisch

H 10 (1) ins Schwarze — in Schwarz (2) Das Grün — ins Grüne (3) das Blau — das Blaue (4) Weiß — Das Weiße (5) Grün — Grünes (6) ins Blaue — in Blau

H 11 (1) ... Was für eines hat er? (2) ... Was für einer ist als Wachhund geeignet? (3) ..., aber sein Nachbar hat eines. (4) ... ist uns(e)rer. (5) ... Was für eines nehmen wir? (6) ... Das ist meine. (7) ... Ich habe keines. (8) ... Es kam aber keiner. (9) ... Nenne mir irgendeines. (10) ... Was für einer ist das? (11) ... Was für einen können Sie empfehlen? (12) ..., sondern ihrer. (13) ..., aber ihre Freundin hat immer noch keines. (14) ... Geben Sie mir eines!

H 12 Ja, ich zweifle an ihm / daran. (2) Ja, er zweifelt an ihm / daran. (3) Ja, er hat schon früher an ihm gezweifelt. (4) Ja, ich habe darauf achtgegeben. (5) Ja, ich werde auf sie / darauf achtgeben. (6) Ja, ich werde auf es achtgeben. (7) Ja, ich werde darauf achtgeben. (8) Ja, alle Mädchen schwärmen für ihn / von ihm. (9) Ja, alle schwärmen für ihn / dafür / von ihm / davon. (10) Ja, alle schwärmen dafür / von ihm / davon.

H 13 (1) Gegen wen kämpfte das Volk worum?   (2) Woraus haben Sie worauf geschlossen?   (3) Mit wem unterhielt sich der Lehrer worüber?   (4) Wofür mußte sich der Autofahrer vor wem verantworten?   (5) Von wem unterscheidet sich der Mensch wodurch?   (6) Bei
wem bedankte sich der Junge wofür?   (7) Mit wem hat sie sich worum
gestritten?   (8) Vor wem schämt sich der Sohn wofür?   (9) An wem
will er sich wofür rächen?

H 14 (1) dort / dahinter / wo   (2) dort / hinter ihr / wo   (3) dorthin / dahinter / wohin   (4)   dorthin / neben   ihn / wohin   (5)   dort / daneben /
wo   (6) dort / — / wo   (7) dort / darin / wo   (8) dorther / heraus / woher   (9) dorthin / hinein / wohin   (10) dort / daran / wo   (11) dort / — /
wo   (12) dorthin / daran / wohin   (13) — / an ihm / an wem

H 15 (1) daran   (2) daraus   (3) Darüber   (4) davon   (5) darum   (6) dagegen   (7) darüber   (8) dazwischen / dahinter   (9) Daraus   (10) dahinter   (11) dagegen   (12) danach   (13) darauf   (14) darin   (15) daneben   (16) darunter   (17) davor   (18) darauf   (19) darunter   (20) davor

H 16 der fabrikneue Škoda — der schneereiche Winter — die magische Sieben — das vielseitig verwendbare Aluminium — die schwarze Rose —
die für Kurzstrecken besonders geeignete AN 24 — der in der Natur
weit verbreitete Phosphor — die viel gerauchte Club — der arbeitsfreie
Sonnabend — der mineralreiche Ural — das seltene Ypsilon — die hun-
dertjährige Eiche — das auch für die Waschmaschine geeignete
Spee — der heiße Monsun — das halbe Kilowatt — das leuchtende
Rot — die luxuriöse Titanic — der weiße Marmor — das Gläser und Flaschen reinigende Imi — der glitzernde Quarz — der schneesichere Februar — die halbe Milliarde — der Ferne Osten — die teuere Orchidee —
der prickelnde Sekt — der schneebedeckte Kilimandscharo — das viel-
stöckige Berolina — der tagelange Regen — das hohe Cis — das moderne Arabisch — der vom Sturm entwurzelte Apfelbaum — das wertvolle Gold — der für die Landwirtschaft wichtige Stickstoff — der zer-
störerische Taifun — die gesunkene Wasa — der knirschende Schnee —
der armenische Kognak — das griechische Omega — der heilige
Olymp — der dicht belaubte Ahorn — das für Filmpremieren vorgese-
hene Capitol — der komfortable Fiat — das zur Kaffeezeit überfüllte
Corso

H 17 die wissenschaftliche Lehre — der fleißige Lehrling — das intensive
Lernen — der kräftige Junge — die freundliche Bitte — der wichtige
Vorschlag — die genaue Vorschrift — das neue Gesetz — die strenge
Anweisung — der angetrunkene Fahrer — die dreistündige Fahrt —
das gefährliche Gift — der aufmerksame Blick — das kritische Auge —
die kranke Niere — die besondere Fähigkeit — das überragende Können — der logische Verstand — die menschliche Vernunft — der starke

Frost – die große Kälte – das schwere Gepäck – die große Packung – der empfindliche Verlust – der wertvolle Fund – das lange Suchen

H 18 (a) das Abteil – der Anteil – der Bestandteil – das Erbteil – der Erdteil – das Gegenteil – das Oberteil – das Urteil – der Vorteil
(b) das Barometer – der Gasometer – der Geometer – das / der Kilometer – das / der Millimeter – das Thermometer – das / der Zentimeter
(c) die Anmut – die Armut – der Edelmut – der Freimut – die Großmut – der Hochmut – die Langmut – der Mißmut – die Schwermut – der Unmut – die Wehmut

H 19 (1) ein hohes (2) einen hohen (3) Das große (4) einen geringen (5) Der (6) ein nichtrostendes (7) die (8) der (9) die deutsche (10) Das rote (11) das (12) den entscheidenden (13) ein großes (14) der (15) die industriemäßige (16) der (17) ein erfahrener (18) Das in der Stadt stationierte (19) ein seidenes (20) der erste

H 20 (1) Bänke (2) Banken (3) Häuserblocks (4) Blöcke (5) Worten (6) Wörter (7) Handtücher (8) Tuche (9) Strauße (10) Blumensträuße (11) Mütter (12) Muttern

H 21 (1) Bände (2) Bänder (3) Kiefer (4) Kiefern (5) Leiter (6) Leitern (7) Steuern (8) Steuer (9) Verkehrsschilder (10) Schilde (11) Koppel (12) Koppeln

H 22 (1) schmeckt (2) schmecken (3) werden (4) wird (5) Der Alkohol ist (6) Die Spirituosen sind (7) gehören (8) gehört (9) Die Zutaten ... sind (10) Das Zubehör ... ist (11) Das Mobiliar ... ist (12) Die Möbel ... sind (13) werden (14) wird

H 23 (1) Der Mehrwert ist (2) Die Kosten sind (3) herrschten (4) herrschte (5) sind (6) ist (7) Heftiger Kummer quälte (8) Heftige Gewissensbisse quälten (9) sind (10) ist (11) Mein Urlaub beginnt (12) Meine Ferien beginnen

H 24 (1) Die Völker wünschen ... (2) – (3) (Die) Kriege sind ... (4) – (5) Die geschlagenen Armeen zogen sich zurück. (6) – (7) ... auf seinen Rechten (8) – (9) Noch immer sind manche Krankheiten unheilbar. (10) – (11) ... auf die Silberbestecke ... (12) – (13) Die Gewässer sind ... (14) –

H 25 (1) Edelstähle (2) Hölzer (3) Weine (4) Zucker (5) Sanden und Kiesen

H 26 (1) Streitereien / Streitigkeiten (2) Ärgernisse und Verdrießlichkeiten (3) Betrügereien (4) Liebschaften / Liebeleien (5) Sämereien (6) Bauten (7) Reformbestrebungen (8) Besitzungen / Besitztümer und Ländereien

H 27 (1) Stahlsorten (2) Schneefälle ... Unglücksfällen (3) Schmuckwaren ... Spielwaren / Spielsachen (4) Obstarten (5) Schmucksachen (6) Altersstufen (7) Verdachtsmomente (8) Gepäckstücke (9) Wahnvorstellungen (10) Stockwerken (11) Verhaltensweisen

H 28 (1) Die Tropen zeichnen ... (2) Die Arktis zeichnet ... (3) Die UdSSR ist ... (4) Die USA sind ... (5) Die Alpen zählen ... (6) Die Hohe Tatra zählt ... (7) Indonesien liegt ... (8) Die Philippinen liegen ... (9) Der Bosporus bildet ... (10) Die Dardanellen bilden ... (11) Die Niederlande gehören ... (12) Holland gehört ...

H 29 (1) die Begegnung der Touristen mit der Reisegruppe in der Hauptstadt (2) das Gelingen des chemischen Versuches (3) sein Kauf des neuen Buches (4) die Erfüllung der Exportaufgaben (durch den Betrieb) (5) ihre Übergabe der Schallplatten an den Lehrer (6) seine Erinnerung an seinen Hochzeitstag

H 30 (1) die Korrektur des Manuskripts durch den Autor − die Korrektur des Autors an dem Manuskript (2) die Beobachtung der seltenen Vögel durch den Biologen − die Beobachtung des Biologen an den seltenen Vögeln (3) die Untersuchung der Bedeutung einiger Substantive durch den Linguisten − die Untersuchung des Linguisten über die Bedeutung einiger Substantive (4) das Lob der fleißigen Schüler durch den Lehrer − das Lob des Lehrers für die fleißigen Schüler (5) die Einladung der Mitarbeiter durch den Chef − die Einladung des Chefs an die Mitarbeiter

H 31 (1) Die Gäste aus dem Ausland kommen planmäßig an. (2) Man behandelt den Patienten intensiv im Krankenhaus. Der Patient wird intensiv im Krankenhaus behandelt. (3) Die Schüler beschäftigen sich gründlich mit der Gegenwartsliteratur. (4) Man bewertet die Aufsätze korrekt. Die Aufsätze werden korrekt bewertet. (5) Man setzt audiovisuelle Methoden effektiv im Fremdsprachenunterricht ein. Audiovisuelle Methoden werden effektiv im Fremdsprachenunterricht eingesetzt. (6) Man bringt die Studenten zeitweilig in Privatquartieren unter. Die Studenten werden zeitweilig in Privatquartieren untergebracht. (7) Man liefert die Möbel pünktlich an den Käufer. Die Möbel werden pünktlich an den Käufer geliefert. (8) Der Abteilungsleiter antwortet sofort auf die Fragen der Mitarbeiter. (9) Man entlohnt den leitenden Angestellten für seine verantwortungsvolle Arbeit gerecht. Der leitende Angestellte wird für seine verantwortungsvolle Arbeit gerecht entlohnt. (10) Der kranke Schüler bittet um Unterstützung.

H 32 (1) Patiens (2) Ort (3) Schöpfer (4) Besitzer (5) Ort (6) Besitzer (7) Patiens (8) Agens (9) Ganzes (10) Zeit

H 33 (1) Wahrnehmungsgegenstand (2) Zeit − Patiens (3) Zeit − Resultat (4) Ort (5) Grad (6) Instrument (7) Patiens (8) Zeit − Resultat

H 34 (1) dativus commodi (für die kranken Nachbarn, statt der kranken Nachbarn, zugunsten der kranken Nachbarn) (2) Dativ des Maßstabs (für die Ingenieure) (3) dativus incommodi (es ist der Mutter − ohne daß sie es wollte − geschehen) (4) Objektsdativ (5) ethischer Dativ (6) Träger-Dativ (auf den Anzug, den er trägt) (7) possessiver Dativ (der Fuß des Patienten) (8) possessiver Dativ (auf die Füße des Nachbarn) (9) possessiver Dativ (die Zähne des Kindes) (10) Objektsdativ (11) dativus commodi (für den Lehrer, statt des Lehrers, zugunsten des Lehrers) (12) possessiver Dativ (die Haare des Kunden)

H 35 (1) Das Buch wird von dem Autor bearbeitet − die Bearbeitung des Buches durch den Autor (2) Die Eltern werden von der Tochter unterstützt − die Unterstützung der Eltern durch die Tochter (3) Die Filme werden von dem Fotografen entwickelt − die Entwicklung der Filme durch den Fotografen (4) Der Patient wird von dem Chirurgen operiert − die Operation des Patienten durch den Chirurgen (5) Ein neues Buch wird von dem Mathematiker geschrieben − das Schreiben eines neuen Buches durch den Mathematiker

H 36 (1) Das Messer schneidet das Brot. − Die Mutter benutzt das Messer, um das Brot zu schneiden. (2) Das Wasser reinigt das Auto. − Er benutzt das Wasser, um das Auto zu reinigen. (3) Der Zucker süßt den Kaffee. − Die Großeltern benutzen den Zucker, um den Kaffee zu süßen. (4) Der Pfeffer würzt das Essen. − Der Koch benutzt den Pfeffer, um das Essen zu würzen.

H 37 (1) Teilnahme an (2) Freude über (3) Fähigkeit zu (4) Reichtum an (5) Protest gegen (6) Arbeit an (7) Staunen über (8) Hoffnung auf (9) Bemühung um (10) Vertrauen auf

H 38 (1) seine Begegnung mit dem Arzt in der Stadt (2) ihre Zustimmung zu dem Vorschlag der Betriebsleitung (3) unsere Erlaubnis zu der Reise der Kinder ins Ferienlager (4) euer Vorschlag für eine Auszeichnung mit der Verdienstmedaille (5) deine Treue zu deinen Grundsätzen (6) seine Überlegenheit gegenüber den anderen Forschern an Weitblick (7) mein Vertrauen zu meinen Mitarbeitern (8) ihr Überblick über die Dichtung der Goethezeit   (9) ihre Hilfe für die Hochwassergeschädigten   (10) der Nutzen für die Entwicklung der Wirtschaft

I 1   eine off(e)ne Antwort — ein komfortables Hotel — saurer Wein — trock(e)nes Holz — ein heikles Thema — der willkomm(e)ne Besuch — die üble Nachrede — saub(e)re Wäsche — eine heis(e)re Stimme — eine eitle Frau — bescheid(e)nes Auftreten — edle Gesinnung — eine lock(e)re Verbindung — ein zufried(e)ner Mensch — ein simples Beispiel — die sich(e)re Sprachbeherrschung — das teure Kleid

I 2   (1) sämtliche grammatischen (auch: grammatische)   (2) sämtlichem schweren   (3) sämtliches alte   (4) wenigem zerlassenen   (5) wenige grammatische   (6) vieler alter (auch: alten)   (7) vieles brauchbare   (8) beider literarischen (auch: literarischer)   (9) Beide jungen (auch: junge)   (10) folgende wichtige (auch: wichtigen)   (11) folgendes neue   (12) folgender wissenschäftlicher (auch: wissenschaftlichen)   (13) anderes altes   (14) anderem feuerfesten (auch: feuerfestem)   (15) anderer grammatischer

I 3   (1) Die Antwort ist böse / frech.   (2) Das Mädchen ist stolz / spröde.   (3) Das Blatt ist lose / fest.   (4) Die Landschaft ist schön / öde.   (5) Der Ausspruch ist weise / klug.   (6) Der Schüler ist schwach / träge.   (7) Die Klasse ist rege / still.   (8) Der Hund ist scharf / feige.

I 4   (1) Der Tisch ist (genau)so lang wie die Couch. Der Tisch ist nicht länger als die Couch.   (2) Das Wohnzimmer ist (genau)so groß wie das Arbeitszimmer. Das Wohnzimmer ist nicht größer als das Arbeitszimmer.   (3) ...

I 5   (1) Der Inselsberg ist nicht so hoch wie der Fichtelberg. Der Fichtelberg ist höher als der Inselsberg.   (2) Das östliche Donufer ist nicht so steil wie das westliche Donufer. Das westliche Donufer ist steiler als das östliche Donufer.   (3) ...

I 6   (1) Der höchste Fernsehturm ist der Moskauer. Der Moskauer Fernsehturm ist am höchsten. Der Moskauer Fernsehturm ist der höchste (Fernsehturm).   (2) Der größte Überseehafen ist Rotterdam. Der Überseehafen Rotterdam ist am größten. Der Überseehafen Rotterdam ist der größte (Überseehafen).   (3) Das beste Bier ist das Pilsener. Das Pilsener Bier ist am besten. Das Pilsener Bier ist das beste (Bier).   (4) ...

I 7   (1) Das Arbeitszimmer ist warm, das Wohnzimmer ist wärmer, das

Kinderzimmer ist am wärmsten.   (2) Das Auto ist schnell, das Flugzeug ist schneller, die Rakete ist am schnellsten.   (3) ...

I 8   der ältere Mann – die ärmeren Leute – das bravere Kind – die flachere Uhr – das härtere Metall – die glattere / glättere Oberfläche – der kältere Tag – die klarere Luft – das längere Schiff – der nassere / nässere Boden – die raschere Entscheidung – die sanftere Behandlung – die schärfere Lupe – das schlankere Mädchen – der schwächere Gegner – der stärkere Kaffee – die straffere Organisation – der wärmere Tag – das zartere Grün
die frohere Zeit – die gröberen Bestandteile – das größere Erlebnis – der höhere Berg – die rohere Behandlung
das buntere Bild – das dümmere Urteil – die gesundere / gesündere Nahrung – der jüngere Bruder – die klügere Bemerkung – der kürzere Weg – das stumpfere Messer

I 9   (1) die älteste / stärkste Stadtmauer   (2) die längste / glatteste (glätteste) Straße   (3) der mildeste / strengste Winter   (4) das bunteste / klarste Bild   (5) der flinkste / wildeste Junge   (6) das gesundeste (gesündeste) / dickste Kind   (7) der kälteste / schärfste Wind   (8) das schlank(e)ste / zarteste Mädchen   (9) die breiteste / schmalste Treppe

I 10   die off(e)nere / offenste Antwort – das komfortablere / komfortabelste Hotel – der saurere / sauerste Wein – das trock(e)nere / trockenste Holz – das heiklere / heikelste Thema – der willkomm(e)nere / willkommenste Besuch – die üblere / übelste Nachrede – die saub(e)rere / sauberste Wäsche – die heis(e)rere / heiserste Stimme – die eitlere / eitelste Frau – das bescheid(e)nere / bescheidenste Auftreten – die edlere / edelste Gesinnung – die lock(e)rere / lockerste Verbindung – der zufried(e)nere / zufriedenste Mensch – das simplere / simpelste Beispiel – die sich(e)rere / sicherste Sprachbeherrschung – das teurere / teuerste Kleid

I 11   (1) junger ... jünger ... älterer ... alter   (2) kleine ... kleinere ... größere ... große   (3) kurzer ... kürzerer ... längerer ... langer

I 12   (1) ... für grundfalsch   (2) ist federleicht   (3) Sie ist ein bildschönes Mädchen.   (4) Er hat mit seinem nagelneuen Wagen ...   (5) ... dieses Jahr spottbillig   (6) Es war in dem Wald stockdunkel.   (7) Der Erfolg schien ihm todsicher zu sein.

I 13   (1) Das Kind ist / wird krank.   (2) Der Großvater ist / – tot.   (3) Die Krankheit ist / – heilbar.   (4) Die Milch ist / wird sauer.   (5) Der Schüler ist / – stolz auf ...   (6) Das Mädchen ist / – wütend auf ...   (7) Die Schülerin ist / – verliebt in ...   (8) Der Wissenschaftler ist / wird bekannt durch ...   (9) Die Schwerpunkte sind / (werden) ersichtlich aus ...   (10) Der Autor ist / – gebürtig aus ...

I 14 (1) die vordere Reihe (2) das hinterste Zimmer (3) in der unteren Reihe (4) Die vordersten Bankreihen (5) die äußere Mauer ... die innere Mauer (6) das hintere Zimmer (7) in der untersten Reihe (8) die äußerste Mauer

I 15 (1) Seine Frau spielt begeistert Tennis. (2) Der Englischlektor übersetzt vorzüglich. (3) Ich spiele nur mittelmäßig Skat. (4) Der junge Mann tanzt elegant. (5) Der Dozent kennt die Gegenwartsliteratur ausgezeichnet. (6) Mein Freund fährt sehr sicher. (7) Er trinkt gewohnheitsmäßig.

I 16 (1) — Die Gedankenfolge ist logisch. (2) Das Fußballspiel ist dramatisch. — (3) — Das Verhalten ist pädagogisch. (4) Die Antwort ist diplomatisch. — (5) — Die Arbeit ist mechanisch. (6) Die Verpackung ist hygienisch. — (7) — Das Kleid ist modisch. (8) — Die Tasche ist praktisch. (9) Der Preis ist astronomisch. —

I 17 Eine hölzerne Treppe führt zu der großen gläsernen Tür. Der Verkaufsraum ist mit eichenen Regalen, gläsernen Vitrinen und marmornen Tischchen ausgestattet. Auf den Tischchen liegen seidene Tücher, samtene Stoffe und handgearbeitete wollene Teppiche. In den Vitrinen sehen wir kupferne Schalen, kristallene Gläser, silberne Becher und goldenen Schmuck. In den Regalen sind hölzerne Teller, lederne Mappen, prozellanene Figuren und elfenbeinerne Schnitzereien ausgestellt.

I 18 (1) Die Maßnahme ist fragwürdig. — (2) — Der Weg ist staubig. (3) Die Entscheidung ist voreilig. — (4) — Der Grund ist stichhaltig. (5) Der Schüler ist volljährig. — (6) — Der Tag ist neblig. (7) Die Festlegung ist gültig. —

I 19 (1) mit den hiesigen Sitten (2) bei unserer damaligen Besprechung (3) die vorgestrige oder gestrige Zeitung (4) sehr viele auswärtige Besucher (5) das diesseitige Ufer ... das jenseitige Ufer (6) die heutigen Nachrichten (7) Die morgige Lexikologievorlesung (8) in dem linken oder in dem rechten Haus (9) ihren ehemaligen Mann

I 20 die Prager Altstadt — die Leipziger Umgebung — die polnischen Industrieerzeugnisse — die Dresdner Barockbauten — die fruchtbare ungarische Tiefebene — die New Yorker Wolkenkratzer — die riesigen australischen Braunkohlenvorkommen — die Pariser Mode — die Moskauer Olympischen Spiele — die rumänische Schwarzmeerküste — die südamerikanischen Indianer

I 21 (1) seines Fehlers (2) den Streit / des Streites (3) das Rauchen (4) das lange Warten / des langen Wartens (5) des Deutschen (6) seiner Worte (7) ein Lob / eines Lobes (8) meinen Schnupfen (9) der Unterschlagung (10) meiner (11) der richtigen Wortwahl

I 22 (1) (c) seinen Eltern / für seine Eltern (2) (b) für ihn (3) (c) mir / für mich (4) (a) dem Studenten (5) (b) für den Dolmetscherberuf (6) (a) ihrer Lehrerin (7) (a) dem Hauptbuchhalter (8) (c) mir / für mich (9) (c) mir / für mich (10) (b) für ihn (11) (b) für Erkältungen (12) (c) dem Professor / für den Professor (13) (a) beiden Brüdern (14) (b) für beide Seiten (15) (c) mir / für mich (16) (c) mir / für mich (17) (b) für diesen Fall (18) (a) seinen Aufgaben (19) (a) seiner Mutter (20) (c) (jedem Philologen) / für jeden Philologen

I 23 (1) Die Tochter ist der Mutter bei der Hausarbeit behilflich. (2) Das Gepäck ist dem Reisenden beim Aussteigen hinderlich. (3) Der Enkel ist dem Großvater im Gesicht ähnlich. (4) Das Mädchen ist allen Mitschülern in Mathematik überlegen. (5) Der Mantel ist dem Touristen beim Wandern lästig. (6) Der Schachspieler ist seinem Kontrahenten im Endspiel gewachsen.

I 24 (1) Unser Dozent ist 40 Jahre alt. (2) Die Couch ist 2 Meter lang. (3) Der Weg ist 12 Kilometer weit. (4) ...

I 25 (1) Er ist blaß ... vor Zorn ... (2) Er ist ärgerlich ... über die Bemerkung ... (3) Er ist begierig ... auf die Antwort ... (4) Er ist eifersüchtig ... auf den Freund ... (5) Er ist bereit ... zur Mitarbeit ... (6) Er ist befreundet ... mit der Ausländerin ... (7) Er ist bewandert ... in seinem Fach ...

I 26 (1) Er ist bei der ganzen Klasse beliebt. (2) Er ist mit ihren Leistungen zufrieden. (3) Er ist streng mit den Kindern. (4) Ich bin über die Fehlerzahl entsetzt. (5) Mein Freund ist aus dem Erzgebirge gebürtig. (6) Sie sind ärgerlich über die Zugverspätung. (7) Er ist auf einem Ohr taub. (8) Ich bin mit dem ersten Band fertig. (9) Er ist in der Kunst bewandert. (10) Ich bin über seine Meinungsänderung erfreut. (11) Sie ist in Schreibarbeiten erfahren. (12) Sie sind zur Mitarbeit bereit. (13) Er ist an dem Unfall schuld. (14) Er ist für eine ältere Dame passend. (15) Sie ist auf ihre Rente angewiesen. (16) Er ist zu großen Leistungen fähig. (17) Ich war starr vor Zorn. (18) Er ist von der Leistungsfähigkeit seiner Schüler überzeugt. (19) Er ist frei von Schmerzen. (20) Er ist an das Klima nicht gewöhnt.

I 27 (1) Die Schülerin ist im Rechnen geübt. die im Rechnen geübte Schülerin Die Schülerin übt sich im Rechnen. (2) Der Arzt ist in der Behandlung von Nervenkranken erfahren. der in der Behandlung von Nervenkranken erfahrene Arzt — (3) Ihr Sohn ist begeistert für Sport. ihr für Sport begeisterter Sohn Ihr Sohn begeistert sich für Sport. (4) Mein Freund ist in eine Ausländerin verliebt. mein in eine Ausländerin verliebter Freund Mein Freund verliebt sich in eine Ausländerin (5) Die junge Lehrerin ist bei der ganzen Klasse beliebt. die bei der ganzen Klasse beliebte Lehrerin — (6) Das junge Ehepaar ist mit der Nachbarsfamilie befreundet. das mit der Nachbarsfamilie befreundete junge Ehepaar Das junge Ehepaar befreundet sich mit der Nachbarsfamilie.   (7) Viele Mitarbeiter sind mit dem Vorschlag einverstanden. viele mit dem Vorschlag einverstandene Mitarbeiter — (8) Der Sportler ist um Leistungssteigerung bemüht. der um Leistungssteigerung bemühte Sportler. Der Sportler bemüht sich um Leistungssteigerung.   (9) Alle Schüler sind am Wettbewerb beteiligt. alle am Wettbewerb beteiligten Schüler Alle Schüler beteiligen sich am Wettbewerb.   (10) Die Mutter ist um ihr Kind besorgt. die um ihr Kind besorgte Mutter —   (11) Die ausländische Ärztin ist mit einem Ingenieur verlobt. die mit einem Ingenieur verlobte ausländische Ärztin Die ausländische Ärztin verlobt sich mit einem Ingenieur.   (12) Der Kunde ist an der bibliophilen Ausgabe interessiert. der an der bibliophilen Ausgabe interessierte Kunde Der Kunde interessiert sich für die bibliophile Ausgabe.   (13) Der Hund ist mit dem Wolf verwandt. der mit dem Wolf verwandte Hund —

I 28   (1) Teile ... Teil ... Teil   (2) Räume ... Räume ... Fenster ... Raum ... Fenstern, Raum ... Fenstern   (3) Glas ... Tassen   (4) Paar ... Dosen   (5) Lektionen ... Lektion ... Lektion ... Lektionen   (6) Kisten ... Sack ... Kilo ... Kasten (Kästen) ... Flaschen

I 29   (1) einen   (2) Einer   (3) eins   (4) eine ... ein   (5) eins ... ein   (6) einem   (7) Ein   (8) eins ... ein ... eins

K 1   (1) lieber; am liebsten   (2) öfter / häufiger; am häufigsten   (3) besser; am besten   (4) eher; am ehesten   (5) mehr; am meisten

K 2   (1) Man trug den Fußballspieler vom Platz. Der Fußballspieler war krank.   (2) Schon drei Tage hat er nicht die Schule besucht.   (3) Der Zug ist eingefahren. Das Einfahren ist schon geschehen.   (4) Es ist gewiß so, daß er einen Fehler begangen hat. Er hat — wir sind (dessen) gewiß — einen Fehler begangen.   (5) Es ist zweifellos so, daß der Student überfordert ist. Der Student ist — wir zweifeln nicht daran — überfordert.   (6) Nur bis zur 10. Klasse hat er die Schule besucht.   (7) Der Ingenieur hat geheiratet. Das Heiraten ist plötzlich geschehen.   (8) Der Ingenieur ist gestorben. Der Ingenieur ist jung gewesen.   (9) Das Mädchen erledigt ihre Hausaufgaben. Das Erledigen (der Hausaufgaben) geschieht pünktlich.   (10) Immer schneller geht ihm die Arbeit von der Hand.   (11) Wir haben den Lehrer im Urlaub getroffen. Das Treffen ist unverhofft gewesen.   (12) Wir haben ihn angetroffen. Er ist völlig übermüdet gewesen.   (13) Der Forscher ist von seiner Expedition zurückgekehrt. Er ist gesund gewesen.   (14) Der Forscher ist von seiner Expedition zurückgekehrt. Die Rückkehr ist vorfristig gewesen.

K 3 (1) Er wartet darauf. (2) Er wartet auf ihn. (3) Die Urlauber hoffen darauf. (4) Wir denken gern an ihn / daran. (5) Der Student wohnt darin. (6) Er hilft ihm bei ihr / dabei.

K 4 (1) bei den Hausaufgaben (2) über den Dozenten (3) auf eine Beobachtung (4) ...

K 5 (1) ..., folglich konnte im Betrieb viel Material eingespart werden. – ..., im Betrieb konnte folglich viel Material eingespart werden. (2) ..., denn der Verbesserungsvorschlag hatte große Auswirkungen. (3) ..., und der Betrieb konnte viel Material einsparen. (4) ..., trotzdem hat er die Klassenarbeit mitgeschrieben. – ..., er hat trotzdem die Klassenarbeit mitgeschrieben. (5) ..., sonst muß er ein anderes Thema wählen. – ..., er muß sonst ein anderes Thema wählen. (6) ..., deshalb ist er in die Bibliothek gegangen. – ..., er ist deshalb in die Bibliothek gegangen.

K 6 (1) Die Versammlung war gestern. Die Versammlung gestern fand im Hauptgebäude statt. (2) Der Ingenieur ist drinnen. Der Ingenieur drinnen arbeitet. (3) Der Hund war draußen. Der Hund draußen bellte die Passanten an. (4) Der Gast ist hier gewesen. Der Gast hier hat die Bockwurst bestellt. (5) Das Pferderennen wird morgen sein. Das Pferderennen morgen wird stattfinden. (6) Das Fußballspiel ist heute gewesen. Das Fußballspiel heute hat uns enttäuscht.

K 7 schnell (Art und Weise), stromauf (Richtung), morgen (Zeitpunkt), irgendwo (Ort), meist (Wiederholung), tage- und wochenlang (Zeitdauer), deshalb (Grund), keineswegs (Art und Weise), neulich (Zeitpunkt), lange (Zeitdauer), immer wieder (Wiederholung), hier an Land (Ort), niemals (Zeit), jetzt (Zeitpunkt), schon (relative Zeit), bald (Zeitpunkt), drinnen (Ort), im Hafen (Ort), nachts (Zeitdauer), morgen (Zeit), planmäßig (Art und Weise)

K 8 (1) hinauf (2) heraus (3) herauf (4) herunterkommen (5) hinunterzukommen; hinunter (6) herunter; hinein; hinauf (7) herein; heraufgebracht.

K 9 hereinkommt; heraus; hinein; hinaus; herein; hinauszusehen; hineinzusehen; hinüber; hineinzulachen; heraustreten; hinaus; herauszuholen

K 10 –

K 11 (1) aufwärts (2) ostwärts (3) seitwärts (4) vorwärts und rückwärts (5) heimwärts (6) abwärts (7) südwärts

K 12 (1) woher? (2) wann? (3) wie lange? (4) wie oft? (5) seit wann? (6) bis wann? (7) wo?

K 13 (1) wohin? (2) weshalb? (3) seit wann? (4) wann? (5) wie lange? (6) wann? (7) woher? (8) bis wann?

K 14 (1) Die Zeitung gestern hat über das Handballspiel berichtet. (2) Die Fußballmannschaft hat das Spiel auswärts gewonnen. (3) Der Unterricht heute mußte verlegt werden. (4) Der Ausgang vorn ist wegen Bauarbeiten geschlossen. (5) Das Stadion hier faßt hunderttausend Zuschauer. (6) Die Wetterlage jetzt ist sehr stabil.

K 15 (1) Das vordere Haus ... (2) Das jenseitige Ufer ... (3) Das linke Haus ... (4) In der morgigen Veranstaltung ... (5) Das hintere Haus ... (6) Der hiesige Universitätskomplex ...

K 16 unterwegs; zufällig; massenweise; anfangs; glücklicherweise; rechtzeitig; unaufgefordert; unverzüglich; polizeilicherseits; größtenteils; verspätet

K 17 (1) dort (2) flegelhaft (3) taub (4) draußen (5) sicher (6) drüben (7) oben (8) dorthin

K 18 (1) dort, draußen (2) hier, dort, draußen (3) dort, draußen (4) dorthin (5) seitdem, bald, morgen (6) gestern, damals, plötzlich (7) jetzt, bald, vorher (8) vorhin, vorher

L 1 (1) diejenigen Bücher (2) (einige) ... Russischlehrer (3) solche Bücher (4) solche Fälle (5) manche Probleme (6) dessen Bücher

L 2 (1) ... manch einen Fehler/manchen Fehler ... (2) ... eine Frage (3) ... jeden Fehler (4) ... einen Freund (5) ... eine Schallplatte (6) Solch eine Sportveranstaltung/Eine solche Sportveranstaltung/So eine Sportveranstaltung (7) Welches Museum (8) Welch einen schönen Ausblick/Welch schönen Ausblick ...

L 3 (1) dessen (2) dessen; dessen (3) dessen (4) deren (5) dessen (6) dessen (7) deren (8) deren

L 4 (1) seiner bestandenen Prüfung (2) dasselbe reizvolle Reiseziel (3) solchen bleibenden Erlebnissen (4) solche schöne(n) Tage (5) mehrerer verregneter/en Tage (6) welche wertvolle(n) Kunstschätze (7) solche interessante(n) Sammlungen (8) diese oder jene schöne Stadt

L 5 (1) dem, demjenigen (2) solche, diese, irgendwelche (3) diesem; jenem (4) diese; jene (5) diesem, solchem (6) welch, solch (7) irgendwelche, einige (8) einiges, etliches, alles (9) ein solches, solch ein (10) jeder, kein, mancher, dieser, derselbe

L 6 (1) keine, wenige, manche, einige, mehrere, etliche, viele, alle Bücher (2) keine, wenige, manche, einige, mehrere, etliche, viele, alle Anzüge (3) keine, wenig, einige, etliche, viel, alle Kraft (4) keine, wenige, manche, einige, mehrere, etliche, viele, alle Briefmarken (5) keinen, wenig, einigen, etlichen, viel, allen Alkohol (6) kein, ein, manches, jedes Fachbuch (7) kein, wenig, einiges, etliches, viel, alles Fleisch

L 7 (1) der Sowjetunion; den Vereinigten Staaten von Amerika (2) die Schweiz; Schweden (3) die Tschechoslowakei; Ungarn; Rumänien; den Nahen Osten; Ägypten; Syrien; den Irak; den Iran (4) Dresden; Prag; Budapest (5) das alte Prag; das neuaufgebaute Dresden (6) der DDR; Ungarn; in der Tschechoslowakei (7) der Sowjetunion; Bulgarien; Rumänien; Polen; der Mongolei

L 8 (1) das Riesengebirge; die Tatra; die Sowjetunion; Polen; die Ostsee; Bulgarien (2) der Sowjetunion; das riesige Moskau; Leningrad; der Newa; das wiederaufgebaute Wolgograd; Kiew; der Ukraine; am Dnjepr (3) der DDR; das Schwarze Meer; die Krim; den Don; die Wolga; den Kaukasus; dem Elbrus; den Ural; Sibirien (4) Potsdam; Weimar; Dresden; Berlin; der Spree; der Müggelsee (5) dem Balkan; Ungarn; Rumänien; Bulgarien (6) Bratislava; der Donau; dem schönen Budapest; dem Balaton (7) Bulgarien; dem Schwarzen Meer; das herrlich gelegene Sofia; dem Witoschagebirge; dem Rilagebirge; das weniger erschlossene Balkangebirge; Varna; Burgas; das historische Plovdiv

L 9 (1) Professor Müller (2) der Dichter Keller (3) Präsident Birnbaum (4) Doktor Lenz (5) der Tischler Storz (6) Der Eisenbahner Schmidt

L 10 (1) einer TU 134 (2) die IL 14 (3) im „Berolina" (4) im „Casino" (5) Der Wolga (6) einen Fiat (7) Die „Völkerfreundschaft" (8) im „Neptun"

L 11 (1) Butter; Milch (2) Die Milch (3) Kuchen; Kaffee (4) den Apfelkuchen (5) Seife; Chlorodont (6) die Seife; die Zahnpasta (7) Fewa

L 12 (1) Konsequenz und Beharrlichkeit (2) Fleiß und Zielstrebigkeit (3) das pädagogische Geschick (4) (ein) großes Verständnis (5) ein Verständnis (6) (eine) erstaunliche Ausdauer (7) das schönste Erlebnis (8) ein wichtiges Ereignis

L 13 (1) der beste Schüler der Klasse (2) der dritte Schalter (3) ein dritter (4) das zweite Haus nach der Brücke (5) das interessanteste Buch (6) die besten Erfahrungen / beste Erfahrungen (7) das größte Kaufhaus der Stadt (8) der zweite Tag

L 14 (1) Der Fahrer eines Kraftfahrzeuges muß einen Führerschein besitzen. – Ein Fahrer eines Kraftfahrzeuges muß einen Führerschein besitzen. – Fahrer eines Kraftfahrzeuges müssen einen Führerschein besitzen. (2) Der Mensch braucht täglich sieben Stunden Schlaf. – Ein Mensch braucht täglich sieben Stunden Schlaf. – Menschen brauchen täglich sieben Stunden Schlaf. (3) ...

L 15 (1) ... eine TU 134, eine Caravelle. (2) ... ein bequemes Verkehrsmittel. (3) ... ein Volvo, ein Škoda. (4) ... ein Massenkommunikationsmittel. (5) ... ein Grundnahrungsmittel. (6) ... ein Vitaminspender (7) ... ein Dürer (8) ... ein guter Beleuchtungskörper

L 16 (1) ... Verkäuferin. (2) ... die beste Verkäuferin in der Kaufhalle. (3) ... Franzose. (4) ... Christ. (5) ... Gaststättenleiter. (6) ... ein guter Gaststättenleiter. (7) ein Freund des Bürgermeisters. (8) ... ein tüchtiger und hilfsbereiter Mensch.

L 17 (1) ... hat immer Angst. (2) ... hatte Mut. (3) ... hatte oft Durst. (4) ... hat an dem Unfall Schuld. (5) ... hatte für seine Entwicklung Bedeutung. (6) ... hat nun schon seit zwei Tagen Fieber. (7) ... hat auch für die Nachbarwissenschaft Gewicht.

L 18 (1) ... einen Enkel. (2) ... einen verletzten Arm. (3) ... Mut. (4) ... das Geld, das sie für das Auto braucht. (5) ... einen Bungalow. (6) ... die Größe seines Vaters. (7) ... einen Datumsanzeiger. (8) ... Angst.

L 19 (1) zu Hause (2) zu Fall (3) mit Mühe (4) auf See (5) an die See (6) zu Bett (7) mit Aufmerksamkeit (8) nach Hause

L 20 (1) Satz für Satz (2) von Haus zu Haus (3) weder Baum noch Strauch (4) durch Wald und Feld (5) Haus und Hof (6) mit Ach und Krach (7) weder Mensch noch Tier (8) Seite für Seite

L 21 (1) nichts Interessantes, Neues (2) niemand Bekanntes, Fremdes (3) viel Neues, Erfreuliches (4) viel Böses, Schönes, Interessantes (5) allerlei Erfreuliches, Neues (6) etwas Trinkbares, Schönes (7) jemand Neues, Fremdes (8) wenig Neues, Erfreuliches

L 22 (1) Die Dissertation von Peter (2) der Wagen von Manfred (3) Der Wohnsitz von Goethe (4) Der / Ein Koffer von Inge (5) Die Bevölkerungsstruktur von Indien (6) der / ein Anziehungspunkt von Ungarn (7) Der Entschluß von Dieter (8) die Werke von Hegel

L 23 (1) unterm Tisch (2) – (3) am Haken (4) ans Meer (5) ins Gebirge (6) fürs Kind (7) zur Versammlung (8) – (9) unters (10) vom

L 24 (1) ums Leben (2) zum Tanzen (3) im Harz (4) beim Wort (5) zum Nutzen (6) am Leben (7) am ausführlichsten (8) am Spielen (9) am Müritzsee (10) aufs freundlichste

L 25 (1) am Dienstag (2) an dem Dienstag (3) im Theater (4) in dem Theater (5) übers Herz (6) zum Bahnhof (7) auf dem Bahnhof

L 26 Unser Dorf hat einen neuen Sportplatz. Gegenüber dem Sportplatz steht ein neues Haus. In dem Haus wohnt ein Arzt. Der Arzt hält vormittags und nachmittags Sprechstunde ab. Mittags macht der Arzt bei schönem Wetter einen Spaziergang zu einem kleinen Wäldchen in der Nähe. Der Wald hat Nadel- und Laubbäume, die vor allem im Frühling manche Spaziergänger anziehen. Im Sommer legt sich der Arzt manchmal auf eine Wiese, die sich mitten im Wald befindet und auf der er im Schatten ein wenig die Ruhe genießt. Er beobachtet dabei, wie die Wolken ziehen, und hört dem Singen der Vögel zu.

L 27 (1) Maurer (2) ein fleißiger Arbeiter (3) dem Krieg; einer Fabrik (4) ein Fernstudium (5) eine leitende Stellung; einem großen Betrieb (6) Auto (7) ein fleißiger Schüler (8) die Arbeit (9) Ordnung

L 28 der DDR; sehr viele Sehenswürdigkeiten; Ausländische Besucher; die Stadt Leipzig; das Völkerschlachtdenkmal; das neue Universitätshochhaus; „Auerbachs Keller"; das klassische Weimar; Thüringen; das Goethehaus; Buchenwald; das mittelalterliche Meißen; Dresden; dem berühmten Zwinger; der Brühlschen Terrasse; einen Ausflug; die Sächsische Schweiz; einem (dem) Schiff; Bad Schandau; Königstein; der Elbe; die Bastei; der südlichen DDR; das Erzgebirge; dem Fichtelberg; der höchsten Erhebung; der DDR; die Hauptstadt Berlin; Potsdam; der Park Sanssouci; das Schloß Cäcilienhof; das Potsdamer Abkommen; den herrlichen Seen; der Mark Brandenburg; Mecklenburg; Zeit; die Ostsee; die Insel Rügen; Hiddensee; das malerische Usedom.

L 29 1800; einer kleinen Dorfschule; ein Lehrer; eine Stunde; die leichte, aber langwierige; die Zahlen; die nächste; ein Junge; ans Pult; der Lösung; einen schlechten Scherz; das Ergebnis; der Junge; den mühevollen Weg; die Zahlen; Gedanken; die Aufgabe; die erste und (die) letzte Zahl; die zweite und (die) zweitletzte Zahl; der dritten und (der) drittletzten Zahl; die Zahlenreihe; Paaren; die Summe; die Gesamtsumme; der Junge; 15 Jahre; der glänzendste Mathematiker Europas, ja der ganzen Welt; der Fürst; Karl Friedrich Gauß

M 1 (1) Es gehört meiner Freundin. Meiner Freundin gehört es. (2) Ich habe es noch nicht gesehen. (3) Es geht in den Kindergarten. In den

Kindergarten geht es. (4) Mein Mann und ich betreuen es. (5) Es ist in der Tasche. In der Tasche ist es. (6) Ich habe es von der Ärztin bekommen. (Von der Ärztin habe ich es bekommen.) (7) Du mußt es in Wasser auflösen. (In Wasser mußt du es auflösen.)

M 2 (1) − (2) Es ist heute bis 19 Uhr geöffnet. (3) Es hat die meisten überrascht. (4) − (5) Es sitzt im Kinderzimmer und weint. (6) − (7) − (8) Es hat mir geschmeckt.

M 3 (1) Die Studenten haben es beschrieben / darüber geschrieben. (2) Die Sekretärin hat es beantwortet / darauf geantwortet. (3) Der Buchhalter hat es erfragt / danach gefragt. (4) Die Zuhörer haben es beurteilt / darüber geurteilt. (5) Die Zuschauer haben es bejubelt / darüber gejubelt. (6) Der Kraftfahrer hat es nicht beachtet / nicht darauf geachtet. (7) Die Kommilitonen haben es verspottet / darüber gespottet.

M 4 (1) ... Das Lob hat ... (2) Der Tadel hat ... (3) Die Überraschung ist ... (4) Das Geschenk war ... (5) Die Arbeit macht ... (6) Die Anstrengung hat ... (7) Die Auszeichnung hat ...

M 5 (1) A: Was ist das für ein Arzt? B: Es ist ein Internist. / Er ist (ein) Internist. (2) A: Was ist das für eine Studentin? B: Es ist eine Germanistin. / Sie ist (eine) Germanistin. (3) A: Was ist das für ein Wagen? B: Es ist ein Škoda. (4) ...
(1) A: Was sind das für Ärzte? B: Es sind Internisten. / Sie sind Internisten. (2) A: Was sind das für Studentinnen? B: Es sind Germanisten. / Sie sind Germanisten. (3) A: Was sind das für Wagen? B: Es sind Škodas. (4) ...

M 6 (1) ... Franz wird es erst im nächsten Jahr. (2) ... Bis dahin bleibt es Kollege Berg. (3) ... er war es nicht. (4) ... Sein Bruder wird es erst im kommenden Herbst. (5) ... Ich versuche es auch zu bleiben. (6) ... nur er ist es noch nicht. (7) ... nur zwei Mädchen wurden es nicht. (8) ... Sie ist es aber nicht.

M 7 (1) Es hat eine gute Stimmung geherrscht. (2) Es waren auch einige Mädchenmannschaften dabei. (3) Es haben auch verschiedene ausländische Studenten teilgenommen. (4) ...

M 8 (1) Es wurden viele Einfamilienhäuser in den letzten Jahren am Stadtrand gebaut. Viele Einfamilienhäuser wurden in den letzten Jahren am Stadtrand gebaut. (In den letzten Jahren wurden ... Am Stadtrand wurden ...) (2) Es wurde den ganzen Nachmittag in der Gemeindeversammlung über den Bau einer neuen Straße beraten. Den ganzen Nachmittag wurde in der Gemeindeversammlung über den Bau einer neuen Straße beraten. (In der Gemeindeversammlung wurde ... Über den Bau einer neuen Straße wurde ...)   (3) Es wurde ein neuer Termin am Ende der Sitzung festgelegt. Ein neuer Termin wurde ...   (4) Es wurde auf der Versammlung über das Stadtjubiläum diskutiert. Auf der Versammlung wurde ...   (5) Es wurden verschiedene Vorschläge für ... ausgearbeitet. Verschiedene Vorschläge wurden ... (6) ...

M 9 (1) Es ekelte den Gast vor dem Schmutz im Zimmer. Den Gast ekelte (es) vor dem Schmutz im Zimmer./Vor dem Schmutz im Zimmer ekelte (es) den Gast.   (2) Es graute die/der Studentin vor der langen Eisenbahnfahrt. ...   (3) Es schwindelte dem Touristen auf der Spitze des Berges. ...   (4) Es fröstelte den Mann in der Morgenkälte. ...   (5) Es grauste den/dem Patienten vor der Operation. ...   (6) Es schauderte die/der Frau beim Anblick des verunglückten Wagens.   (7) Es gruselte das/dem Kind in der Dunkelheit.

M 10 (1) Es war dem Kranken in der warmen Sonne wohl. Dem Kranken war (es) in der warmen Sonne wohl./In der warmen Sonne war (es) dem Kranken wohl.   (2) Es war dem Mädchen auf dem 10-Meter-Turm bange. ...   (3) Es wurde dem Gast von der Wurst schlecht. ...   (4) Es war der Frau im Pelzmantel warm. ...   (5) Es war der Mutter angst um ihr Kind. ...   (6) Es wurde dem Bergsteiger auf der Spitze des Berges schwindlig. ...   (7) Es war dem Kind vor Hitze übel. ...

M 11 (1) Dem Professor gefiel (es), daß der Student offen seine Meinung sagte. Daß der Student offen seine Meinung sagte, (das) gefiel dem Professor.   (2) Dem Studenten war (es) peinlich, daß er die Verabredung vergessen hatte. Daß er die Verabredung vergessen hatte, (das) war dem Studenten peinlich. (3) ...

M 12 (1) Er hat (es) versäumt, den Mitarbeiter anzurufen. Den Mitarbeiter anzurufen (, das) hat er versäumt.   (2) Er hat es aufgegeben, seine Tochter zu ermahnen. Seine Tochter zu ermahnen (, das) hat er aufgegeben.   (3) Er hat (es) bedauert, den Gast nicht zum Bahnhof begleiten zu können. ...
Anm.: Alle weiteren Sätze mit fakultativem (es), nur Satz (8) — wie Satz (2) — mit obligatorischem es.

M 13 (1) Es regnete den ganzen Tag im Norden des Landes. Den ganzen Tag regnete es im Norden des Landes. Im Norden des Landes regnete es den ganzen Tag.   (2) Es dämmert in den Tropen sehr schnell. In den Tropen dämmert es sehr schnell. Sehr schnell dämmert es in den Tropen.   (3) ...

M 14 (1) Vor dem Gewitter war es sehr schwül.   (2) Gegen Abend wurde es neblig.   (3) Durch den Besuch ist es sehr spät geworden.   (4) ...

M 15 (1) Es überlief ihn kalt bei dem Gedanken an die Gefahr. Bei dem Gedanken an die Gefahr überlief es ihn kalt. (2) Es geht ihr seit der Operation gut. ... (3) Es hält mich nicht bei Sonnenschein in der Wohnung. ... (4) Es hat ihm in Bulgarien sehr gut gefallen. ... (5) Es schüttelte ihn beim Anblick des verunglückten Wagens. ... (6) Es fehlt dir an Selbstvertrauen. ... (7) Es juckt mich an Armen und Beinen vor Mückenstichen. ...

M 16 (1) Es hält mich bei Sonnenschein nicht in der Wohnung. (2) — (3) — (4) Es fehlt ihm immer noch an Fleiß und Ausdauer. (5) — (6) — (7) Es hat mir im Urlaub sehr gut gefallen. (8) — (9) Es geht ihr seit dem Kuraufenthalt bedeutend besser. (10) — (11) Es juckte mich von dem feinen Staub am ganzen Körper. (12) — (13) Es schüttelte mich beim Anblick des verunglückten Wagens.

M 17 (1) Auf der Plattform des Aussichtsturmes schwindelte (es) ihr. (2) Bei dem Gedanken an die Gefahr überlief es sie kalt. (3) Vor der Unsauberkeit im Zimmer ekelte (es) mich. (4) Schon bei der bloßen Vorstellung juckt es mich am ganzen Körper. (5) Im Harz hat es mir sehr gut gefallen. (6) Im Sommer zieht es mich immer wieder an die Ostsee. (7) Oft hatte (es) ihr vor der Operation gegraust. (8) Seit der Operation geht es ihr viel besser. (9) Schon jetzt graut (es) mir vor der langen Fahrt. (10) Trotz der Heizung hat (es) mich auf der Fahrt gefroren. (11) Beim Anblick des abgestürzten Flugzeuges schüttelte es sie. (12) In der Morgenkälte fröstelte (es) uns.

M 18 (1) Prowort (Akkusativobjekt) (2) Korrelat (im Hauptsatz vor Subjektsatz) (3) Korrelat (im unpersönlichen Satz) (4) formales Subjekt (5) Korrelat (in Thema-Stellung)

N 1 (1) einen See (2) des Sees (3) des Flusses (auch: dem Fluß) (4) dem Turm (5) des Berges (6) dem Bahnhof (7) des Bahnhofes (8) einen Baum (9) dem Park (10) des Dorfes (11) des Instituts (12) ihren Dozenten (13) meinem Freund (14) des Betriebsgeländes (auch: dem Betriebsgelände) (15) seinen Eltern (16) neun Jahre(n) (17) den Bach (auch: dem Bach)

N 2 (1) hohem Niveau (2) Des starken Frostes (3) einen Boten (4) dem Vertrag (auch: des Vertrages) (5) Deinem Ratschlag (6) sein Alter (7) ein Spezialwerkzeug (8) eines Schweißgerätes (auch: einem Schweißgerät) (9) einem Kugelschreiber (10) des Arztes (11) Allem Anschein (12) seines Berichts (auch: seinem Bericht) (13) dem schnellen Eingreifen (auch: des schnellen Eingreifens) (14) starken Eisgangs (15) seines Amtes

N 3 (1) die Wand – der Wand (2) dem Tisch – den Tisch (3) den Arm – dem Arm (4) den Vorhang – dem Vorhang (5) der Couch – die Couch (6) die Schule – der Schule (7) ihrem Vater – ihren Vater (8) den Schreibtisch – dem Schreibtisch (9) dem Schrank und dem Bett – den Schrank und das Bett (10) dem Weihnachtsbaum – den Weihnachtsbaum (11) den Bahnhof – dem Bahnhof (12) seine beiden Kameraden – seinen beiden Kameraden

N 4 (1) infolge eines Unfalls (2) Zufolge des Vertrages / Des Vertrages zufolge (3) der Vollständigkeit halber (4) außerhalb seines Interessengebietes (5) Dem Abkommen zufolge (6) Entlang dem Ufer (7) inmitten der Schüler (8) den Rennsteig entlang (9) gegenüber dem Bahnhof / dem Bahnhof gegenüber (10) Jenseits des Flusses (11) mir gegenüber (12) ihrer Mutter zuliebe (13) Nach meiner Meinung / Meiner Meinung nach (14) nach Goethe (15) Anstatt eines Stereogeräts (16) Gemäß der Gebrauchsanweisung / Der Gebrauchsanweisung gemäß (17) Wegen des starken Frostes / Des starken Frostes wegen (18) Dank seines raschen Handelns (19) entgegen dem Befehl des Offiziers / dem Befehl des Offiziers entgegen (20) Wegen dem schlechten Wetter

N 5 (1) auf dem – an dem (2) auf den – an den (3) Auf dem – An dem (4) Auf der – an die (5) an der – Auf der (6) auf die – an der (7) am – auf den (8) an die – auf den (9) an dem – auf den

N 6 (1) zwischen den Zeilen (2) unter den Zuschauern (3) zwischen die beiden Bilder (4) zwischen dem Ehepaar (5) unter den fünf Brüdern (6) zwischen ihre Eltern (7) unter (die) Leute (8) Zwischen den einzelnen Häusern (9) unter die Menge (10) zwischen den Baumreihen der Obstplantage (11) zwischen den Fernsprechteilnehmern (12) unter sich (13) zwischen die Seiten des Buches (14) zwischen den verschiedenen Wörtern (15) unter den Lehrern der Hochschule

N 7 (1) zum Bäcker (2) auf die (oder: zur) Post (3) nach links, dann nach rechts (4) zum Schwimmen ins Stadtbad (5) an den (oder: zum) Strand (6) ins tiefe Wasser (7) zum Gottesdienst in die Kirche (8) zur (oder: in die) Schule (9) zur Arbeit (10) in (oder: auf) Urlaub (11) auf eine (oder: zu einer) Party (12) in die (oder: zur) Beratung der Arbeitsgruppe (13) an Bord (14) nach Süden (15) an die (oder: zur) Tür (16) nach Hause (17) nach Berlin ans „Deutsche Theater" (18) zu (oder: ins) Bett (19) zur Marine (20) auf die Jagd

N 8 (1) zum Bahnhof (2) auf den Parkplatz (3) nach Rostock (4) zu ihren Eltern (5) in den Thüringer Wald (6) an die Ostsee (7) in die Schweiz zu einem Kongreß (8) aufs Land zu ihren Großeltern (9) an die Kreuzung (10) auf die Kreuzung

N 9 (1) nach Leipzig (2) in Leipzig (3) ans Fenster (4) in die Ecke des Zimmers (5) auf die Straße (6) zum Fenster (7) zu den (oder: auf die) anderen Papiere (8) an die Garderobe (9) auf den Stuhl (10) in den Sessel (11) in den Sportklub (12) nach vorn, nach hinten, nach unten und nach oben (13) an einen Baum (14) zur Tür (15) in den Tee

N 10 (1) bis 1. September / bis zum 1. September (2) bis 12 Uhr (3) bis Ende August (4) bis zum Jahr 1945 (5) Bis zum vorigen Jahrhundert (6) Bis nächstes Jahr / Bis zum nächsten Jahr (7) bis zur Pause (8) bis Pfingsten (9) bis morgen (10) bis zum frühen Morgen (11) bis spätabends (12) bis Ende des Monats / bis zum Ende des Monats (13) bis Sonnabend / bis zum Sonnabend (14) Bis zur letzten Minute

N 11 (1) Ich kenne den Dozenten schon seit Jahren. (2) Sein Vater ist seit einigen Jahren tot. (3) Die Familie wohnt seit kurzem in einer Neubauwohnung. (4) Mein Freund ist seit vierzehn Tagen verheiratet. (5) Sein Sohn liegt seit einer Woche im Krankenhaus. (6) Der junge Algerier lebt seit zwei Monaten in Leipzig. (7) Die Ausstellung „Polnische Grafik" ist seit einigen Tagen geöffnet.

N 12 (1) Vor (2) aus (3) Vor (4) Aus (5) vor (6) aus (vor) (7) aus (8) Vor (9) vor (10) Aus (11) vor (12) Aus (13) vor (14) aus (vor) (15) vor (16) aus (17) vor

N 13 (1) Auf Anraten des Arztes (2) aus eigener Erfahrung (3) Wegen des Geburtstages seiner Tochter (4) vor Müdigkeit (5) Aus Furcht vor Strafe (6) wegen Diebstahls (7) Auf Anordnung der Polizei (8) aus Höflichkeit (9) vor Begeisterung (10) Wegen des schlechten Wetters (11) vor Kälte (12) Wegen der großen Kälte (13) auf Empfehlung meines Freundes (14) Auf seinen Wunsch (15) wegen (der) Erkrankung des Professors

N 14 (1) Der Vollständigkeit halber (2) Infolge eines schweren Unfalls (3) Um seiner Gesundheit willen (4) Der Kinder halber / Um der Kinder willen (5) Infolge des Nebels (6) Besonderer Umstände halber (7) Infolge starken Schneefalls (8) Der Bequemlichkeit halber (9) Um des Familienfriedens willen (10) Infolge Straßenumleitungen (11) Der Einfachheit halber (12) Um seinetwillen ... um ihretwillen

N 15 (1) durch Freunde (2) von deinen Eltern (3) von der Wanderung (4) Durch sein inständiges Bitten (5) durch vieles Lesen (6) von Mozart (7) durch Ausdauer und Fleiß (8) durch Drücken des Knopfes (9) von der Wichtigkeit seines Vorschlags (10) durch einen Zufall ... von seiner Heirat

O 1   (1) genau diesen Zug; Partikel   (2) soeben; Adverb   (3) nicht früher als in der nächsten Woche; Partikel   (4) nicht mehr als fünf Stunden; Partikel   (5) zuerst; Adverb   (6) allein der Facharzt; Partikel   (7) genau 70 Jahre; Partikel   (8) soeben; Adverb

O 2   (1) in hohem Maße gute Leistungen; Partikel   (2) für sich allein; Adverb   (3) in hohem Maße gut, sehr gut; Partikel   (4) sogar der weltbekannte Herzchirurg; Partikel   (5) in eigener Person, höchstselbst; Adverb   (6) sogar der Rektor; Partikel   (7) auf diese Art und Weise; Adverb   (8) ebenso schnell; Partikel

O 3   (1) in zunehmendem Maße schlechter; Partikel   (2) zu jeder Zeit; Adverb   (3) wirklich; Partikel   (4) jetzt; Adverb   (5) schneller als erwartet; Adverb   (6) endlich die Wahrheit; Partikel   (7) bereits mehr als 8 Stunden; Partikel   (8) schneller als erwartet; Adverb

O 4   (1) noch   (2) erst   (3) nur / erst / schon   (4) schon; erst   (5) noch   (6) noch / nur   (7) erst / nur; nur

O 5   (1) viel, weit, weitaus, etwas   (2) etwas, höchst, recht, ziemlich, überaus   (3) etwas, höchst, recht, ziemlich, überaus   (4) weitaus   (5) viel, weit, weitaus, etwas   (6) viel, weit, weitaus, etwas   (7) weitaus

P 1   (1) ... zweifellos nicht ...   (2) ... nicht gern.   (3) ... offenbar nicht.   (4) ... nicht sorgfältig.   (5) ... angeblich nicht ...   (6) ... nicht vorsichtig ...   (7) ... nicht sehr rationell ...   (8) ... vermutlich nicht ...

P 2   (1) nicht fleißig — bestimmt nicht   (2) vielleicht nicht — nicht gern   (3) angeblich nicht — nicht genau   (4) nicht ruhig — wahrscheinlich nicht   (5) wohl nicht — nicht rechtzeitig   (6) nicht gründlich — zweifellos nicht.

P 3   (1) Es ist zweifellos so, daß ... Diese Herzoperation stellt — daran zweifeln wir nicht — ein großes Risiko dar.   (2) Es ist sicherlich so, daß ... Er hat die Lektionen — wir sind sicher — genau durchgearbeitet.   (3) Es ist offensichtlich so, daß ... Die Schülerin hat sich — das ist offensichtlich — gründlich ... vorbereitet.   (4) Es ist möglicherweise so, daß ... Der Junge hat — wir halten es für möglich — seine Mutter vom Bahnhof abgeholt.   (5) Es ist bedauerlicherweise so, daß ... Sie hat ihren Vater — wir bedauern es — nur gesehen, nicht gesprochen.   (6) Es ist wahrscheinlich so, daß ... Die Fußballmannschaft wird — das ist wahrscheinlich — das Spiel gewinnen.   (7) Es ist angeblich so, daß ... Er hat ihn — wie er angibt — gestern besucht.

P 4 (1) ..., ist er vermutlich (wahrscheinlich, vielleicht) schon in Berlin. (2) Sie hat die Torte vermutlich (wahrscheinlich, vielleicht) in der Konditorei am Markt gekauft. (3) In diesem Falle ist der Schüler vermutlich (wahrscheinlich, vielleicht) im Recht. (4) Der Schüler hat angeblich seine Hausaufgaben gemacht. (5) Ihnen ist das Buch vermutlich (wahrscheinlich, vielleicht) bereits bekannt. (6) Der Arbeiter ist bei diesem schönen Wetter vermutlich (wahrscheinlich, vielleicht) nach Hause gelaufen. (7) Der Arzt ist bestimmt (gewiß, sicher, zweifellos) im Urlaub gewesen.

P 5 (1) Er kann (könnte, mag, dürfte) sich beim Sturz den Fuß gebrochen haben. (2) Der Junge will (soll) das Fußballspiel selbst gesehen haben. (3) Der Student muß seine Diplomarbeit schon abgegeben haben. (4) Der Urlauber kann (könnte, dürfte, mag) den Berg schon bestiegen haben. (5) Die Störung in der Fernsprechleitung muß sehr schnell beseitigt worden sein. (6) Er kann (könnte, mag, dürfte) in seinem Urlaub an die Ostsee gefahren sein.

P 6 (1) Man staunt, daß ... (2) Man zweifelt nicht daran, daß ... (3) Man hofft, daß ... (4) Es scheint, daß ... (5) Der Pförtner gibt an, daß ... (6) Man mutmaßt, daß ...

P 7 (1) vermutlich (2) anscheinend (3) bedauerlicherweise (4) hoffentlich (5) zweifellos (6) begreiflicherweise

P 8 (1) dem Scheine nach (2) zum Unglück (3) zu ihrem Bedauern (4) auf keinen Fall (5) ohne Zweifel (6) mit Sicherheit

P 9 (1) erstaunlicherweise (2) scheinbar (3) glücklicherweise (4) augenscheinlich (5) (höchst)wahrscheinlich (6) angeblich

Q 1 (1) keine Reise (2) keinen Bruder (3) keine Kartoffeln (4) kein neues Wirtschaftsabkommen (5) von keiner großen Bedeutung (6) keine Hoffnung (7) keine neue Sonnenbrille (8) kein Gemüse (9) keine Kohle

Q 2 (1) Nein, er kann nicht Auto fahren. (2) Nein, die Urlauber laufen heute nicht Ski. (3) Nein, die Studentin wohnte damals nicht in Warschau. (4) Nein, der Schriftsteller ist nicht in Bulgarien gestorben. (5) Nein, der Professor ist nicht als Dekan tätig. (6) Nein, das Mädchen spielt nicht Klavier. (7) Nein, man hat den Assistenten nicht als Reiseleiter eingesetzt.

Q 3 (1) ... keinen Kaffee ... (2) ... nicht als Gaststättenleiter. (3) ... keinen Mut,... (4)...nicht Schritt. (5)...keinen Hunger. (6)...kein Glas Bier trinken. (7)...keinen Tee trinken. (8) kein Interesse...

Q 4 (1) Der Zug fährt nach den Ankündigungen des Lautsprechers heute nicht. (2) Der Zug ist entsprechend der Auskunft am Schalter in Prag nicht abgefahren. (3) Er wird die Exkursion der Gruppe nach Dresden nicht vorbereiten. (4) Das Sonderflugzeug kam heute nicht an. (5) Der Zaun des Gartens ist nicht hoch. (6) Der Kollege wird nicht Vorsitzender der Gewerkschaftsgruppe. (7) Das bekannte Café ist hier nicht/nicht hier. (8) Er besucht ihn zur vorgesehenen Aussprache nicht/nicht zur vorgesehenen Aussprache.

Q 5 (1) Der Arzt untersucht den Patienten nicht. (2) Der Sportler holt nicht Atem. (3) Peter bewundert die vorbildlichen Leistungen seiner Mitschüler nicht/nicht die vorbildlichen Leistungen seiner Mitschüler. (4) Der Betriebsleiter erkannte die Schwierigkeit der gegenwärtigen Situation nicht/nicht die Schwierigkeit der gegenwärtigen Situation. (5) Von seinen Freunden nahm er nicht Abschied. (6) Seine Tochter spielt nicht Klavier. (7) Das Kind bedankte sich für die Schokolade nicht/nicht für die Schokolade. (8) Der Schriftsteller besteht auf seiner Meinung nicht/nicht auf seiner Meinung. (9) Das Kind ißt das Gemüse nicht. (10) Wir warten auf den angekündigten Brief nicht/nicht auf den angekündigten Brief.

Q 6 (1) Die Klasse hat sich nicht ruhig verhalten. (2) Leipzig liegt nicht an einem großen Fluß. (3) Wir haben uns auf der Fahrt nicht/nicht auf der Fahrt unterhalten. (4) Ich kann auf der Couch nicht/nicht auf der Couch schlafen. (5) Er hat die Wertsachen nicht in den Tresor gelegt. (6) Der Ausländer hielt sich nicht in Dresden auf. (7) Das Kind hat sich nicht anständig benommen. (8) Die Mannschaft wird in Magdeburg nicht/nicht in Magdeburg spielen.

Q 7 (1) Er besucht uns wegen unseres Streits nicht/nicht wegen unseres Streits/deshalb nicht. (2) Er operiert die Patientin wegen der Herzschwäche nicht/nicht wegen der Herzschwäche/deshalb nicht. (3) Er lobt den Schüler wegen seines Verhaltens nicht/nicht wegen seines Verhaltens/deshalb nicht. (4) Der Kranke schläft wegen der Aufregung nicht/nicht wegen der Aufregung/deshalb nicht. (5) Das Kind freut sich wegen des Tadels nicht/nicht wegen des Tadels/deshalb nicht. (6) Die Alpinisten besteigen den Berg wegen der Lawinengefahr nicht/nicht wegen der Lawinengefahr/deshalb nicht.

Q 8 (1) morgen nicht (2) nicht gleich (3) im Winter nicht/nicht im Winter (4) den ganzen Tag nicht (5) heute nicht (6) nicht bald (7) nicht zeitig (8) lange nicht (Sondernegation: nicht lange) (9) die ganze Woche nicht (10) in dieser Woche nicht/nicht in dieser Woche

Q 9 (1) wahrscheinlich nicht (2) nicht gründlich (3) nicht mit großer Sorgfalt (4) zweifellos nicht (5) nicht gern (6) nicht wörtlich

Q 10 (1) Wir brauchen keinen Fahrplan. (2) Wir brauchen den Fahrplan nicht. (3) Der Obstsalat schmeckt nicht gut. (4) Peter ist nicht hier / hier nicht. (5) Er wird das Buch nicht auf den Schreibtisch legen. (6) Ich rufe dich morgen nicht an. (7) Ich schreibe die Vorlesung nicht mit. (8) Er hat nicht laut genug gesprochen. (9) Ich habe keinen Mut, vom 10-Meter-Turm zu springen. (10) Ich schwimme heute nicht.

Q 11 (1) mißlang (2) unleserlich (3) unerklärlich (4) Desinteresse (5) inkonsequent (6) Mißerfolg (7) ungrammatisch / agrammatisch (8) Unordnung (9) unnormal / anormal (10) diskontinuierlich

Q 12 (1) ..., ohne daß es schläft. (2) ..., anstatt daß er ihnen das Rauchen verbietet. (3) ..., ohne daß sie auf den Verkehr achtet. (4) ..., als daß wir darin eine Besprechung abhalten konnten. (5) ..., anstatt daß er seine Hausaufgaben erledigt. (6) ..., als daß wir den Ausflug unternehmen konnten.

Q 13 (1) ..., sich auf den Zufall zu verlassen. (2) ..., in den Betten zu rauchen. (3) ..., vor dem Wettkampf zu essen. (4) ..., einen Vertrag abzuschließen. (5) ..., den Schlüssel abgezogen zu haben. (6) ..., diese Meinung geäußert zu haben.

Q 14 —

Q 15 —

Q 16 (1) nicht einmal (2) sogar (3) nicht einmal (4) nicht einmal (5) sogar (6) nicht einmal

R 1 (1) Dieser Gedanke der Dissertation ist von dem Professor ein großer Erkenntniszuwachs genannt worden. (2) Der Gesundheitszustand des Kranken wird vom Arzt nicht für besorgniserregend gehalten. (3) Der Aufsatz wird von dem Lehrer als eine mangelhafte Leistung bezeichnet. (4) Ihr kleiner Bruder wird von ihr ein Lügner gescholten. (5) Seine jetzige Freundin wird von ihm liebenswert gefunden.

R 2 (1) die von dem Lehrer begabt genannte Schülerin (2) sein vom Meister als vorbildlich bezeichneter Fleiß (3) die von dem Kunden häßlich gefundene Verkäuferin (4) der vom Direktor für in Ordnung gehaltene Arbeitsablauf (5) das von den Theaterbesuchern für einen großen Fortschritt gehaltene Programm (6) die von dem Leiter als Seele des ganzen Betriebes bezeichnete Abteilung

R 3 (1) sein starkes Rauchen (2) das Spielen (Spiel) des Musiklehrers (3) sein Trainieren (Training) auf dem Sportplatz (4) das pünktliche Einlaufen des Zuges (5) ihre gründliche Vorbereitung auf die Prüfung (6) das Arbeiten (die Arbeit) mancher Oberschüler in den Ferien

R 4 (1) die Beobachtung des Wetters durch den Schüler (2) unser Warten auf eine bessere Gelegenheit zum Wohnungstausch (3) die Untersuchung dieses Falles durch den Richter (4) ihre Ähnlichkeit mit ihrer Schwester (5) das Gedenken der Einwohner an die Opfer des Erdbebens. (6) der Dank der Schüler an die Lehrer (7) das Eintreten des Bürgermeisters für den Bau einer neuen Schwimmhalle (8) ihre Erinnerung an ihren gemeinsamen Urlaub

R 5 (1) Er hört sie täglich. (2) jetzt (3) sie (4) sie (5) dort (6) es (7) ihn (8) lange (9) dann (10) nachts

R 6 (1) Obj. (2) Adv. (3) Adv. (4) Obj. (5) Adv. (6) Obj. (7) Obj. (8) Adv. (9) Adv. (10) Obj. (11) Obj. (12) Adv. (13) Adv. (14) Obj.

R 7 wann? – wohin? – wann? – wie oft? – seit wann? – wie lange? – bis wann? – wie? – wie? – warum? – wie lange? – mit welcher Folge? – wie lange? – wie oft? – zu welchem Zweck? – wohin? – zu welchem Zweck? – unter welcher Bedingung? – trotz welchen Umstandes? – wie oft?

R 8 (1) Der Zug fuhr im Bahnhof ein. Das Einfahren war (geschah) pünktlich. (2) Die Verkäuferin kam aus dem Urlaub zurück. Sie war gut erholt. (3) Er kam aus dem Urlaub zurück. Das Zurückkommen (die Rückkehr) war (geschah) zu früh. (4) Das Kind trank den Sirup. Der Sirup war unverdünnt. (5) Die Kundin kaufte das Kostüm. Der Kauf war (geschah) sofort. (6) Die Kundin holte das Kostüm von der Schneiderin ab. Das Kostüm war unfertig. (7) Man griff ihn auf der Straße auf. Er war betrunken. (8) Der Betrieb griff den Vorschlag auf. Das Aufgreifen war (geschah) sofort.

R 9 (1) Sie hat den Apfel gegessen. Der Apfel ist (zu diesem Zeitpunkt) ungeschält gewesen. (2) Wir treffen den Abiturienten. Der Abiturient ist (zu diesem Zeitpunkt) in einem verzweifelten Zustand. – Wir sind (zu diesem Zeitpunkt) in einem verzweifelten Zustand. (3) Das Auto brachte den Verletzten ins Krankenhaus. Der Verletzte war (zu diesem Zeitpunkt) bewußtlos. (4) Der Professor liest die Dissertation. Der Professor ist (zu diesem Zeitpunkt) unvoreingenommen. (5) Wir haben den Jungen beobachtet. Wir sind (zu diesem Zeitpunkt) ohne

Kopfbedeckung gewesen. – Der Junge ist (zu diesem Zeitpunkt) ohne
Kopfbedeckung gewesen. (6) Wir holten den Anzug zurück. Der Anzug war (zu diesem Zeitpunkt) gereinigt.

R 10 (1)... einen Backenzahn des Patienten (possessiver Dativ) (2) – (Objektsdativ) (3) – (Objektsdativ) (4) – (Objektsdativ) (5) – (Objektsdativ) (6) ... für seine Lehrerin (dativus commodi) (7) die
Wunde des Verletzten (possessiver Dativ) (8) für seinen jüngeren
Bruder (dativus commodi)

R 11 (1)... dem Patienten die Bauchhöhle... (2)... dem Patienten in die
Ohren... (3)... dem Patienten das Bein... (4) Dem Verletzten tat
das linke Bein weh. (5)... seinem Gegenspieler den Fuß... (6)...
dem Mädchen die Haare...

R 12 (1) Objekt zum Prädikativ (2) Attribut (3) Adverbialbestimmung;
Objekt zum Verb (4) Attribut; Prädikativ (5) Attribut, Adverbialbestimmung (6) Objekt zum Verb; Attribut

R 13 (1) Objekt zum Verb (2) sekundäres Satzglied zum Satz; Adverbialbestimmung (3) Attribut (4) Objektsprädikativ (5) Adverbialbestimmung; Objekt zum Verb (6) prädikatives Attribut (7) Objekt
zum Prädikativ (8) Subjektsprädikativ

R 14 (1) Resultativ (2) Lokativ (3) Zustandsträger (4) Instrumental (5) Patiens (6) Resultativ (7) Resultativ (8) Patiens (9) Vorgangsträger (10) Agens (11) Adressat (12) Kausator

S 1 (1) Wann nimmst du deinen Urlaub? (2) Hast du einen Ferienplatz? (3) Wo ist der Ferienplatz? (4) Wie (womit) fahrt ihr? (5)
Wohnt ihr in einem Zimmer? (6) Was unternehmt ihr? (7) Besichtigt ihr auch die Wartburg?

S 2 (1) Lesen Sie den neuen Text! (2) Lernen Sie die unbekannten Wör-
ter! (3) Ersetzen Sie die Wendungen durch Synonyme! (4) Suchen
Sie Antonyme zu den Adjektiven! (5) Bilden Sie mit den Verben
Sätze! (6) Definieren Sie die Fachbegriffe!

S 3 (1) Der Zug fährt aber schnell! Schnell fährt der Zug! Fährt der Zug
(aber) schnell! Wie schnell der Zug fährt! (2) Draußen ist es aber kalt!
Kalt ist es draußen! Ist es draußen kalt! Wie kalt es draußen ist! (3)...

S 4 (1) Am Freitag wird unsere Gruppe nach Berlin fahren. (2) Nach unserer Ankunft werden wir zunächst das Audiovisuelle Zentrum der
Humboldt-Universität besuchen. (3) Wir werden dort einen Vortrag
über die technische Einrichtung des Zentrums hören. (4)...

(1) Am Freitag ist unsere Gruppe nach Berlin gefahren. (2) Nach unserer Ankunft haben wir zunächst das Audiovisuelle Zentrum der Humboldt-Universität besucht. (3) Wir haben dort einen Vortrag über die technische Einrichtung des Zentrums gehört. (4) ...

S 5 (1) Sein Freund nahm den Vorschlag an. (2) Auf dem Bild herrscht ein helles Blau vor. (3) Helle Kleidung wirft die Wärmestrahlen besser als dunkle zurück. (4) Sie bildet sich durch einen Abendkursus an der Volkshochschule weiter. (5) Er stellte mit seiner Bemerkung seinen Freund vor den Kollegen bloß. (6) Am Ende des Vortrages faßte der Professor die Hauptgedanken in Form von fünf Thesen zusammen. (7) Der Trainer stellte aus den besten Teilnehmern des Wettbewerbs eine neue Mannschaft zusammen. (8) Der Student formte die Passivsätze in Aktivsätze um. (9) In der Linguistik stellt man eine immer schnellere Ablösung der Theorien fest.

S 6 (1) Schlagen Sie die Bücher auf! (2) Lesen Sie den ersten Textabschnitt laut vor! (3) Geben Sie den Inhalt des Textes mit eigenen Worten wieder! (4) Stellen Sie die Fachwörter in einer Liste zusammen! (5) Schreiben Sie die erweiterten Attribute aus dem Text heraus! (6) Formen Sie die Attribute in Attributsätze um! (7) Tauschen Sie die Hefte mit dem Banknachbarn aus! (8) Streichen Sie die Fehler mit dem Bleistift an!

S 7 (1) Das Fenster blieb trotz der Kälte die ganze Nacht einen Spalt breit offen. (2) Der Trainer nannte in einem Interview den jungen Eiskunstläufer einen Meisterschaftsanwärter. (3) Die Abteilung wurde auf Grund eines Antrags der Universität entsprechend einer Verfügung des Ministeriums ein selbständiges Institut. (4) Die beiden Mädchen blieben während der ganzen Schulzeit trotz charakterlicher Unterschiede wegen gemeinsamer Interessen Freundinnen. (5) Die Klassenlehrerin bezeichnete im Gespräch mit den Eltern ihren Sohn wegen seines Fleißes ohne jede Einschränkung als ein Vorbild für die anderen Kinder. (6) Ingeborg war als Kind ihrer Schwester im Gesicht zum Verwechseln ähnlich.

S 8 (1) Am vergangenen Wochenende kam im Schauspielhaus mit großem Erfolg ein Stück von Peter Hacks in Anwesenheit des Autors zur Aufführung. (2) Der Arbeiter fuhr im Juli für vierzehn Tage mit seiner Familie in ein Ferienheim zur Erholung. (3) Die Mutter brachte mit Hilfe ihrer Tochter am Abend das Kinderzimmer wieder in Ordnung. (4) Der Vater stellte am Schuljahresende seinem Sohn einen Fotoapparat als Belohnung in Aussicht. (5) Frau Müller nahm während der Urlaubszeit aus Gutmütigkeit den Hund des Nachbarn trotz ihrer Krankheit in Pflege. (6) Im Herbst ging der Assistent mit seiner Frau für drei Jahre als Deutschlehrer ins Ausland. (7) In der Versammlung brachte der Meister unter allgemeiner Zustimmung die

schlechte Versorgung in der Nachtschicht als ein dringend zu lösendes Problem zur Sprache.

S 9   (1) Mit der Aufklärung sollte der Aberglaube, das Unrecht, das Privilegium und die Unterdrückung durch die ewige Wahrheit, die ewige Gerechtigkeit, die in der Natur begründete Gleichheit und die unveräußerlichen Menschenrechte verdrängt werden.   (2) So wenig wie alle
ihre Vorgänger konnten die großen Denker des 18.Jahrhunderts über
die Schranken (hinaus), die ihnen ihre eigene Epoche gesetzt hatte
(, hinaus).   (3) Der Rousseausche Gesellschaftsvertrag hatte seine
Verwirklichung in der Schreckenszeit (gefunden), aus der das Bürgertum sich zuerst in die Korruption des Direktoriums und schließlich
unter den Schutz des napoleonischen Despotismus geflüchtet hatte
(, gefunden).   (4) Der verheißne ewige Friede war in einen endlosen
Eroberungskrieg umgeschlagen.   (5) Der Gegensatz von arm und
reich war durch die Beseitigung der ihn überbrückenden zünftigen
und anderen Privilegien und der ihn mildernden kirchlichen Wohltätigkeitsanstalten verschärft worden.

S 10 (1) Er ist diesmal noch schneller als im Länderkampf gegen Polen geschwommen. Er ist diesmal noch schneller geschwommen als im Länderkampf gegen Polen.   (2) Peter hat mindestens genau so viele Stunden wie die anderen Spieler trainiert. Peter hat mindestens genau so
viele Stunden trainiert wie die anderen Spieler.   (3) ...

S 11 (1) Der Sohn hat nicht zu widersprechen gewagt. Der Sohn hat nicht
gewagt zu widersprechen.   (2) Ihre Freundin hat zu kommen versprochen. Ihre Freundin hat versprochen zu kommen.   (3) ...

S 12 (1) Der Vater hat dem Sohn untersagt, die Diskothek zu besuchen.   (2) Der Arzt hat dem Patienten abgeraten, die Seereise zu unternehmen.   (3) ...

S 13 (1) Der Bergbau hatte in der Niederlausitz ein Erbe hinterlassen, das
sehr häßlich war.   (2) Bereits im Jahre 1946 wurden Überlegungen
angestellt, wie ...   (3) Welche Möglichkeiten gibt es aber, um wieder
zu einer Umwelt zu kommen, in der ...   (4) Einer dieser Gedanken
war es, Tagebaurestlöcher zu Seen umzugestalten, die ...   (5) ...

S 14 (1) (a) Der Kollege besucht den Kranken in der Besuchszeit. ... (b) In
der Besuchszeit besucht ihn der Kollege. (c) In der Besuchszeit besucht oft ein Kollege den Kranken. In der Besuchszeit besucht ihn oft
ein Kollege.   (2) (a) Der Schüler begegnete dem Lehrer auf dem
Heimweg. ... (b) Auf dem Heimweg begegnete ihm der Schüler. (c) Auf
dem Heimweg begegnete ein Schüler dem Lehrer. Auf dem Heimweg
begegnete ihm gestern ein Schüler.   (3) ...

Lösungsteil

S 15 (1) (a) Das Autowerk liefert der Reparaturwerkstatt das Ersatzteil/ einer Reparaturwerkstatt ein Ersatzteil. (b) Das Autowerk liefert der Reparaturwerkstatt ein Ersatzteil/das Ersatzteil einer Reparaturwerkstatt. (2) (a) Der Professor empfiehlt dem Assistenten die Fachzeitschrift/einem Assistenten eine Fachzeitschrift. (b) Der Professor empfiehlt dem Assistenten eine Fachzeitschrift/die Fachzeitschrift einem Assistenten. (3) ...

S 16 (1) Das Autowerk liefert ihr das Ersatzteil. Das Autowerk liefert es der Reparaturwerkstatt. Das Autowerk liefert es ihr. (2) Der Professor empfiehlt ihm die Fachzeitschrift. Der Professor empfiehlt sie dem Assistenten. Der Professor empfiehlt sie ihm. (3) ...

S 17 (1) seinem Freund nichts (2) sie dem Enkel (3) jemandem das Buch (4) dem Kunden den Kühlschrank (5) ihn dem Mittelstürmer (6) den Preis einem Schriftsteller (7) niemandem etwas (8) dem Assistenten einen Lehrauftrag (9) es einigen

S 18 (1) Die Eltern antworteten ihrem Sohn auf seinen Brief. (2) Das Mädchen lud ihre Freundinnen zum Geburtstag ein. (3) Der Vater warnte seinen Sohn vor dem Alkohol. (4) Die Tochter half ihrer Mutter bei der Hausarbeit. (5) ...

S 19 (1) Der Dozent ist bei den Studenten beliebt/beliebt bei den Studenten. (2) Die Wendung war den Schülern nicht bekannt. (3) Der Autofahrer war an dem Unfall schuld/schuld an dem Unfall. (4) Die Mannschaft war ihres Sieges sicher. (5) Der Schüler war auf seinen ersten Preis stolz/stolz auf seinen ersten Preis. (6) Die ausländische Studentin ist mit ihrer Diplomarbeit fertig/fertig mit ihrer Diplomarbeit. (7) Der Ausländer ist des Deutschen nicht mächtig. (8) Der junge Wissenschaftler ist zu großen Leistungen fähig/fähig zu großen Leistungen. (9) Das Mädchen war ihrer Freundin böse. Oder: Das Mädchen war auf ihre Freundin böse/böse auf ihre Freundin. ... mit ihrer Freundin böse/böse mit ihrer Freundin. (10) Der Assistent ist dem Professor für den Ratschlag dankbar/dankbar für den Ratschlag. (11) Die Tochter ist der Mutter bei der Hausarbeit behilflich/behilflich bei der Hausarbeit. (12) Das Mädchen ist ihren Mitschülern in Mathematik weit überlegen/weit überlegen in Mathematik.

S 20 (nur jeweils eine Variante!) (1) Die Eltern haben im vergangenen Jahr ihrem Sohn überraschend ein Motorrad zum Geburtstag geschenkt. (2) Der Vater fragt nach dem Abendessen die Tochter die Vokabeln zum neuen Text ab. (3) Ich werde dieses Mal wegen des vielen Gepäcks mit dem Auto nach Berlin fahren. (4) Die Frau hat ihren Nachbarn in großer Erregung vor den Hausbewohnern der Lüge bezichtigt. (5) Ein Arzt sprach vor kurzem vor den Schülern im Biologieunterricht eindringlich über die Gefahren des Alkoholmiß-

brauchs. (6) Der ausländische Besucher hat sich nach seiner Ankunft in der Heimat noch einmal brieflich bei seinen Gastgebern für
ihre Unterstützung und Hilfe bedankt. (7) Der junge Autor hat damals seinen Eltern aus Dankbarkeit das Buch gewidmet. (8) Der
Schriftsteller hat das Gedicht frei aus dem Deutschen ins Englische
übertragen.

S 21 (1) Danach bedankte es sich bei ... (2) Zu Hause sah er ihn sich genauer an. (3) Gestern hat es sich der Lehrer gekauft. (4) Nach dem
Aufstehen putzte er sich zuerst die Zähne. (5) Später erinnerte sie
sich wieder an ... (6) Die Schüler hatten sie sich für den Lehrer ausgedacht. (7) Bei seiner Rezitation versprach er sich ... (8) Der Lehrer hat sie sich ...

T 1 (1) Man verwendet die Technik vielseitig im Sprachunterricht. (2)
Der Junge nimmt erfolgreich an der Schachmeisterschaft teil. (3)
Man befreit den Schüler zeitweilig vom Sport. (4) Man behandelt die
Klassiker ausführlich im Literaturunterricht. (5) Man fragt die
Schüler häufig im Chemieunterricht ab. (6) Der Schüler antwortet
schnell auf die Frage. (7) Das Mädchen kommt häufig zum Unterricht zu spät. (8) Der Junge interessiert sich leidenschaftlich für die
Chemie. (9) Man unterweist die Kursteilnehmer gründlich in der Ersten Hilfe. (10) Der Junge verhält sich seinen Mitschülern gegenüber unkameradschaftlich. (11) Man bringt die Sportler während
der Wettkämpfe vorzüglich unter.

T 2 (1) der vielseitige Einsatz der audiovisuellen Technik durch den
Deutschlehrer (2) die ganztägige Nutzung der Sprachlabors durch
die Schule (3) die mündliche Prüfung des Abiturienten durch den
Chemielehrer (4) die unvollständige Beantwortung der Frage durch
das Mädchen (5) das selbständige Erkennen der Gesetzmäßigkeit
durch den Schüler (6) die gründliche Untersuchung der jungen
Sportler durch den Sportlehrer (7) die medizinische Unterweisung
der Lagerteilnehmer durch den Sanitäter

T 3 (1) Der Außenminister begegnet dem Staatspräsidenten. (2) Der Mathematiker sucht nach dem (sucht den) Fehler. (3) Die Journalisten
befragen die Sportler. (4) Die Versammlung gedenkt des Verstorbenen. (5) Der Institutsdirektor berichtet an das (berichtet dem) Ministerium. (6) Die Expedition besteigt den Berggipfel. (7) Der Kranke
bedarf der Ruhe. (8) Die moderne Frisur verändert das Ausse-
hen. (9) Der Junge liebt die Tiere. (10) Das Rauchen schädigt die
Gesundheit. (11) Der Freund schlägt einen Theaterbesuch vor. (12)
Die Bank gewährt dem Ehepaar einen Kredit.

T 4   (1) Menge Eindrücke/Menge von Eindrücken   (2) Wochen Ferien   (3) Kästen Bier   (4) Flasche Sekt   (5) Stück Zucker   (6) Reihe Fehler/Reihe von Fehlern   (7) Tage Arbeit   (8) Blatt Schreibmaschinenpapier   (9) Gruppen Direktstudenten/Gruppen von Direktstudenten ... Gruppe Fernstudenten/Gruppe von Fernstudenten   (10) Sack Kartoffeln   (11) Stapel Bretter/Stapel von Brettern   (12) Kisten Wein   (13) Haufen Sand/Haufen von Sand   (14) Kilo Farbe   (15) Büchsen Fisch   (16) Tasse Tee   (17) Gramm Wurst   (18) Minuten Aufenthalt   (19) Meter Wollstoff

T 5   (1) stilistischer Mängel   (2) dieser Mängel/von diesen Mängeln   (3) harte Arbeit   (4) des Urlaubs/von dem Urlaub   (5) neuer Eindrücke   (6) meines Schreibmaschinenpapiers/von meinem Schreibmaschinenpapier   (7) weißer Farbe   (8) frischgeschnittener Bretter   (9) bulgarischem Wein ... tschechischem Bier   (10) dieser Brühe/von dieser Brühe   (11) kalte Milch   (12) liniiertem Papier   (13) deutscher und ausländischer Studenten   (14) verschiedener Faktoren

T 6   (1) −   (2) Keiner der Schüler   (3) −   (4) −   (5) Mehrere seiner Freunde   (6) welcher der drei Schwestern   (7) −   (8) Welches der Bücher   (9) Manche der Äpfel   (10) −   (11) −   (12) einige der Bilder

T 7   (1) A: Hat er kein Lied/keines der Lieder gesungen? B: Er hat nur ein Lied/eines der Lieder gesungen.   (2) A: Hat er kein Gedicht/keines der Gedichte gelernt? B: Er hat nur ein Gedicht/eines der Gedichte gelernt.   (3) A: Hat er keine Erzählung/keine der Erzählungen gelesen? B: Er hat nur eine Erzählung/eine der Erzählungen gelesen.   (4) ...

T 8   (1) Binz ist eines der beliebtesten Ostseebäder.   (2) Leipzig ist eine der bedeutendsten Messestädte.   (3) Heine ist einer der größten deutschen Dichter.   (4) Das Dresdner Grüne Gewölbe ist eine der wertvollsten Kunstsammlungen.   (5) ...

T 9   (1) ... und der Vorschlag des Institutsdirektors wurden diskutiert.   (2) ... auch solche Wohnungen mit Ofenheizung.   (3) Nur ein Student im ersten Studienjahr ...   (4) ... jeden Studenten von der Studentengruppe.   (5) ... dasjenige Verhalten des komprimierten Gases ableiten.   (6) Mehrere Schüler aus der Klasse ...   (7) ... sowie der Name des Cyans selbst ...   (8) Kein Mensch (Mieter, Bewohner) im Hause hatte ...

T 10   (1) der berühmte Philosoph und Mathematiker   (2) des berühmten Philosophen und Mathematikers   (3) dem berühmten Philosophen und Mathematiker   (4) den berühmten Philosophen und Mathematiker   (5) einer der bedeutendsten Serologen   (6) eines der bedeutendsten Serologen   (7) einem der bedeutendsten Serologen   (8) einen

der bedeutendsten Serologen (9) der große Gelehrte und Forschungsreisende (10) des großen Gelehrten und Forschungsreisenden (11) dem großen Gelehrten und Forschungsreisenden (12) den
großen Gelehrten und Forschungsreisenden

T 11 (1) Die Streitfrage muß entschieden werden. (2) Der Augenblick entscheidet. (3) Die Kommission entscheidet sich für ... (4) Die Soldaten verteidigen sich. (5) Die Handballer verteidigen ihren 1.
Platz. (6) Der 1. Platz muß verteidigt werden. (7) Die Waschmaschine wäscht vollautomatisch. (8) Die Kleidungsstücke müssen gewaschen werden. (9) Das Kind wäscht sich. (10) Die Aufgaben müssen bei ... gelöst werden. (11) Der Wein löst die Zunge. (12) Die Tablette löst sich schlecht in Wasser.

T 12 (1) Die Methode ist veraltet. (2) Die Methode ist angewandt worden. (3) Die Methode hat sich bewährt. (4) Der Lehrer ist erkrankt. (5) Der Lehrer hat sich erholt. (6) Der Lehrer hat sich rasiert. Der Lehrer ist rasiert worden. (7) Der Junge ist verwöhnt worden. (Der Junge hat sich verwöhnt.) (8) Der Junge hat sich abgehärtet. (Der Junge ist abgehärtet worden.) (9) Der Junge ist zurückgeblieben. (10) Der Junge hat sich erkältet.

T 13 (1) die nach Prag geflogene Maschine (2) die von der Maschine beflo-
gene Strecke Prag—Havanna (3) die vor allem von Traktoren befah-
rene Landstraße (4) der mit zehn Minuten Verspätung abgefahrene
Zug (5) viele von Schädlingen befallene Bäume der Obstplantage (6) der in den Bach gefallene Junge (7) der in der Nachmittagsveranstaltung aufgetretene Sänger (8) der seit Jahren von niemandem betretene Raum (9) das von den Geologen bereiste Erdölgebiet des Kaukasus (10) die mit dem Flugzeug gereiste Familie

T 14 (1) — die verglühte Raumsonde (2) das erloschene Feuer — (3) die
aufgewachte Krankenschwester — (4) — der verstummte Gast (5)
der verstorbene Maler — (6) — das spät eingeschlafene Kind (7)
die erkrankte Frau — die wieder genesene Frau

T 15 (1) die in der Nacht angekommene Reisegruppe (2) — (3) — (4) der
zu Verhandlungen nach Rom geflogene Minister (5) — (6) das auf
einer Wiese gelandete Sportflugzeug (7) — (8) der über den Fluß ge-
schwommene Junge (9) — (10) die hinter Wolken untergegangene
Sonne

T 16 (1) — Der Satz ist von dem Studenten gebildet worden. (2) Das Bein
ist beim Skifahren gebrochen worden. — (3) Der Kommissionsvorsitzende ist einstimmig gewählt worden. — (4) — Die Mitschuld ist
von dem Schüler offen bekannt worden. (5) — Das Licht ist durch die
staubhaltige Luft zerstreut worden. (6) Der Boxer ist in der dritten

Runde zweimal niedergeschlagen worden. — (7) — Der Schreibtisch ist wegen der Kinder verschlossen worden.

T 17 (1) der kulturell sehr gebildete Mensch — (2) — das sehr gebrochene Deutsch des Ausländers (3) — die sehr gewählte Ausdrucksweise des Dozenten (4) der in Fachkreisen sehr bekannte Wissenschaftler — (5) der sprichwörtlich sehr zerstreute Professor — (6) — der über seinen Mißerfolg sehr niedergeschlagene Assistent (7) der gegenüber den anderen Mitarbeitern sehr verschlossene Kollege —

T 18 (1) (b) eine gute freie Übersetzung (2) (b) eine wichtige historische Gesetzmäßigkeit (3) (a) ein freies, unabhängiges Land (4) (b) buntes hölzernes Spielzeug (5) (a) fleckige, holzige Früchte (6) (b) frische saure Sahne (7) (a) frische, große Erdbeeren (8) (b) eine nervöse junge Frau (9) (b) ein chronisches nervöses Leiden (10) (a) eine lange, schwere Krankheit (11) (b) ein russischer historischer Roman

T 19 (1) Der aus dem Neulateinischen stammende Name „Humanismus" wurde ... (2) ... ein von kirchlicher Autorität unabhängiges und auf Wissen und Vernunft begründetes Welt- und Menschenbild zu schaffen. (3) Der Mensch als denkendes und erkennendes, leidendes und nach Höherem strebendes aktiv-tätiges Wesen – das war ... (4) Das wahre Menschentum ist das alle Menschen in gleicher Weise verpflichtende höchste Gut und Ziel.

T 20 (1) mit Pelz gefütterte (2) an Fett(en) arme und Vitaminen reiche (3) den Sinn entstellende (4) mit Luft gekühlten (5) von der Witterung abhängige (6) im Preis günstigen (7) den Schmerz stillendes (8) vor dem (gegen den) Wind geschützten (9) im Lernen eifrigen (10) zur Publikation reife (11) auf das Fach bezogener (12) die Faser(n) schonendes

T 21 (1) ... und charakterisiert einen auf die Unterdrückung fremder Nationen ausgehenden Staat als unsittlich. (2) ... ein unablässig fortzusetzendes Werk ist. (3) — (4) Jede die Menschen an der Erreichung dieses hohen Ziels behindernde Staats- und Gesellschaftsordnung ist moralisch und menschlich zu verurteilen. (5) — (6) — (7) ..., daß der von den Ideen der Humanität erfüllte und überzeugte einzelne Mensch, der mit allen Kräften danach strebt, „das kühne Traumbild eines neuen Staates" zu verwirklichen, unvermeidlich ...

U 1 (1) freie Angabe; fak. Aktant (2) obl. Aktant; freie Angabe; obl. Aktant (3) obl. Aktant; obl. Aktant (4) fak. Aktant; obl. Aktant (5) freie Angabe; obl. Aktant (6) obl. Aktant; obl. Aktant (7) obl. Aktant;

obl. Aktant   (8) freie Angabe; obl. Aktant   (9) freie Angabe; obl. Aktant   (10) fak. Aktant; obl. Aktant   (11) obl. Aktant   (12) obl. Aktant   (13) freie Angabe; fak. Aktant   (14) obl. Aktant; obl. Aktant   (15) freie Angabe; obl. Aktant

U 2   (1) obl. Aktant   (2) freie Angabe; fak. Aktant   (3) obl. Aktant   (4) fak. Aktant; freie Angabe   (5) freie Angabe; fak. Aktant   (6) obl. Aktant; freie Angabe   (7) obl. Aktant   (8) fak. Aktant   (9) freie Angabe   (10) freie Angabe; obl. Aktant

U 3   (1) obl. Aktant; freie Angabe; fak. Aktant; freie Angabe   (2) obl. Aktant; obl. Aktant; freie Angabe; freie Angabe   (3) obl. Aktant; obl. Aktant; freie Angabe; obl. Aktant   (4) obl. Aktant; obl. Aktant; freie Angabe; freie Angabe   (5) obl. Aktant; freie Angabe; obl. Aktant; obl. Aktant; freie Angabe   (6) freie Angabe; obl. Aktant; fak. Aktant; fak. Aktant   (7) obl. Aktant; freie Angabe; freie Angabe; obl. Aktant   (8) freie Angabe; obl. Aktant; obl. Aktant   (9) obl. Aktant; fak. Aktant; obl. Aktant; freie Angabe   (10) obl. Aktant; obl. Aktant   (11) freie Angabe; obl. Aktant; fak. Aktant   (12) obl. Aktant; freie Angabe   (13) obl. Aktant; freie Angabe; obl. Aktant   (14) obl. Aktant; obl. Aktant; freie Angabe

U 4   (1) frei   (2) valenzgebunden   (3) valenzgebunden   (4) valenzgebunden   (5) valenzgebunden   (6) frei   (7) valenzgebunden   (8) valenzgebunden   (9) frei   (10) valenzgebunden

U 5   (1) Die Verkäuferin ist krank.   (2) Die Mutter erwartet viele Gäste.   (3) Er hat den Schüler als ein Talent bezeichnet.   (4) Der Leiter beauftragte einen Mitarbeiter, die nötigen Informationen zu sammeln.   (5) Es gelang dem Schüler, das Klassenziel zu erreichen.   (6) Die Eltern gewöhnen die Kinder an Ordnung.   (7) Der Autor übersetzt das Buch aus dem Russischen ins Deutsche.

U 6   (1) Er schwimmt.   (2) Der Physiker bearbeitet sein Lehrbuch.   (3) Er legte das Buch in ein falsches Fach.   (4) Der Lehrer liest.   (5) Die Mutter kauft ein.   (6) Wir holen den Gast ab.   (7) Der Patient erwiderte, daß die Schmerzen zugenommen haben.   (8) Die Familie zieht um.

U 7   (1) Der Lehrerin graut davor, daß sie die Hausaufsätze korrigieren muß / die Hausaufsätze korrigieren zu müssen.   (2) Sie bittet ihren Freund, daß er die Theaterkarten beschafft / die Theaterkarten zu beschaffen.   (3) Wir laden sie dazu ein, daß wir gemeinsam wandern / gemeinsam zu wandern.   (4) ...

U 8   (1) der Sorgen   (2) eine gründliche Vorbereitung   (3) der Ursache der Krankheit   (4) das viele Stehen   (5) den Studenten   (6) der Spritzen (7) der Auszeichnung (8) des Weges (9) auf die Medikamente (10) den Freunden

U 9 (1) fak. Aktant (2) obl. Aktant (3) obl. Aktant (4) fak. Aktant (5) obl. Aktant (6) fak. Aktant (7) fak. Aktant (8) obl. Aktant

U 10 (1) Agens – Prädikat (2) Vorgangsträger – Prädikat (3) Vorgangsträger – Prädikat (4) Zustandsträger – Prädikat (5) Resultativ – Prädikat (6) Lokativ – Prädikat (7) Zustandsträger – Prädikat – Lokativ (8) Agens – Prädikat – Instrumental (9) Agens – Prädikat – Adressat (10) Agens – Prädikat – Kausator.

V 1 (1) disjunktiv (2) adversativ (3) kopulativ (4) kausal (5) konzessiv (6) konsekutiv (7) adversativ (8) restriktiv (9) konsekutiv (10) kopulativ

V 2 (1) ..., deshalb (folglich) fror er in seinem leichten Mantel. (2) Die Vorlesung war angekündigt, trotzdem fand sie nicht statt. (3) In der DDR herrschte hochsommerliches Wetter, dagegen (indessen, jedoch) war es in Polen ziemlich kalt. (4) ..., denn er war auf Dienstreise. (5) Er beherrscht die Grundlagen seines Faches sicher, trotzdem (gleichwohl, dennoch, dagegen, jedoch, indessen) fehlt es ihm an Spezialkenntnissen. (6) ..., deshalb (folglich) konnte er sich an den gefaßten Beschluß nicht mehr genau erinnern.

V 3 (1) und; sowohl ... als auch; nicht nur ... sondern auch; auch; außerdem; ferner; zudem; überdies; ebenso; ebenfalls; gleichfalls; sogar (2) und; sowohl ... als auch; nicht nur ... sondern auch; auch; außerdem; ferner; zudem; überdies; ebenso; ebenfalls; gleichfalls (3) und; sowohl ... als auch; nicht nur ... sondern auch; auch; außerdem; ferner; zudem; überdies; ebenso; gleichfalls; sogar (4) und; sowohl ... als auch; nicht nur ... sondern auch; auch; außerdem; ferner; zudem; überdies; ebenso; ebenfalls; gleichfalls; sogar; von dort; dorthin; dann; danach (5) und; sowohl ... als auch; nicht nur ... sondern auch; teils ... teils; einerseits ... andererseits (6) und; sowohl ... als auch; nicht nur ... sondern auch; auch; außerdem; ferner; zudem; überdies; ebenfalls; ebenso; gleichfalls; einerseits ... andererseits; dann; danach

V 4 (1) ..., oder er muß .../sonst muß er ... (2) ..., oder er wird ernsthaft krank/sonst wird er ernsthaft krank. (3) ..., oder sie dürfen .../ sonst dürfen sie ... (4) ...

V 5 (1) ..., aber ihre Kinder haben ... (..., ihre Kinder aber haben ...)/dagegen haben ihre Kinder ... (ihre Kinder dagegen haben ...) (2) ..., aber seine Frau ... (..., seine Frau aber ...)/dagegen ist seine Frau ...

(seine Frau dagegen ist ...) (3) ..., aber diesmal hält .../ hingegen
hält er diesmal ... (4) ...

V 6 (1) ..., denn er hat den schwierigsten Teil seiner Dissertation noch
nicht abgeschlossen/ er hat nämlich den schwierigsten Teil seiner
Dissertation noch nicht abgeschlossen. (2) ..., denn er will nach Bulgarien fahren / er will nämlich nach Bulgarien fahren. (3) ..., denn er
hat gerade eine Grippe hinter sich / er hat nämlich gerade eine Grippe
hinter sich. (4) ...

V 7 (1) ..., trotzdem fahren wir .../ ..., wir fahren trotzdem ... (2) ..., daher (deshalb) konnte er .../ ..., er konnte daher (deshalb) ... (3) ...
deshalb (deswegen, daher, infolgedessen) konnte die Mutter .../ ... die
Mutter konnte deshalb (deswegen, daher, infolgedessen) ... (4) ...,
trotzdem (gleichwohl, dessenungeachtet) sieht er sehr gesund
aus. (5) ..., deshalb (folglich, also, daher) muß der Zahn gezogen werden. (6) ..., trotzdem (gleichwohl) braucht sie nicht ...

V 8 (1) ..., trotzdem hat er sich ... (2) ..., deshalb (folglich) kann die Verteidigung ... (3) ..., aber die Niedere Tatra kennen wir noch
nicht. (4) ..., denn er ist Experte ... (5) ..., trotzdem (nichtsdestoweniger) legt er ... (6) ..., aber seine Braut ist Medizinerin / dagegen
(hingegen) ist seine Braut Medizinerin. (7) ..., trotzdem führt er .../
aber er führt ... (8) ..., außerdem (überdies) hat er ... — Er hat nicht
nur die bisherigen Theorien kritisch gemustert, sondern er hat auch
eine eigene Theorie entwickelt. (9) ..., denn es hat ... (10) ..., aber
das Rilakloster / nur das Rilakloster habt ihr nicht kennengelernt.

V 9 (1) Nebensatz mit w-Fragewort (2) Konjunktionalsatz (3) Relativsatz (4) Relativsatz (5) Konjunktionalsatz (6) Nebensatz mit w-
Fragewort (7) Konjunktionalsatz (8) Relativsatz

V 10 (1) ..., sie wird die Prüfung bestehen. (2) Hat er die Prüfung bestanden, ... (3) ..., die Messe hat zu erfolgreichen Abschlüssen geführt. (4) Hat er auch alle Voraussetzungen, seine Leistungen entsprechen ... (5) ..., sie kommt pünktlich. (6) ..., sie müssen am
nächsten Tag einen Klassenaufsatz schreiben. (7) War das Wetter
auch schlecht, er ging baden. (8) Es schien der Kandidatin, sie sei bei
der Prüfung durchgefallen.

V 11 (1) Ich bin sehr müde, trotzdem muß ich heute noch arbeiten. Obwohl
ich sehr müde bin, muß ich heute noch arbeiten. Bin ich auch sehr
müde, ich muß heute noch arbeiten. (2) ..., trotzdem geht er jeden
Tag zu Fuß. Obwohl seine Arbeitsstelle sehr weit von der Wohnung
entfernt liegt, geht er jeden Tag zu Fuß. Liegt seine Arbeitsstelle auch
sehr weit von der Wohnung entfernt, er geht jeden Tag zu Fuß. (3) ...

V 12 (1) Objektsatz (2) Lokalsatz (3) Attributsatz (4) Komparativsatz (5) Subjektsatz (6) Attributsatz (7) Objektsatz (8) Objektsatz (9) Subjektsatz (10) Konsekutivsatz (11) Attributsatz

V 13 (1) Der Student wird, wie wir alle hoffen, die Nachprüfung bestehen. (2) Das Orchester wird, wie wir kürzlich in der Zeitung gelesen haben, eine längere Auslandsreise antreten. (3) Die Kunden, die sich schon vor Öffnung des Geschäfts angesammelt hatten, strömten in den Laden. (4) Das Reisebüro hat, wie auf einem Anschlag zu lesen war, diesen Sonnabend geöffnet. (5) Der Zug, der vor einigen Minuten ankommen sollte, hat über eine Stunde Verspätung.

V 14 (1)

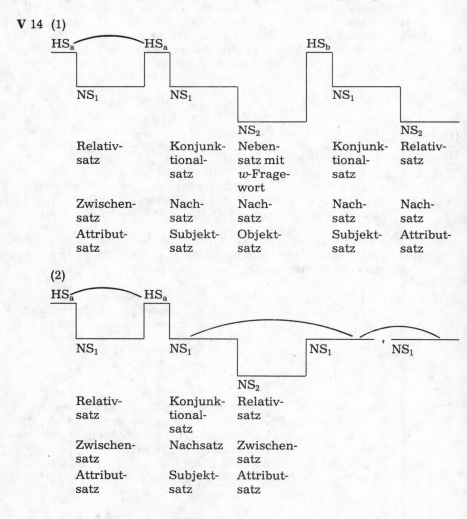

(3)

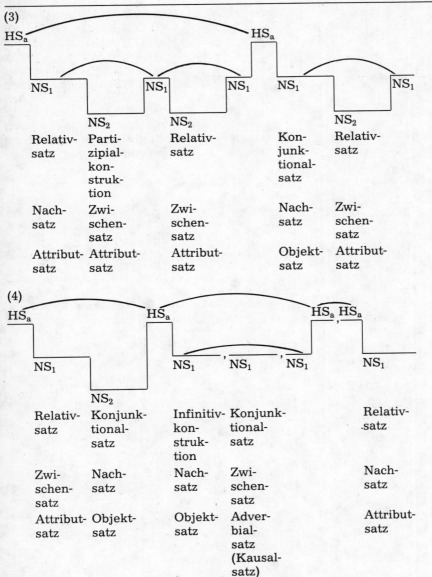

Relativ-satz	Parti-zipial-kon-struk-tion	Relativ-satz		Kon-junk-tional-satz	Relativ-satz
Nach-satz	Zwi-schen-satz	Zwi-schen-satz		Nach-satz	Zwi-schen-satz
Attribut-satz	Attribut-satz	Attribut-satz		Objekt-satz	Attribut-satz

(4)

Relativ-satz	Konjunk-tional-satz	Infinitiv-kon-struk-tion	Konjunk-tional-satz		Relativ-.satz
Zwi-schen-satz	Nach-satz	Nach-satz	Zwi-schen-satz		Nach-satz
Attribut-satz	Objekt-satz	Objekt-satz	Adver-bial-satz (Kausal-satz)		Attribut-satz

(5)

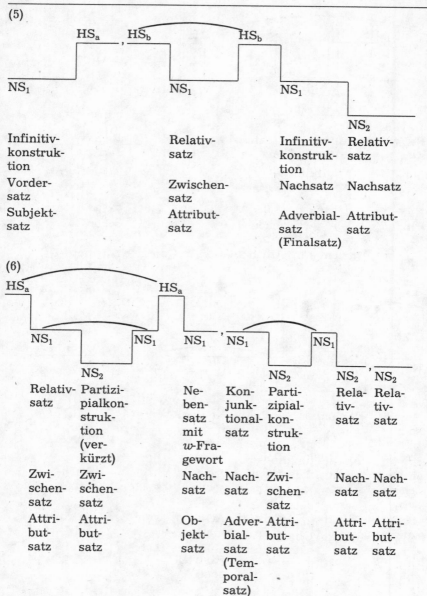

Infinitiv-
konstruk-
tion

Relativ-
satz

Infinitiv-
konstruk-
tion

Relativ-
satz

Vorder-
satz

Zwischen-
satz

Nachsatz

Nachsatz

Subjekt-
satz

Attribut-
satz

Adverbial-
satz
(Finalsatz)

Attribut-
satz

(6)

Relativ-
satz

Partizi-
pialkon-
struk-
tion
(ver-
kürzt)

Ne-
ben-
satz
mit
w-Fra-
gewort

Kon-
junk-
tional-
satz

Parti-
zipial-
kon-
struk-
tion

Rela-
tiv-
satz

Rela-
tiv-
satz

Zwi-
schen-
satz

Zwi-
schen-
satz

Nach-
satz

Nach-
satz

Zwi-
schen-
satz

Nach-
satz

Nach-
satz

Attri-
but-
satz

Attri-
but-
satz

Ob-
jekt-
satz

Adver-
bial-
satz
(Tem-
poral-
satz)

Attri-
but-
satz

Attri-
but-
satz

Attri-
but-
satz

(7)

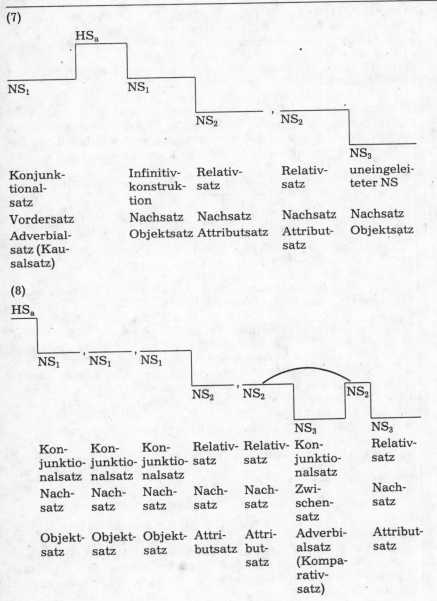

Konjunk-tional-satz		Infinitiv-konstruk-tion	Relativ-satz	Relativ-satz	uneingelei-teter NS
Vordersatz		Nachsatz	Nachsatz	Nachsatz	Nachsatz
Adverbial-satz (Kau-salsatz)		Objektsatz	Attributsatz	Attribut-satz	Objektsatz

(8)

Kon-junktio-nalsatz	Kon-junktio-nalsatz	Kon-junktio-nalsatz	Relativ-satz	Relativ-satz	Kon-junktio-nalsatz	Relativ-satz
Nach-satz	Nach-satz	Nach-satz	Nach-satz	Nach-satz	Zwi-schen-satz	Nach-satz
Objekt-satz	Objekt-satz	Objekt-satz	Attri-butsatz	Attri-but-satz	Adverbi-alsatz (Kompa-rativ-satz)	Attribut-satz

V 15 (1) Die Kassiererin nahm das Geld ein und gab den Kunden die Waren heraus.   (2) Die eine Fußballmannschaft spielt in Dresden, die andere in Berlin. (3) Der Lehrer fuhr mit der Straßenbahn, sein Kollege mit dem Rad in die Schule. (4) Der Angestellte bestellte und sein Kollege holte das Visum. (5) Der Junge murmelte etwas und holte sogleich die Sachen. (6) Der Schüler bestellte, der Lehrer bezahlte die Bücher. (7) Die Eltern haben zu Weihnachten ihrem Sohn ein Buch und ihrer Tochter eine Schallplatte geschenkt.

V 16 (1) Wir nahmen an, daß der Schüler krank war und im Krankenhaus lag. (2) Peter mußte in die Stadt, weil er einkaufen mußte und ein Buch besorgen wollte. (3) Wir erinnerten uns, daß Peter in den Ferien an der Ostsee und Gisela im Harz war. (4) ...

V 17 (1) deshalb (2) dann (3) darauf (4) es (5) darauf (6) der (7) das (8) es (9) deshalb (10) dann

V 18 (1) Ersatz (substitutiv) (2) Folge (konsekutiv) (3) Aufeinanderfolge (temporal) (4) Einschränkung (restriktiv) (5) Folge (konsekutiv) (6) Ersatz (substitutiv) (7) negative Folge (konsekutiv) (8) Einschränkung (restriktiv)

V 19 (1) ..., können wir uns treffen. (2) ..., könnte er seinen Gesundheitszustand verbessern. (3) ..., überrascht uns. (4) ...

V 20 (1) ..., er grüßte jeden im Haus. (2) ..., dann wird sie wieder zu ihm zurückkehren. (3) ..., er konnte gut schlafen. (4) ..., deshalb werden wir ihn zu einer Aussprache einladen. (5) Wenn der Student auch nicht alles verstanden hat, er hat die Vorlesungen regelmäßig besucht. (6) ..., dann hat er alle Voraussetzungen für die Promotion erfüllt. (7) ..., wir warten auf ihn auf dem Bahnhof. (8) ..., das Gericht wird den Angeklagten anhören. (9) ..., wir werden den Termin für die Reise beibehalten. (10) ..., dem Kind schmeckt es immer.

V 21 (1) Dieses Medikament regelmäßig einzunehmen ... (2) Die Angelegenheit mit ihm besprechen zu können ... (3) Ihn noch begrüßen zu können ... (4) — (5) ..., während des Konzerts die ganze Zeit still sitzen zu müssen. (6) —

V 22 (1) ..., mittags in Prag zu sein. (2) — (3) ..., im Kaufhaus ein Schlafzimmer nach ihrem Geschmack kaufen zu können. (4) — (5) ..., wissenschaftliche Beziehungen zu ausländischen Universitäten aufzunehmen. (6) — (7) ..., das aktuelle Thema zu bearbeiten. (8) ..., die Leitung des Betriebes zu übernehmen. (9) ..., an der Konferenz teilzunehmen. (10) —

V 23 (1) ..., ohne seinen Patienten angetroffen zu haben. (2) ..., um sich von den Anstrengungen des Schuljahres zu erholen. (3) — (4) ..., anstatt ihren Hausaufsatz zu schreiben. (5) — (6) ..., ohne sich zu erkälten. (7) — (8) . . ., seinen Fehler selbst einzusehen. (9) . . ., um zwei Gruppen in ihm unterzubringen. (10) . . ., um ihn die Veranstaltung durchführen zu lassen.

V 24 (1) . . ., daß er den Zustand der Patientin verbessern konnte. (2) . . ., daß sie regelmäßig die Medikamente einnimmt. (3) . . ., daß er sie am nächsten Tage besucht. (4) . . ., daß er sie im Büro antraf, war erfolglos. (5) . . ., daß man diese Veranstaltung besucht. (6) Daß wir den Freund nach langer Zeit wiedersehen, . . . (7) . . ., als daß wir sie in kurzer Zeit lösen konnten.

V 25 (1) . . ., damit er sich ein Auto kaufen kann. (2) . . . und verließ es nach einer halben Stunde wieder. (3) . . ., als daß man ihn sofort trinken konnte. (4) . . ., damit er beim Wettkampf besser abschnitt. (5) . . ., daß er die Reise allein antreten konnte. (6) . . ., damit er seinen Arzt konsultierte.

V 26 (1) . . ., seinen Kollegen zu treffen. (2) . . ., nicht sorgfältig genug gearbeitet zu haben. (3) . . ., ihr mehr zu helfen. (4) . . ., den Wasserrohrbruch durch Leichtsinn verursacht zu haben. (5) . . ., das Seminar zu übernehmen. (6) . . ., das Geld veruntreut zu haben. (7) . . ., sich ein Auto zu kaufen. (8) . . ., die Feier vorzubereiten.

V 27 (1) Das Flugzeug, das mit Medikamenten für das notleidende Gebiet beladen war, . . . (attributiv). *Mit Medikamenten für das notleidende Gebiet beladen, erreichte . . . Das mit Medikamenten für das notleidende Gebiet beladene Flugzeug erreichte . . . (2) Das Obst, das sorgfältig in Kisten verpackt war, wurde ausgeladen (attributiv). *Sorgfältig in Kisten verpackt, wurde das Obst ausgeladen. Das sorgfältig in Kisten verpackte Obst wurde ausgeladen. (3) Der Autofahrer, der durch einen Unfall schwer verletzt (worden) war, mußte in ein Krankenhaus eingeliefert werden (attributiv). Oder: Nachdem (Weil) der Autofahrer durch einen Unfall schwer verletzt (worden) war, mußte er in ein Krankenhaus eingeliefert werden (nicht-attributiv). Durch einen Unfall schwer verletzt, mußte der Autofahrer in ein Krankenhaus eingeliefert werden. Der durch einen Unfall schwer verletzte Autofahrer mußte in ein Krankenhaus eingeliefert werden. (4) Weil das Mädchen sich vor der Dunkelheit fürchtete, vermied es den Weg durch den Wald (nicht-attributiv). Sich vor der Dunkelheit fürchtend, vermied das Mädchen den Weg durch den Wald. *Das sich vor der Dunkelheit fürchtende Mädchen vermied den Weg durch den Wald. (5) Indem die Eltern besorgt die Stirn runzelten, sahen sie dem wilden Spiel der Kinder zu (nicht-attributiv) . . . (6) Indem der Direktor seinen engsten Mitarbeitern zulächelte, gab er seine Entscheidung bekannt (nicht-attributiv) . . . (7) Der Lektor, der mit der Aufstellung der Stundenpläne betraut war, hat sich der Zustimmung seiner Kollegen versichert (attributiv) . . . (8) Eine stationäre Behandlung, die auf einer rechtzeitigen Diagnose aufbaute, hatte den Patienten gerettet (attributiv) ...

V 28 (1) Nachdem der Patient in die Klinik eingeliefert worden war, ... (2) Nachdem / Weil das Kind von der Krankheit genesen war, ... (3) ..., indem er ihm auf die Schultern klopfte, ... (4) Weil der Schriftsteller von seiner Meinung überzeugt war, ... (5) Wenn man von anderen Kriterien ausgeht, ... (6) Weil der Lehrer von den guten Leistungen seiner Klasse überrascht war, ... (7) Weil der Hund von den vielen anwesenden Menschen verängstigt war, ... (8) ..., indem er die Hand an die Mütze hob.

V 29 (1) höflich ausgedrückt (2) inhaltlich gesehen (3) grob geschätzt (4) allgemein formuliert (5) kurz gesagt (6) so betrachtet

V 30 (1) Eine Pfeife im Mund, las der Schriftsteller ... (2) Nicht an die schwierigen Aufgaben gewöhnt, hatte es der Prüfling ... (3) Von Kind auf zum Individualisten erzogen, konnte er sich ... (4) ...

V 31 (1) Daß man sich gut auf die Prüfung vorbereitet, ist wünschenswert. – Sich gut auf die Prüfung vorzubereiten ist wünschenswert. – Es ist wünschenswert, daß man sich gut auf die Prüfung vorbereitet. – Es ist wünschenswert, sich gut auf die Prüfung vorzubereiten. (2) Daß man nach Dresden fährt, lohnt sich. – Nach Dresden zu fahren lohnt sich. – Es lohnt sich, daß man nach Dresden fährt. – Es lohnt sich, nach Dresden zu fahren. (3) ...

V 32 (1) Daß er vergeßlich ist, ... (2) Daß / ob die Mutter krank war, ... (3) Daß er siegt, ... (4) Ob er kommt, ... (5) Daß er höflich gewesen ist, ... (6) Ob sie in die Schule aufgenommen wird, ... (7) Daß / ob sie dieses Thema behandelt, ... (8) Ob er gerettet wird, ...

V 33 (1) Daß / ob / wo / wann / warum er uns besucht, ist unwichtig. Es ist unwichtig, daß / ob / wo / wann / warum er uns besucht. (2) Daß wir ihn treffen, ist schön. (3) Daß sie Milch trinken, ist gesund. (4) Den Bedarf zu analysieren ist schwierig. (5) Daß wir ihn überzeugen, / ihn zu überzeugen ist möglich. (6) Daß / ob / wo / wann / warum er uns überrascht, ist unbestimmt. (7) Daß / wohin / wann / warum er kommt, ist gewiß. (8) Daß wir auch die Zusatzliteratur lesen, / auch die Zusatzliteratur zu lesen ist ratsam.

V 34 (1) Wer kein Testat hat, ... (2) Wer seine Pflichtexemplare nicht abgeliefert hat, ... (3) ...

V 35 (1) Wir bitten ihn (darum), daß er die Rechnung bald bezahlt. – Wir bitten ihn (darum), die Rechnung bald zu bezahlen. (2) Er entscheidet sich (dafür), daß er nach Polen reist. – Er entscheidet sich (dafür), nach Polen zu reisen. (3) Der Angeklagte bestreitet (es), daß er den Diebstahl begangen hat. − Der Angeklagte bestreitet (es), den Diebstahl begangen zu haben. − Daß er den Diebstahl begangen hat, (das) bestreitet der Angeklagte. − Den Diebstahl begangen zu haben, (das) bestreitet der Angeklagte. (4) ...

V 36 (1) ..., daß / ob / wann der Student krank ist. (2) ..., daß / wann / wo die Prüfung wiederholt wird. (3) ... darauf, daß die Schüler unachtsam sind. (4) ... darüber, daß das Ergebnis der Prüfung gut ist. (5) ..., ob die Krankheit schwer / wie schwer die Krankheit ist. (6) ... darauf verlassen, daß die Studenten Vorkenntnisse haben. (7) ..., darauf, daß ein Konsulat eingerichtet wird. (8) ..., daß / ob / wann / wo er an den fakultativen Veranstaltungen teilgenommen hat.

V 37 (1) Er strebt danach, daß er immatrikuliert wird / immatrikuliert zu werden. (2) Der Vorsitzende der Kommission sagt ihm, daß / ob / wann / wo er mündlich geprüft wird. Daß / ob / wann / wo er mündlich geprüft wird, sagt ihm der Vorsitzende der Kommission. (3) Der Student befürchtet, daß er die Prüfung wiederholen muß / die Prüfung wiederholen zu müssen. Daß er die Prüfung wiederholen muß / die Prüfung wiederholen zu müssen, befürchtet der Student. (4) ...

V 38 (1) Wir haben die Überzeugung, ... (2) Die Inventur gab ihm Veranlassung, ... (3) Der Assistent hatte daran Interesse, ... (4) Wir haben keine Sicherheit, ... (5) Der Patient hat den Glauben, ... (6) Der Student stellte die Frage, ...

V 39 (1) darauf (2) (es) (3) darauf (4) − (5) (es) (6) dazu (7) (es) (8) darauf

W 1 Als ... wenn ... Als ... wenn ... Wenn ... Als ... Als ... Wenn ... Als ... wenn ... Wenn ... Als ... Wenn ... Als ... Als ... Wenn ... wenn

W 2 (1) Nachdem tagelang die Sonne gar nicht hervorgekommen ist, ist heute plötzlich ... (2) Wenn es geregnet hat, sind die Anlagen ... (3) Nachdem / Als der Schüler den Fehler gefunden hatte, meldete er sich. (4) Nachdem / Als die Verhandlungen zwischen ... abgeschlossen worden waren, wurde ein gemeinsames Kommunique herausgegeben. (5) Nachdem / Wenn die Reisegruppe in Berlin eingetroffen ist, wird sie zuerst ... (6) Wenn wir im Urlaub Mittag gegessen hatten, machten wir gewöhnlich ... (7) Nachdem / Als er sich in ... gemeldet hatte, setzte er sich ins Wartezimmer. (8) Nachdem / Wenn der Wissenschaftler seine Untersuchungen abgeschlossen hat, wird er die Ergebnisse ...

W 3 (1) erzwungen hatte (2) angetreten hatte (3) vertauschte (4) heranwuchsen (5) abgelegt hatte (6) reiste (7) antrat (8) berufen wurde

W 4 (1) Bevor / Ehe der Schüler seinen Aufsatz abgab, sah er ihn auf Fehler durch. (2) Bevor / Ehe die Ausländerin in ihre Heimat abreiste, besuchte sie noch ihren Professor. (3) Der Student arbeitet eine Gliederung aus, bevor / ehe er seine Arbeit niederschreibt. (4) Ich treffe keine Entscheidung, bevor / ehe ich nicht den ganzen Sachverhalt kenne. (5) Bevor / Ehe man die Einzelheiten bespricht, muß man das Grundsätzliche klären. (6) Ich mußte es erst sehen, bevor / ehe ich es glauben konnte. (7) Sie hat zuerst die deutsche Sprache in der Schule gelernt, bevor / ehe sie an der Universität Germanistik zu studieren begann. (8) Bevor / Ehe der Lehrer den Satz ausgesprochen hatte, wußte der Schüler schon die Lösung der Aufgabe. (9) Bevor / Ehe die Prüfungen nicht abgeschlossen sind, kann der Dozent nicht in Urlaub fahren.

W 5 (1) Bevor (ehe) die Sonne aufging, / Als die Sonne aufging, / Nachdem (als) die Sonne aufgegangen war, begannen wir mit dem Aufstieg auf den Berg. (2) Bevor (ehe) es dunkel wurde, / Als es dunkel wurde, / Nachdem (als) es dunkel geworden war, kamen wir zu einer kleinen Berghütte. (3) Bevor (ehe) der Zug einfuhr, / Als der Zug einfuhr, / Nachdem (als) der Zug eingefahren war, wurde eine Meldung über den Lautsprecher durchgegeben. (4) Bevor (ehe) es läutet, / Wenn es läutet, / Wenn es geläutet hat, betritt der Lehrer das Klassenzimmer. (5) Bevor (ehe) die Stunde beginnt, / Wenn die Stunde beginnt, / Wenn die Stunde begonnen hat, nehmen die Schüler die Hefte heraus. (6) Bevor (ehe) ich frühstücke, / Wenn ich frühstücke, / Wenn ich gefrühstückt habe, lese ich gewöhnlich die Zeitung.

W 6 (1) kenne (2) gesehen habe (3) treibt (4) repariert worden ist (5) abgeschlossen hat (6) studiert (7) ist (8) nimmt (9) eingeführt worden sind (10) angelegt worden ist (11) eröffnet worden ist

W 7 (1) ..., bis der Zug abfuhr. (2) ..., bis er die Oberschule verließ. (3) ..., solange die Prüfung dauerte. (4) ..., bis der Sohn aufwachte. (5) ..., solange er saß. (6) ..., solange das Lagerfeuer brannte. (7) ..., bis es hell wurde. (8) ..., solange er lebte.

W 8 (1) Solange (2) Sobald (3) solange (4) solange (5) solange (6) Sobald (7) Sobald (8) Sobald (9) Sobald (10) solange

W 9 (1) Während er in Berlin studierte, ... (2) ..., wenn ich frühstücke. (3) Bis er abreiste, ... (4) Als es dunkel geworden war, ... (5) Seitdem das Semester begonnen hat, ... (6) Sooft er mich besucht, ... (7) Sowie ich in Budapest angekommen bin, ... (8) Ehe der Artikel gedruckt wird, ...   (9) Seitdem die Sommerzeit eingeführt worden ist, ...   (10) Nachdem er seine Promotion abgeschlossen hat, ...   (11) ..., bevor er abreiste, ...   (12) ..., solange er dabei ist, ...   (13) ..., als er die Wohnung betrat, ...

W 10 (1) ..., indem das Gerät benutzt wird, ...   (2) ..., indem Sie die Taste „Lautsprecher" drücken, ...   (3) ..., indem sie seitlich gedreht werden, ...   (4) ..., indem der Drehgriff des Gasschalters in die Geschlossenstellung zurückgedreht wird.   (5) ..., indem der Regulierknopf verdreht wird, ...

W 11 (1) ..., indem er die Tiere entlegener Inseln mit denen der Kontinente verglich.   (2) Der Organismus reagiert auf ..., indem er Antikörper produziert.   (3) Indem der Boden Nahrungsmittel für Menschen und Tiere bietet, ist er Träger des Lebens.   (4) ..., indem die Nahrungsmittelproduktion kontinuierlich gesteigert wird.   (5) Die Erträge können beträchtlich gesteigert werden, indem eine geregelte Düngung vorgenommen wird.   (6) Man erhält gute Ernten, indem man den Pflanzenschutz organisiert.   (7) ..., indem man ihre Lebensweise studiert.

W 12 (1) Dadurch, daß ich lange krank war, habe ich viel Unterricht versäumt.   (2) Dadurch, daß sich jeder Spieler voll einsetzte, wurde das Spiel gewonnen.   (3) Dadurch, daß er sich systematisch auf die Prüfung vorbereitet hatte, brachte er es auf „sehr gut".   (4) ...

W 13 (1) Je länger wir im Ausland sind, desto / umso besser lernen wir die Sprache. Wir lernen die Sprache immer besser, je länger wir im Ausland sind.   (2) Je weniger man in der Muttersprache spricht, desto / umso schneller lernt man in der Fremdsprache denken. Man lernt in der Fremdsprache immer schneller denken, je weniger man in der Muttersprache spricht.   (3) ...

W 14 (1) ..., je nachdem, ob wir an die See oder ins Gebirge fahren.   (2) ..., je nachdem, was uns besser gefällt.   (3) ..., je nachdem, ob man die deutsche oder die tschechische Küche bevorzugt.   (4) ..., je nachdem, wieviel er kostet.   (5) ...

W 15 (1) Die Atomenergie kann, je nachdem, wie sie verwendet wird, das Leben auf der Erde bereichern oder zerstören.   (2) ..., je nachdem, wie die Richtung des Windes ist, ...   (3) ..., je nachdem, wie sein Standort ist, ...   (4) ..., je nachdem, wie die Bedingungen der verschiedenen geographischen Bereiche sind, ...   (5) Je nachdem, wie sich die Temperatur verändert, ...   (6) Je nachdem, wie schwer ihre Krankheit ist, ...

W 16 (1) ..., da / weil die Weltbevölkerung sich rasch vermehrt.   (2) Da (Weil) die Wälder ein wichtiger Klimafaktor sind, müssen sie ge-

schützt werden. (3) Da (Weil) die ackerbaulichen Bedingungen von
... unterschiedlich sind, muß man die ... (4) ..., da/weil die Wasserqualität sich verschlechterte. (5) ..., da/weil ein mildes Klima
herrscht und der Flachlandanteil hoch ist. (6) ..., da/weil die Erzla-
gerstätten erschöpft waren. (7) Da (Weil) der Silberbergbau zum Erliegen kam, wurde in vielen Orten die ...

W 17 (1) Ich muß mich sehr in acht nehmen, da (weil) ich gerade eine Grippe
hinter mir habe. (2) Das Geschäft bleibt vorläufig geschlossen, da
(weil) es renoviert wird. (3) Da (weil) die neue Wohnung sehr klein
ist, können wir nicht alle Möbel aufstellen. (4) Wir möchten unsere
Wohnung gegen eine größere tauschen, da (weil) wir nicht genug Platz
für die Kinder haben. (5) Der Ort ist sehr ruhig, da (weil) er abseits
von den großen Straßen liegt. (6) Da (weil) er die Strafe fürchtete, belog der Junge seinen Vater. (7) Da (weil) die Arbeit sehr angewachsen ist, kann der Abteilungsleiter nicht mehr alles selbst übersehen
und anleiten. (8) Da (weil) es abends kühl wird, habe ich die Jacke
mitgenommen. (9) Ich komme später, da (weil) ich noch etwas zu erledigen habe. (10) Sie sah sehr blaß aus, da (weil) sie lange krank gewesen war. (11) Er hat den Vortrag schlecht verstanden, da (weil) er
schwerhörig ist. (12) Da (weil) dichter Nebel war (herrschte), konnte
das Flugzeug nicht starten. (13) Da (weil) die Straße vereist war, fuhr
er sehr langsam. (14) Da (weil) ihr das Kleid zu weit war, hat sie es
enger gemacht. (15) Ich habe das Buch gekauft, da (weil) mein
Freund es mir empfohlen hat.

W 18 (1) Wenn er deutlich spricht, verstehe ich ihn. (2) Ich werde morgen
fahren, falls ich noch eine Platzkarte bekomme. (3) Sofern du deine
Schularbeiten erledigt hast, darfst du ins Kino gehen. (4) Ich kann
nur gut arbeiten, wenn es im Wohnheim ruhig ist. (5) Er kann die
Prüfung nur unter der Voraussetzung bestehen, daß man ihn bei der
Vorbereitung unterstützt. (6) Ich komme morgen zu dir, sofern du
nichts dagegen hast. (7) Im Falle, daß ich doch noch fahre, gebe ich
dir die Schlüssel. (8) Falls es dir nicht zu viel Mühe macht, bring mir
bitte morgen das Buch mit. (9) Ich schicke Ihnen das Buch, wenn Sie
mir Ihre Adresse schreiben.

W 19 (1) Wenn Bild oder Ton ausfallen, ist ... Wenn sich ein Gewitter nähert, sind, wenn das Gerät ausgeschaltet wird, zusätzlich die Antennenstecker zu ziehen. (2) Wenn das Heizkissen für feuchtwarme
Umschläge verwendet wird, muß ... (3) Der Automatenschalter des
Durchlauf-Wasserheizers gibt, wenn das Warmwasserzapfventil geöffnet wird, die Gaszufuhr ... sofort, wenn das Ventil geschlossen
wird. (4) ..., wenn sie aufgesetzt werden, fest angezogen werden. Das
muß geschehen, wenn der Motor stillsteht. (5) Wenn das Durchbrennen von Sicherungen sich wiederholt (Wenn Sicherungen wiederholt
durchbrennen), ist der Rasierapparat ... (6) Wenn von einem ande-

ren Tonbandgerät überspielt wird und wenn die Aufnahmen über einen Verstärker bzw. Rundfunkempfänger abgehört werden, ist der Lautstärkeregler ...

W 20 (1) Hat der Bauer sein Brot, leidet auch der Städter keine Not. (2) Läßt Gewalt sich blicken, geht das Recht auf Krücken. (3) Ist Geld die Braut, wird die Ehe selten gut. (4) Ist der Wein im Manne, ist der Verstand in der Kanne. (5) Kräht der Hahn auf dem Mist, ändert sich das Wetter, ... (6) Siehst du einen Toren, faß dich an den Ohren. (7) Bellt ein Hund, kläffen sie alle. (8) Bist du geborgen, magst du für andere sorgen. (9) Lernst du etwas, kannst du etwas. (10) Gibst du dem Boden, gibt er dir auch. (11) Hältst du Maß in allen Dingen, wird dir jedes Werk gelingen.

W 21 (1) Wenn der Name Thüringen erklingt / Erklingt der Name Thüringen, tauchen für viele ... (2) Wenn man an Thüringens Geschichte denkt / Denkt man an Thüringens Geschichte, fällt einem ... (3) Wenn wir über die Wehrgänge der Burg gehen / Gehen wir über die Wehrgänge der Burg, gelangen wir ... (4) ...

W 22 (1) Sollte nach geraumer Zeit eine Verschlechterung der Aufnahme- und Wiedergabequalität des Tonbandgeräts eintreten / Wenn nach ... eintreten sollte, sind die Tonköpfe ... (2) Sollte Ihr Kühlschrank einmal nicht laufen / Wenn Ihr Kühlschrank einmal nicht laufen sollte, überzeugen Sie sich ... (3) Sollten bei Inbetriebnahme oder nach längerem Gebrauch des Heizkissens sich an dem Kunststoffüberzug irgendwelche Beschädigungen zeigen / Wenn bei ... zeigen sollten, darf das Gerät nicht mehr ... (4) Sollte Ihr Fernsehempfang durch eine der aufgeführten Störungen laufend beeinträchtigt werden / Wenn Ihr Fernsehempfang durch ... beeinträchtigt werden sollte, benachrichtigen Sie bitte ... (5) Sollten Sie den Heimsprudler mit Leitungswasser auffüllen / Wenn Sie ... auffüllen sollten, ist es ratsam ...

W 23 (1) Der Junge ging auf das Eis, obwohl ... es der Vater verboten hatte. (2) Ich fand die Lösung des Rätsels nicht, obwohl ... ich angestrengt nachdachte. (3) Der Sportler nahm an dem Wettkampf teil, obwohl ... seine Kondition schlecht war. (4) Die Bauarbeiten gingen weiter, obwohl ... Regen einsetzte. (5) Er ist nur Vierter in der Klasse, obwohl ... er sehr gute Leistungen hat. (6) Er ging im Urlaub jeden Tag mindestens zwei bis drei Stunden spazieren, obwohl ... das Wetter schlecht war. (7) Keiner dachte bei der Geburtstagsfeier ans Heimgehen, obwohl die Zeit vorgeschritten war.

W 24 (1) Obwohl es der Vater verboten hatte, ging der Junge (doch) auf das Eis / so ging der Junge doch auf das Eis / der Junge ging (doch) auf das Eis. (2) ...

W 25 (1) Obwohl ich lange an der Aufgabe gesessen habe, konnte ich sie nicht lösen. (2) Sie hat zwei Jahre Deutsch gelernt, spricht aber nicht fließend. (3) Ich habe den Artikel aufmerksam gelesen, habe ihn aber nur halb verstanden. (4) Obwohl ich nichts von Malerei verstehe, schaue ich mir gern gute Bilder an. (5) Obwohl er sehr viel zu tun hat, möchte er gern mitkommen. (6) Ich habe mich lange mit ihm unterhalten, habe aber nichts erreicht.

W 26 (nur jeweils eine Variante) (1) Ungeachtet dessen, daß sich die Hausbewohner wiederholt beschwerten, wurde ... (2) Es drohte eine Niederlage, trotzdem spielte die Mannschaft unverdrossen weiter. (3) Trotz Verbesserung der technischen Ausrüstung des Versuchslabors haben ... (4) Die serologische Methode ist zwar wertvoll, aber (trotzdem) kann man ... (5) Trotz des Umstandes, daß das Medizinstudium hohe Anforderungen stellt, möchten ... (6) Ungeachtet der ungünstigen Zeit besuchen alle Studenten das Seminar.

W 27 (1) Auch wenn ich viel zu tun habe, besuche ich (so besuche ich doch / ich besuche doch) regelmäßig meine deutschen Bekannten. Wenn ich auch viel zu tun habe, ich besuche (so besuche ich doch) regelmäßig meine deutschen Bekannten. (2) [Auch wenn sie sehr weit draußen wohnen, gehe ich (so gehe ich doch / ich gehe doch) zu Fuß.] Wenn sie auch sehr weit draußen wohnen, ich gehe [(so) gehe ich doch] zu Fuß. (3) ...

W 28 (1) Habe ich auch viel zu tun, ich besuche regelmäßig meine deutschen Bekannten. (2) Wohnen sie auch sehr weit draußen, ich gehe zu Fuß. (3) ...

W 29 (1) vgl. Muster (2) Wie auch (wie immer / wie auch immer / wie immer auch) morgen das Wetter ist, ich kann nicht länger bleiben. (3) Wieviel Verspätung der Zug auch (immer) hat, ich werde auf dem Bahnhof auf dich warten. (4) Was sie auch (immer) von ihrer Reise erzählte, für uns war alles neu und interessant. (5) ...

W 30 (1) Wie jung und unerfahren sie auch ist (sei, sein mag, sein möge), sie erfüllt die ihr übertragenen Aufgaben zur vollsten Zufriedenheit. (2) Wie unwahrscheinlich es auch klingt (klinge, klingen mag, klingen möge), ich bin ihm schon irgendwo begegnet. (3) Wie gut die Verfilmung des Romans auch ist (sei ...), der Roman gefällt mir besser. (4) ...

W 31 (1) ..., so daß die Bücher den Benutzern in kürzester Zeit zur Verfügung stehen. (2) ..., so daß der Buchbestand wesentlich erweitert werden konnte. (3) ..., so daß man die gewünschten Buchtitel schneller finden kann. (4) ...

W 32 (1) Es ist heute so kühl, daß wir nicht baden gehen können. (2) Es war unter Mittag so heiß, daß ich zu Hause geblieben bin. (3) Es war so stürmisch, daß die Regatta abgesagt werden mußte. (4) ...

W 33 (1) ..., ohne daß es auf den Verkehr achtete. (2) ..., ohne daß bei ihm Beschwerden aufgetreten sind. (3) ..., ohne daß man wußte, ... (4) ..., ohne daß wir an eine bestimmte Entfernung gebunden sind. (5) ..., ohne daß der Verkäufer es bemerkte. (6) ..., ohne daß sein Gesundheitszustand sich wesentlich gebessert hat. (7) ..., ohne daß er einmal stockte. (8) ..., ohne daß er Beweise gab. (9) ..., ohne daß wir uns noch einmal gesehen haben.

W 34 (1) ..., ohne auf den Verkehr zu achten. (2) — (3) ..., ohne zu wissen, ... (4) ..., ohne an eine bestimmte Entfernung gebunden zu sein. (5) — (6) — (7) ..., ohne einmal zu stocken. (8) ..., ohne Beweise zu geben. (9) —

W 35 (1) Das Mädchen gab die Arbeit ab, (an)statt daß sie die Aufgaben noch einmal durchrechnete. (2) Der Student verbummelte die Zeit, (an)statt daß er sich auf die Prüfung vorbereitete. (3) Der Ausländer machte den weiten Weg zu Fuß, (an)statt daß er mit der Straßenbahn fuhr. (4) Die Kranke ging zur Arbeit, (an)statt daß sie sich zu Bett legte. (5) Der Fahrer flüchtete mit seinem Wagen, (an)statt daß er dem Verletzten half. (6) Der Arzt überließ die Untersuchung seinem Assistenten, (an)statt daß er sie selbst durchführte. (7) Der Nachbar hat das Radio selbst zu reparieren versucht, (an)statt daß er es in die Reparaturwerkstatt brachte.

W 36 (1) Das Mädchen gab die Arbeit ab, (an)statt die Aufgaben noch einmal durchzurechnen. (2) Der Student verbummelte die Zeit, (an)statt sich auf die Prüfung vorzubereiten. (3) Der Ausländer machte den weiten Weg zu Fuß, (an)statt mit der Straßenbahn zu fahren. (4) ...

W 37 (1) ..., damit sie sich die Regeln einprägen. (2) ..., um den Studenten die chemischen Prozesse zu veranschaulichen. (3) ..., damit sich die Schüler in englischer Konversation üben. (4) ..., um später Fachbücher im Original lesen zu können. (5) ..., um es zu Hause auswendig zu lernen. (6) ..., damit er den Schriftsteller kennenlernt. (7) ..., um sich auf die Prüfung vorzubereiten.

W 38 (1) ..., um Sie miteinander bekanntzumachen. (2) ..., damit die Prüfung gelingt. (3) ..., um ihm zu helfen. (4) ..., damit die Schmerzen aufhören. (5) ..., um die Prüfung zu bestehen. (6) ..., damit Sie ihn kennenlernen. (7) ..., um die genaue Abfahrtszeit des Zuges zu erfahren. (8) ..., um noch zum Zug zurechtzukommen. (9) ..., damit sie nicht vertrocknen. (10) ..., damit ich mir einen Wintermantel kaufe. (11) ..., um nicht krank zu werden. (12) ..., damit es keine

Mißverständnisse zwischen uns gibt. (13) ..., um etwas zu erreichen. (14) ..., um allein zu sein. (15) ..., damit Sie es nicht vergessen.

W 39 (1) ..., um Germanistik zu studieren. (2) ..., damit er sich an seinen Aufenthalt in Leipzig erinnert. (3) Um die Richtigkeit seiner These zu beweisen, ... (4) ..., damit er sich beruhigte (um ihn zu beruhigen). (5) Um seine Gesundheit wiederherzustellen, ... (6) Damit sich die Bürger erholen, ... (7) Damit sich die Jugendlichen sportlich betätigen, ... (8) ..., um zu trainieren. (9) Damit die Verwaltungsarbeiten erleichtert werden, ... (10) ..., um die Universitätsangehörigen zu informieren (damit sich die Universitätsangehörigen informieren). (11) Um den Verkehr besser zu kontrollieren, ... (12) Um Eisen zu schmelzen (Damit Eisen schmilzt), ... (13) ..., damit sie trocknet. (14) ..., damit er abkühlt (um ihn abzukühlen). (15) ..., damit er sich einen Mantel kauft.

W 40 (1) Während Herr Müller gern ins Gebirge fährt, fährt Frau Müller lieber ans Meer. (2) Während er es sich gern zu Hause gemütlich macht, geht sie lieber in ein Restaurant. (3) Während er ein ausgesprochener Frühaufsteher ist, bleibt sie am liebsten bis mittags im Bett. (4) ...

W 41 (1) Herr Müller fährt gern ins Gebirge, wohingegen Frau Müller lieber ans Meer fährt. (2) Er macht es sich gern zu Hause gemütlich, wohingegen sie lieber in ein Restaurant geht. (3) ...

W 42 (1) Der Pelzmantel ist ein Mantel aus Pelz, während (wohingegen) der Wintermantel ein Mantel für den Winter ist / aber (doch) der Wintermantel ist ein Mantel für den Winter / der Wintermantel jedoch (dagegen) ist ein Mantel für den Winter / im Gegensatz dazu (demgegenüber) ist der Wintermantel ein Mantel für den Winter. (2) Das Holzregal ist ein Regal aus Holz, während (wohingegen) das Bücherregal ein Regal für Bücher ist / aber (doch) das Bücherregal ...

X 1 (1) Ich habe dem Ausländer geschrieben, den ich seit dem Studium kenne. (2) Der Schüler, dessen ich mich noch gut erinnere, wohnt jetzt in Dresden. (3) Ich habe meiner Freundin, die Anglistik studiert, ein großes deutsch-englisches Wörterbuch geschenkt. (4) Der Dozent, dem wir gestern begegnet sind, hält die Lexikologie-Vorlesung. (5) Der ausländische Gast, den der Assistent betreut, möchte heute in der Bücherei arbeiten. (6) Mein Freund, dem ich einen Brief geschrieben habe, hat nicht geantwortet. (7) Die Arbeitsgruppe wird die Versuchsreihe, die sie vor einem Jahr begonnen hat, bald abschließen. (8) Der Professor unterstützt das neue Verfahren, das ihm zuerst nicht praktikabel erschien. (9) Er spricht nicht gern von Erfolgen, deren er nicht sicher ist.

X 2   (1) Der Assistent hat an der Humboldt- Universität promoviert, an der er auch studiert hat. (2) Das Thema, über das er gearbeitet hat, hat ihm sein Lehrer vorgeschlagen. (3) Sein Lehrer, auf den er sich in seiner Dissertation beruft, ist ein anerkannter Wissenschaftler. (4) Die Experimente, über die er in seiner Arbeit berichtet, sind erfolgreich verlaufen. (5) Die Thesen, von denen er ausgeht, sind in der Wissenschaft noch umstritten. (6) Seine Verteidigung, auf die er sich gründlich vorbereitet hatte, war ein großer Erfolg.

X 3   (1) Seine Eltern, in deren Haus ich die Ferien verbrachte, sind Rentner. (2) Mein Zimmer, dessen Fenster nach Süden gingen, lag im ersten Stock. (3) Wir saßen oft in dem großen Garten, dessen Bäume voller Äpfel und Birnen hingen. (4) An heißen Tagen badeten wir in einem kleinen See, dessen Wasser kalt und klar war. (5) Wir bestiegen auch einige Berge, von deren Gipfeln man eine schöne Aussicht hat. (6) Eine Autofahrt, deren Ziel mir mein Freund zunächst verheimlichte, führte uns in die nahe Kreisstadt. (7) Hier besuchten wir das Geburtshaus eines bekannten Dichters, von dessen Werken mir mein Freund erzählte.

X 4   (1) Die Studenten, deren Examen abgeschlossen ist, fahren nach Hause. (2) Die Kommilitonen unterstützen die Studentin, deren Kind oft krank ist. (3) Der Student hat den Prüfungsbetrug, dessen man ihn beschuldigt, nicht begangen. (4) Der Dozent ermahnte einen Studenten, mit dessen Leistungen er unzufrieden war. (5) Ich bin von seinen sportlichen Erfolgen, deren er sich rühmt, nicht überzeugt. (6) Die Abschlußfeier, an deren Vorbereitung alle Schüler teilgenommen hatten, war ein großer Erfolg. (7) Im Sanatorium hatte sie die notwendige Ruhe und Pflege, deren sie nach der schweren Operation bedurfte. (8) Er hat alle Lieder gesammelt, deren er habhaft wurde.

X 5   (1) Ich, der ich hier geboren bin, liebe ... (2) Ich, dem die Stadt ans Herz gewachsen ist, werde ... (3) Du, dem es doch sonst nicht an Mut fehlt, solltest ... (4) Du, der du vier Jahre Germanistik studiert hast, darfst ... (5) Sie, der Sie ein erfahrener Autofahrer sind, hätten ... (6) Ich habe von Ihnen, die Sie in jeder Prüfung unter den Ersten waren, mehr erwartet. (7) Ich glaube dir, der du stets aufrichtig warst, auch in dieser Frage. (8) Ich, dem es vor der Prüfung so sehr gegraut hatte, konnte ...

X 6   (1) woher (von wo)   (2) in dem / wo   (3) an der / wo   (4) wo   (5) in das (nach dem) / wohin   (6) wo ... von dem / von wo

X 7 (1) in der/als (2) an dem/als (3) an dem/wenn (4) an dem/ als (5) als (6) wenn (7) in der/als

X 8 (1) ..., wie ich es auch brauche. (2) ... Tonbandgerät, auf dem noch Garantie ist, ... (3) ..., das ausverkauft war. (4) ..., wie man es selten zu hören bekommt. (5) ..., wie sie sonst nicht üblich sind. (6) ..., die grafisch gut gestaltet sind. (7) ... Aufnahmequalität, die von allen anerkannt wird, ... (8) ..., wie sie bisher nicht erreicht wurde.

X 9 (1) Derjenige, der sehr gute Leistungen im Deutschunterricht hat, (der) kann ... Wer sehr gute Leistungen ... hat, (der) kann ... (2) Derjenige, der die schriftliche Prüfung nicht bestanden hat, (der) wird ... Wer die schriftliche Prüfung nicht bestanden hat, (der) wird ... (3) Demjenigen, der in der schriftlichen Prüfung ein „Sehr gut" hat, (dem) wird ... Wer in der schriftlichen Prüfung ein „Sehr gut" hat, dem wird ... (4) Denjenigen, der einen Betrugsversuch begangen hat, (den) schließt ... Wer einen Betrugsversuch begangen hat, den schließt ... (5) Derjenige, der alle Teilprüfungen erfolgreich abgelegt hat, (der) erhält ... Wer alle Teilprüfungen erfolgreich abgelegt hat, (der) erhält ... (6) Derjenige, der die Sprachprüfungen nicht abgelegt hat, (der) erhält ... Wer die Sprachprüfungen nicht abgelegt hat, (der) erhält ... (7) Demjenigen, der in allen Fächern ein „Sehr gut" hat, (dem) wird ... Wer in allen Fächern ... hat, dem wird ...

X 10 (1) was mich ärgert/worüber (über das) ich mich ärgere. (2) worüber (über das) er sich aufregen könnte/was ihn aufregen könnte. (3) wovon (von dem) ich überrascht war/was mich überraschte. (4) was Kinder am meisten freut/worüber (über das) sich Kinder am meisten freuen. (5) worüber (über das) er sich zunächst wunderte/was ihn zunächst wunderte. (6) was sie ängstigen könnte/worüber (über das) sie sich ängstigen könnten. (7) worüber (über das) wir erstaunt waren/was uns erstaunte. (8) worüber (über das) sich alle entrüsteten/was alle entrüstete.

X 11 (1) was ich bezweifle/woran (an dem) ich zweifle. (2) woran (an das) wir bei dem Experiment denken müssen/was wir bei dem Experiment bedenken müssen. (3) worauf (auf das) wir bei dem Experiment achten müssen/was wir bei dem Experiment beachten müssen. (4) was er erbeten hatte/worum (um das) er gebeten hatte. (5) worauf (auf das) ich nicht antworten konnte/was ich nicht beantworten konnte. (6) worauf (auf das) die Kinder vor allem gewartet hatten/was die Kinder vor allem erwartet hatten. (7) was noch niemand bearbeitet hat/worüber (über das) bzw. woran (an dem) noch niemand gearbeitet hat. (8) worüber (über das) wir sprechen müssen/ was wir besprechen müssen.

X 12 (1) das (2) was (3) was (4) das (5) das (6) was

X 13 (1) was mich wundert / worüber ich mich wundere. (2) worüber sich
alle ärgern / was alle ärgert. (3) was der Lehrer bezweifelt / woran
der Lehrer zweifelt. (4) worüber ich mich gefreut habe / was mich gefreut hat. (5) was mich überrascht hat / wovon ich überrascht war.

X 14 (1) . . ., was sein Publikum überrascht hat. (2) . . ., wofür sich alle Theaterfreunde interessierten. (3) . . ., wodurch das große Interesse hervorgerufen wurde. (4) . . ., was im ganzen Stück deutlich wird. (5) . . .,
was vor allem an der Führung der Schauspieler zu merken ist.

X 15 (1) Als Vorbild für die Kostüme dienten Volkstrachten, was die volkstümliche Tradition betonte. (2) Es wurde viel natürliches Material
verwendet, wodurch die Ausstattung auch sehr volkstümlich
wirkte. (3) Das Bühnenbild war sehr wirkungsvoll, wozu die Verwendung von Fotomontagen beitrug. (4) Die Bauern wurden in aller Realistik dargestellt, was dem Publikum sehr gefiel. (5) Das Stück ist
bereits mehr als fünfzigmal gelaufen, worin sich auch der Erfolg der
Aufführung zeigt.